#5

DEN HEDERVÄRDE MÖRDAREN

Jan Guillou

DEN HEDERVÄRDE MÖRDAREN

NORSTEDTS

Jan Guillou
Om kriget kommer, 1971
Det stora avslöjandet, 1974
Journalistik, 1976
Irak — det nya Arabien (med Marina Stagh), 1977
Artister (med Jan Håkan Dahlström), 1979
Reporter, 1979
Ondskan, 1981
Berättelser från det Nya Riket (med Göran Skytte), 1982
Justitiemord, 1983
Nya Berättelser (med Göran Skytte), 1984
Coq Rouge, 1986
Den demokratiske terroristen, 1987
I nationens intresse, 1988
Fiendens fiende, 1989
Reporter (reviderad nyutgåva), 1989
Åsikter 1990

ISBN 91-1-902042-2
© Jan Guillou 1990
Norstedts Förlag, Stockholm
Sättning FaktorsTjänst AB, Malmö
ScandBook AB, Falun 1990

1

Hakkorset hade skurits in i bröstet på honom innan han dog. Mordet hade genomförts i en närmast otroligt beslutsam hatiskhet, som en långsam ritual, där mördaren eller mördarna hållit sitt offer levande länge för att kunna tillfoga så mycket smärta och förödmjukelse som möjligt.

Åtminstone var det Rune Janssons spontana gissning nu när han ännu knappt hämtat andan. Rättsläkare och tekniker skulle få många frågor att svara på.

Han tvingade sig att sluta se på den döde och lät blicken glida runt i rummet. Det glödde svagt inne i den öppna spisen. Det fanns inga spår av strid i rummet. Var det alltså flera gärningsmän? Nej, det kunde man inte ha någon uppfattning om, mördaren eller mördarna hade ju uppenbarligen varit beväpnade.

Äkta mattor, porträttmålningar i olja med guldram runt väggarna. En av målningarna föreställde den döde i generalsuniform för kanske tjugo år sen, en typisk generalsbild, fast haka, sned profil, örnblick, allt det där.

Det luktade piss i rummet.

Rune Jansson såg automatiskt ner under den dödes stol. Nej, han hade inte pissat på sig. Men en meter från Rune Janssons plastöverdragna fötter låg en generalsuniform, som på parad framför den döde. Någon, som inte kunde ha varit offret självt, hade pissat på uniformen.

Och så hakkorset.

Rune Jansson gick närmare den döde mannen i stolen. Mördaren eller mördarna hade fläkt upp skjortan under rökrocken och blottat hela det gråhåriga bröstet på sitt offer. Med ett sannolikt mycket vasst eggverktyg, som det skulle stå i morgondagens utskrifter, hade gärningsmannen alternativt gärningsmännen skurit in bilden av ett hakkors över offrets bröstparti och under hakkorset två kantiga bokstäver som formade ordet ED.

Såvitt Rune Jansson kunde se var offret skjutet med fem skott, varav fyra avsiktligen icke dödande. Det dödande skottet hade avfyrats på inget avstånd alls. Någon hade placerat en vapenmynning mot offrets näsa, riktat snett uppåt och sen tryckt av.

Vävnadsresterna hade spritts fem meter bakåt och ungefär två meter åt sidorna.

Vävnadsresterna, tänkte Rune Jansson.

Det heter så, jag är polis, det här är mitt jobb, jag måste tänka klart och vi ska ta den jäveln som har gjort det här, därför måste jag tänka klart.

Han tog ett par försiktiga steg bakåt och såg sig noga om så att han inte trampade på annat än den äkta mattan. Så försökte han klä sitt första spontana intryck i olika scener.

De kommer in och de är beväpnade och kan därför omedelbart ta kontroll över situationen. Offret, som är gammal militär, gör inte motstånd inför den väpnade övermakten, eller hur han skulle formulera det.

De binder honom vid den engelska läderfåtöljen, de är alltså två åtminstone, eftersom man inte gärna lägger ifrån sig sitt vapen för att binda någon, och använder hans slips och skärpet till rökrocken. Fixerar handlederna vid stolskarmarna.

Sen går någon av dem och letar fram offrets gamla uniform, eller de frågar honom var den finns. Kastar upp uniformen här framför honom och pissar på den; SKL får väl avgöra om det är en eller två personers piss; inte särskilt proffsigt att lämna urinprov på platsen; de här mördarnas beslutsamhet och hat är större än deras vilja att komma undan.

Vem som helst förstår väl ändå den tänkbara risken med att lämna urinprov på brottsplatsen?

De pissar alltså på hans uniform. På eklöven, på generalsstjärnorna, på de där färgklickarna vad de nu heter. Sen börjar de sakta skjuta honom till döds. Det måste ha gjort ohyggligt ont, hur i helvete kunde mannen stanna kvar vid medvetande?

Först nedanför ena axeln, på några centimeters håll, man ser ju krutstänken tydligt vid ingångshålet. Sen, ja det är bara gissning, sen ena knäskålen och nu gör det ordentligt ont, det första kändes nog inte alls på grund av chocken.

Sen andra axeln, sen andra knäskålen; de måste ha varit säkra på att de inte skulle bli störda. Nej förresten, de här mördarna tänker inte nödvändigtvis så, det här är hämnd och hat, ett otroligt hat.

Varför har han glasögonen på sig fortfarande?

Om han fortfarande var vid medvetande när de sköt honom först genom det ena knäet och sen genom det andra så måste han ju ha kastat och krängt med överkroppen. Ändå sitter glasögonen kvar.

Nej, det återstår ju en hel del.

Han är oförmögen att röra sig men vid medvetande. Nu blottar de hans bröst och karvar in hakkorset och de där bokstäverna — har han svikit en ed någon gång? — och sen vill de att han ska ha glasögon, de hämtar glasögonen vid exempelvis skrivbordet. Nej, det ligger en tidning bredvid stolen; vi rättar oss.

De tar upp glasögonen från golvet och sätter på honom dem. Det är läsglasögon, de låg väl på tidningen. Han kunde se dem och framför allt höra dem utan glasögon.

De vill att han ska läsa något. Innan han dör ska han få läsa den ed han har svikit?

Nå, eller nåt i den stilen, han ska i alla fall läsa innan han dör.

När han har läst så håller en av gärningsmännen upp dokumentet framför honom med ena handen, talar till sitt offer, trycker upp pistolen eller revolvern eller vad han nu använder mot offrets näsa.

Några sista ord, förbannelser eller svordomar eller hånfullheter och så trycker mördaren av.

De städar inte efter sig. De bara lämnar honom, med de nedstänkta och nerblodade glasögonen på sned. Det är allt man kan se just nu och förresten kanske allt är fel, det får vi se när teknikerna gjort sitt.

"Är teknikerna på väg?" frågade Rune Jansson med sitt nya lite korta tonfall som hans fru påstod hade kommit med chefsutnämningen.

"Jadå, och jag ringde rättskvacken i Linköping också, dom är på väg hela gänget. Är väl här om tjuge minuter eller så", svarade den uniformerade polismannen borta vid dörren med en trasslig av-spärrningslina i rött och vitt mellan tänderna.

"Rättskvacken?" frågade Rune Jansson.

"Rättsläkaren alltså, förlåt om jag..."

"Jo jag vet. Men hans jobb kommer ju senare."

"Jo, men det här är ju så speciellt och jag tänkte att han kanske vil-le se det hela på plats så att säga. I alla fall verkade han själv intresse-rad och stack från en middag och... ja."

"Rätt tänkt. Vad heter du förresten?"

"Arne. Arne Johansson."

"Du kom först till platsen?"

"Ja, några minuter före ambulanspersonalen. Hon, änkan alltså, hade ju slagit 90 000."

"Mm. Var är hon nu? Är det nån annan i huset?"

"Nä, bara hon. I köket, ambulansmännen håller i henne."

"Håller i henne?"

"Ja, försöker lugna henne och proppa i henne nåt. Hon vill abso-lut tala med nån chef så det är kanske bäst att du...?"

"Ja. I köket sa du. Var ligger det?"

"På nedre botten."

"Jo, det förstås. Men var på nedre botten?"

"Ut genom hallen, andra dörren till vänster genom en serverings-gång och så bara följ ljudet."

"Ljudet?"

"Ja, käringen, förlåt änkan, är förbannad. Är väl chocken."

Rune Jansson trängde sig förbi den uniformerade polisen och tog av sig plastskydden från skorna innan han fortsatte i den angivna färdriktningen. I den dunkla serveringsgången hörde han mycket riktigt en hög kvinnlig röst, inte alls hysterisk men hög.

Han knackade försiktigt på den halvöppna köksdörren innan han steg in. Vid bordet, ett stort köksbord i massiv furu mitt i det förvånansvärt moderna och storstadsaktiga köket satt tre personer, två ambulansmän i vitt och orange och så hon.

Hon utstrålade styrka snarare än sorg och desperation. Något li-tet smink hade runnit vid ögonen, men hon satt rak i ryggen en bit från bordet i en kroppsställning som visade på starkt ogillande. Framför henne låg två vita piller och bredvid stod ett glas vatten.

8

"Absolut inte har jag sagt, och förresten vem är ni?" sa hon och vände sig mot Rune Jansson.

"Jag heter Rune Jansson och jag är chef för kriminalpolisen i Norrköping", svarade han och kom på sig själv med att för första gången någonsin ha presenterat sig så.

"Så ni är chef för dom här figurerna", kommenderade snarare än frågade den gråhåriga damen.

"Nej, dom är ambulanspersonal och ..."

"Kan ni i alla fall säga åt dom att jag äter inte sånt där!"

Rune Jansson kastade en frågande blick på den närmaste av ambulansmännen men fick bara en axelryckning till svar.

"Ni har väl inget mer att göra här just nu?" sa han i riktning mot dem båda.

"Nej, det är ju inget akut... det här tar väl lite tid så det är väl lika bra att vi...?" svarade den äldre av dem.

"Mm", sa Rune Jansson, "vi får tacka för er hjälp så länge."

De båda ambulansmännen bugade sig generat artigt mot den gråhåriga damen och reste sig men hann inte så långt på väg ut.

"Ett ögonblick mina herrar! Ett litet ögonblick bara."

Hon talade med tillkämpad röst men som om hon förutsatte att bli omedelbart åtlydd. Hon var gift med en general också, hann Rune Jansson tänka. De två ambulansmännen hade stelnat i rörelsen, den ena halvvägs på väg upp. Hon tog ett djupt andetag innan hon fortsatte.

"Ni menar väl inte... ni menar väl inte att min man ska behöva sitta kvar på det där viset?"

Rune Jansson nickade kort åt de två ambulansmännen som bugande drog sig mot dörren.

"Snälla fru Klintén... jag har svårt att uttrycka det som vi alla... inför en situation som den här...", sa Rune Jansson och satte sig på en av de lediga stolarna. Och så drog han efter andan för att kunna fortsätta men hann inte en stavelse innan hennes ord träffade honom som en örfil.

"*af* Klintén."

"Förlåt?"

"Herta af Klintén heter jag. Inte Klintén."

"Jag ber så mycket om ursäkt."

"Varsågod och sitt förresten."

Rune Jansson tvingade sig att tänka efter en stund för att inse att det var en ironi. Han hade ingen som helst vilja att bemöta den. "Tack så mycket", sa han. "Jo jag försökte säga att..."

"Ni är alltså chef för polisen i Norrköping?"

"Nej, jag är chef för kriminalavdelningen."

"Då kan ni besluta vad man från och med nu gör med min man?"

"Dom närmaste timmarna, ja."

"Se då till att få honom till sjukhus omedelbart."

Rune Jansson sökte hennes blick. Hon hade en mycket fast blick. Han kom att tänka på engelsk adel, vilket ändå var orimligt eftersom han inte haft annan kontakt med engelsk adel än vad man kunde få i sådana TV-serier som hans fru gärna såg på.

Någonstans inom henne fanns en oändlig sorg och en oändlig smärta. Hennes man såg ut att vara i 85-årsåldern, hon själv kanske tio år yngre. De hade levt ett människoliv tillsammans. Nu sen några timmar var hon ensam. Men nästan ingenting av det hon måste känna visade hon.

"Snälla fru af Klintén, jag är inte säker på att jag kan förstå den sorg och... och hur mycket det gör ont i er nu. Jag kan bara säga att jag *försöker* förstå det och att jag vill göra allt jag kan för att..."

"Se då genast till att han inte blir kvar där i stolen", avbröt hon med en inte ens tillkämpad snärt i tonfallet.

"Nej", svarade Rune Jansson och gjorde en paus medan han bestämde sig för att byta taktik. "Jag är polis och mitt jobb är att uppspåra dom som gjorde det här mot er man och se till att få dom dömda."

Han rodnade över sin klumpiga formulering. Polisen skall inte se till att få någon dömd. Bara uppspåra och lägga fram bevis. Alla dessa kvällskurser i juridik, alla dessa möten med nedlåtande professorer som inte kunde avhålla sig från en föraktfull glimt i ögat inför en privattenterande landsortspolis och så en sån formulering som... ja, vad spelade det för roll. Situationen var inte teoretisk utan praktisk och dessutom outhärdlig. Det var riktig juridik i stället för professorernas juridik.

"Jo, jag förutsätter förstås att herr polischefen gör sitt jobb, men jag kräver nu helt enkelt att min man behandlas på ett värdigt sätt här i mitt och hans eget hem."

Hon hade mörkbruna ögon och Rune Jansson ansåg att tonfallet i hennes blick borde ha passat bättre till mycket ljust blå eller grå ögon, mer åt det stålaktiga hållet.

"Jo", svarade han dröjande. "Jag kan förstå era känslor och jag har respekt för dom. Men ni måste också förstå att vi måste samla upp alla bevis vi kan, och då måste vi ta en del bilder bland annat innan vi..."

"Kommer min man att obduceras?"

"Ja, utan tvekan."

"Det emotsätter jag mej."

"Snälla fru af Klintén..."

"*Snälla* mej inte!"

"Jo. Snälla fru af Klintén. Det här kommer att ta några timmar, men det måste göras och..."

"Har ni laglig rätt att hindra mej om jag nu går in och lägger min man i en mer vilsam ställning och täcker över honom?"

"Ja."

"Skulle ni hindra mej med våld? Här i mitt eget hem?"

"Nej."

Rune Jansson sänkte blicken. Han skämdes alltid när han ljög, även om det var tjänstelögn.

"Nå", fortsatte den hårda damen, eller den mycket samlade damen, "vad gör vi nu? Måste jag förresten äta upp dom där pillrena också?"

"Nej,. Ni förefaller inte ha något behov av det. Jag antar att det är något lugnande, men ambulansmännen ville nog bara väl."

"Är det här lagligt?"

"Förlåt vad?"

"Att proppa i folk som just skall förhöras sånt här... sånt här *nedåttjack?*"

"Det kan jag faktiskt inte svara på", sa Rune Jansson och gjorde en kort paus för att kväva sin muntra överraskning över hennes ordval, "men vad vi gör nu är följande. Vi har teknisk personal på väg hit som kommer att genomsöka det rum som... där brottet ägde rum. Vi kommer att ta bilder och leta efter spår och när det är klart kommer en ny ambulans och hämtar er man."

"Och sen kommer han att obduceras?"

"Ja."

"Och det har stor betydelse för... för era efterforskningar?"

"Ja. Ja utan tvekan."

"Och vad gör vi nu? Ursäkta mej ett ögonblick."

Hon svepte ner de två vita pillren i handflatan och tog dem tillsammans med vattenglaset bort till vasken där hon slog ner alltsammans innan hon återvände till sin plats. När hon satte sig ner rättade hon till sin knut i nacken.

En märklig kvinna, tänkte Rune Jansson.

"Jo, det vi gör nu är följande. Bor ni förresten ensam här?"

"Ja. Numera."

"Förlåt, jag menade inte så. Men har ni barn eller nära släktingar och var finns dom?"

"Vi har en strängt upptagen son i Stockholm."

"Har ni hans telefonnummer?"

"Ja, naturligtvis."

"Har ni ringt honom?"

"Nej... jag..."

Plötsligt och äntligen brast det för henne. För Rune Jansson kom det som en lättnad.

Men hon torkade snabbt bort det som kunde ha varit tårar.

"Jag tror han bör komma hit nu. Vill ni att jag ska ringa honom så gör jag det", sa Rune Jansson med omedvetet sänkt tonfall.

Hon reste sig utan att säga något och gick fram till en pappersrulle för minnesanteckningar som hängde bredvid spiskåpan, tog ner en penna från en hållare och skrev ett telefonnummer och namn som hon sen utan ett ord återvände med och la framför Rune Jansson.

"Ursäkta mej ett ögonblick. Var finns det telefon?" frågade han.

"Dels i rummet där... ja, och så i biblioteket. Två dörrar till vänster om rummet där..."

Rune Jansson tog telefonlappen och när han såg på den insåg han att samtalet skulle bli förhållandevis lätt. Hon hade skrivit titel på sin son. *Hovrättsråd* Gustaf Eugén af Klintén.

Han klarade av samtalet på mindre än två minuter och sen var sonen på väg.

"Er son är här om ungefär en och en halv timme", sa han när han återvände och satte sig ner utan att bli ombedd. Sen ändrade han sig till två timmar med tanke på väglag och vad en polis ändå bör föreslå med hänsyn till lagligheten i trafiken.

"Jag måste som ni förstår ställa en del frågor redan nu", fortsatte han mer affärsmässigt och väntade sig inte att bli avbruten innan han gick vidare.

"Som till exempel var var jag mellan klockan 18:30 och 19:30 idag", föreslog hon med sammanpressade läppar.

"Ja, till exempel."

"Så det här är ett förhör plötsligt?"

"Ja, det kallas så."

"Ni kan väl ändå inte mena att ni behandlar mej som misstänkt?"

"Nej. Ni kan inte ha begått brottet eftersom..."

"Hur kan ni veta det?"

"Eftersom jag är polis, det är mitt jobb. Men om ni var borta mellan klockan, som ni sa, 18:30 och 19:30 så är det en viktig upplysning. Stämmer det?"

"Ja, jag hade ett ärende inne i Norrköping."

"Ni lämnade er man i huset när ni for in till Norrköping?"

"Ja, han hade tänt brasan där i brasrummet där..."

"Jag förstår. Vem hatade er man så gränslöst, vet ni det?"

"Ingen hatade min man."

"Jo fru af Klintén. Någon hatade er man mer än vad både ni och jag ens kan föreställa oss. Har ni ingen ringaste aning om vem?"

"Nej. Men det där kommer väl inte ut, det får helt enkelt inte komma ut."

"Förlåt, hur menar ni? När det gäller såna här brott är jag rädd att..."

"Jag menar det där med... med svastikan. Det är ju så skamligt, man kunde tro att..."

"Nej, för oss är det viktigt att det inte kommer ut. Det är ingen garanti men det är viktigt för oss att det inte kommer ut. Men hur menar ni, man kunde tro vadå?"

Hon samlade sig länge innan hon svarade. Rune Jansson kunde inte låta bli att beundra henne samtidigt som han intuitivt kände avsmak för hennes samlade uppträdande. Han skulle inte vilja att hans egen hustru uppträdde på det viset om han själv hade suttit där inne i fåtöljen.

* * *

13

Det var på väg mot en stormig natt på Café Opera, vilket var full-komligt normalt eftersom det var fredagskväll, den värsta kvällen; där fanns mer eller mindre bekanta popsångare eller åtminstone de-ras musiker eller åtminstone deras påstådda bekanta eller deras mu-sikers påstådda bekanta, mindre berömda skådespelare eftersom de berömda skådespelarna skulle komma först senare, små eller stora börskometer, någon enstaka miljardär, fastighetsskojare, torpeder från den undre världen, samhällskritiska journalister för närvaran-de ur tjänst, en tämligen berusad och mycket berömd kriminolog, horder av små och sannolikt mycket unga blondiner, enstaka nar-kotikaförsäljare, en synnerligen framgångsrik konstnär som doppa-de hundralappar i rödvin och åt upp dem en i taget under högljudda smackanden, och vid den långa bardisken stod en blandning av det som på svenska brukar kallas vanligt folk, det vill säga personer som var anställda någonstans och arbetade mot månadslön och där-ibland yngre män med mörka teflonglänsande kostymer och lätt nerdragna slipsknutar och portabel telefon i ena kavajfickan för att understryka sin oändligt dyrbara affärstid även fredagskvällar.

Stockholms inneställe som vanligt, alltså.

Två av de kostymklädda unga männen vid bardisken avvek svagt från sin omgivning genom avsaknaden av guldklockor eller andra nyrikedomsattribut samt en lägre alkoholhalt och mer lågmäld konversation.

De var djupt inbegripna i en militärhistorisk diskussion. En av dem var jättelik och talade finlandssvenska och han försökte över-tyga sin normalväxte men i kontrasten nästan dvärgliknande vän i en fråga om svek och förräderi.

"Femtonhundra satans stridsvagnar, sjuttitusen döda och ett hundra och femtiotusen sårade investerade Stalin och vi fick betala med minst adertontusen döda, medan ni svek oss tre gånger, det är ju för helvete så att man kommer att tänka på Petrus som svek tre gånger innan hanen gol", sa jätten i ett lågt verserat tonfall som stod i stark kontrast till hans ord.

"Visst. Men Petrus svek i så fall den han minst ville svika och det är dessutom absurt att tala om ni och vi, det är ju mer än femti år sen, du och jag föddes ungefär tjugo år senare. Vi är oskyldiga, oskyldiga ungefär som om vi var tyskar i samma ålder", svarade svensken i samma låga verserade tonfall.

"Tre gånger svek Sverige", fortsatte jätten sammanbitet, "tre gånger svek den där Per Albin som är er nationalhjälte från kriget. Han ville inte ens försvara Åland den jäveln, tre gånger nekade han till det. Och när engelsmännen och fransmännen ville transitera undsättning genom Sverige så nekade den jäveln då också, fast det gick så bra med dom där tyska trupperna lite senare. Ni satsade på tysk seger i hela satans kriget, det var er neutralitet, ni hade fått en liten svart satans svastika mitt i det gula korset som tack för visad neutralitet av tysk typ, det är hela saken."

"Visst. Men för det första svär jag mej fortfarande fri från skuld, född 1959 som jag är, och för det andra förstår jag inte varför du gnäller. Estland, Lettland och Litauen gjorde inte motstånd som ni, förlåt jag menar som dina *satans* förfäder. Om ni gjort som dom hade ni tillhört segrarna i kriget men blivit Sovjetrepublik. I stället var ni dom enda som klarade er, så vad gnäller du för?"

"Nåjo. Och så Afghanistan. Finland och Afghanistan är dom enda som stått emot och... fast ids int blanda bort korten nu."

"Jag blandar inte bort korten, men du kunde lika gärna ha diskuterat Hannibals tåg över Alperna med mej eller 30-åriga kriget eller hur Skåne blev svenskt eller korstågen mot Finland. Jag är oskyldig. *Repeat, I am innocent.*"

De var vid en punkt i diskussionen där det fanns flera valmöjligheter. De kunde beställa in mera öl och låta allt börja om. De kunde byta samtalsämne eller de kunde gå hem.

"Hur kommer det sej att du är svensk? Det har jag egentligen aldrig förstått", sa svensken.

"Jono. Det började vid Suomussalmi, men det vet väl inte en liten saatans *hurri* som du vad det är heller?" svarade jätten dolskt.

"Nej, men det ligger förstås vid Breitenfeld eller Lützen eller nåt i den stilen."

"Ids int jävlas. Det var Vinterkriget."

"Det var det jag menade, ungefär 20 år innan du föddes, så det var väl *int* där du blev svensk?"

"Ids int jävlas. Det är en rådig historia."

"*Nåjo.* Shoot, jag menar, vi befinner oss alltså i Vinterkriget?"

"Far var löjtnant, stamanställd. Vid Suomussalmi inringade dom och förintade en hel sovjetisk division. Och när bolsjevikerna skickade en ny division till undsättning så slog dom den också. Far fick

15

frihetskorset, 2:a klass med svärd."

"Det var som fan. Och därför blev du svensk?"

"Kan du int för saatans helvete ta det här allvarligt!"

"Jo. Din far fick Frihetskorset, det är väl ungefär som konungens medalj för tapperhet till sjöss, men vad hände sen?"

Den blonde jätten tog ett djupt andetag som om han koncentrerade sig på att inte bli förbannad innan han fortsatte.

"Jo. Far var motståndare till fortsättningskriget. Int för att han hade något emot att återerövra finskt land utan på grund av vilken sida vi hamnade på i kriget."

"På nazisternas."

"Jo."

"Men finska officerare vid den tiden var väl fullt beredda att sluta förbund med djävulen bara förbundet riktade sig mot bolsjevikerna, som du säger?"

De blev avbrutna av den berusade och mycket berömde kriminologen som nu likt en valrosshane trängde sig fram mot bardisken bland de tätt sammanpackade kostymklädda. Det hade funnits en två decimeter bred lucka mellan de två män som avhandlade ett krig för 51 år sen och därför föstes de nu ifrån varandra som svallvågorna runt en farygsstäv.

"Herrarna får ursäkta men jag har ett ärende av yttersta vikt", mumlade kriminologen åt dem och sträckte sig sen fram för att hugga en av barmännen i kragen, missade men hade ändå lyckats klargöra sin avsikt att vilja beställa något.

"Var fan är mina flaskor Dompan? Jag beställde två flaskor Dom Perignon för mer än en halvtimme sen!" sa kriminologen med ett förvånansvärt kränkt tonfall.

"Jag skulle föreslå att du talade med den tjej som har ditt bord", svarade barmannen avmätt.

"Du står på min fot", sa den finlandssvenske jätten mellan sammanbitna tänder.

"Åh förlåt, jag ska strax avlägsna foten, bara jag får klara av den här beställningen", svarade kriminologen snabbt för att efter ett kort ögonkast på jätten vars fot han stod på besluta sig för att mer omgående än antytt ta bort sin egen något olyckligt placerade fot. Vid hans korta tvekan avvek barmannen långt utom räckhåll för att börja tappa upp öl och samtidigt jublades det vid kriminologens bord där den första champagnekorken smällde.

"Ni ser, man behöver bara gå fram och stampa på någons fot så ordnar dom serveringen", sa kriminologen halvt ursäktande mot den vars fot han stått på, upptäckte plötsligt något när han såg snett uppåt i jättens ansikte och såg sen snabbt forskande på den andre som befann sig något under hans egen ansiktshöjd.

"Men det var ju mycket intressant", fortsatte han sen vänligt. "Mycket intressant. Men eftersom herrarna är jägare så skulle det glädja mej utomordentligt om jag finge gengälda denna lilla incident med ett glas Dompan här vid bordet bakom."

"Vi är ändå inte mycket för jakthistorier på krog, men vad får dej att tro att vi är jägare", svarade den normalstore svensken snabbt och vaksamt.

"Mej lurar ni inte", log kriminologen lyckligt. Och så pekade han menande på några punkter först i den enes och sen i den andres panna i trakten kring ögonbrynen.

"Antingen har ni skjutit helvetets mycket eller också sensationellt dåligt, särskilt med tanke på att ni i så fall upprepat dåligheterna", sa kriminologen och sen plöjde han sig utan vidare spisning tillbaks genom trängseln mot sitt bord dit han anlände lagom för serveringen.

"Det är dom där märkena efter kikarsiktena, inte många som ser sånt", konstaterade svensken lågt, nästan som om han viskade.

"Jo men då är vi väl jägare", sa finlandssvensken torrt. "Fast om jag får fortsätta?"

"Jodå, efter slaget vid Suomalainen blev din far antinazist. Och?"

"*Suomussalmi*. Han int blev, han *var* antinazist bland annat därför att han var gift med en judisk kvinna."

"Det kan inte ha varit vanligt i Ekenäs?"

"Vi, ja det vill säga han och hans fru bodde i Helsingfors på den tiden. Nej, det var saatans ovanligt. Men som det nu var emigrerade han till Sverige och blev snabbt svensk medborgare när fortsättningskriget seglade upp."

"En stamanställd officer i krig? Det går väl inte?"

"Nej int går det. Men det går int heller att ställa nån som fått Frihetskorset inför krigsrätt.

"Så 1941 flyttade han till Sverige och blev svensk?"

"Jo."

17

"Och gifte sen om sej med en yngre kvinna som kanske var finlandssvensk?"

"Jo."

"Men sen flyttade han tillbaks till Finland och bosatte sig i Ekenäs?"

"Jo."

"Och där föddes du, i Finland men med svensk far så att du blev svensk?"

"Jo."

"Bra sätt att föra samtal det här, det går mycket fortare. Så när du skulle göra lumpen så kunde du antingen vägra som utlandssvensk eller..."

"Det var int tal om att vägra som du vet."

"Nej, det är vi ju några som minns. Men sen flyttade ni tillbaks till Sverige i alla fall?"

"Jo."

"Bra, full rapport avlagd. På grund av din fars insatser vid Suom..."

"Suomussalmi."

"Ja just det. Alltså blev du svensk fastän du är finlandssvensk. Dags att gå innan nån mer ställler sej på din fot, eller ännu värre, på min fot?"

"Jo."

De kände sig avslagna och röken sved i ögonen på dem så att vårkylan vid den huttrande kön utanför ingången slog emot dem som en befrielse. Det hade inte varit ett särskilt lyckat ställe att gå på för att avsluta en annars trevlig kväll, personlig och nödvändig. De hade nästan aldrig haft tid att tala privat med varandra, trots att de var mycket nära arbetskamrater. Det hade varit ett bra samtal, tidigare på kvällen på restaurang Reisen bland stillsamma folkrörelsefunktionärer.

Det var bråk och stim borta vid Karl XII:s staty, något som i vanliga fall inte skulle ha intresserat dem det minsta. Men i skenet av tända facklor såg de några detaljer som gjorde dem nyfikna. Det hade kanske med kvällens samtal att göra.

Det var svenska flaggor, fascistiska solkorssymboler och ett alldeles tydligt hakkors.

De släntrade sakta fram mot det pågående slagsmålet med rockar-

18

na uppknäppta och händerna i byxorna som om de ville svalka sig i den kalla vårluften eller som om de absolut inte ville verka provocerande, vilket kanske just var det provocerande.

Det som pågick kunde närmast beskrivas som en mindre skärmytsling mellan Stockholms skinheads och Rinkebys Tigrar, alltså en ungdomsgrupp som hatade eller sa sig hata eller sades hata svartskallar som exempelvis Rinkebys Tigrar och en ungdomsgrupp som hatade eller sa sig hata vitingar eller möjligtvis fascister.

Upphovet till bråket var inte svårt att förstå. Skinheadsen och deras äldre följeslagare, som kunde vara Nysvenska Förbundet eller någon liknande övervintrande sekt från 30-talet, var i stor majoritet, vilket de inte skulle ha varit om de uppvaktat sin hjältekonung på en mer förutsägbar dag, exempelvis hans dödsdag den 30 november. Men i sin förmodligen rätt improviserade akt av hjältedyrkan — de hade nedlagt en krans med blågula svenska band — hade de upptäckts av tigrarna från Rinkeby.

Tydligen hade någon eller några av tigrarna lyckats springa fram, slita åt sig kransen, förstöra den och komma undan med delar av den och ett par blågula band som de satt eld på. De stod en liten bit bort på den bruna sörjiga gräsmattan och vinkade med de brinnande svenska färgerna för att distrahera eller locka med sig skinheadsgruppen. Skälet till det var uppenbart. Skinheadsen hade fått tag på en av tigrarna, dragit ner honom på marken och höll nu på att misshandla honom, mest med sparkar.

Den politiska tolkningen av scenen var enkel. Skinheadsen hade blivit provocerade när de utnyttjade sina demokratiska fri- och rättigheter. Den juridiska tolkningen var också enkel. Eftersom skändande av svensk eller utländsk rikssymbol är ett avskaffat brott var den enda egentliga brottsliga verksamheten i sammanhanget den pågående misshandeln av en tiger från Rinkeby.

Sannolikt hade de två nyluftade besökarna från Café Opera en mycket enklare tolkning än så. Flera stora killar slog en enda ganska liten kille.

"Hörrnu tjiitungar, tycker ni int att det räcker nu", sa finlandssvensken med hög men inte särskilt ovänlig röst.

Misshandlarna kom av sig något, deras offer var knappast i stånd till någon snabb flykt, och en av dem kravlade upp från marken och tog några hukande, mycket bredbent vaggande steg fram mot de två

19

männen som var de enda åskådare som befann sig på nära håll. Den övriga nyfikna menigheten befann sig som skuggor längre bort och runtikring.

"Pussy pussy pussy små jävla yuppisar", sa den unge huvudrakade mannen och svängde huvudet fram och tillbaks med stora kyssande rörelser som om de två välklädda männen framför honom hade kommit med skamliga förslag som nu med förakt avvisades.

"Nåjo. Du är förtjuusande", sa finlandssvensken utan att ta händerna ur byxfickorna.

"Dom skändar svenska fanan, jävla landsförrädare, dom ska ha spö fattarnide jävla yuppisar", svarade skinnskallen.

"Flaggan heter det, inte fanan", sa svensken.

Ordväxlingen hade redan dragit åt sig uppmärksamheten tillräckligt mycket för att de två männen skulle vara omringade av skinheads inom några sekunder.

Svensken gjorde en gest åt sin jättelike följeslagare som gick ut på att de borde dra sig därifrån och möjligen missförstod de upphetsade misshandlarna de två yuppisarnas motiv för att inte vilja ha bråk.

Och därmed var katastrofen plötsligt ett faktum.

Den som sist lämnade den kvidande Rinkebytigern ett stycke bort trängde sig snabbt fram mellan sina kamrater mot den mindre av de två kostymklädda männen, sa någonting om små bögar, gjorde samma typ av kyssande rörelser som hans kamrat nyss hade gjort och sträckte sig fram för att gripa tag om pungen på en man som fortfarande hade händerna i byxfickorna.

Sekunden senare låg han skrikande på marken och de två männen, som nu inte längre hade händerna i byxfickorna, såg ut som om de skyndsamt tänkte ge sig från platsen. Det fungerade som en startsignal för hela gänget som nu kastade sig fram för att försvara sin kompis.

När polis och ambulans kom till platsen ett tiotal minuter senare fanns bara två vittnen kvar och de hade tämligen förvirrade och motstridiga versioner av vad de egentligen sett. Så mycket var klart att två välklädda män hade gått ända fram till ungdomsbråket. Ordväxling hade uppstått, det var också klart.

Men sen var det desto mera oklart, skrik och förbannelser och vilda tjut av smärta och armar och ben som virvlade i luften på något sätt. Och när skinheadsen hade tagit slut avvek de två välklädda männen skyndsamt åt varsitt håll, den ene försvann bortåt Grand Hotel och den andre uppåt Gustav Adolfs torg.

Rinkebys Tigrar hade mangrant avvikit från platsen och tagit sin sårade kamrat med sig och de äldre män som kommit till hjältekonungen med krans och livvakt av skinheads hade försvunnit som gråsuggor in under flata stenar.

Kvar under Karl XII:s staty låg nio mer eller mindre allvarligt skadade skinheads, men eftersom två av dem inte var vid medvetande och polismännen kunde iaktta flera frakturer vid armbågsleder och knän blev deras första åtgärd att kalla på ytterligare ambulanser och notera namn snarare än att försöka inleda förhör i syfte att uppspåra några gärningsmän. Så mycket framgick att det skulle ha varit två gärningsmän, vilket ju inte föreföll särskilt troligt.

Men polismännens tro på ett gott samarbete med skinheadsen var begränsat och skinheadsens tro på att den svenska polisen skulle upproras av att skinheads fick stryk, om så synnerligen olagligt stryk, var än mer begränsad.

Därför är det möjligt att händelsen skulle ha kunnat undgå att hamna i juridiska kvarnar trots att grov misshandel faller under allmänt åtal och sägs vara ett brott som samhället ser allvarligt på och som under senare år hade föranlett kaffedrickning med antivåldsdelegationer vid minst två tillfällen hos landets statsminister. Det är ändå skillnad på våld och våld, lite beroende på vem som är offer och vem som är gärningsman.

Och än mer beroende på om pressen hinner fram till platsen för att få bra bilder.

På grund av den tid det tog att rekvirera extra ambulanser till Karl XII:s staty hann pressen fram i tid för att få en del mycket talande bilder.

Därmed var det som utspelat sig en typ av våld som samhället såg allvarligt på och som mycket väl skulle kunna föranleda ny kaffedrickning hos statsministern.

Ty ur pressens synvinkel fanns det en avgörande detalj i historien som på intet sätt hade att göra med graden av våld som förekommit.

Gärningsmännen var inte svartskallar. I så fall är det tveksamt om pressen känt något tvingande behov av att uttrycka sin indignation eftersom sådan indignation definitionsmässigt skulle kunna framkalla rasism bland den mindre vetande allmänheten, vilket är emot

21

de pressetiska reglerna.

Men nu var gärningsmännen två välklädda svenskar och därtill trodde en av de misshandlade ynglingarna, som de alla skulle kallas i tidningstext nästa dag, att gärningsmännen måste ha varit poliser från Baseball-Ligan på PO 1 eller något i den stilen; "hur fan skulle två vanliga yuppisar kunna spöa ett halvt kompani hedersvakt?" som en av skinheadsens ledare formulerade frågan just innan han med en isblåsa över ansiktet drogs in i en av ambulanserna.

Det var en bra fråga. En rubrikmässigt mycket bra fråga. Och bilderna var som sagt utsökta, både i färg och i svartvitt.

2

Det var en glåmig morgon med snöblandat regn i Norrköping. Det var visserligen lördag klockan 08:00 men eftersom morgonsamlingen trots den obekväma tidpunkten ändå skulle kräva sittplats åt närmare femton personer hölls mötet i polishusets andra våning, i rättssalen.

Det var Rune Janssons uppgift att hålla i mötet och det gjorde honom nästan mer illa till mods än själva saken. Men som avdelningschef var han enligt norrköpingspolisens inarbetade rutiner den naturlige spaningschefen och följaktligen någon sorts ordförande på alla större möten även om, som nu, både polismästaren och åklagare var närvarande.

"Jaha mina herrar", började han och rodnade genast över sitt sätt att tilltala arbetskamraterna, "vi har en hård helg framför oss. Det vi vet är alltså den ungefärliga tidpunkten, förutsatt att hustruns uppgifter är korrekta, men det finns det tills vidare ingen anledning att tvivla på och dessutom har vi i viss utsträckning kunnat kontrollera dom."

Han måste ta ett djupt andetag för att kunna fortsätta. Det kändes genant att bara ha självklarheter att säga.

"Vi har alltså en tämligen god bild av gärningsmannens eller troligare gärningsmännens tillvägagångssätt, vilket framgår av bilderna här... Johansson vill du...?"

Johansson på tekniska roteln började dra en serie färgdiabilder genom projektorn, i lugnt tempo utan en enda bild fel eller uppochned.

"Som framgår har vi att göra med rätt läskiga typer", fortsatte Rune Jansson till bildserien medan han tvingade sig att slå bort en föreställning om sig själv som någon sorts sportkommentator i TV, "dom har bara haft en timme på sej, vilket dom kanske inte kan ha vetat men dom kan å andra sidan inte heller ha vetat hur lång tid... och ändå den här typen av... ska vi säga beslutsamhet... närbilden här beskriver det dödande skottet som alltså är ett närskott, nej förlåt påsittande skott, vilket framgår av nitrit- och krutresterna... nästa bild tack... här. Dom övriga skotten är alltså närskott. Ja tack Johansson."

Församlingen var naturligtvis yrkesmässigt härdad, men ändå rätt tagen av de obönhörligt detaljerade närbilderna man just fått se.

"Eftersom gärningsmannen eller gärningsmännen visste precis när kusten var klar", fortsatte Rune Jansson och harklade sig åt Johansson som snabbt var beredd med nästa bild, "så kan vi tills vidare utgå från att dom måste ha spanat av området. Och som framgår av bilden... här... är geografin inte särskilt inbjudande för spaningsverksamhet. Huset ligger på en kulle med en lång allé upp till huvudbyggnaden, någon annan bilväg finns inte. Det leder förstås tankarna till bil och kikare och följaktligen får förhörsenheten till en början koncentrera sej på, ska vi säga knacka dörr enligt på landet-metoden. Vem har iakttagit främmande manspersoner i bil och så vidare. Ja tack Johansson."

Bilden av herrgård med omgivningar försvann från filmduken och Rune Jansson tyckte att han på något sätt hade börjat få upp ångan. Alla lyssnade spänt och ingen gjorde minsta min av kritik eller hånfullhet mot den nye avdelningschefens framställningssätt.

"Innan vi går in på vilka iakttagelser som gjorts på platsen av dom som var ute och jobbade i går kväll skulle vi kanske titta på det tekniska..."

"Förlåt men har ni någon uppfattning om vilken typ av gärningsmän vi söker, är det terrorister eller galningar eller vad?" avbröt åklagaren som om han plötsligt tröttnat på att bara vara åhörare bland underordnade poliser.

"Jo, men jag tänkte vi skulle dra en del tekniska resultat först för att få ett något bättre underlag för såna funderingar", svarade Rune Jansson med en skärpa som förvånade honom själv och som ome-

24

delbart bet på den närvarande chefsåklagaren.

"Alltså, Johansson, vill du dra vad ni har kommit fram till. . ."

Rune Jansson sjönk lättad ner i sin stol framme vid podiet. Det värsta var över, i fortsättningen skulle han bara be om olika föredragningar i tur och ordning.

En avdelning på Statens kriminaltekniska laboratorium hade arbetat hela natten med det material de fått in, och till och med hunnit med en del telefaxkorrespondens med utländska institutioner. Det var avdelningen för vapentekniska undersökningar. Rättskemiska hade inte gjort så mycket mer än att centrifugera urin ur en besudlad generalsuniform innan de fackliga övertidsreglerna slog till. Man visste alltså ingenting om urinen.

Teknikerna på brottsplatsen hade däremot kunnat prestera fyra mer eller mindre förstörda kulor, ingen hylsa, som SKL:s experter fått ägna en ovanlig möda.

Följande var klart.

Det rörde sig om 9 mm ammunition, vilket knappast var intressant eller oväntat. Däremot fanns inte kultypen i den ändå rätt omfattande svenska referenssamlingen, vilket till en början ställt till med en del oro eftersom det var, som en tekniker uttryckt saken, en *elak* kultyp, en hålspetskula som är konstruerad för att svampa upp vid anslaget och åstadkomma en så stor sårkanal som tiden och energimängden medför.

Därför hade man först gissat att kulan inte var av militär typ, eftersom internationella konventioner i princip förbjuder det som på 1800-talet kallades för dum-dumkulor.

Följaktligen hade man letat fel länge i litteraturen innan någon tänkt om och med hjälp av telefon och Bundeskriminalamt i Wiesbaden funnit svaret. Kulan var av militär typ, av det israeliska märket UZI.

Den slutsatsen hade underlättat en del när SKL skulle gå vidare och försöka fastställa vilket vapen eller vilken vapentyp som avfyrat de israeliska kulorna.

En av kulorna, som passerat genom mjukdelarna under nyckelbenet innan den slog igenom offrets skulderblad och fångades upp i fåtöljens stoppning, var förhållandevis välbevarad. Den mikroskopiska undersökningen av bommarnas bredder och räffelvinklarna som påbörjats klockan 23:00 var klar redan vid pass klockan 02:00.

25

Följande vapen kunde komma ifråga. Antingen pistol av märket Beretta 92, Beretta modell 4 eller modell 951, pistol av märket Benelli modell B 76 eller också kulsprutepistoler av märket Beretta modell 38/42 eller modell 51 eller Franchi modell 57. Summa summarum fanns fyra tänkbara pistoler och två tänkbara kulsprutepistoler.

Samtliga vapen kunde klassificeras som militära vapen, Beretta 92 var exempelvis NATO:s nya tjänstevapen i de flesta NATO-anslutna stridskrafter. De kulsprutepistoler som kunde komma ifråga användes bara av det italienska försvaret.

"Med vilken säkerhet kan man avgöra om skotten avfyrats med k-pist eller pistol?" avbröt polismästaren som var den ende i rummet som börjat visa någon otålighet inför den vapentekniska redogörelsen.

"Mja, det är tills vidare ganska osäkert", svarade Johansson nervöst. "Kulsprutepistoler brukar avsätta en viss övervallning och det är inte fallet här. Men å andra sidan gäller inte det nya vapen. Och å andra sidan... ena, jag menar... det är ju det att vi inte hittat några hylsor. Alla dom här vapnen slungar normalt ut hylsor och jag menar..."

Johansson avbröt sin redogörelse som om svaret var självklart.

"Nå?" frågade polismästaren som om svaret inte alls var självklart.

"Jo, jag menar det är ju vanligt med hylsfångare på k-pistar men med pistoler vet jag inte... så det finns en del som talar för k-pist och en del som talar för pistol alltså. Jag menar... eftersom vi inte hittat nån hylsa."

"Det är bara fem skott som avfyrats såvitt vi vet. Gärningsmännen kan ju ha tagit hylsorna med sig för att försvåra uppspårandet av vapnet", sa Rune Jansson överslätande för att rädda Johansson ur klorna på polismästaren. Men i stället fick han nu genast åklagaren på halsen.

"Men om gärningsmännen vore så medvetna är det väl svårt att förstå att dom lämnat urinprov på platsen", sa han triumferande som en lärare som just sett ett felböjt verb.

"Inte nödvändigtvis", sa Rune Jansson med en självsäkerhet som nu inte längre förvånade honom. "Om det handlar om militära vapen, vilket mycket talar för, så kan det spåret vara mer besvärligt för gärningsmannen än ett urinprov och..."

"Hurså?" avbröt åklagaren.

"Jo, jag menar, om vapnet leder oss till en misstänkt person så blir naturligtvis urinprovet betydelsefullt. Men urinprovet kan av... eh... naturliga skäl inte leda oss särskilt långt innan vi har en misstänkt."

Åklagaren nickade och lutade sig bakåt. Tankegången var kristallklar, det måste han erkänna.

"Alltså, vad vi vet om gärningsmännen eller gärningsmannen är tills vidare följande..." Rune Jansson harklade sig innan han fortsatte. "Han använder ett militärt vapen med israelisk hålspetsammunition, han genomför det hela med en sällsynt beslutsamhet och ett lika sällsynt hat. Det leder naturligtvis, sammantaget med det sätt på vilket offret tilltygats, jag tänker både på det tortyraktiga sättet att genomföra avrättningen, för i det här fallet är det ju en avrättning och... ja, den politiska symbolen som man karvat in i offret medan offret fortfarande levde, ja rättsläkaren har bekräftat det, blodflöde och sånt där... så, ja. Politiska extremister, politiska hämnare, nazister eller antinazister, israeler naturligtvis, västtyska terrorister och så vidare. Men galningsalternativet förefaller inte särskilt troligt."

Ingen i salen tycktes invända något.

"Innan vi fortsätter redogörelserna för gårdagens iakttagelser vill jag passa på att göra ett påpekande", fortsatte Rune Jansson i en känsla av att äntligen ha grepp över situationen. "Det här med hakkorset bör vi behålla för oss själva, liksom att ammunitionen är israelisk, jag menar att vi vet att ammunitionen är israelisk. Jag behöver väl inte förklara varför?"

Ingen bemötte den retoriska frågan.

"Vet vi vilken ed det handlar om?" frågade polismästaren.

"Nej, vi har inte ens börjat gissa, men vi får väl lägga en viss tonvikt på såna saker när vi förhör dom anhöriga", svarade Rune Jansson och lämnade sen ordet åt förhörsenheten.

* * *

Försvarsstabens stora tegelkomplex på Lidingövägen är en tämligen övergiven plats en lördagseftermiddag eftersom det svenska försvaret som det mesta av svensk statlig verksamhet träder ur tjänst fredag klockan 14:00 för att återuppta verksamheten måndag morgon vid flexad tidpunkt.

Det är således inte många anställda som passerar förbi de två ABAB-vakterna bakom pansarglaset i entrén och de få som går ut och in har alla egna kodkort till spärrhjulen, vilket gör vakternas jobb vid denna tidpunkt lika enformigt som lättvindigt.

De var två man försjunkna i varsin deckare, men en av dem hade nyligen varit på kurs i säkerhetsmedvetande. Det var därför han inte lät lura sig av att den långhåriga typen i täckjacka, jeans och idrottsskor med tre ränder hade passerkort som öppnade spärren.

"Hallå där!" röt han genom högtalaren, "vill ni vara vänlig och komma fram här!"

Han kallade uppmanande med sträckt pekfinger.

Den långhårige vände sig häpet om, tog av sig sina rökfärgade glasögon och gick sakta mot luckan medan han trevade i innerfickan, och när han fällde upp jackan en aning tyckte sig vakten se ett vapen hängande i hölster nedåt armhålan.

"Legitimation om jag får be och vad är ert ärende", sa vakten medan han sparkade lätt under bordet för att påkalla sin kamrats uppmärksamhet. Kamraten slog trött ihop sin bok, det var han som satt närmast larmknappen.

Den långhårige la ett legitimationskort i lådan framför pansarglaset och avvaktade utan en min.

ABAB-vakten läste namn och nummer två gånger mycket långsamt, inte därför att texten kunde vara fel utan därför att texten var den den var. Sen sköt han tillbaks id-kortet genom stålluckan och kom på sig själv med att sitta och gapa åt den långhårige typen som inte längre var någon långhårig typ.

"Kommendörkapten får ursäkta... jag visste inte, jag menar, vi har våra bestämmelser."

"Naturligtvis", nickade den andre, tog sin legitimation och öppnade på nytt spärren och försvann in i byggnaden.

"Du för helvete", sa ABAB-vakten till sin konfunderade kollega som var i gång med att försöka hitta det ställe han befunnit sig i vid läsningen, "vet du vem det där var!"

Den andre skakade på huvudet medan han fortsatte att leta i sin bok.

"Hamilton!"

"Vicken jävla... va, *den* Hamilton!"

De stirrade häpet på varandra. De hade bara sett honom på bilder, helt andra bilder än den de sett nu, fler bilder än de sett av kungen eller Björn Borg eller Ebbe Carlsson eller statsministern. Men de hade aldrig sett honom i verkligheten.

De stirrade tysta mot ingången där han försvunnit. De var för tagna av den korta upplevelsen för att kunna säga något.

Carl befann sig redan högst upp i byggnaden och han var på ett miserabelt humör när han kodade sig in på en av de avdelningar inom det svenska försvaret som enligt reklamen, eller om man så vill propagandan, aldrig sover men på lördagseftermiddagar i april sover till minst hälften. Hans rum låg en kort bit nedåt korridoren, enligt skämtsamma kolleger därför att han skulle få kortare löpsträcka in till chefen, där han vanligtvis befann sig flera gånger om dagen.

Han stängde dörren, sparkade av sig sina snösörjiga skor och kastade sitt paket av dubbla kvällstidningar ifrån sig med vämjelse på skrivbordet.

Han hade undvikit att läsa på vägen till jobbet, löpsedlarna hade gjort honom illamående av oro. Nu måste han.

Han såg på kvällstidningarna på den rena skrivbordsytan, men ville undvika dem ännu ett slag. Det höll på att klarna upp, han såg ut genom fönstret och försökte tänka sig någon annanstans; sandstränder, svarta måsar, Coca-Cola, kallt grågrönt vatten och långa dyningar.

Sen gick han och satte sig och slätade ut de två tidningarna som om de vore värdefulla dokument och trevade efter en märkpenna i lysande orange.

Han behövde inte läsa särskilt länge i den upphetsade texten innan han sköt tidningarna ifrån sig och sträckte sig efter telefonluren, tvekade innan han valde den icke-avlyssningsskyddade linjen.

Hon svarade nästan genast eftersom han slagit hennes direktnummer.

"Vakthavande PO 1."

"Hej det är bara jag, hur har du det?"

"Rätt lugnt, dom är inte igång än."

"Vilka dom?"

"Buset. Dom vi plocka in igår är väl just ute och dom har inte fått

29

i sig tillräckligt med kröken eller knark än så det börjar först om några timmar, vi ser mest på hockey än så länge."

"Och magen?"

"Magen är fin, en lagom rund mage i sina bästa år. Ville du nåt?"

"Du kan inte heta Jönsson-Hamilton, det låter för löjligt."

"Jag vet, det är det där med grevinnan Jönsson. Ville du nåt mer."

"Ja. Det där som hände i Kungsträdgården i går kväll."

"Skinheadsen som fick på flabben?"

"Ja..Det heter så i Skåne... jo just det."

"Vadåra. Du har alibi från en polisinspektör och vi blir alltid trodda inför rätta."

"Jo men alltså. Har ni anmälningar, handlingar, papper på det där?"

"Ja det är ju dagens garv här nere, men det är ganska magert. Skinsena har inget överdrivet förtroende för ordningsmakten om jag säger så, dom tror att det är vi på PO 1 som det tycks."

"Jo men kan du kopiera dom där handlingarna åt mej?"

"Sällan. Det är internt utredningsmatgerial."

"Larva dej inte, det är viktigt för mej och jag vill inte rekvirera dom tjänstevägen även om du väl förstår att jag kan göra det."

Hon ändrade tonfall, sänkte rösten något och sa att hon skulle se vad hon kunde göra och att det var hans tur att handla middag och att hon skulle vara hemma strax efter åtta.

När han la på luren kände han sig egendomligt skamsen. Inte så mycket för att han på det självklara sätt som han kunde ljuga hade ljugit även för henne, det var ju ändå en lögn i tjänsten, utan för något annat mer svårfångat. Det var som om han inte tyckte om sitt tonfall när han talade med henne.

Han sköt undan sina funderingar eftersom de gick åt ett obehagligt håll, eller om det var för att han måste handla, eller om det var av båda anledningarna.

"Beata, vill du göra följande", sa han onödigt formellt när han tryckte in snabbtelefonen, "löjtnant Lundwall och löjtnant Stålhandske ska infinna sig hos mej med express. Lundwall är antagligen i labbet, Stålhandske hemma, båda har personsökare."

Han stängde av snabbtelefonen så fort han fått hennes bekräftelse, utan att tillägga minsta tack. Det var förstås inte likt honom, skulle hon tänka. Och det var ju sant.

Han försökte koncentrera sig på hennes namn, komma ihåg vad det betydde. Det var något vackert, som den dyrkansvärda eller något i den stilen, och en gång i tiden hade man också uppfattat det som vackert medan det nu lät löjligt.

Och så var han tillbaks igen. Jönsson-Hamilton.

Hon var i sjätte månaden och han ville gifta sig med henne fastän han inte riktigt kunde förklara varför det var så viktigt. I Sverige behövde man ju inte, all juridik blev densamma, och gifte de sig inte blev hon Jönsson och han Hamilton och var och en sin egen, vilket det ju fanns en del starka argument för som "vem vill gifta sig med en djävla nationalsymbol" eller "hade du tänkt dej Seglora på Skansen" eller "fru Hamilton kan vem som helst vara men vem kan vara fru Carl Gustaf Gilbert Hamilton och samtidigt vara snut?"

Hon älskade sitt jobb där nere i skiten och han älskade henne för det. Inte bara för det, intalade han sig, men mycket just därför att hon trodde så mycket på det goda i sitt jobb. Det var det kanske inte så många snutar som gjorde men å andra sidan var det inte så många snutar som var frireligiösa.

Han satt och rullade en blyertspenna mot sitt ena pekfinger när de kom in, de kom samtidigt.

Deras umgänge hade aldrig varit särskilt formellt även om de var militärer och han hade två ränder mer runt ärmen än vad de hade. De var ju ändå inga vanliga militärer och dessutom sammansvetsade för alltid, som de sa varandra ibland, av det som varit deras gemensamma närhet till döden.

Men nu stod de framför honom som om de var löjtnanter och han var kommendörkapten.

"Sitt", sa han och pekade.

De satte sig i varsin stol, de två stolar som reglementsenligt fanns för besök hos icke tillräckligt uppsatt chef inom den svenska byråkratin, och de satte sig nervöst som om de hade på känn vad saken gällde. Vilket de rimligtvis hade.

"Nå", sa Carl.

"Hurså nå?" frågade Joar Lundwall tillbaks medan han rättade till verkligt eller overkligt veck i sina byxor.

"Det här", sa Carl och kastade fram kvällstidningarnas ylande rubriker framför dem på skrivbordet. "Herrarna var ute och förlustade sig i går kväll?"

31

"Nåjo. Vi hade en del att prata ut om. Så vi gick på Reisen och åt en saatans dyr måltid, en saatans fin måltid", svarade Åke Stålhandske.

"Och sen?" klippte Carl av för att förebygga en utflykt i mat och dryck.

"Jo. Vi gick och tog en öl och sen gick vi hem, var och en åt sitt så att säga", fortsatte Stålhandske med nedslagen blick som om han satt och ljög inför sin rektor i gymnasiet.

Carl suckade.

"Jag kan naturligtvis be er visa upp era händer, jag kan *beordra* inspektion av löjtnant Stålhandskes vänstra knä och löjtnant Lundwalls högra knä och jag kan inspektera undersidan av era armbågar eftersom kvällspressen aningslöst men ändå på ett synnerligen vältaligt sätt har beskrivit herrarnas respektive kroppsdelar. Men det ska väl ändå inte vara nödvändigt?"

De skakade på huvudet till medgivande.

Carl försökte samla ihop sin ilska.

"Ni måste vara fullkomligt från vettet", började han efter en demonstrativt lång paus. "Om jag ska göra en jämförelse för er, en kort jämförelse, så är det ungefär som om ni låg vid attackflyget och hade blivit dåligt behandlade på Reisen, taskig service eller fel tempererat Bordeauxvin som dom ofta kör för varmt på det där stället, och som hämnd tagit en extrasväng över Gamla Stan och placerat varsin AS-missil genom fönstren ut mot Strömmen. Förstår ni vad jag säger!"

"Uppriktigt sagt inte helt", svarade Joar Lundwall lågt. Det var första gången någonsin han hade blivit utskälld av sin chef.

"Jo det är mycket enkelt", fortsatte Carl något mer samlat, "ni kostar ungefär en miljon dollar styck av skattebetalarnas pengar, ni är två av för närvarande fem personer som har eller är på väg att få den utbildning ni har. Era jävla armbågar och händer tillhör inte er, era jävla morsaknullare, utan dom tillhör dom svenska skattebetalarna och även om det inte var just skattebetalare ni övade på igår kväll så riskerar skattebetalarna nu att ha gjort en felinvestering i er båda. Hur fan kan nåt sånt här hända?"

"Det gick saatans fort...", försökte Stålhandske.

"Ja skulle bara fattas, ni var väl ändå inte stupfulla? Det är klart att det gick fort, det är ju det vi kan!"

"Jo. Nåjo. Men jag menar upprinnelsen, vi hade inte för avsikt att..."

"Vad hade ni för djävla avsikter i så fall?"

"Dom där nynazisterna eller vad dom är höll på att misshandla en invandrare och allmänheten vågade förstås inte ingripa och vi tänkte att vi bara skulle säga åt... eller ja distrahera...", försökte Lundwall.

"Det ska väl ni skita i, ni är väl inga poliser. Om det så kallade gatuvåldet upprör er får ni ringa till PO 1, det vill säga till dom för närvarande misstänkta. I stället tillgriper ni militärt våld på Stockholms gator. Förstår ni verkligen inte innebörden av det här?"

Lundwall och Stålhandske skulle möjligen haft ett starkt behov av att försvara sig om någon annan, vem som helst annan, hade stått för utskällningen. Men Carl var mycket mer än deras chef, han var en chef som de hade absolut förtroende för; de skulle följa honom vart som helst, på expedition i camouflagefärgade kläder och sotat ansikte till skärselden om han så begärt.

De hade följaktligen ingen som helst möjlighet att försvara sig.

"Okay", sa Carl när hans eget orimliga övertag började gå upp för honom, "ni har nu övat närstrid på Stockholms mindre bemedlade ungdom. Om lagen har sin gång ska ni ha ungefär ett års fängelse per skalle och avsked. Det är givetvis vår avsikt att om möjligt se till så att lagen inte har sin gång."

Carl lutade sig tillbaks i sin stol och la upp fötterna på skrivbordet liksom för att tydligt markera slutet på den formella delen av samtalet.

"Det var ju ädelmodigt", sa Stålhandske utan ironi.

"Nej men rationellt", svarade Carl. "Ni skulle innebära en högst kännbar förlust för bolaget, ungefär som två störtade attackplan. Vårt primära intresse är ju att alla plan ska återvända till bas. Hur många vittnen finns det?"

"Svårt att säga, det var ju mörkt och publiken till evenemanget stod en bit därifrån, ett dussin skinheads kan vi väl uppskatta", svarade Joar Lundwall.

"Mm", tänkte Carl, "dom inblandade skulle naturligtvis känna igen er om dom fick se er i verkligheten, dom inblandade tycks tro att ni var poliser och det är kanske inte så bra."

"Det är väl utmärkt", invände Lundwall, "det är ju ändå rätt långt från målet?"

"Jo, det kan tyckas. Men å andra sidan kanske polisen blir angelägen om att visa att det faktiskt inte var dom. Och om det blir utredning av förloppet, vilket det tycks bli, så krävs ju inte ens den svenska polisens skarpaste hjärnor för att räkna ut att ni inte precis var några vanliga bodybildade smådirektörer, och i värsta fall leder det tankarna till oss."

"Int saatan. Dom kommer att tro att det var några såna där karatenissar", sa Stålhandske med en antydan till småleende.

"Det är väl ändå inte möjligt, såna där pyjamasbrottare!"

Carl skrattade till och tappade för första gången sin allvarliga mask så att stämningen omedelbart lättade. De två andra log svagt och ändrade kroppsställning så att de mindre liknade skolgossar på utskällning.

"Det kan väl ändå ingen tro", funderade Carl vidare, "att såna där med pannband som ropar hooo haaa och vad dom håller på med skulle kunna ställa till med sådana förluster bland halvbeväpnade huliganer. Börja förhöra varenda källarklubb i Stockholm, roande tanke..."

"Har vi någon formell skyldighet att anmäla oss själva?" frågade Lundwall lågt.

"Det är tänkbart", svarade Carl snabbt, "men det finns en lösning på det problemet. Ni anmäler er för er närmaste chef, ni skriver alltså en utförlig rapport till mej. Idag. Innan ni går härifrån. Om det sen finns någon skyldighet för försvarsmakten att anmäla er för polisen så är det jag som har den skyldigheten. Och med hänsyn till ditt och datt som ni kan tänka er själva så uppfyller jag inte skyldigheten och kan om så behövs svara för saken inför konstitutionsutskottet."

"Det brukar ju gå bra", flinade Stålhandske.

Sen brast de alla i vanvördigt skratt. Deras tilltro till parlamentets och de folkvaldas förmåga att gå till botten med sina undersökningar var ytterligt begränsad.

Dessutom hade Carl plötsligt uppvisat ett ovanligt prov på självironi. Det var som om han hade förändrats till mer än det yttre.

Joar Lundwall försökte granska sig fram till vari förändringen bestod. Till det yttre var det ju en omvandlande förändring från officer och gentleman av idealisk omslagstyp på såväl veckotidningar som

34

chokladaskar. Nå, det där med chokladasken hade Carl tydligen lyckats få stopp på även om det svenska samhället var dränkt i bilder på den före detta Carl Gustaf Gilbert Hamilton.

Den nuvarande Hamilton satt framför honom med fötterna på bordet i smutsiga jeans och en sweatshirt med urblekt text från UCSD:s saliga fotbollslag; han var långhårig och håret var fett och otvättat, hans skägg var en blandning mellan skägg och mycket orakad och som en kontrast till detta ett perfekt sträckt amerikanskt axelhölster med hans svarta Beretta 92 med släktvapnet och den grevliga kronan i den vita pärlemorkolven.

"Varför går du beväpnad", frågade Joar Lundwall av en plötslig ingivelse, mer av oro än av nyfikenhet.

Carl log blekt innan han svarade.

"Säpo var vänliga nog att erbjuda beskydd. Det fanns en hotbild, påstod dom, som ungefärligen går ut på att sen någon knäppgök lyckades skjuta statsministern och komma undan med det skulle jag ligga i topp på listan över åtråvärda troféer, en icke försumbar överfallsrisk, tror jag dom kallade det."

"Nåjo, ett enstaka överfall då och då ska väl en karl tåla", sa Stålhandske och höll masken så att ingen av de andra kunde avgöra om han var ironisk.

"Ja det är riktigt", svarade Carl med samma maskhållning, "vi i vår lilla krets är väl rustade att värja oss i gatubråk, som herrarna så tydligt har uppvisat för allmänheten."

"Nåjo", svarade Stålhandske som inte tänkte dra sig ur leken utan vidare, "men om någon smyger upp bakom dej med en 357 magnum . . ."

"Så dör han", klippte Carl av. "Så att han oavsett hur det gick med mej blir kvar på platsen, så att till och med den svenska polisen kan lista ut vem som gjort vad. Tanken är att det svenska samhället inte skulle må bra av ännu ett ouppklarat spektakulärt mord. Säpo har gett mej tillstånd att bära vapen för personligt skydd, det lär vara ovanligt."

"Men bättre än att skyddas av deras livvakter i fackligt reglerat fyrskift dygnet om", sa Lundwall och så brast de alla i skratt som rensade luften som regn i just den årstid de befann sig i.

"Ett öde värre än döden, skyddas av fyra man nere från aphuset på Kungsholmen", skrockade Stålhandske.

"Nej, *gentlemen!*" kommenderade Carl bestämt.

"*Sir!*" svarade de andra två automatiskt när de tilltalades på det språk där orderdrillen satt hårdast.

"Skriv en utförlig rapport, inget skitprat för att försvara er, bara vad som faktiskt hände, några sidor, ställ rapporten till mej, använd tjänsteformulär, gör det klart innan ni lämnar huset."

Carl reste sig upp.

"Yes Sir!" sa de båda andra och gjorde höger vänster om enligt amerikansk modell innan de gick ur rummet.

Carl ägnade en kort stund åt tanken om han själv och de andra på något sätt var mer amerikanska än svenska. Han intalade sig att det amerikanska bara var utanverk, en naturlig följd av fem år i Kalifornien på gränsen mellan ung och man; ett intränat regelsystem som inte fungerade mer eller mindre nationellt än de datasystem som också tillhörde tiden i Kalifornien, väl så mycket som den militära träningen i Mojave-öknens gudsförgätna militärbaser. Det var bara praktik och det var bara praktiskt; om de någon gång i framtiden skulle genomföra en operation tillsammans, vilket de väl inte skulle med tanke på Carls pyramidabla offentlighet, så skulle orderspr&aket återigen bli den amerikanska flottans.

Men ändå. Han hade just obesvärat och med fullkomlig självklarhet kastat sig in i en rörmokaroperation. Saken måste tystas ner, oavsett lagar och förordningar, tänkte han eller behövde inte ens tänka, det bara kom som en reflex. Just detta som han tyckte allra sämst om i politiken, i den svenska politiken såväl som den amerikanska politiken, en Ebbe Carlsson eller en Bob Haldeman, hade nu blivit en Hamilton.

Men förlusterna för bolaget skulle bli omöjliga att ersätta om Joar och Åke åkte fast.

Han ägnade en stund åt att rekvirera handlingar från Fst/Säk. Det var möjligen oklart om han hade formell befogenhet till det, men i det militära systemet som förmodligen i det övriga svenska samhället behövde han numera bara säga sitt namn i telefonen och så ordnades allt lika lätt, att beställa bord på full restaurang som hemliga handlingar från försvarsstabens säkerhetsavdelning.

Han log åt saken, möjligen tillkämpat. I telefon var han Hamilton men den nuvarande bilden av honom var en slusk. En hovmästare hade bestört avkrävt honom legitimation. Vilket han hade förutsett. Varför han till omgivningens förvåning kunde inta bästa fönsterbord tillsammans med enkelt klädd polis.

Han läste igenom tidningstexten på nytt och mera noggrant för att försöka förstå vad som hade hänt inne i Joar och Åke.

Hade han själv?

Nej, han hade aldrig gett sig in i situationen, han skulle ha tagit en lång omväg för att inte bli inblandad.

Men efter några järn på krogen, om han kommit tillsammans med Eva-Britt och ett sånt där gäng gett sig på dem, eller gett sig på henne?

Nej, han hade avstyrt situationen, i värsta fall genom att legitimera sig och samtidigt öppna jackan så att det framgick att han var beväpnad, vilket ju inte var särskilt vanligt i Sverige.

Farligt.

För om det inte hade hjälpt, om man framfört ett hot som inte fått avsedd verkan blir nästa steg att visa verkan. Skulle han ha ägnat sig åt en stunds avskjutning på Stockholms mindre bemedlade ungdom?

Nej, men det hela var förstås inte så självklart som han hade spelat och måste spela inför Joar och Åke som möjligen insåg, åtminstone i efterhand, att han hade spelat.

Ändå var det oomkullrunkeligen sant, som var hans favoritlärares favorituttryck från gymnasiet, att man inte sätter in militärt våld mot svenska skattebetalare, nåja, svenska medborgare eller för den delen allmänheten. Det var denna allmänhet som skulle försvaras med militärt våld, oavsett vad avrustningshetsarna i regeringspartiet ansåg, och inte, *repeat not* angripas med militärt våld.

Joar och Åke representerade en våldskapacitet som skulle få hela samlingen polisbusar på PO 1 att framstå som skillnaden i hästkrafter mellan en svensk Volvo och en svensk AJ-37 Viggen, vilket var meningen, vilket var själva poängen.

Nej, det var förstås oförlåtligt. Ändå måste nu operation cover-up inledas så skyndsamt som möjligt.

Han fick upp tre kartonger material från säkerhetstjänsten om Skinheads-rörelsen i Sverige. Det fanns ett förvånansvärt stort militärt intresse för dessa gäng, vilket till en början förvånade honom. Men han fann snabbt förklaringen.

De var extremt militärt intresserade. De kallade sig själva patrioter och fosterlandsvänner och den vita rasens försvarare och lite av varje, men genomgående var de extremt militärt intresserade. Följaktligen ett militärt problem, eftersom de envisades med att söka till antingen fallskärmsjägarna eller kustjägarna vid den militära mönstringen. Det fanns instruktioner för inskrivningspersonalen att hålla ögonen på vältränade unga män med rakat huvud och tatueringar som sökte till just sådana befattningar: de skulle undantagslöst rensas ut.

Han läste intresserat en PM om varför dessa stridisar var så olämpliga. Texten var logisk och invändningsfri. Elittrupperna tålde inte närvaron av politiska extremister. Man sökte folk med omdöme och förmåga att tänka själva, det var givet när det gällde fallskärmstrupperna som ju huvudsakligen var spaningsförband med krigsfunktioner bakom fiendens linjer men mera tveksamt, tänkte Carl med ett generat småleende åt sina två kustjägarofficerare som nu satt någonstans nere i korridoren och svettades över en alldeles särskilt obehaglig rapport, men alltså mera tveksamt när det gällde kustjägare.

En kustjägare behövde väl inte så mycket mer än god fysik, starkt intresse för saken och tillräckligt mod för att vrålande rusa rakt fram när luckan fälldes från landstigningsbåten?

Joar och Åke skulle ha invändningar. Men i alla fall?

Han förstod plötsligt varför han blivit skeptisk. Han själv och kamraterna i Clarté skulle ju också en gång i tiden *infiltrera*, ett sällsynt olyckligt ordval om det hamnade i såna här rapporter vilket det naturligtvis gjorde, det svenska försvaret i syfte att stärka det.

Följaktligen hade såna där som Borgström på Fst/Säk suttit och sorterat bort såna som Carl och hans kamrater. Ändå slank somliga igenom nätet, liksom Carl hade gjort. Ändå fanns somliga kvar inom det svenska försvaret, liksom han själv.

Skinheadsen behövde bara se till att inte uppträda med rakat huvud vid inskrivningen. Säkerhetspolisen ägnade sig nämligen inte åt dem eftersom de inte var svartskallar, onekligen, och därför fanns inte säpo-rapporter om dem och därför var det bara deras eget uppträdande vid mönstringen som kunde röja dem. Det hade varit mycket svårare för clartéisterna eftersom de var ett viktigt mål för Säpo på den tiden. Kanske hade det hjälpt honom att vara från så kallad god familj, kanske hade inskrivningschefen just den dagen varit en överste som varit kurskamrat på Karlberg med någon Hamilton och därför sagt att man helt enkelt skulle skita i vad de där på aphuset hade att anföra samt att den som kom från en god familj med militära anor väl kunde ha ungdomsförvillelser som alla andra men ändå till slut skulle visa sig bestå av den rätta tågan: till flottan med Hamilton, gör honom till attackdykare precis som han vill, det är ruter i den grabben, jag kände hans far!

Kanske så enkelt.

Han skulle kunna ta reda på det, numera kunde han ju ta reda på nästan vad som helst. Fram med handlingarna bara! Vem var inskrivningschef den och den dagen där och där?

Det var ju i alla fall en inskrivningschef som lyckats påverka ett och annat, inte bara i Carls eget liv.

Utan i flera hundra andra människors liv, som nämligen hade dött.

Han svepte undan en av sina återkommande mardrömsscener om de ryska kollegerna som fångades där nere när RSV-laddningarna exploderade; vattentrycket, det enorma vattentrycket, när segment efter segment av deras undervattensbaser fylldes och de drunknade som när man sänker en musfälla i hönsnät i vattentunnan utanför sommarstugans knut. Människor som han själv och Åke och Joar, det bästa nationen kunde förmå i unga män.

Han måste rycka upp sig, hinna en del innan det var dags att gå och handla.

Alltså. Vad var det nu för fel med dessa små skinnskallar? Jo naturligtvis ett politiskt fel, ungefär som med honom själv och kamraterna i Clarté, men vari bestod det?

Det fanns en skriftsamling i en av kartongerna, ideologisk bakgrund kallades det.

Den första skriften som lockade honom hade rubriken "Varför förtiger man sanningen?" vilket man ju alltid kunde fråga sig.

Den sanning som visade sig förtigen var emellertid att Hitlertyskland inte skulle ha utrotat judar, vilket med en komplicerad citatsamling med pedantiskt återgivna men oklara källor bevisades vara en orimlig sanning, rent matematiskt, men hänsyn till den tidens teknik, den tid det tar att elda upp en människa och så vidare. Eller i vart fall var antalet miljoner mördade judar överdrivet.

Originalets titel var: Warum werden wir Deutschen belogen?

Carl förlorade sig en stund i obehagliga tyska minnen. Det var inte om sin historia det tyska folket, eller i vart fall det västtyska folket, beljögs eller beljög sig själva. Det var om deras samtid, den lögn som gjorde terrorismen möjlig i ett kretslopp av beljugna martyrer, idiotiska terrorhandlingar, statens mångdubbla hämnd, pressens lögner om den mångdubbla hämnden, nya martyrer och så vidare i ett obegripligt självplågande kretslopp.

Där dock ingen av de inblandade hade någon skuld i den tyska historien, som enligt vad Carl ansåg inte alls beljögs.

Fast inte heller överbetonades i tysk historieskrivning. Vilket man möjligen också kunde förstå.

Han kom på sig själv med att plötsligt sitta och hålla sig själv om halsen. Ja, det var sant. Han hade hjälpt tyska staten att skära halsen av sådana där ungdomar.

Men hans tillkämpade trotsiga sympati för skinheadsen sattes snabbt på ännu svårare prov.

Någonting som presenterades som en "medlemstidning" hette VIT REBELL och hade ett fascistiskt solkors som symbol på omslagssidan, som visade en gruppering mycket kortklippta unga män som stod bredbent med påkar i händerna under rubriken: Vår tids stormavdelning — väntar på stormen.

Carl kunde gissa sig till att det var en sådan stormavdelning som hade råkat ut för Joar och Åke och nu till större delen befann sig på sjukhus.

Han bläddrade i tidskriften. En bild föreställde två unga män och en kvinna framför en kista draperad i svenska flaggan, som en militärbegravning, ungefär som han själv skulle begravas.

Pojkarna hade militärkängor på sig, av amerikansk armétyp för vanliga bassar såvitt han kunde se. Bildtexten handlade om Micke, "skinhead i själ och hjärta" som "begravdes med kängorna på i en kista draperad i en svensk fana".

Flagga heter det, tänkte Carl.

Det fanns också en dikt till Mickes ära:

> Micke, gläd dig du och gästa,
> I den gamle Odens sal.
> Skynda dig för Nordens bästa.
> Töm din skummande pokal.

Carl kände sig sorgsen när han läst texten för andra gången. Att bli begraven med sån idioti!

Han bläddrade en stund i handlingarna för att ta reda på vem Micke var och hur han dött.

Micke hade råkat på en sinnessjuk immigrant som ständigt gick med ett avsågat hagelgevär innanför jackan eftersom han var så rädd för skinheads som alltid skulle prygla utlänningar. En gång, i Fisksätra, hade två skinheads tilltalat honom och så hade han ryckt upp sitt avsågade hagelgevär och skjutit en av dem på nära håll.

Omöjligt att operera, så gott som omedelbar död, tänkte Carl.

Till slut träffade han alltså på några skinheads.

Och så denna begravning.

Skriftens ledarartikel gav plötsligt Carl förklaringen till gårdagens händelser. Den 20 april är Adolf Hitlers födelsedag. Joar och Åke och tydligen något invandrargäng hade råkat störa firandet av Adolf Hitlers 101-årsdag den 20 april.

Menade de små jäklarna verkligen allvar?

Hans blick fångades, som en reflex från studenttiden, av rubriken "Folkets resning".

Det visade sig snabbt vara en annan resning än den som Clarté tänkt sig:

"Våra problem idag är inte ett 'Skånskt problem', ett 'storstadsproblem', ett 'Lappländskt problem' eller ett 'ekonomiskt problem' — nej vårt problem är DEN NORDISKA FOLKSTAMMENS OCH DEN VITA RASENS ÖVERLEVNAD!"

Nej, det var ju klart. Såna där kunde man inte ha i det svenska försvaret.

Han stirrade en stund in i ögonen på Adolf Hitler som höll armarna i kors, nej vänsterarmen vilande ovanpå den högra armen ovanför midjan. Stirrande blick, allt det där som samtiden måste ha uppfattat på annat sätt. Armbindel med hakkors runt vänster överarm. Manchesterbrallor, såg det ut som.

Och så bildtexten under:

ÅT HELVETE MED ALLT FÖRSIKTIGT SMYGANDE! LÅT OSS GÅ RAKT PÅ SAK! INGEN PARDON! LÅT OSS ÖPPET FÖRKLARA ATT VI ÄR NATIONAL SOCIALISTER! LÅT DOM FÅ VETA ATT ADOLF HITLER ÄR VÅR SJÄLSLIGE LEDARE! HELL HITLER!

Var detta sant? Var de så här och var det för deras skull som den svenska militära underrättelsetjänsten nu riskerade sin största skandal sen IB-affären?

I så fall kunde ju Joar och Åke lika gärna ha öppnat eld.

Nej, han ändrade sig genast, skämdes över sin aggression. Han måste alltid tänka på att kontrollera sin aggression, han skulle aldrig döda någon annan människa, inte mer, no mas, det var det förflutna. De här idioterna borde ju talas till rätta. Vad gjorde flottans skolfartyg numera, Gladan och Falken? Borde man inte shanghaja det här gänget och göra karlar av dem i stället?

*　*　*

Det enklaste sättet att svara för dagens middag var att köpa något dyrt och steka det. Men Eva-Britt hade alltid synpunkter på sådana inköp, som om hon fortfarande vägrade att acceptera att hon numera levde i en helt annan ekonomi än den som kunde erbjudas av en polislön. Hon hade till och med haft en ekonomisk invändning mot att gifta sig "eftersom hon inte ville bli miljonär". När han hade förklarat att svensk lagstiftning i det avseendet inte gjorde skillnad mellan sammanboende och gifta numera, att hon alltså skulle bli sambomiljonär likaväl som hustrumiljonär, hade hon tveksamt återvänt till giftermålsalternativet eftersom det föreföll juridiskt klarare med äktenskapsförord än samboförord. Åtminstone hade någon polis på den juridiska avdelningen, som ju befälspersonerna i PO 1 olyckligtvis hade täta kontakter med, sagt så.

Och hon ville att barnet skulle heta Jönsson. Den frågan hade han tills vidare släppt eftersom barn ändå kan välja efternamn när de blir vuxna.

Han fick en butikskontrollant efter sig i Åhléns livsmedelsavdelning. Han blev inte skräckslagen förrän sammanhanget gick upp för honom; först när han bara insåg att han var förföljd kopplades autopiloten in så att han hela tiden rörde sig med uppsikt över förföljaren, med uppsikt över möjligheter till skydd, med blixtlåset något nerdraget i jackan så att han skulle kunna skjuta förföljaren inom två sekunder med säker träff.

Sen när han insåg sammanhanget och autopiloten kopplades bort började han kallsvettas vid tanken på att han kommit hela vägen till *red alert* på väg mot katastrof.

Naturligtvis kunde man uppfatta honom som en snattare med halvknäppt bullig täckjacka, långt ovårdat hår och någon sorts skägg; det var ju på sätt och vis det som var meningen.

Han hade hittills bara handlat några få saker, en dillkvist, en citron, några småfranska till nästa frukost och två paket mjölk. Vid en av djupfrysdiskarna stannade han, tog upp ett paket bearnaisesås, visade demonstrativt upp det för sin kvinnliga bevakare innan han med en övertydlig gest släppte ned det i sin röda korg, och sen trodde han att han löst problemet.

Han köpte färsk broccoli, två mycket tjocka oxfiléer och några skivor rökt lax; det var inte alls hennes mat och numera sällan hans egen mat eftersom han under rätt lång tid känt närmast äckel för alkohol. Viss mat krävde inte alls alkohol, protesterade han nästan högljutt vid tanken, som sillbullar och korintsås som man kunde köpa färdiglagat, eller strömmingsflundror och hemlagat potatismos. Men nu blev det alltså mat som krävde vin, exempelvis kalifornisk chardonnay för minnenas skull. Nej förresten, absolut inte kalifornisk chardonnay just för minnenas skull, snarare vit bourgogne till laxen och röd bordeaux till köttet. Hon skulle förstås dricka mycket försiktigt, för barnets skull. Men det var lördagkväll och de kunde sitta länge och eftersom det var lördagkväll var det ändå bara idiotprogram på TV.

På väg ut förbi kassorna fanns veckotidningar och snask. Han försökte låta bli, men det var som om hans blick styrde sig själv när den snabbt spanade av skvallerpressens glättade omslag. Han såg henne bara i en liten bild på ett av omslagen med en text som handlade om att hon väntade barn.

Bilden på honom själv, ihopklippt med henne så att det såg ut som om de stod intill varandra, var en bild på hans gamla utseende i uniform, en av tiotusentals bilder från förhören i konstitutionsutskottet.

Vid kassorna reades chokladaskar med hans bild på och han stirrade en kort stund in i ögonen på sig själv; han hade stämt den där chokladfirman med sin HERO-KONFEKT men någon måste tydligen ta risken att suga ut de sista kronorna på konkurslagret.

Han betalade med sitt American Express, det gråa platinakortet, i desperat förhoppning att butikskontrollanten som nu nästan hängde över axeln på honom skulle inse sitt misstag; ändå hade ju Eva-Britt berättat för honom att det inte var särskilt ovanligt att miljonärer greps som snattare, även om det av ett antal skäl var mindre vanligt att de dömdes i domstol för den sakens skull.

Hans planläggning fungerade inte alls. För när expediten läste namnet på den ljusblå papperslappen och rutinmässigt sträckte ut handen för att be om legitimation stelnade hon plötsligt till. Sen såg hon upp och rodnade och sa att det inte var nödvändigt med legitimation. Hon hade alltså sett något, låt vara med demonstrativ hjälp på traven, som butikskontrollanten inte hade sett. Med en suck stoppade Carl ner sin militära legitimationshandling i plånboken igen. Och när han var på väg ut från kassorna hände just det som han hade fruktat.

"Hallå där, vill ni vara vänlig och stanna", sa butikskontrollanten högt, tillräckligt högt för att en stor del av omgivningen skulle reagera.

Carl suckade demonstrativt, vände sig om och avvaktade tills hon kom ikapp honom. Han sa ingenting, situationen var för dum eller för absurd för att han skulle komma på någonting att säga.

"Vad har ni innanför jackan?" frågade butikskontrollanten affärsmässigt.

Carl övervägde om han skulle säga sanningen men ändrade sig.

"Det har du faktiskt inte med att göra", svarade han långsamt och utan någon särskild betoning.

"Då får jag be er komma med in på kontoret", fortsatte butikskontrollanten utan att visa minsta spår av osäkerhet.

"Nej, absolut inte", svarade Carl på samma tonlösa sätt som tidigare. "Det tjänar ändå ingenting till, ni har inte rätt att kroppsvisitera mej."

"Det har jag visst."

"Nej. Varken polis eller militär eller såna som ni har det om ni inte ser mej stjäla och det har ni inte gjort, och förresten måste ni då ta mej på färsk gärning."

Hon såg skeptiskt på honom och han insåg att han väl snarast hade legitimerat sig som expert på snatteri, en expertis sannolikt förvärvad genom bister erfarenhet. Han hade inte direkt löst sitt problem.

"Kommer ni med frivilligt", envisades butikskontrollanten som om hon hade resurser att få honom att följa med icke-frivilligt.

"Nej", sa Carl samtidigt som han insåg att han måste komma från platsen innan de nyfikna runt honom förvandlades till folksamling, "men om ni absolut vill veta vad jag har innanför jackan kan jag förstås säga det."

"Nå", sa butikskontrollanten obevekligt.

"En Beretta 92 i axelhölster. Det är en pistol och jag har alla tillstånd som behövs."

Hon tog ett steg tillbaka och spärrade upp ögonen. Plötsligt slogs Carl av det komiska i situationen, tog sakta av sig glasögonen och strök undan håret ur pannan och log mycket vänligt, närmast roat åt det han tänkte säga.

"Mitt namn är Hamilton. Carl Hamilton."

Hon blev förstummad, som man kunde vänta sig, när det nu sakta gick upp för henne vem hon såg.

"Jag finns i något proprare utförande där inne på chokladaskarna vid treans kassa", sa Carl, satte på sig glasögonen och gick utan brådska från platsen.

Men munterheten svek honom så fort han kom ut på gatan och tillbaks i sin anonymitet. Han avskydde den offentliga bilden på sig själv, numera avskydde han till och med choklad och han var övertygad om sambandet med HERO-KONFEKT. Det var som om han var originalet till någon sorts seriefigur som lika gärna hade kunnat vara Batman, det var som att befinna sig på gränsen till någon personlighetsklyvande sinnessjukdom. Han vek ihop de rökfärgade glasögonen, sänkte huvudet och ökade på stegen genom snögloppet. Han tänkte att han inte var en övertygande roll i glasögon, han var alldeles för ovan, särskilt när det snöade och blåste och kändes som om man saknade vindrutetorkare. Som maskering var det inte så dumt, men samtidigt såg man ut som butikssnattare.

Han beslöt sig aggressivt för att göra en trevlig hemmakväll, han skulle ha en halvtimme på sig till förberedelser innan hon kom hem och hon skulle säkert vara hungrig, hon hade fått så mycket aptit, ibland på konstiga saker. Han skulle kunna ha allting dukat och klart och egentligen skulle hon kunna sitta till bords i uniform även om hon själv inte skulle vilja det; han tyckte om henne i uniform, inte därför att han tyckte om uniformer, särskilt inte sin egen, utan därför att hon var kvinna i uniform och det var någonting helt annat. Dessutom betydde hennes polisuniform renhet, rena ideal, ren tro, gott uppsåt, idealism och allt annat som han ville önska sig själv. Så tydligt hade han aldrig tidigare tänkt tanken.

Det var en lång väg från den clartéist som skulle "infiltrera" försvaret för att höja den svenska moralen till den rörmokare som nu lurat till och med den kvinna han älskade att begå fel i tjänsten för att han skulle kunna sätta sig över lagen. För naturligtvis skulle hon ha papperen med sig.

Han dukade i matsalen, tände två stora silverkandelabrar som han aldrig tänt tidigare och korkade upp vinet för att det skulle lufta sig.

Sen satte han sig i biblioteket med fötterna på det röda granitbordet, slog upp en tidning och försökte låtsas som om han just hade kommit hem och som om han möjligen glömt att handla. Dörren till matsalen hade han stängt.

"Hej, är du hemma", hälsade hon när hon slamrat sig igenom de olika låsen och började sparka av sig skorna ute i tamburen.

"Mm", svarade han och prasslade demonstrativt tydligt med tidningen innan han reste sig och gick ut för att ta henne i famn. Han lät händerna glida över hennes utspända mage.

"Tur att du och magen har inre tjänst", mumlade han när han nosade henne genom håret runt ena örat.

"Du anar inte vilken respekt buset har för havande kvinnor", skrattade hon. Hon skrattade nästan alltid när han gjorde så där, kanske för att det kittlade.

"Inte respekterar väl vårt kära bus havande kvinnor om dom är poliser på det ökända PO 1 som misshandlar buset", skrockade han och bytte till andra örat. "Har du förresten pappren med dej?"

"Ja det som fanns", svarade hon och slog honom lätt över baken med ett kuvert som verkade ganska tungt, "men kom du ihåg att det var din tur att handla?"

"Nej visst fan!" sa han med spelad överraskning och lagom blandning av att vara generad, "det var ovanligt körigt på jobbet idag, men vi har nog frysta hamburgare och så ny elektronugn..."

Hon sköt honom milt men polisiärt bestämt ifrån sig och han blev nästan sårad över att hon gick på bluffen fastän han visste att han kunde ljuga i vem som helst praktiskt taget vad som helst, även den kvinna han älskade kunde han med lätthet ljuga för.

"Du kan ta dina hamburgare och, vad heter det...?"

"*Stick'em*, det är kortaste sättet att uttrycka saken. Men kom med här, ni är under arrest", sa han och började milt dra henne ner genom tamburen bort förbi biblioteket mot matsalsdörren.

"Det heter inte arrest i Sverige, i vårt land blir ingen arresterad", protesterade hon med ett tonfall som han inte kunde tolka.

"Nä, och ni läser inte upp några rättigheter för buset heller", svarade han när de var framme vid matsalsdörren.

"Vadå rättigheter?"

"Ni är härmed anhållen. Allt ni säger kan användas emot er i en kommande rättegång. Ni har full rätt att avstå från att svara på frågor. Ni har rätt till en advokat och så vidare, lite demokratiska rättigheter bara."

"Och sen när dom har rabblat det där så skjuter dom negrerna i alla fall."

"Är du hungrig?"

"Ja, men jag vill absolut inte gå på krog. Är det uppfattat, *repeat* inte på krog, särskilt inte krogar där man tvekar om man skall släppa in sluskar och ännu mera särskilt krogar där man släpper in sluskar en lördagkväll. Det skulle kännas som att vara kvar på jobbet."

"Men vill du ha mat om tio sekunder, god mat?"

"*Confirmative.* Korrekt uppfattat, ja. Svar ja."

"Då så", sa han och tog milt ifrån henne kuvertet med handlingar han inte hade rätt att se och handlingar hon inte hade rätt att lämna ut. "Middagen är serverad." Och så öppnade han matsalsdörren. Ett av stearinljusen hade börjat droppa på duken, och ljuslågorna fladdrade till av att han öppnade dörren. Det blev effektfullt.

"Jag vill byta om, nej först duscha och byta om", sa hon utan att han kunde tolka henne.

"Det räcker med att du tar av dej handbojorna", försökte han.

"Handfängslen heter det", sa hon när hon ilade bort från honom genom korridoren mot sovrum och badrum.

Han stod kvar några ögonblick osäker på om han skulle vara besviken eller inte. Han bestämde sig för att inte vara besviken och gick ett kort varv ut i köket med det bruna kuvertet i handen och kontrollerade att allt var förberett, köttet kryddat och färdigt att steka, saltat vatten färdigt att koka grönsakerna i och den gula såsen halvtinad och färdig att värmas över de uppkokande grönsakerna. Han läste på nytt koktiden på paketet, tog fram lite smör att steka

47

i och gick sen in i biblioteket och försjönk snabbt i de fotokopierade polisrapporterna.

Signalementen på Lundwall och Stålhandske var mycket goda, om papperen kom på avvägar till försvarsstaben skulle det inte råda stor tvekan om saken.

Anmälarna hävdade på flera ställen att det visserligen var okay att få spö, men inte av snutar. Och de misstänkta kunde inte gärna ha varit något annat.

Den senare funderingen byggde inte på några sakliga iakttagelser utan helt enkelt på teorin att bara snutar skulle kunna spöa skinheads på det sätt som skett.

Han bläddrade i anmälningarna, det var sammanlagt sju stycken mer eller mindre summariska anmälningar. Ingen hade gjort iakttagelsen att "jätten" hade talat finlandssvenska.

Nej det är klart, tänkte Carl. Det gick fort och såna som vi har inget som helst behov av att snacka under tiden, allt går automatiskt och självklart. De har helt enkelt inte sagt så mycket och därför vet inte buset om de har att göra med "yuppisar" eller snutar. Men signalementet på Stålhandske är ju bra, det kan inte finnas många blonda jättar som har svart bälte i karate eller vad nu Eva-Britts kolleger ska leta efter.

Bara en av anmälningarna var riktigt bekymmersam. Någon av de misshandlade var själv, efter vad han påstod, expert på närstrid och självförsvarskonst. Han påstod i sin anmälan att han inte sett något liknande, att det inte var frågan om vare sig poliser eller karateexperter och han formulerade sig väl och hade hunnit göra några goda iakttagelser innan han själv råkade illa ut:

"Dom följde inga regler liksom. Det var som om dom gick rakt fram, utan några vanliga utgångspositioner. Och dom gick inte på nånting liksom, dom kunde allt jag kan men det var för fan som att slåss med marsmänniskor eller nånting sånt. Det var som en jävla mardröm när man tycker att man själv rör sig i slow motion som på film och den andre hinner genomskåda allting i förväg och man ser det men ändå inte kan göra ett förbannat skit åt saken."

Ordet "skit" var placerat inom citationstecken av en tydligen något prudentlig rapportskrivande polis.

Bra formulerat, tänkte Carl. God iakttagelseförmåga. Så måste det naturligtvis upplevas av en sån där karatenisse. Hur många mer än jag vet nu att det här är en beskrivning på högst tre levande svenskar?

"Klar och hungrig!" ropade Eva-Britt nerifrån sovrumsregionen och han la tankfullt ifrån sig sina papper, ändrade sig och stoppade in dem i det bruna kuvertet, kastade ner det på stenbordet och slog upp en tidning bredvid som om han läst tidning i stället.

"Kommer!" ropade han tillbaks och reste sig snabbt och gick emot henne i korridoren.

De möttes precis utanför matsalen och han var nära att bjuda henne armen innan han insåg att det skulle verka överdrivet eller att hon inte skulle begripa gesten.

"Varsågoda och kom till bords", sa han och öppnade dörren på nytt, gick med henne till den plats han först nu måste utse som hennes till höger om det avlånga mörka ekbordet, drog ut stolen under henne och serverade henne vitt vin i ett av de ärvda glasen de aldrig tidigare använt. Det hade namnmonogram och friherrlig krona. Han slog upp åt sig själv när han kommit runt bordet och satte sig.

"Okay", sa han, "gode gud välsigna maten och allt det där, nu äter vi."

"Det är inget att skämta med", sa hon förebrående...

"Det var inte direkt skämt, när jag var barn hette det alltid så, åtminstone hos mormor i Skåne."

"Hon som aldrig skulle ha godkänt mej?"

"Just det. Men det var förr i världen och hon är död och laxen är norsk."

De åt en stund under tystnad och sen höjde han sitt glas och hon tog sitt och de skålade tyst. Hon drack mycket försiktigt.

Han tog en stor klunk, rullade vinet en stund i munnen och bestämde sig för att tiden i Moskva inte längre fanns och att vin inte var ett äckligt berusningsmedel och ett av spionernas favoritinstrument för bedrägeri och falskhet, någonting som smakade lätt av metall och hade halvt genomskinliga plastkorkar; vin var tvärtom en njutning från Västeuropa. Tiden i Moskva fanns inte längre.

De åt vidare under tystnad, kanske för att det var gott, kanske av andra skäl.

"Jag blev fotograferad igen när jag skulle in genom porten", sa hon med mat i munnen när de hunnit igenom halva laxen.

"Mm", sa han när han efter kort tvekan svalde vin tidigare än han tänkt sig, "men det var väl bara pressfotografer, skvallerpressen?"

"Ja, men vad kan man göra åt det?"

"Inte mycket. Gör som jag, ta källarvägen hem, gå in från andra sidan huset."

"Ingen bra idé. Det är inte så kul att gå genom en mörk källare från 1500-talet varje gång man ska hem."

"Du är polis och du är beväpnad."

"Menar du att jag ska dra mitt vapen, göra mantelrörelse och sparka upp dörrarna en och en på väg upp? Och hålla vapnet dubbelfattat som i Miami Vice?"

"Nej, inte dubbelfattat på nära håll i trånga utrymmen. Det är bara på film."

"Äh!"

"Skål."

"Äh. Försök att ta det på allvar."

"Jag gör det. Vi har yttrandefrihet och pressfrihet och dom där schakalerna utanför är en del av priset vi betalar för det."

"Menar du allvar?"

"Ja. I högsta grad. Jag har dödat en del medmänniskor som du vet. Ursäkten är just försvaret av demokratin och i demokratin ingår Hänt i Veckan och dom där andra schakaltidningarna. Det är faktiskt så."

"Ett högt pris."

"För vem?"

"För dej."

"Ja, det kan man tycka. Kul samtalsämne."

"Nej, men vi kommer ju inte ifrån det. Hur mycket du än går omkring och ser ut som en slusk kommer vi inte ifrån det. Vet du att turistsäsongen har startat?"

"Nej, hurså?"

"Vi har blivit en station."

"Vi har blivit vadå?"

"En station. En station för dom här turistgrupperna som går genom Gamla stan med guide. Du vet, dom stannar vid börsen, vid den är kanonkulan som sitter i väggen, vid den smalaste gränden och vad det nu är. Men från och med i år stannar dom här utanför och guiderna pekar på våra fönster och japparna tar fram sina kameror. Där uppe bor Sveriges James Bond och så vidare. Kul va?"

"Inte särskilt. Är du färdig med laxen?"

"Ja men jag hjälper dej, jag vill inte ha min biff så blodig i alla fall."

"Nej sitt du, jag sköter resten."

Hon gick med honom ut i köket i alla fall, inte bara för att övervaka hans stekning. Hon ville inte ha slut på samtalsämnet och han kände det tydligt.

"Japaner sa du", försökte han skratta bort saken när han vände köttet i stekpannan.

"Ja. Och tyskar och skåningar och vafan som helst."

"Du skall icke missbruka Herren Din Guds namn."

"Äh, gör dej inte löjlig. Du skall icke dräpa."

"Nej tack, jag vet. Det är emot lagen utom i ett visst antal undantagsfall. Men skulle du vilja bo någon annanstans?"

"Ja, kanske."

"På landet, så att du kan ta tillbaka Rex, du kan få ha hur många hundar du vill förresten, till och med såna där polishundar som man inte kan använda till någonting."

"Jo, som vakthundar och det behövs ju på landet."

"Dom väsnas så att man inte kan höra var inkräktaren är och få klart skottfält."

"Ibland tror jag nästan inte du skämtar om sånt där. Stek min lite till."

"Jag såg en annons på en herrgård ute på Mälaröarna. En av Björn Borgs parasiter har gått i konkurs, Skunk eller vad han heter, och han har en herrgård som han nu enligt snyft i Expressen måste gå ifrån. Jag skulle kunna be mitt fastighetsbolag göra sonderingar."

"Vad kostar den där herrgården da?"

"Tja, två miljoner ungefär. Som hittat."

"Jag vill inte bo i något som kostar två miljoner."

"Den här lägenheten är värderad till tre miljoner. Är det där lagom stekt?"

"Ja, jag tror det. Hur kan en herrgård vara billigare än vår lägenhet?"

"Det är en fråga om valuta", svarade han och serverade köttet på de tallrikar han just tog ur ugnen, räckte henne karrotten med grönsakerna och såssnipan och gick i förväg in mot matsalen med de båda tallrikarna i händerna.

"Vadå valuta?" envisades hon misstänksamt när de smakat på köttet och druckit av rödvinet.

"Jag hoppades att du inte skulle fråga", suckade han till svar, tuggade en stund och bestämde sig sen för att fullfölja. "Två miljoner dollar. Vår lägenhet kostar två, nej tre miljoner kronor eller nåt i den stilen och herr Skunks herrgård kostar tolv miljoner det vill säga två miljoner dollar."

"Du kan inte vara riktigt vettig."

"Tja. Hundar hur mycket du vill, svårt att komma dit, stängsel om du vill, elektronisk övervakning om du vill, det får vi säkert gratis. Förresten är det billigare än att bo här."

"Hur menar du då, i pengar eller nåt annat?"

"I allt utom resor till PO 1, det är priset du får betala. Men en herrgård är jordbruksfastighet, det innebär en helt annan skattevärld, man drar av allt man bor för. Jag hoppar över detaljerna men en bostadsrätt för 3 miljoner är dyrare än en herrgård för 12 miljoner för att göra en lång historia kort."

"Åt dom som har skall varda givet."

"Värst vad du är biblisk, ovanligt biblisk idag. Men det är vårt socialdemokratiska system, skyll inte på mej. Jag har aldrig varit sosse, jag har alltid velat ta ifrån dom rika deras pengar och allt det där."

"Fast problemet är att du är rik."

"Inget stort problem, ett obetydligt lidande. Förresten har du inget att säga eftersom du är rik själv. Man kan inte bestämma hur som helst över sitt liv."

"Jag har sjutusen på en sparbanksbok, det är allt, blanda inte in mej i det där."

"Jora. Det betyder att jag äger tretusenfemhundra av det du har på din sparbanksbok. Förutom att du äger hälften av mina tillgångar och att ditt barn ska ärva alla mina *och* dina tillgångar. Sådan är lagen och du är polis och är lagens tjänare, kul va?"

Samtalet sjönk som en sten i mörkt vatten och de åt på nytt under tystnad. Han förbannade sig själv. Han älskade denna kvinna för hennes hederlighet, för hennes goda tro på människan och hennes naturliga, mera folkliga syn på rättvisa än hans teoretiska syn på rättvisa. Och han älskade henne också därför att han på nätterna kunde ligga bakom henne när hon låg på sidan och nästan som i hemlighet hålla sin underarm och hand över hennes mage och känne hur miraklet rörde sig där inne. Ändå kunde han ibland tänka på henne som *denna kvinna.*

"Vi kan åka ut till Mälaröarna på promenad i morgon, se på om-givningarna och så där", försökte han. "Du är ju ledig ända tills det blir mörkt?"

Hon svarade inte.

3

Rune Jansson hade dåligt samvete för sin förstörda helg. Det fanns inga vettiga skäl, men han kunde inte komma ifrån det. I Norrköpings polisdistrikt inträffar bara ett spaningsmord med okänd gärningsman per år i genomsnitt och den som då är chef för krim måste räkna med förstörd helg, liksom hans familj måste räkna med det. Men sånt är nästan omöjligt att förklara på ett vettigt sätt för en sjuåring. Pappa hade varit borta nästan hela lördagen och suttit i telefon nästan hela söndagen. Så var det, oavsett vaga löften som han låtit undslippa sig när han satsade på att få jobbet.

Han hade dessutom inte hunnit med sin löpträning, detta eviga nyårslöfte som han plågade sig själv med att ständigt svika.

Hans dåliga humör späddes på av vädret, denna förbannade vinter som aldrig ville ta slut, åtminstone försökte han intala sig att det var vädret, snögloppet, det osäkra väglaget med de för tidigt monterade sommardäcken, trafikstockningen, de röda ljusen som skulle få honom att komma några minuter försent till samlingssalen, just detta som han försökt inpränta i sig att inte göra som chef.

Men snuten i honom sa någonting annat. Det som irriterade honom mer än allt annat hade med själva saken att göra. Det hade uppstått en hypotes i utredningen över helgen och hypotesen hade uppstått bland sådana kolleger som Rune Jansson inte hyste någon överdriven respekt för. Det skulle kunna leda till motsättningar och trassel och även om spaningschefen, han själv, hade förmåga att överbrygga de motsättningarna var det inte så säkert att han skulle

54

få möjlighet till det. Eftersom det var Säk som hade kommit på en idé.

Fick inte rikets säkerhetspolis som de ville i Norrköping så drog de bara in sin egen centrala organisation och sen skulle man snabbt befinna sig i kaos till följd av två parallella polisutredningar, en som sköttes av riktig polis och en som sköttes av Säk.

Det kunde också innebära en massa konstig publicitet, eftersom den hemliga polisen ofta manifesterade sin hemlighet genom att publicera spaningsuppslag i landets största kvällstidning.

Han själv var presstalesman för utredningen, han skulle hålla sin första presskonferens omedelbart efter morgonens möte. Han visste mycket väl vad som borde komma ut och vad som inte borde komma ut och han litade på sitt eget folk. De skulle inte läcka detaljer om hakkors och annat. Men med Säk inblandade blev allting fullständigt osäkert.

Eftersom han kom sen till polishuset blev han ytterligare försenad av att leta efter parkeringsplats. Hans personliga parkeringsplats nere i källaren, det mest betydelsefulla chefsprivilegiet som någon skämtat, hade av byråkratiska skäl ännu inte fördelats till den nye chefen.

De väntade på honom och de flesta hade satt sig när han kom in i samlingssalen. Han brydde sig inte om att försöka be om ursäkt utan bad Johansson från den tekniska roteln dra igång omedelbart. Det hade nämligen hänt något på den tekniska sidan under söndagskvällen.

Det som hade hänt var att man hade hittat en tomhylsa. Fyndplatsen, i botten på en vattenfylld blomstervas, hade först verkat så osannolik att man tänkt sig att hylsan inte hade med saken att göra.

Men å andra sidan var det ju lätt att tänka sig att gärningsmannen eller gärningsmännen hur noga de än försökt leta inte heller kunde tänka sig den vattenfyllda blomstervasen. Dessutom var beskeden från SKL:s vapentekniska mycket talande, för att inte säga vältaliga. De hade löst problemet på mindre än två timmar.

Hylsan var alltså av märket UZI och av militärt ursprung, försedd med en militär kod som kollegerna på BKA i Wiesbaden hade bland sina förteckningar. Alltså kände man till tillverkningsår och tillverkare.

Den mikroskopiska undersökningen av hylsans utkastarmärke,

spår efter utdrag och stötbottenspår sa med bestämdhet vilket vapen som hade använts: pistol av märket Beretta 92 F. Identifieringen var helt säker.

Johansson gissade att det kanske kunde finnas 2—300 pistoler med licens i hela landet, men det man skulle koncentrera sig på i första hand var naturligtvis de Beretta-licenser som kunde finnas i Norrköpingsregionen eller i den dödes bekantskapskrets. Ja, om inte annat så för att ha saken gjord så att man kunde utesluta ett och annat. Det var ju inte så särdeles troligt att någon skulle använda sitt eget legala vapen till ett mord av det här genomtänkta och planerade slaget. I och för sig inte otroligt heller, med tanke på vilken möda gärningsmannen eller gärningsmännen visat i jakten på tomhylsorna innan de gick från platsen.

I fråga om pisset hade man emellertid inte kommit så långt. På SKL hade man till en början nöjt sig med att klippa upp ett par väl genomdränkta sektioner av den nerpissade generalsuniformen för att sen centrifugera fram två tämligen kontaminerade urinprov. Proverna hade gått vidare till Statens Rättskemiska Laboratorium, där man i stort sett inte hunnit med så mycket mer än att genomföra en *organoleptisk* undersökning av proverna.

Ja, det betydde alltså på vanlig svenska att man hade luktat på innehållet och konstaterat att det var piss. Mera ingående undersökningar skulle inledas under dagen, på normal arbetstid efter klockan 09:00.

"Såvitt jag erinrar mej genomförde såväl jag själv som några kolleger den där *organoleptiska* undersökningen redan i lördags", muttrade Rune Jansson misslynt och väckte en viss, icke avsedd munterhet i församlingen.

Han låtsades inte om fnissen utan gick raskt vidare till frågan vad förhörsenheten åstadkommit. Det var Rune Janssons efterträdare som chef på rotel 6, våldet, som höll i förhören. Han kallades Kapten Bölja, möjligen för att han var från Göteborg, omväxlande med dubbelkorpralen, säkerligen därför att han var rustmästare i flygets musikkår, trombonist.

Kapten Bölja började med det väsentligaste. Inga grannar hade observerat någon bil som betett sig egendomligt i grannskapet. Men man hade inte fått tag på mer än drygt hälften av de personer som kunde tänkas ha gjort sådana observationer, så hoppet levde.

Beträffande generalens familj hade ett mer ingående förhör med fru af Klintén visat på en något överraskande motsättning inom familjen. Förutom sonen, alltså hovrättsrådet, som för övrigt befunnit sig på middag bland några domarkolleger i Stockholm vid tidpunkten för brottet, fanns det en dotter i familjen som med något gammaldags sätt att uttrycka saken närmast var förskjuten.

Det var fadern, alltså den mördade som, Kapten Bölja citerade sina anteckningar, "hade tagit sin hand ifrån sin dotter för många år sen".

Orsaken var närmast politisk. Dottern var läkare på Sahlgrenska i Göteborg. Hon hette Louise Klintén, det där småförnäma "af" före namnet hade hon tagit bort. Vilket möjligen kunde bero på att hon var kommunist, medlem av Sveriges sannolikt sista kommunistiska organisation, KPML-r i Göteborg.

Saken var nu den att Säk visade sig ha en hel del uppgifter om doktor Louise Klintén och hennes umgänge. Hon hade verkat som frivillig läkare bland den kurdiska gerillan i Turkiet och misstänktes av franska Säpo för att ha smugglat flytande sprängämnen till Europa för två eller tre år sen i samband med att hon återvände från en läkarsejour där nere.

Enligt Säk ingick Louise Klintén i en cell på Sahlgrenska sjukhuset bestående av flera terroristsympatiserande läkare och sjuksköterskor, och i utkanten av denna cell skymtade således personer med direkt anknytning till eller medlemskap i revolutionära kurdiska organisationer.

Självklart var det denna politiska bakgrund som hade lett till så stora misshälligheter inom familjen att fadern, ja alltså den döde, helt enkelt förbjudit henne att komma hem eller ens visa sig i hemmet. Den gamle generalen hade haft mycket bestämda åsikter om kommunister, enligt vad hans fru sagt.

Ja, och så hade då Säk hoppat in på ett eget utredningsavsnitt här. De hade via sin lokalavdelning i Göteborg inlett någon form av övervakning. Och frågan var väl nu närmast hur vi här i Norrköping skulle ställa oss till kollisionsfaran?

Rune Jansson suckade djupt. Det var alltså värre än han kunde ha anat. Men alla såg på honom och han måste säga något, helst något som inte i onödan sårade den nytillkomne medlemmen i gruppen, Säk skulle alltså från och med nu vara med. Det gick inte att göra så mycket åt.

"Jag ser ingen kollisionsfara", började Rune Jansson med en tvär-säkerhet som förvånade honom själv. "Självklart får vi förhöra dok-tor Klintén på vanligt sätt. Det kan ju knappast förvåna henne om hon är skyldig och det kan inte skada om hon är oskyldig. Vilken 'form av övervakning' Säk bedriver i Göteborg får vi väl föreställa oss, men för det första ligger det vid sidan av normal polisverksam-het och för det andra föreställer jag mej, hoppas i alla fall, att Säk, i vad mån dom får fram något, har godheten att meddela sina rön hit till spaningsledningen."

"Ska vi låta Göteborgskollegerna genomföra förhör med henne eller ska vi göra det själva?" frågade Kapten Bölja.

"Jag skulle föreslå att vi gjorde det själva, eftersom det kan vara viktigt så är det ju bra med någon som är så väl insatt som möjligt. Kan du inte göra det själv förresten, du smälter ju så att säga väl in i Göteborgsmiljön", svarade Rune Jansson snabbt och utan avsikt att göra sig lustig.

"Ja *herredjävlarr*", skrockade Kapten Bölja med överdrivet mar-kerad göteborgska.

Det fanns inte så många fler beslut att fatta. Förhörsgruppen fick naturligtvis sätta igång med att gå igenom offrets historia, hans be-kantskapskrets, ungdomsvänner, förälskelser, fiender i karriären, vänner i karriären, rubbet.

Men det var ju närmast en självklarhet. För redan nu kunde man börja gissa att det skulle bli en lång utredning. Var och en gick åt sitt.

Utom Rune Jansson som skulle hålla sitt livs första presskonfe-rens om två minuter. Journalister och fotografer skymtade redan vid utgången och några av de ivrigaste trängde sig igenom ström-men av polismän på väg ut för att kunna sätta sig så långt fram som möjligt. De ivrigaste visade sig vara de som skulle ha mikrofoner och kameror, TV-kameror och lampor.

Rune Jansson avskydde journalister. Eller mer exakt, han avskyd-de sin skräck för journalister.

* * *

Carl var spänd inför sitt måndagsmöte med chefen för den svenska underrättelsetjänsten, C OP 5 kommendör 1. graden Samuel Ulfsson, som var hela den formella beteckningen på en man som Carl aldrig kallade annat än Sam, åtminstone om de var ensamma, vilket de vanligtvis var när de träffades.

Det var långa och komplicerade måndagsmöten numera, eftersom utvecklingen i Östeuropa obevekligen måste leda till bråda dagar för all västerländsk underrättelsetjänst. Och eftersom Carl numera var biträdande chef för den hemligaste av alla avdelningar, sektionen för särskild inhämtning, så täckte hans arbetsfält flera disparata områden. Naturligtvis ansvarade han för *särskilda operationer,* men normalt sett var det en funktion som nästan aldrig skulle kugga in i maskineriet. För hur man än omskrev det som vanligtvis kallades särskilda operationer så var det alltid fråga om nödläge eller en verksamhet som riskerade att komma i konflikt med lagar och förordningar, just sådana konflikter som skulle kunna bli förödande för hela verksamheten i, som Sam brukade omskriva saken, "det politiska läge som rådde".

Det politiska läge som rådde var helt enkelt att diverse partivänner inom regeringspartiets kamratelit hade sysslat med att skapa en hemlig parallellpolis i syfte att på egen hand, vid sidan av säkerhetspolisen, uppspåra rikets fiender med hjälp av diverse olagliga metoder. Det var det minst stötande i det politiska läge som rådde.

Det mest stötande i det politiska läge som rådde var att de hade åkt fast och att de kastat landet in i ett djupt misstroende mot allt vad hemliga organisationer och underrättelse- och säkerhetstjänst hette. Delvis förlamade detta den militära underrättelsetjänsten eftersom riskerna för en flap, som de amerikanska kusinerna kallade det, det vill säga att åka fast och hamna i undersökande journalistik och annat helvete, hade fördubblats i någon sorts kvalitativ mening. Det som skulle ha blivit en liten vanlig avlyssningsskandal för några år sen skulle i dagens läge bli en jättelik avlyssningsskandal. Dessutom skulle underrättelsetjänsten komma att associeras med diverse politiska gangsters. Därtill skulle de politiska gangstrarnas höga beskyddare kunna visa krafttag av ett helt annat slag mot utomstående militärer än vad de kunde göra mot sina egna.

Den operativa verksamheten, med alla dess omskrivna innebörder, låg följaktligen nere.

Åtminstone när det gällde det egna närområdet, eller innersta närområdet, som omskrivningen var för det egna territoriet.

Det var en annan sak med exempelvis förhållandena i Baltikum. Underrättelseverksamheten där var värd ett och annat risktagande. Det man kallade "resenärer" hade fått en mer än fördubblad prioritering i underrättelsetjänstens fördelning av resurser. Där togs risker, där kunde man alltså åka fast.

Av just det skälet sysslade Carl inte alls med spioneriet i Baltikum och Östeuropa, han ansågs numera alltför dyrbar för det svenska försvaret för att kunna få förekomma i någon skandal. Carl var, som den nytillsatte chefen för marinen formulerat det, den största PR-tillgången för svenskt försvar sen von Döbelns dagar. Han fick alltså inte syssla med något farligt, tvärtom. Försvarsstabens informationsavdelning hade till och med gjort olika framställningar om att Carl borde resa runt i skolorna och på Rotaryföreningar och hålla föredrag om försvaret och behovet av ökade försvarsanslag.

Det modus vivendi som Sam funderat ut gjorde Carl till huvudansvarig för sammanhållande analys och bearbetning av hela avdelningens input. På så vis bands han effektivt vid skrivbord och datorer och behövde aldrig riskera att hamna i sin egen myt ute i offentligheten.

Men det innebar också att måndagsmötena kunde bli långa och röriga, eftersom det var så disparata ämnen som skulle sammanbindas i den bearbetade analysen. Den sovjetiska undervattenstrafiken på svenskt territorialvatten fortsatte, fullkomligt oberoende av all glasnost, som det tycktes. De uppgifterna skulle ges en politisk och en operativ innebörd, samtidigt som man skulle förstå utvecklingen i Baltikum och bedöma riskerna för att just denna utveckling i Baltikum ledde till Gorbatjovs fall — vilket självklart medförde kravet att man då skulle kunna dra slutsatser för det svenska försvarets strategiska planering. Vad man i själva verket sysslade med var att försöka bedöma hela världens framtid som i ett enda system av dominobrickor.

Följaktligen blev det ibland lite råddiga möten, som Stålhandske skulle ha sagt.

Denna måndag var särskilt råddig. Och Carl hade ändå, världens framtid hit och världens framtid dit, ett ärende som inte fanns på den preliminära dagordningen och som han själv betraktade som svårare och, egendomligt nog, viktigare än Sovjetunionens eventuella sönderfall.

Klockan hann närma sig elva innan det blev dags.

"Jaha", sa Samuel Ulfsson lättad, fimpade sin tjugosjätte Vita Bond, Carl hade som sport att räkna, "då var det väl inget mer. Sammanfattning och tre kopior, kvalificerad hemligstämpel på det där med ubåtarna, annars som vanligt."

Sam reste sig och sträckte lite på sig och gick bort för att öppna ett fönster. Det hade slutat snöa för en halvtimme sen och solljuset skar skarpt genom rummets rökridåer.

"Jo, det var en sak till", sa Carl med tillkämpad behärskning och la fram två skriftliga bekännelser på sin chefs just undanstädade plats på det mörkbruna skrivbordet.

Samuel Ulfsson anade genast oråd av någonting obestämt i Carls tonfall, gick snabbt tillbaks till skrivbordet, började läsa och tände redan efter några rader en ny cigarrett.

Carl slätade ut alla känslor, förväntningar och ansiktsuttryck medan han väntade.

"Det här var verkligen inte bra", sa Samuel Ulfsson med betoning på varje ord när han sakta som i slow motion la tillbaks de båda rapporterna på den bruna skrivbordsytan, "verkligen inte bra. I själva verket en jävla katastrof."

"Ja", sa Carl, "så skulle man kanske kunna uttrycka det. En katastrof, sånt som händer."

"Sånt som händer?"

"Ja."

"Det här är ju för jävligt."

"Ja, det är för jävligt. Men nu har det hänt. Och frågan är alltså vad vi ska göra åt den saken."

"Sparka pojkarna, dessvärre."

"Varför det?"

"Behöver du fråga det?"

"Ja. Jag frågar efter ditt formella skäl. Fackliga regler gäller nämligen till och med underrättelsetjänstens officerare."

"Så jag skulle inte kunna sparka folk som begår lagbrott, det är visserligen det minst allvarliga, det allvarliga är ju, ska vi säga indiskretionen, men tekniskt sett antar jag det är förbjudet att misshandla våra medborgare om så med de ädlaste av syften. Alltså lagbrott. Alltså sparken."

"Det är inte så enkelt."

"Jaså."

"Nej."

"Upplys mej, kommendörkapten."

"Yes Sir!"

"Larva dej inte men upplys mej."

"Lagbrott uppstår först om du polisanmäler saken. Rättvisans kvarnar kommer då med stor sannolikhet att kunna fastställa lagbrottet. En av konsekvenserna blir bland annat fängelse för löjtnant Stålhandske och löjtnant Lundwall."

"Om *jag* polisanmäler dom!"

"Just det, det är du som har fått dom här hemligstämplade rapporterna. Tjänstevägen."

Samuel Ulfsson tystnade, fimpade sin cigarrett och tände omedelbart en ny. Han insåg att Carl måste ha förberett saken, att Carl måste ha en idé om hur man skulle bete sig.

"Här", sa han och sköt demonstrativt över de båda rapporterna till Carl, "jag har inte fått dom än, jag har inte läst dom, jag vet inte ett förbannat dugg. Alltså, vad gör vi?"

Samuel Ulfssons förändrade tonläge och hans förändrade kroppsställning när han nu lugnt lutade sig bakåt för att börja lyssna fick Carl att småle, och så möttes de i ett mycket kort ögonblick av samförstånd. Det var det Carl hade väntat på.

"Jag har ett förslag", började han demonstrativt sakta. "För det första är det precis som du säger, du har aldrig fått dom där rapporterna av mej. Jag är pojkarnas närmaste chef och jag har hemligstämplat deras rapporter med hänsyn till rikets försvar och beordrat dom att hålla käften. Kommer det här ut är det mitt ansvar. Och jag är fullt beredd att svara inför konstitutionsutskottet."

Där avbröts han av en kort hostande skrattsalva från sin chef.

"Om jag alltså får fortsätta. Våra förluster i personal och utbildningsresurser skulle bli ofantliga, våra möjligheter att fullfölja utbildningen av dom två nya i San Diego skulle kunna äventyras och ovanpå det skulle vi få en fruktansvärd publicitet. Det är värt betydande risker att försöka undvika den katastrofen. Är du med mej så långt?"

"Ja, förutsatt att jag inte har hört någonting av det här men det har jag tydligen inte. Men vad ska vi göra åt polisen?"

"Ingenting. Vi ska inte göra ett dugg åt polisen, det skulle se ut det och dessutom skulle det publiceras om vi ens andades om påtryckningar. Vi ska inte gå på polisen, vi ska tysta målsägarna."

Carl smålog hemlighetsfullt och såg för första gången under samtalet lite road ut, eftersom han nu kände på sig att han skulle få igenom sin plan.

Men Samuel Ulfsson såg ut som om han inte trodde sina öron. Han drog försiktigt djupt efter andan utan att hosta och lutade sig framåt med båda armbågarna på skrivbordet.

"Även om jag inte hör vad jag nu hör så har jag svårt att tro vad jag hör. För det första är det bara fransmännen som håller på med sånt där, för det andra, vilket egentligen borde vara det första, finns ett absolut förbud för all personal inom underrättelsetjänsten att ens tänka det du just sa."

"Inte alls", log Carl, "därför att du har en alldeles för våldsfixerad fantasi, dåligt sällskap eller vad det kan vara. Men jag menade vad jag sa. Vi ska tysta dom där skinheadsen, jag ska göra det själv, det kommer att ske utan något som helst våld och ingenting kommer att komma ut. Och målsägarna själva, alltså skinheadsen, kommer att älska den här lösningen."

"Är du säker på, fullständigt säker, att du har en plan som kommer att fungera?"

"Svar ja."

"Och ingenting kan komma ut?"

"Inte enligt planen."

"Och allting är lagligt?"

"Det är en synnerligen filosofisk fråga. Om ingenting kommer ut är allting lagligt. I vart fall är det inte fråga om någonting ens i närheten av det du först trodde."

"Våld, utpressning, hot och så vidare."

"Just det. Ingenting sånt. Jag skulle föreslå att vi inte talar mer om den här saken som vi ju ändå aldrig talat om."

Samuel Ulfsson reste sig. I vanliga fall var det slutet på deras möten och Carl gjorde sig beredd att gå, han hade redan stoppat ner de icke existerande rapporterna i sin portfölj och var på väg mot dörren.

Han hejdades just när han hade lagt handen på dörrvredet.

"Fast jag har en sak till", sa Samuel Ulfsson och lät plötsligt ganska besvärad.

"Ja?" sa Carl oroligt och gick tillbaks till sin plats under tavlan med diktatoriskt militärt förtryck under svenskt 1700-tal, åtminstone som Carl brukade skämta om motivet, och satte sig.

Samuel Ulfsson tände en ny cigarrett med långsam omständlighet som fick Carl att tro att någonting mycket besvärligt var på väg.

"Jo det är så", började Samuel Ulfsson när han dragit in sitt första bloss, "att The First Sealord kommer på besök."

"Ja. Och?"

"Vi betraktar chefen för den engelska flottan som en mycket viktig gäst."

"Ja, självfallet. Och?"

"Det brittiska amiralitetet har uttryckt ett mycket bestämt önskemål. Ja du kanske kan föreställa dej, han vill träffa den svenske James Bond och allt det där."

"Kommendörkapten Hamilton ska alltså infinna sig i hel och ren uniform till vissa cocktailpartyn hos ÖB och liknande?"

"Svar ja."

"Ordern är uppfattad och skall verkställas."

"Ja. Men det är inte så enkelt."

"Hurså?"

"ÖB har uttryckt ett önskemål om att du skulle klippa och raka dej."

Carl brast ut i ett långt befriat skratt. Först skrattade Samuel Ulfsson med honom men slutade tvärt eftersom han fruktade att Carl inte alls visade tillbörlig respekt för överbefälhavarens önskemål.

"Det kan kanske verka lite barnsligt men ÖB vill faktiskt...", försökte Samuel Ulfsson.

"Oroa dej inte", svarade Carl och torkade tårarna ur sina ögonvrår, "det där sammanfaller helt med mina planer i den fråga du inte har fått dej föredragen. Jag kommer att se ut precis som på chokladasken hos First Sealord".

"Chokladasken?" undrade Samuel Ulfsson.

"Ja, oroa dej inte. En prydnad för svenska flottan, det ska du få, hel och ren, nyrakad och klippt. Det är fler än the First Sealord som den maskeringen är till för."

* * *

Frisörsalongen låg på Grevgatan, inte långt från gamla IB:s huvud-kontor och det var en modern salong där man måste beställa tid och där arbetet skedde under konstant hissmusik, bland palmer i vita krukor och bladfikusar. Det var Lundwall som hade rekommende-rat stället och Carl hade beställt tid i Lundwalls namn.

Ändå höll han på att bli nekad. Först bara med några handvift-ningar om att här gällde tidsbeställning och sen med blickar av all-mänt ogillande, mönstrande blickar demonstrativt nerifrån gym-nastikskorna med snöslask upp till det smutsiga toviga håret. Han såg på klockan och bestämde sig för att inte låta sig avfärdas. Mottagningen för chefen för den brittiska flottan skulle börja om tre timmar.

"Jag väntar", sa han kort, nappade åt sig en skvallertidning och satte sig på en minimal stol i tunn vit stålkonstruktion intill en av bladfikusarna. Det var fyra frisörer i arbete och ingen som väntade. Frisörerna påminde honom om dovhjortar, små eleganta och lite ryckigt nervösa i rörelserna. Förmodligen var de homosexuella, kanske hade Lundwall skämtat med honom. Han drog lite på mun-nen åt tanken på vad som skulle ha hänt om Lundwall skämtat på samma sätt med Stålhandske. Sen stelnade han till när en av de just färdiga klienterna tackade genom att kyssa sin frisör på båda kinder-na, som hälsande societetsdamer.

Han gick utan att säga något fram och satte sig i den lediga stolen, vilket säkert var fel på något sätt eftersom dovhjortarna utbytte me-nande blickar bakom ryggen på honom. Men de tycktes ändå be-stämma sig för att enklaste sättet att bli av med honom var att helt enkelt klippa honom.

"Nå, vad ska vi göra av en sån här liten söt pojke da?" frågade den dovhjort som nu fick ta på sig det lidande det tydligen innebar att ägna sig åt Carl.

"Mja", sa Carl dröjande och tog av sig glasögonen, vek ihop dem och stoppade ner dem i bröstfickan och kisade mot sig själv i den stora hårt belysta spegeln med kromram. "Söt pojke är väl lite myc-ket sagt just nu, men jag skulle vilja bli omgjord till en utomordent-ligt konventionell typ, någonting som liknade en börsvalp, kan-ske?"

"Hur hade du tänkt dej då, raring?" frågade dovhjorten som själv hade en komplicerad frisyr som byggde på en blandning av snagg

65

och tuperat rufs i rosa och silver.

"Jag hade tänkt mej rakning, klippning och hårtvätt, du ser resterna efter en bena, det ska bli en bena. Håret ska inte gå ner över öronen, jag ska se ut som om jag var ambassadsekreterare eller direktörsassistent i SAF eller nåt i den vägen."

Hans beställning väckte ett visst intresse och dovhjorten ändrade attityd.

"Är du skådis eller nåt?" undrade han med tonen av överlägset förakt borta.

"Ja, det kan man säga. Jag ska spela gentleman och officer i nästa roll, den här rollen är klar nu", svarade Carl och lutade sig demonstrativt bakåt till tecken på att konversationen var avslutad. Dovhjorten ryckte på axlarna och satte igång med jobbet.

Carl blundade till en början, störd av det starka ljuset och störd av den bild av sig själv han såg i den skarpt upplysta spegeln. Som maskering var hans utseende en succé, det hade ju visat sig. Men det var som om han hade förändrat sig mentalt för att gå in i sluskrollen. I det kliande skägget grodde några smutsgödda finnar, han såg glåmig och trött ut, eller halvt olycklig av bekymmer, och han kände sig som han såg ut och frågade sig om det var en roll som han suggererade till verklighet för att kunna spela rollen, eller om han hade någon form av inkapslad olycka inom sig, som en liten malign svulst någonstans som resten av organismen inte ville låtsas om, liksom man förtränger sorg eller döden.

Det började med rakning och han fälldes bakåt så att det mesta av hans synfält hamnade uppe i det vita taket. I tjugoårsåldern hade han alltid haft skräckfantasier om just den här positionen, fälld bakåt med armarna under ett vitt skynke, med halsen blottad inför en stor grov man av italienskt utseende med en jättelik rakkniv i handen. Det var kanske något han hade sett på matiné, någon gangsterfilm om maffiauppgörelser, eller det var en musikal som hette Sweeney Todd som handlade om barberaren Sweeney som mördade sina kunder, styckade dem och gav köttet åt frun som lagade East Ends mest populära köttpajer, billiga och närande.

Men han saknade rädsla, det var med pulserande oro som han nu gjorde den upptäckten. I tjugoårsåldern var han så mycket mer levande. Då och då drömde han mardrömmar om att förlora detta levande inom sig. Om han drömde mardrömmar nuförtiden så handlade de om raka motsatsen, åtminstone föreföll det honom som raka motsatsen, att han överlevde men andra människor dog därför att han själv dödade. Det var som om en sorts likgiltighet hade smugit sig över honom under senare år, så sakta och så lite åt gången att han aldrig upptäckte den pågående förändringen. Men att han nu saknade rädsla hade ingenting med mod att göra, det mod han ville ha när han var i tjugoårsåldern. Det hade med likgiltighet att göra, som om han redan levt sitt liv, som om alla räkningar var betalda och alla misstag gjorda och ingenting återstod utom leda på väg mot slutet.

Någonting hade gått fullkomligt fel, någonstans hade han gjort ett katastrofalt misstag utan att ens se sin egen valfrihet, sin möjlighet att undvika det stora misstaget.

Det var absurt att ömka sig själv. Enligt opinionsundersökningarna var han landets mest beundrade man, långt före chefen för den största bilindustrin och finansministern, Time Magazine hade gjort honom till "Årets Man" förra året, han var för resten av sitt liv befriad från ekonomiska problem, hans fru eller den kvinna han älskade skulle föda en son eller en dotter om tre månader, han var yngst någonsin på en så tung befattning i underrättelsetjänsten som han nu hade fått, han hade alltså ett jobb som var viktigt för hela nationen, han var oneklingen en jävla succé, utom möjligen som älskare och det var i vart fall ingenting som plågade honom längre; deras sexliv var ändå försiktigt nu när hon var så stor om magen.

Det var absurt att ömka sig själv, men någonting var också fundamentalt fel. Jag är helt enkelt olycklig, tänkte han. Varför inte bara formulera det så enkelt och gammaldags.

Men då inställde sig frågan om varför. Hade han förträngt ett dåligt samvete för människor han skadat eller dödat så effektivt att bara fantomsmärtor fanns kvar inom honom, smärtor som inte längre kunde härledas till något konkret sår?

Eller var det den där unge clartéisten som såg på honom över axeln och frågade hur det gick med kampen för de förtryckta, för jämlikhet och rättvisa?

Om clartéisten kom in här, vad skulle han säga kommendörkaptenen och vad skulle kommendörkaptenen svara?

"När du gick in i Clarté så var det inget fel på ditt engagemang precis. Men det är klart, då ägde du bara en halv miljon, som du föralldel inte fick disponera över. Men hur är det idag, 25 miljoner?"

"Jag tror det är mer, men jag vet inte."

"Nå, men det kan ju förklara ett och annat. En naturlig klasståndpunkt?"

"Jag har skänkt bort över två miljoner till den anti-imperialistiska saken."

"Stiligt. Mycket stiligt. Förutom att uppoffringen inte var så stor som summan kan antyda var det till råga på allt avlatspengar. Du köpte dej fri från skulden för ett mord. Skulle det inte rentav ha varit värt några miljoner till i så fall?"

"Allt är inte så enkelt. Clarté var den mest dogmatiska studentorganisation jag någonsin kommit i kontakt med. För er, jag menar för oss, var allt enkelt. Se dej själv nu fjorton femton år senare. Allt var inte så enkelt."

"Blanda inte ihop dej med mej. Jag jobbar inte på spioneriet, jag är ingen mördare."

"Nej men du blev det, vad du än ville. Skulle inte du ha sprängt dom ryska baserna på vårt teritorium?"

"Jo, självfallet."

"Skulle inte du ha skjutit dom där israeliska specialisterna om du kunnat?"

"Naturligtvis."

"Skulle du inte ha fritagit den svenska gisslan i Beirut, även med våld, om du nu haft resurser till det?"

"Mera osäkert, du dödade palestinier."

"Ja, med hjälp av den palestinska underrättelsetjänsten. Dom vi dödade var gangsters."

"Ja, låt gå."

"Och du som ville infiltrera det svenska försvaret. Vad är bättre än att bli chef på underrättelsetjänstens operativa avdelning?"

"Det beror på. Det är inte jag som är det, det är du och du är inte längre jag."

"Var finns du då?"

"I Kalifornien. Jag är flitig som en bäver, jag studerar så mycket att jag försummar Tessie, men det är för att jag vill använda mitt liv till något viktigt. Det kapitalistiska Sverige är korkat nog att ge mej en utbildning som gör mej till ett vapen och det vapnet skall användas."

"Till vadå?"

"Det du alltid ville, rättvisa, kamp för de förtrycktas sak. Men du, vad gör du? Mördar västtyska terrorister åt den västtyska staten så att ordning åter härskar i Berlin."

"Lustigt att du sa det. Nu härskar verkligen en annan ordning i Berlin än vad du någonsin tänkte dej. Så hur är det med din socialism?"

"Du kan inte försöka demagogiska tricks på mej, på dej själv. Varken du eller jag var för systemet i Östeuropa eller i det socialimperialistiska Sovjetunionen. Men jag tänkte mej inte heller som assistent åt den västtyska terrorpolisen."

"Dom skulle slå till mot ett mål i Sverige. Därför samarbetade vi, det var en vanlig search-and-destroy-operation, ingenting som du kan dra politiska växlar på. Berätta mer om vad du gör i stället."

"Jag badar mycket, simmar i det kalla vattnet. Jag skrattar ofta eftersom jag är lycklig och jag har just blivit uttagen till quarter-back i skollaget, jag har möjlighet att bli ett oerhört fiasko eller en oerhörd succé och Tessie har skämtat om att smyga sig in bland våra hejarklacksflickor. På träningen idag lyckades jag med två passningar på över 50 yards, det är dom gamla handbollstakterna, du vet. Det svider lite i huden av sol och salt, det är det enda bekymmer jag över huvud taget har."

Carl ryckte till av att någon sagt någonting i verkligheten.

"Förlåt", sa han, "jag hörde inte."

"Jo, det är ju ett ganska kraftigt ärr här, skulle skägget dölja eller hur var det tänkt?" frågade dovhjorten.

"Jojo", sa Carl, "men har du rakat ena sidan får du väl raka andra sidan också. Min avsikt var alltså att se konventionell ut, inte halvskäggig."

Någon minut senare var han helt slätrakad och stolen restes upp och han fick torka av sig i ansiktet och baddades med rakvatten.

Han stirrade in i spegeln på förändringen. Det fanns någonting mycket oroande i det han såg, men han kunde inte formulera det.

När klippningen pågått en stund var det som om dovhjorten också hade upptäckt någonting, att någonting obestämt höll på att ske, kanske någonting skrämmande.

Sluskens blick förändrades, han hade verkat slö, närmast lite indolent när han kom in och såg ut som om han gått fullkomligt fel. Men nu var det som om saxen som klippte hans hår samtidigt vässade hans blick, som om han vore en omvänd Simson. Det växte faktiskt fram en helt annan gestalt, en helt annan roll. Kanske han var skådespelare, eftersom han nu började förefalla så bekant.

Carl såg stint på sig själv, detta andra själv, när dovhjorten putsade de sista detaljerna över öronen så att inte ett hårstrå blev för långt. Efter några sista justeringar med en trimsax tog dovhjorten ett par trippande steg tillbaka för att kontrollera att allt var klart. När han så mötte Carls blick i spegeln stelnade han till och sen kände han hur håren reste sig på underarmarna.

Carl såg igenkännandets ögonblick, nickade småleende bekräftande, reste sig och såg då ut som om han var en meter längre än när han kom in.

De andra frisörerna hade avbrutit sitt arbete och stod blick stilla och fånstirrade. Några av deras kunder vred på huvudet för att se och också de såg genast.

"Hur mycket är jag skyldig, cash eller kreditkort?" frågade Carl så obesvärat han förmådde inför de stirrande blickarna från sex ögonpar.

Först kom ingen sig för att svara.

"Ingenting, absolut ingenting, it's on the house", stammade den dovhjort som behandlat Carl.

Carl ville inte stå kvar i stirrfånget, han nickade kort och vänligt, tog sin jacka och portfölj och gick ut, såg på klockan och konstaterade att han skulle hinna med ett träningspass och ett skjutpass innan det var dags för att klä ut sig i uniform.

I salongen sysslade två av de dovhjortsliknande männen med att försiktigt sopa upp Carl Gustaf Gilbert Hamiltons hårtussar. Någon hade snabbt kommit på den briljanta idén att paketera håret i små plastaskar och sälja för, ja för vadå? Femhundra kronor locken? Eller tusen kronor locken?

* * *

Stockholms skinheads har en egen lokal, den enda ungdomsgården i Stockholm där det är tillåtet att servera öl. Det kommer sig av skinheadsens legitimerade behov av att vara berusade. Och eftersom de inte skulle gå att samla i någon lokal med mindre än att där serverades alkohol har det krävts åtskilligt byråkratiskt arrangemang för att ordna denna alkoholpolitiskt och socialpolitiskt synnerligen känsliga fråga.

Men problemet som skulle lösas var frågan om våldet på Stockholms gator. Det är tveksamt om 2—300 pojkar med rakat hår, militärkängor och amerikanska flygarjackor kunnat stå för mer än en tusendel av Stockholms gatuvåld. Men då deras livsstil är sådan att den åstadkommer mycken publicitet blir deras våld det publicistiskt mest upprepade våldet, vilket för deras del har både negativa och positiva effekter.

En positiv effekt är två hopmonterade baracker med musikanläggning och ölutskänkning intill ungdomsgården Fryshuset på Söder. Avsikten är att de så mycket som möjligt ska få tillfälle att skräna bland sej själva och berusa sig bland sig själva inne i barackerna, så att de somnar innan de kommer på tanken att gå ut och bedriva gatuvåld.

En negativ effekt av deras ryktbarhet är att de döms strängare av domstolar om de åtalas för våldsbrott, i något eller några fall sannolikt också oskyldiga. Eftersom samhället ser så strängt på våld under senare år när pressen påstått att våldet ökar fast det inte ökar.

Kvällarna inne i lokalen är sig lika, så också till en början denna kväll. Den råa rockmusiken, en särskild stil besläktad med punkrocken, dånar i den mycket svagt upplysta lokalen. Väggarna är svarta, dammiga, klottrade med meningslösheter, för utomstående, eller med ett och annat hakkors som är det första och kanske enda en utomstående skulle se. Eftersom nästan alla är rökare och ventilation i egentlig mening saknas är det fruktansvärt rökigt och kort sagt är det tveksamt om någon samhällets stöttepelare, såsom en inspektör från socialstyrelsens alkoholenhet om någon sådan någonsin skulle våga sig hit, skulle se eller höra så särskilt mycket med öronen bombade av en musik som mest är på engelska och handlar om arbetarklassens helvete, eller se så särskilt mycket med ögonen svidande av röken.

I mitten på golvet rör sig kroppar som i en koreografisk blandning av slagsmål och grov dans upp och ner upp och ner, ibland med de bara tatuerade armarna om varandras skuldror; det kan påminna om S & M-scener från någon obskyr källarhåla i San Francisco. En liknelse som sannolikt dödligt skulle såra dessa unga män som säger

71

sig vara emot all perversitet, allt snusk, all rasblandning, alla svart-
skallar och för den nation som de älskar, Sverige, och för det försvar
som inte älskar dem. Deras kärlek till den svenska försvarsmakten
är i högsta grad obesvarad.

En enkel ljudillustration till det självklara förhållandet är till
exempel Horst Wessel. Den nazistiska kampsången spelas fem sex
gånger per kväll, för att det är en häftig låt, för att det är en låt som
retar borgerskapet till vansinne (ehuru skinnhuvena, som de kallar
sig, inte skulle ha uttryckt saken så) eller helt enkelt för att det är en
nazistisk låt.

En del skinnhuven är nazister, försöker faktiskt vara nazister.
Andra är om alls politiskt intresserade (förutom det där med
svenskheten och svartskallarna) närmast socialdemokrater. Anled-
ningen till att de ändå inte splittras i olika grupper kan man undra
över, hade de varit en vänsterinriktad rörelse hade de mycket snabbt
blivit femton sexton organisationer.

Men problemet är att de är så få. Vill man ha rakat huvud och bara
tatuerade armar bland likasinnade så får man överse med ett och an-
nat och se till det som enar. Det som enar är till exempel beundran
för Karl XII, vilket på något sätt sammanhänger med att Karl XII
genom att anfalla Peter Den Stores Ryssland och förlora halva svens-
ka imperiet ändå stod kommunismen emot i handling och slogs för
det fria icke-kommunistiska och rasrena Sverige.

Det finns inga porträtt på Hitler på väggarna, de som är emot Hit-
ler sliter ner såna bilder. Däremot finns det bilder på Karl XII som
ingen skulle komma på tanken att riva ner.

Om någonting var speciellt i början på denna kväll så var det att
fem eller sex kamrater hade gipsade ben eller armar eller käkar sam-
manknutna av ståltråd. Men anledningen till det var inte längre nå-
got större samtalsämne; ibland fick man spö, ibland gav man spö.
Den här händelsen var visserligen lite speciell eftersom skinnhuve-
na för första gången samarbetade med polisen, eftersom de trodde
att de fått spö av poliser och eftersom polisen inte trodde att de fått
spö av poliser.

I hörnet längst ner i lokalen, till vänster om den sargade bardisken
i masonit och spånplattor överdragna med svart färg, slogs några kil-
lar. Men det var på lek, inget riktigt slagsmål, ungefär som unga var-
gar i en flock som övar, kelar och markerar hackordning i en och

samma manöver. Ingen av de dansande eller öldrickande vid baren eller de som satt och pratade nån sorts politik längre ut i lokalen, i soffgruppen vid ingången, tog någon notis om slagsmålet som inte var slagsmål. Men den av Stockholms stads ungdomsförvaltning betalde ledaren, eller bartendern, bestämde sig ändå för att få slut på bråket innan det övergick från lek till allvar, och därför sänkte han ljudvolymen något på stereoanläggningen och slog för tredje gången under den tidiga kvällen på Horst Wessel för att få slut på dansen så att det blev mera svängrum när han skulle gå emellan i bråket.

Det blev en kort kalabalik, så skildes vargarna åt, och i exakt det ögonblicket spred sig en elektrisk stöt av hot och fara genom lokalen. Mitt på golvet stod en vuxen man från det andra samhället, det där ute, i slips och svarta skor och rock och skärmmössa under armen.

Men det var kanske inte de detaljerna skinnhuvena såg först. De såg gradbeteckningarna först, fyra guldränder och en ögla och som militärentusiaster såg de genast vad det var frågan om.

Någon stängde av Horst Wessel. Någon annan lyckades tända ett par lampor nere i ena hörnet av lokalen.

I den plötsligt framvällande tystnaden såg de samma sak, kom till en flocklik gemensam insikt. Mannen mitt i deras lokal var Coq Rouge, Carl Gustaf Gilbert Hamilton, som bara, och nu med tvekan, skulle ha kunnat överträffas av Karl XII själv.

I det som nu var det tystaste ögonblicket i skinnhuvebarackens korta historia reste sig de som satt, någon gjorde honnör, ännu någon försökte göra Hitlerhälsning men blev brutalt stoppad av kamraten intill, och ytterligare någon föll plötsligt i till synes omotiverad gråt.

Carl gissade att han nu hade några sekunder på sig för att behålla initiativet.

"Ni vet vem jag är. Jag är här för att vi har ett gemensamt problem och jag behöver er hjälp", började han och såg sig omkring, gjorde en lång paus och lät blicken glida från den ene till den andre i den förstenade tysta församlingen.

"Vi har nämligen en del bekymmer till följd av en sammanstötning mellan några av mina pojkar på underrättelsetjänstens hemligaste avdelning och några av er här i rummet, såvitt jag kan se."

Han tog några steg framåt och åt sidan i rummet, mer för att inte stå stel och mekanisk när han talade än för att vinna tid.

"Självfallet kommer försvarsmakten att betala skadestånd till dom av er som råkat komma i vägen för underrättelsetjänsten, självfallet är det katastrof för Sveriges försvar om den här saken kommer ut och polisen får tag på löjtnant A och löjtnant B, självfallet är det katastrof om ni berättar det här för nån tidning eller för nån annan som berättar det för nån tidning. Det betyder att två av Sveriges bästa officerare kommer i fängelse och får sparken, och dom råkar vara mina närmaste medhjälpare."

Carl bedömde att allt han hittills sagt ändå skulle komma ut till hela kamratkretsen, men att han nu passerat gränsen för det absolut nödvändiga. Han vägde en stund på fötterna och lät på nytt blicken glida över församlingen, noga med att hinna med att se var och en i ögonen.

"Jag skulle vilja att dom av er som fick spö, som ni säger, kommer med mej in i rummet längst bort, till höger om ingången."

Han vände på klacken och började gå bort mot det rum han avsett, utan att se sig om, som om det var självklart att bara rätt personer skulle följa honom.

När han kom in i rummet längst bort visade det sig upptaget av tre personer, en som halvsov med en ölburk i handen under en av rummets stolar, en ung man och en ung kvinna som sysslade med erotik i en annan stol och tydligen inte observerat den dånande tystnaden där ute; de avbröt sig mer av häpnad över att se Carl än för att de blev störda.

"Jag ber så mycket om ursäkt för att jag tränger mej på, men jag skulle behöva låna det här rummet ett slag, om det går bra?" sa Carl i så lätt tonfall han kunde prestera.

De två älskande tumlade upp ur stolen och började rätta till sina kläder utan att för ett ögonblick ta blickarna från Carl.

Carl kände att han hade en liten kö bakom sig, någon vidrörde honom oavsiktligt med en gipsad arm, men han vände sig inte om. Den unge mannen framför honom tog med sig flickan i ett hårt grepp runt handleden för att utrymma lokalen så fort som möjligt, ångrade sig halvvägs ut, gjorde en ursäktande gest mot Carl och grep sin halvsovande kamrat i jackkragen och släpade honom med sig i andra armen.

Carl bet sig i läppen för att kunna hålla sig allvarlig när han nu

74

med uppbådande av största möjliga värdighet satte sig i den just lediga fåtöljen i svart konstläder längst bort i rummet.

"Vill någon ordna belysningen", kommenderade han och fick genast lite ljus. Medan de andra bänkade sig längs väggen och i de övriga lediga stolarna och stängde dörren tog Carl upp sin portfölj, la den framför sig på det rangliga bordet och slog upp locket. Portföljen innehöll små buntar av tusenlappar.

"Det här är försvarsmaktens pengar", började han affärsmässigt, "närmare bestämt underrättelsetjänstens pengar. Dom tas inte emot mot kvitto, det är alltså skattefria pengar som inte redovisas nånstans. För er här i rummet, och jag har en god uppfattning om vilka ni är, hade jag tänkt mej ett skadestånd på 5 000 kronor per man. För era tre kamrater som ligger på sjukhus hade jag tänkt mej ett högre belopp. Jag vill att ni förser mej med deras adresser. Någonting oklart så långt?"

Han såg sig omkring, men i den andäktiga stämningen var det ingen som kom sig för att säga någonting.

"Som ni förstår", fortsatte han i något mer avspänd ton, "går allting åt helvete om det här kommer ut. Jag kan bara lita på att ni verkligen stöder Sveriges försvar så mycket som ni säger att ni gör. Med sönderfallet i Ryssland behöver vi mer än någonsin en fungerande underrättelsetjänst och om mina kolleger åtalas och döms för den där sammanstötningen vid Karl XII så har vi en katastrof på halsen. Nå, vem är du?"

Han pekade på närmaste man med armen gipsad.

"Lars-Erik Gustaf Brännström, 690123-1357", svarade den tilltalade med nervös heshet.

"Jaså, Nunne kallas du, eller hur? Okay, här har du 5 000 kronor."

Carl räckte över pengarna och prickade av Nunne på sin lista och sen såg han frågande upp mot nästa man.

Proceduren var snabbt avklarad. Carl slog ihop sin väska och reste sig.

"Vänta, innan du går, får jag fråga en sak?" sa Nunne.

"Ja?" sa Carl och såg vänligt in i den nervöse unge mannens mycket ljust blåa ögon.

"Jo det är så att jag är stamanställd sergeant och..."

"Jag vet det. Du är en av dom som slank igenom kollen. Gratulerar. Och?"

"Jo alltså, vi som älskar Sverige, vi älskar verkligen vårt land, varför... jag menar, varför är ni i försvaret så mycket emot oss?"

"Därför att ni spelar Horst Wessel, därför att ni är emot den demokrati som försvaret är till för att försvara. Svårare än så är det inte."

Nunne slog ner blicken. Karl XII, nästan, hade avvisat hans kärlek.

"Men skulle du kunna göra en sak för oss om vi håller det här avtalet med dej?" fortsatte Nunne med plötslig energi eftersom han fått en idé.

"Självfallet", svarade Carl utan att med en min avslöja sin plötsliga oro.

"Skulle du kunna komma hit till oss en kväll och hålla föredrag om den militära underrättelsetjänsten?"

Carl tänkte efter några ögonblick innan han såg möjligheten.

"Jo, självfallet. Såfort vi vet att den här historien inte har skadat Sveriges försvar, inte kom till polisen och inte kom i Expressen. Då kommer jag gärna."

Han reste sig långsamt, lite teatraliskt som för att understryka betydelsen av den nu ännu djupare överenskommelsen om att tysta en historia. Så gick han ut och de andra vek undan som viskningar för honom.

På trappan njöt han av den kalla rena luften. Sen sa han till sig själv, den unge sig själv som han talat med på frisörsalongen;

"Ja, du ser. Pengar kan komma till vilken som helst konstig användning, man kan ge dom till det kämpande folket i Afghanistan eller man kan ge dom till fascistiska lymlar i Stockholm och kalla dom för hemliga försvarspengar. Världen är inte så enkel som du trodde."

"Nej", svarade hans andra unga jag, "den är inte så enkel. Du har just betalat av egna pengar för att åstadkomma en vanlig rörmokaroperation, för att hindra att brottslingar ställs inför rätta, för det har du betalat en summa motsvarande två eller tre terminsavgifter för mej på University of California San Diego."

* * *

Åke Stålhandske kände sig besvärad som en konfirmand i sin nya mörka kostym. Tyget stretade runt hans stora kropp och när han prövande böjde sig nedåt och gjorde en famnande rörelse med armarna knakade det oroväckande i sömmarna. Han var inte byggd för konfektion men hans löjtnantslön tillät ingenting annat.

Men gubben tog det hela högtidligt och det var ju alldeles sant att han inte hört av sig så mycket som en son borde, att han aldrig riktigt förklarat vari hans jobb på försvarsstaben bestod, trots att gubben mycket väl måste ha förstått den saken för mer än ett år sen.

Han hade försökt rådgöra med Carl om vad man kunde säga och inte säga till sina närmaste, men bara fått halvt skämtsamma och lite undvikande svar.

"För min del är det ju inte precis det som är det privata problemet eftersom jag föredragit det mesta i televisionen", hade Carl muttrat åt honom och sen sagt något allmänt om konflikten mellan å ena sidan vissa mänskliga förordningar — allt i deras jobb, utan undantag, var i princip hemligt — och vissa mänskliga behov. Och det där fick helt enkelt bli den resandes ensak.

Åke Stålhandske hade försökt överlägga med sig själv om vad som nu var hans resandes ensak och vad som var rikets militära hemligheter. Hans far var ändå officer ända in i själen, hans far var missnöjd med en son som snart skulle fylla trettio och bara var löjtnant, hans far var stolt över vad han trodde sig ha begripit om sonens militära jobb och hans far hade aldrig kommit över det där med hur han själv tvingades ge upp en sannolikt lysande militär karriär.

Gubben visste att Carl, eller kommendörkapten Hamilton som han kallade honom, var Åkes närmaste chef och gubben hade inte missat en sekund av KU-förhören året innan, när Carl ju tvingats ge en minst sagt öppenhjärtig bild av vad operativa enheter inom underrättelsetjänsten kunde tänkas syssla med. Ändå hade ingenting av det verkligt betydelsefulla läckt ut.

Det kommande middagsförhöret var alltså inte så svårt att förutse. Han såg på klockan och skyndade på sina steg; spioner kommer alltid på sekunden rätt klockslag.

När han kom fram till porten visade det sig att porten var låst med ett nyinsatt kodlås. Om två minuter skulle han vara på plats. Han suckade och tog fram sin förklädda schweiziska röda fällkniv som bara till viss del innehöll originalets instrument, betraktade låset och bestämde sig för att det skulle gå snabbare att forcera låset än att knäcka koden.

En sekund i sju ringde han på dörren och den gamla hushållerskan öppnade direkt, som om hon stått och väntat innanför. Eller rättare sagt som om gubben kommenderat henne att göra det.

Hans far väntade framför brasan i den höga marmorspisen inne i hallen, uppklädd naturligtvis, nyrakad, doftande av rakvatten, vattenkammad och med Finlands färger i en liten rosett i knapphålet som han alltid bar, tecknet på att han dekorerats med Frihetskorset.

Fadern kom emot honom och omfamnade honom, kraftfullt, manligt, förvånansvärt kraftfullt med tanke på hans ålder och med tanke på att han måste sträcka sig på tå för att nå upp ordentligt.

"Få se på dej Åke", sa han med en tydlig tendens till rörelse i rösten och höll sin son i ett stadigt grepp runt överarmarna. "Du har ju blivit en riktigt stilig pojk, eller har han int så säg, Hedvig?"

Hedvig mumlade något blygt instämmande och såg ut som om hon tänkte niga till bekräftelse.

"Hedvig kan servera sherryn nu", fortsatte fadern och tog sin son under armen för att leda honom mot "lilla salongen" där man skulle dricka sherry före maten.

Åke Stålhandske kände en plötslig och mycket distinkt längtan efter något betydligt starkare när han fick det slipade kristallglaset sträckt mot sig på en liten silverbricka. Han hade aldrig riktigt förlikat sig med sin fars teatraliska läggning, detta som mest föreföll som om han höll kvar en förlorad värld med hjälp av besvärjelser och yttre former.

"Nå, då kanske man äntligen kan få veta lite om vad sonen sysslar med nuförtiden", gick gubben rakt på sak när de nickat mot varandra och försiktigt ställt ifrån sig sherryglasen på det lilla valnötsbordet som skilde de två tunga engelska läderfåtöljerna.

"Det är int utan vidare självklart att jag kan sätta dej in i vadsomhelst, far", började Åke Stålhandske försiktigt.

"Du är alltså på OP 5, under kommendörkapten Hamilton?" gick gubben vidare som om han inte ens hört sonens reservation.

"Nåjo", muttrade Åke Stålhandske. "Men all vår verksamhet där är som du förstår hemlig."

"Nog saatan förstår jag det. Hemlig för ryssen och i stora drag inte ens det med tanke på vad kommendörkapten Hamilton berättade

i TV. Du har verkat tillsammans med honom, jag menar rent opera-
tivt?"

"Jo."

"I dom sammanhang som han redogjorde för i TV?"

"Nej int i di sammanhangen."

Gubben kom av sig något och höjde sina vita välborstade ögon-
bryn i en blandning av förvåning och besvikelse som inte kunde
undgå att göra intryck på sonen.

"Di svåraste operationerna, di mest hemliga, redogjorde aldrig
kommendörkapten Hamilton för där i televisionen", skyndade sig
Åke Stålhandske att släta över eller trösta och ångrade sig i samma
ögonblick eftersom de kommande följdfrågorna var lätta att förut-
se. Han bestämde sig för att genast övergå till sin reservplan.

"Se här, far", sa han, trevade en stund i sin kavajficka och räckte
sen över en liten blå ask med stora riksvapnet och guldspänne.

Fadern betraktade asken en lång stund innan han öppnade den.
Sen såg han länge på innehållet innan han sa något.

"För Tapperhet i Fält", läste han högtidligt och stängde försiktigt
locket. "Hur många svenskar har fått den här?"

"Tre såvitt jag vet. Hamilton, jag själv och ytterligare en av oss i
samma grupp. Men skälet är hemligt och jag får inte ens bära släp-
spänne på min uniform. Du måste förstå det, far, jag kan inte berätta
ens för dej."

"Så du har varit ute och klippt till ryssen, du också", konstaterade
fadern och smuttade på sin sherry och slöt ögonen. "Det är ju lik-
som något av en familjetradition", tilla han nöjt.

"Vad får dej att tro det, jag menar, vad får dej att tro att det gällde
ryssarna?" undrade Åke Stålhandske nervöst och insåg att han för-
sagt sig redan på tonfallet.

"Nåjo. Int saatan var det någon operation mot norrmän eller
danskar som gav er den här int", skrockade fadern som utan tvekan
genomskådat sin son. "Det är ju bara att titta på kartan. Och förres-
ten, en annan sak som jag undrat över är det där i Vaxholm förra
året."

"Ja?" svarade Åke Stålhandske och måste samtidigt harkla sig och
tog en djup och ouppfostrad klunk ur sherryglaset. "Vadå Vax-
holm?"

"Ids int skoja med din gamle far. Det stod ju en mil spalt om det hela i tidningarna. Enheter från försvarsstabens OP 5 oskadliggjorde di där saatans fascisterna, sköt en, skadsköt en och tillfångatog en. Det offentliggjordes ju att Hamilton förde befäl vid den operationen. Var du med?"

"Det får jag int svara på, far."

"Det skulle göra din gamle far mycket glad om du verkligen var där och var med om att ge dom vad dom förtjänade."

"Varför det, det var ju ingen särskilt komplicerad operation."

"Därför att det ju ändå var någon sorts saatans fascister ni klippte till. Var du med?"

"Ja, far. Jag var med."

"Gläder mej oerhört, verkligen oerhört."

"Men far, vi kan inte hålla på så här, vi..."

Han kom av sig när han såg in i gubbens blåa uppspärrade ögon som tycktes utsända en närmast road förvissning att just såhär kunde man alldeles tvärsäkert hålla på och det här var bara början.

Han räddades för stunden av Hedvig som haltande sköt ifrån dörrarna till matsalen och mumlade något om att soppan var serverad. där inne skymtade tända kandelabrar, vit duk och vikta linneservetter.

De gick högtidligt in på varsin sida om bordet, bugade sig lätt mot varandra och satte sig. Gubben gnuggade nöjt sina händer när han vikt upp servetten i knät och lyfte sen demonstrativt den tunga silverskeden till tecken på att middagen nu var igång. Man skulle äta en stund under tystnad och se nöjd ut, innan samtalet kunde återupptas. Sådan var ritualen.

Åke Stålhandske bestämde sig för att byta taktik. Fortsatte det som hittills skulle han nämligen inte komma undan innan han berättat allt i detalj som var förbjudet att ens antyda.

"Far måste förstå", sa han och torkade sig försiktigt i mungipan med servetten, "att det faktiskt är brottsligt av mej att berätta om vår verksamhet, till och med för dej. Låt oss tala om dina hemligheter i stället."

"Hurså hemligheter", sa fadern och såg faktiskt överraskad ut vid tanken.

"Det är ett och annat som du int har berättat för mej och som antingen inte längre är hemligstämplat eller aldrig har varit det."

Hans far svarade till en början inte utan åt tankfullt upp resten av sköldpaddssoppan. Sen la han lugnt ner skeden och nickade åt Hedvig borta vid dörren. Hon linkade fram för att fortsätta teatern med bättre folks middagar förr i världen.

Sen började han berätta, i lätt, lugn ton utan att Åke ens behövde ställa någon fråga.

"Det hampade sig ju så att jag talade perfekt tyska, ja du vet kvinnan jag var gift med var ju tyska."

Han gjorde paus för några obligatoriska sekvenser i middagsritualen, smakade på laxterrinen, skålade i det vita vinet och såg sen upp i taket en kort stund, som om han samlade kraft ovanifrån. Och sen började han berätta utan att avbryta sig och utan att behöva några frågor eftersom han alltid varit djupt medveten om vad sonen inte visste.

Efter Vinterkriget blev han förflyttad till den finska generalstaben. Till underrättelsesektionen. Det var så det började.

4

Kriminalkommissarie Ewert Gustafsson var bokstavligen talat på sin mammas gata, Andra Långgatan i Göteborg där ingen skulle kalla honom Kapten Bölja som på jobbet uppe i Norrköping.

Hans ärende var i närheten, uppe på Majorsgatan, men eftersom han ändå var lite för tidigt ute, otålig av det långa väntandet, hade han tagit en promenad i barndomstrakterna. Han övervägde om han skulle besöka sin mor, men bestämde sig för att vänta tills jobbet var klart eftersom hon bara skulle bli sårad om han såg på klockan och fick bråttom mitt i kaffet med hennes hembakade kakor. Det fick anstå tills jobbet var klart.

Han fann ingenting egendomligt i att Louise Klintén bestämt sagt ifrån att det inte fick bli något förhör uppe på Sahlgrenska där hon arbetade. Folk i allmänhet tyckte illa om att få besök av polisen på sin arbetsplats och hon hade ju begripliga skäl att tycka ännu mer illa om den saken än folk i allmänhet. Han gjorde sig inga illusioner om hennes inställning till polisen. Om hon nu var den som kollegerna på Säk påstod att hon var så måste han ställa in sig på ett tämligen ovänligt bemötande.

Det bekymrade honom inte särskilt. Han hade tillbringat större delen av sitt polisliv på olika krimavdelningar och han hade förmodligen förhört tiotusen mer eller mindre fientliga människor som ljög mer eller mindre bra. Detta gjorde dem aggressiva, eller också var de bara besvärade av situationen vilket nog så ofta ledde till aggressivitet.

82

Men hon vara bara kallt stel och korrekt när hon öppnade dörren, klädd i jeans och en slät mjuk grön tröja och utan minsta värdighetsbevis på att hon var läkare.

Hennes man var tydligen också läkare. Vardagsrummet som hon anvisade berättade lika mycket om hög inkomst som om de boendes politiska böjelser; på väggarna en blandning av modern konst som såg dyr men obegriplig ut och politiska affischer i glas och ram som var mycket begripliga. Möblerna var av den där diskreta typen som för ett ekonomiskt otränat öga kunde se ut som IKEA men som kostade fem eller sex gånger så mycket, tidlös elegans kallades det visst. Hon bad honom sätta sig och han valde en hög tygklädd fåtölj med smala ljusa träramar intill soffan. Han ställde ner sin bandspelare på det rökfärgade glasbordet och hon kröp upp i soffan och drog in benen under sig, rättade till sina glasögon och betraktade honom med något som mer såg ut som ironi än fientlighet.

"Ja, som doktor af Klintén förstår. . .", började han men blev genast avbruten.

"Klintén, jag heter Klintén och inte *af* Klintén."

"Nehe, förlåt. Varför inte det förresten?"

Han visste mycket väl svaret och hon såg ut som om hon utgick från att han visste det men svarade ändå lugnt självklart.

"Fånerier. Det där prefixet är till för att man ska verka adlig, jag har inte såna böjelser helt enkelt."

"Har du någonting emot att vi säger du till varandra, det blir ofta lite lättare att prata då?"

"Nej naturligtvis inte, sätt igång bara. Vad är det du vill veta? Var jag var i lördags kväll till exempel?"

"Ja, vi kan börja med det, ett ögonblick så får jag sätta på den här bandspelaren bara."

Han slog på bandspelaren, läste in rutinfraserna om vem och när och var, och sen såg han frågande upp på henne. Hon drog efter andan som om hon ville behärska sig innan hon sa något.

"Är jag misstänkt för mordet på min egen far, har jag rätt till advokat och allt det där", sa hon plötsligt i en enda utandning.

Ewert Gustafsson lutade sig lugnt fram och stängde av bandspelaren.

"Så här är det", började han och såg en stund prövande på henne innan han fortsatte. "Du är inte misstänkt. Men i Sverige är det på

83

det viset att dom flesta brott av det här slaget genomförs av familje-medlemmar. Vi gör därför så att vi försöker utesluta oss fram den vägen så tidigt som möjligt när vi jobbar. Sen är det dessutom så att just familjemedlemmar kan veta sånt som vi behöver veta."

"Ni lyssnar på min telefon och ni har folk som förföljer mej och mina vänner. Det antyder ju någonting helt annat."

Hon sa det lugnt konstaterande, som om det inte fanns något som helst tvivel om saken, trots att ingen gärna kan veta om telefonen är avlyssnad.

"Nej", svarade han, "det gör vi faktiskt inte. Vi har varken intresse eller resurser för sånt."

"Är du på Säpo?"

"Nej, varför skulle jag vara det?"

"Därför att dom har såna resurser och sånt intresse. Var jobbar du då?"

"Som jag sa, på våldsroteln på Norrköpings polisdistrikt, det är vår avdelning som håller i förhören."

"Jag är faktiskt ingen idiot."

"Nej, det har jag ingen anledning att förmoda, hurså?"

"Jag har sett era spanare, flera av mina kamrater har också sett dom. Ni tror förstås att ni har ett nytt kurdmord på gång. Jag och några av mina terroristiska vänner stormar upp en lördagkväll för att mörda min far och rista in hakkors i honom, därför att såna som vi brukar göra sånt på lördagarna. Bra teori."

Hon lät inte det minsta upphetsad eller ens särskilt arg, hon talade fortfarande som om hon enkelt konstaterade någonting i jobbet, som om hon ställde en sjukdomsdiagnos.

Ewert Gustafsson skruvade på sig. Han trodde henne och han trodde sig förstå sammanhanget. Kollegerna på Säk var ute och visade sina talanger som spanare. Inte undra på att de aldrig tog någon spion.

"Jag kan inte utesluta att det är som du säger", började han trevande, obeslutsam om hur långt han skulle gå, "men jag är vanlig kriminalpolis. Vi håller inte på med sånt där. Du ska höras upplysningsvis därför att du kanske kan veta något av betydelse för våra spaningar. Det är allt. Kan vi börja nu?"

Han gjorde en frågande gest och sträckte sig fram mot bandspelaren. När hon nickade slog han på den på nytt.

"Alltså om vi då återupptar förhöret . . .", började han och blev på nytt avbruten.

"I lördags kväll var jag tillsammans med min man från klockan 19:00, nej förresten, vi kom lite för sent, från klockan 19:10 kan vi säga, hemma hos kurdiska vänner på en liten fest ute i Majorna. Det bör ha varit ett tiotal personer närvarande och vi var där hela kvällen. Vi kan alltså ge varandra alibi. Problemet är möjligen att vi samtliga närvarande är misstänkta figurer."

"Hurså misstänkta figurer?" frågade Ewert Gustafsson utan att röra en min.

"Gör dej inte till. Antingen socialister eller kurder och i vissa fall båda delarna. Således misstänkta inför den svenska polismakten."

"Jaja, vi kan ta namnen senare, men om du ursäktar hade jag tänkt börja i en annan ända."

"Ände", smålog hon. "Ändor är det nog mest jag som sysslar med."

"Ja, förlåt. Hur var förhållandet mellan dej och din far?"

"Dåligt, men inte tillräckligt dåligt för . . . ja."

"Hur kom det sig?"

"Inte svårt att räkna ut. Min far var som du vet general och med en generals värderingar i allt, en gammal generals värderingar dessutom. Han ansåg att det var en skam för familjen och allt det där att jag sysslade med hjälparbete i Kurdistan. Han sa att han skulle göra mej arvlös och sånt där larv."

"Det var en politisk meningsskiljaktighet?"

"Ja, det kan man lugnt säga. Du vet mycket väl var jag står politiskt."

"Nej, jag är kriminalpolis, sysslar inte med sånt. Var står du politiskt?"

"Före detta medlem i KPML-r, med i Stödkommittén för Kurdistan och föreningen Läkarhjälp åt Kurdistan. Min man har liknande böjelser."

"Jaha. Och din far?"

"Var han stod politiskt?"

"Ja."

Hon såg en kort stund häpet på sin betraktare och sen sprack hon upp i ett kort och snabbt kvävt skratt.

"Han stod så att säga till höger."

"Hur långt till höger?"

"Du undrar om han var nazist eller nåt i den stilen?"

"Var han det?"

"Nej, det kan jag i ärlighetens namn inte påstå. Far var djupt reaktionär men som du vet är jag född 1949 och det som kan ha varit Tysklands-sympatier och sånt där var ju i så fall borttvättat när jag växte upp."

"Varför tror du han hade ett hakkors inristat i bröstet?"

"Jag har förstås funderat på det, men jag har inget svar. Jag tror inte att några nazister har varit där och satt sitt bomärke i honom. Han levde ju när det där skars in i bröstet på honom."

"Hur vet du det?"

"Därför att jag har rekvirerat rättsläkarens utlåtande."

"Hur har du kunnat göra det?"

"Därför att jag är läkare och vet vart man ska ringa och därför att jag som nära anhörig har rätt att göra det."

"Nå, vad är din uppfattning om det du läst?"

"Någon måste ha känt ett gränslöst hat gentemot min far, betydligt mer än vad jag själv kände, det kan jag försäkra."

"Och vem kan ha känt ett så gränslöst hat?"

"Om jag hade den ringaste idé så skulle jag säga det till dej. Men det har jag inte. Du får fråga min mor, men jag är inte så säker på att hon är särskilt samarbetsvillig på den här punkten."

"Varför det?"

"Därför att hon skäms på något sätt. Hon är närmast skräckslagen vid tanken på att det där med hakkorset ska komma ut och jag menar... det är klart att det är förnedrande både för oss efterlevande och för honom. Men..."

"Ja, vadå men?"

"Men hennes oro står inte riktigt i proportion till helheten så att säga. Det förfärliga är ju mordet, inte mördarnas beteende."

"Mördarnas?"

"Ja?"

"Du sa mördarnas som om du syftade på flera personer. Hur vet du att det inte var en ensam mördare?"

"Det kan jag inte veta, det var bara ett antagande."

"Och vad bygger du det antagandet på?"

"På rättsläkarrapporten. Det har ju varit, ska vi säga, rätt omfattande aktiviteter där i läsrummet. Jag bara föreställde mej att det måste vara flera personer."

"Hm. Vet du vad ordet 'ed' kan tänkas syfta på, ja du vet ju själv varför jag frågar."

"Nej, jag har funderat men jag har ingen aning."

"Var din far med i några hemliga sällskap, frimurare eller så."

"Hemliga vet jag inte, men han var förstås med i en del militära sammanslutningar. Jag vet inte så mycket om det där, men jag har svårt att tro att det var ett föreningsliv där man svor heliga eder och låg i likkistor och sånt."

"Likkistor?"

"Ja. Du nämnde ju frimurare som exempel. Dom ligger i likkistor och svär heliga eder. Min mor vet mer om sånt där. Över huvud taget måste hon veta mycket mer än jag. Hon var ju med under kriget."

"Och din bror, tror du han kan veta mer än du själv?"

"Vi växte ju upp efter kriget och då var alla samtal om politik bannlysta. Politik talade man inte om, varken utrikes eller inrikes, utom möjligen ett och annat gnäll på sossarna som undergrävde Sveriges försvar och så vidare, men sånt tror jag inte ens räknades som politik."

"Har du en känsla av att... hur ska jag säga, att det var det sätt som andra världskriget slutade på som gjorde ämnet politik bannlyst?"

"Det där är ett förtäckt sätt att fråga en gång till om min far var nazist."

"Ja, det är det."

"Tanken har faktiskt slagit mej, men jag är inte särskilt objektiv som bedömare av det här."

"Hurså, det är ju din far som du känt hela ditt liv."

"Jo, men som jag under mitt vuxna liv också avskytt, liksom jag tror att han avskydde mej, av skäl som jag redan antytt. Det är klart att jag tänkt tanken att han nog var en sån där som hoppades att Tyskland skulle vinna, det fanns ju såna svenska officerare, antagligen rätt gott om dom. Men jag kan inte bygga såna funderingar på annat än att jag tyckte han var en djupt osympatisk människa."

"Hur är ditt förhållande till din mor?"

"Förvånansvärt gott. Vi har träffats i hemlighet till och med."

"I hemlighet?"

"Ja. Efter att den gamle generalen försköt sin dotter eller tog sin hand ifrån mej och vad han kallade det så var jag inte välkommen hemma. Mamma gjorde sig då och då ärenden till Göteborg, nog för att han begrep varför, och då träffades vi så att säga i smyg. Mamma är en varm och förståndig kvinna, i mycket hans raka motsats."

"Tror du att hon skulle kunna tänkas hålla inne med uppgifter som kunde vara av betydelse för oss för att . . . för att skydda familjeäran eller vad vi ska kalla det?"

För första gången under förhöret fick Ewert Gustafsson inte ett prompt svar. Hon tystnade, gned sig med pekfingret mot vänstra tinningen medan hon tänkte efter. Sen bestämde hon sig snabbt.

"Det här förhöret kommer att skrivas ut?"

"Ja, ord för ord."

"Om det blir rättegång mot en eller annan mördare så blir förhöret en offentlig handling?"

"Ja, det stämmer."

"Och även om det inte blir en offentlig handling så är det fullt möjligt för exempelvis en hovrättsdomare att rekvirera handlingarna, ungefär som jag kan rekvirera medicinska journaler?"

"Ja, det kan man inte utesluta."

Hon pekade demonstrativt på bandspelaren och Ewert Gustafsson lutade sig omedelbart fram och stängde av den.

"Låt oss tala mer informellt om du hellre vill det", sa han och satte sig mer bekvämt tillrätta, som om den förändrade kroppsställningen skulle ha gjort honom till någonting annat än en lyssnande kriminalpolis.

"Jo", sa hon småleende, "det är ju ändå lite väl mycket begärt att familjemedlemmarna ska behöva råka i luven på varandra beroende på vad ni får oss att säga om varandra."

"Ja, det kan man tycka. Låt oss då ta det mer informellt. Tror du alltså att din mor kan veta något om din fars bakgrund som hon vill hålla inne med tanke på offentlighet och skandal och sånt?"

"Ja utan tvekan. Min far var nämligen nazist under kriget. Kanske är det det mer än någonting annat som ligger till grund för det dåliga förhållandet mellan oss."

"Så då är slutsatsen den, att den som ristade in ett hakkors i honom var någon som avskydde honom för just den symbolens skull?"

"Snarare än någon som satte dit sitt eget bomärke? Ja, utan tvekan."

"Men man mördar väl inte en gammal man för att man avskyr hans politiska inställning för femti år sen?"

"Nej, det är just det. Någon måste ha hatat honom för något han gjorde, inte för vad han tyckte och tänkte för femti år sen."

"Just det. Och då inställer sig förstås frågan vem denne någon är."

Hon ryckte uppgivet på axlarna.

"Jag har inte den ringaste aning", sa hon. "Vi berörde ju aldrig det förflutna hemma. Kanske vet mamma något som sagt, men jag har inte en aning."

"Nå, då får vi gå vidare", sa Ewert Gustafsson, lutade sig fram och slog på bandspelaren och ställde sen en serie formella frågor om vilka personer som hade varit tillsammans vid den kritiska tidpunkten under lördagskvällen, närmare bestämt på fest i stadsdelen Majorna, mer än fyrti mil från brottsplatsen.

Naturligtvis skulle dessa uppgifter kontrolleras ingående. Men det var närmast en formsak. Ewert Gustafsson var övertygad om att allt skulle stämma, eftersom hans yrkesintuition sa honom att Louise Klintén nog definitivt skulle kunna avföras från listan på eventuellt misstänkta. Oavsett vad kollegerna på Säk ansåg om kurder och kommunister.

* * *

Carl kände sig nästan ångestfullt otillräcklig. Det som tidigare hade varit kvartalsrapporter som sammanfattade underrättelseläget hade i takt med den galopperande utvecklingen i Östeuropa förvandlats till månadsrapporter. Och varje gång var det som om underrättelsetjänsten avkrävdes världshistoria skriven på förhand.

Till chefen för OP 5 strömmade varje vecka och varje dag in rapporter från underrättelsetjänstens alla skiftande organ med uppgifter som tekniskt sett talade helt olika språk men som Carl nu fått ansvar för att bearbeta till ett begripligt språk i en enda sammanfattning som skulle kunna läsas av normalt kunniga generaler och till nöds även av en och annan politiker. I högarna på hans skrivbord blandades så disparata ting som datalistor från Försvarets radioanstalt som analyserade senaste tidens signalspaning på ett sätt som bara datatekniker kunde läsa, och ekonomiskt politiska rapporter från Östekonomiska institutet som ibland kunde förefalla Carl oläsbara för alla utom docenter i nationalekonomi, och till detta spridda rapporter från hans egen avdelnings rapportörer i Öst. De var antingen så kallade resenärer eller också helt enkelt spioner, och som alla sådana uppgiftslämnare i alla underrättelseorganisationer i alla tider i alla system hade de en tydlig tendens att sätta glädjemätare på sina fynd, att uppförstora betydelsen av i hemlighet tillbakadragna militära installationer eller uppsnappade rykten om kommande förändringar eller intriger i motsättningen mellan Sovjetmakten och Baltikum.

Någonstans i allt detta skulle det finnas en objektiv sanning. Det var en rimligt anständig intellektuell utgångspunkt. Eller åtminstone en förhoppning. Eller en sorts självövertalande självförsvar för att kunna tvinga sig till att sätta mänsklig systematik i oredan.

Fast objektiviteten kunde man ändå ifrågasätta. Vad överbefälhavaren sannolikt ville ha var analyser som kunde användas i polemiskt syfte mot regeringspartiets vänsterflygel, fredsrörelsen och en stor del av den inflytelserika massmediavärlden som nu menade att det svenska försvaret kunde läggas ner, att freden hade kommit, att si och så många dagisplatser kunde omräknas på varje attackplan, att Väst redan hade vunnit.

Det var sant att Väst hade vunnit. Men det var också sant att fredsrörelsen i alla dess former fördröjt processen och kanske varit nära att hindra den. Under en liberal och hygglig amerikansk president som Carter hade fredsopinionen bromsat det västliga försprånget, förhindrat utplaceringen av neutronbomber, så att Brezjnev fortsatte rustningskapplöpningen, så att Sovjetunionen kunde gå in i Afghanistan, så att reformpolitiken i Östeuropa fördröjdes flera år.

Under en tämligen reaktionär amerikansk president av Vilda Västern-typ, Reagan, hade fredsrörelsen inte haft så mycket att hämta; man kunde inte stoppa utplaceringen av medeldistansrobotarna och därmed nådde Sovjetunionen sin smärtgräns.

Frågan var om en liknande analys kunde pressas in på den svenska militära beredskapen. Det var utan tvekan det önskeresultat som i bästa fall förväntades av den svenska underrättelsetjänsten.

På ett område gick det att bestämt föra ett liknande resonemang. Sovjetunionens undervattensaktivitet på svenskt territorium hade inte upphört, bara ändrat karaktär. Vilken förklaring man än fann till detta, om det politiska styret inte kunde kontrollera militären eller om det fanns skäl för det politiska styret att fortsätta denna typ av krigsförberedelser, så hade det betydelse för Sverige och Sveriges försvar.

Carl insåg risken att gå över gränsen mellan objektiv saklig analys och politisk polemik.

Han valde ett strategiskt perspektiv i stället för ett mer näraliggande taktiskt; det var ändå meningslöst att på kort sikt fördjupa sig i alla kremlologiska spådomar och vadslagning om hur länge Gorbatjov skulle kunna sitta kvar innan tumultet i Sovjetunionen sopade undan honom.

Försökte man se några år framåt i tiden, vilket bland annat de amerikanska spionsatelliterna gjorde, så växte ett fullkomligt katastrofalt perspektiv fram.

Carl funderade en kort stund på vad svensk neutral underrättelsetjänst egentligen fick betala för att få tillgång till det amerikanska satellitmaterialet. Han kände inte till det, fick inte känna till det, och borde inte ens fundera över saken, bara använda kunskaperna. Men det måste ofrånkomligen vara dyrt, betydligt dyrare än det sedvanliga utbytet av signalspaningsuppgifter. De svenska spionplanen över Östersjön flög ju praktiskt taget i USA:s tjänst. Formellt var de neutrala, men knappast reellt därför att det mesta av utrustningen var amerikansk.

Nå. Materialet fanns alltså här och det talade ett kallt objektivt språk. Också de egna datorerna hade vid dubbelkontroll kommit till samma obönhörliga resultat. Han själv och Joar Lundwall hade tillverkat kontrollprogrammet, vilket fick honom, ungefär som spionerna och resenärerna ute på fältet, att fästa särskilt stor vikt vid just dessa fynd, eftersom de var egna.

Sovjetunionen stod inför en gigantisk miljökatastrof med konsekvenser som Västvärlden ännu inte ens anade. Stora delar av territoriet måste kanske utrymmas inom en tioårsperiod, matbristen i Sovjetunionen var till avgörande del en följd av miljöförstöring. I de bördigaste områdena i svartjordsbältet hade 30 till 40 procent av matjorden eroderat bort. I Kalmuckiska autonoma republiken fanns redan Europas första öken, för närvarande på 500 000 hektar men stadd i stadig utveckling.

Aralsjön var på väg att torka ut och floderna med de romantiska namnen som han svagt erinrade sig från gymnasiet, Syr-Darja och Amu-Darja i Centralasien, fanns inte längre.

Det dricksvatten som fanns kvar i Centralasien innehöll så höga halter av cancerframkallande ämnen att strupcancer, leverskador och missbildningar hos nyfödda barn var på väg att sänka medellivslängden under nivån för de fattigaste länderna i tredje världen. I vissa trakter var medellivslängden för män nere i 38 år. Stora folkomflyttningar eller döden, miljoner människor måste flyttas eller dö. Så såg det ut.

Detta var fienden i dödsryckningar, kunde man tycka. Men mitt i den förintande fattigdomen fanns fortfarande en kapacitet att förgöra världen, det var den paradoxen som skulle bedömas, vägas och mätas.

Till följd av matbristen skulle man rimligtvis tvingas förutse ytterligare uppror. Sovjetarmén skulle snart stå inför den förfärliga möjligheten att tvingas inta den ena republikens huvudstad efter den andra.

Alternativet var statens sönderfall.

Västvärlden skulle med viss lätthet acceptera fortsatta militära inbrytningar i städer som Tbilisi och Baku. Men om sovjetarmén skickades till Riga, Tallinn och Vilnius?

Enligt amerikanska bedömningar, åtminstone CIA:s bedömningar om vad som var amerikanska bedömningar, var en sådan utveckling "oacceptabel".

Frågan var då vad som kunde menas med oacceptabel.

Där fanns alltså krigsrisken. Så såg den ut, jättens dödskamp, imperiets sönderfall, krigsrisker som var så nya och så ovanliga att tänka sig att de var svåra att fästa på papper. Det europeiska kriget skulle inte börja över gränsen mellan Öst- och Västtyskland, som för övrigt snart skulle upphöra att över huvud taget vara gräns.

Det europeiska kriget skulle kunna börja i Tallinn — hjälpaktioner, utländska trupper på sovjetiskt territorium för första gången sen andra världskriget.

Så. Tills vidare så.

Carl arbetade snabbt när han väl valt linje i materialet. Han var något så när tillfreds när sammanställningen var klar för renskrift, det kremlologiska maktkampsspelet reducerats till bilagor och betoningen lagts på det strategiska pespektivet.

Fem minuter i tre var han klar med arbetet för dagen, pappersarbetet vill säga. Och eftersom det som nu förestod på sätt och vis förefäll honom som ännu svårare gick han ner i korridoren och tvättade sig med kallt vatten i ansiktet, så kallt kranarna förmådde.

Det han skulle säga till Åke Stålhandske var inte lätt. De var inte nära vänner men de stod varandra mycket nära, närmare än de flesta nära vänner.

Han visste för lite om Åke Stålhandske, det var ju klart. Å ena sidan visste han allt om Stålhandskes taktiska förmåga, som ju var minst sagt avsevärd, och hans förmåga att vara nyttig på databehandlingen tillsammans med Joar Lundwall, som var mindre avsevärd. Å andra sidan visste han för lite om Åke Stålhandske som människa i fred, utanför strid, i dagsljus i vanliga kläder.

Deras relation byggde på mörker. Det var i mörker de skulle operera tillsammans, mörkret var deras vän och fiendens fiende, de skulle alltid vara överlägsna i mörker.

Men underrättelsetjänstens huvudinriktning var knappast sådan. Huvudinriktningen gällde papper, analys och rapporter i tre kopior, nationalekonomi och miljöförstöring.

Deras gemensamma erfarenheter var helt exceptionella och skulle inte med något rimligt krav på sannolikhet komma att upprepas. Så var det.

Och nu var en intet ont anande — eller var han det? — Åke Stålhandske på väg, klockan var fem sekunder i tre.

"Kom in", sa han när det knackade, en kort morsesignal som angav ordet ORCA, Stålhandskes kodnamn.

Carl slätade ut ansiktet, drog handen genom sitt nyklippta hår utan att låtsas om Stålhandskes förvånade min av att se den återuppståndne Hamilton och pekade på en av stolarna.

"Du kommer inte att tycka om det här", fortsatte han rakt på sak i deras halvt amerikaniserade jargong, "men det är lika bra att jag ger dej hela bilden direkt. Du ska överföras till underrättelsereservens taktiska enheter, du påbörjar en kurs på MHS i morgon i syfte att så snabbt som möjligt motivera din befordran till kapten och du placeras tills vidare som instruktör på kustjägarskolan."

Carl lutade sig något bakåt, som om han slappnade av när han nu sagt allt på en gång.

Åke Stålhandske såg ut som om han sjönk ihop, som om han punkterats, vilket med tanke på hans fysiska kraft föreföll som en fullkomligt osannolik scen.

"*So, the shit definitely hit the fan*", suckade han uppgivet.

"*Yeah, you might say that*", kontrade Carl mjukt.

De hade lätt för att glida in i amerikanska när de sattes under press. Vid de tillfällen de genomfört någon operation tillsammans hade de av säkerhetsskäl övergått till ordergivning på engelska.

"Är det det där med dom saatans fascistynglen, och hur går det med den saken förresten?" sa Stålhandske när han förvånansvärt snabbt tycktes ha samlat ihop sig.

"Ja, det är förstås den saken i botten", sa Carl försiktigt eftersom han visste att det inte var hela sanningen.

"*Sam wants somebodys ass?*"

"*You might say that too.* Men vi har ordnat det på så vis att det är mitt *ass* det gäller i så fall. Jag håller på att ordna upp den där saken, och varken ni eller Sam får veta hur, men jag tar ansvaret. Officiellt har Sam inte fått era rapporter, men han har förstås läst dom."

"Riskerar du själv nåt?"

"Jo, men det kan vi faktiskt bortse från. Jag tror det ordnar sig, det kan i värsta fall bli skandal men det kan inte bli rättegång. *But it's more to it than that.*"

"Skulle jag ha misskött mina åligganden som officer i den svenska underrättelsetjänsten?" frågade Åke Stålhandske och fick Carl att småle, inte bara åt det formella språket.

"Nej för helvete, Åke, *you are the best and you know it*, men du är inte bara ett bondeoffer till följd av det där med vår förvildade mörkbruna stockholmsungdom. Dina arbetsmöjligheter på datakontoret blir ju lite begränsade genom ditt, ska vi säga något excentriska sätt att komma hem från San Diego med nån sorts fil kand i stället för en Master of Science i computers."

"Jag lärde mej en annan teknologi i stället som ni andra int kan", muttrade Åke Stålhandske surmulet.

"Jovisst. Det är bara det att just den teknologin i just den svenska av alla underrättelsetjänster är den mest omöjliga. Vi kan åka fast för att vi slår några nazistyngel på käften. Det är inte bra men vi överlever det. Vi kan åka fast för att vi lägger ut avlyssningsbojar på finskt eller sovjetiskt territorialvatten. Det är fortfarande inte bra men vi överlever det också. Fan vet om vi inte till och med skulle kunna åka fast för vissa mord och komma undan något sånär med den saken, nåja, beroende på vilka mord, men åker vi fast för avlyssning brakar helvetet löst. Och det är just avlyssning som är din specialitet. *Tough luck.*"

"Det är ju int klokt."

"Nej, det är inte klokt. Det är politik. Men så mycket som dom där sossegangstrarna i, vad ska vi kalla det, den extraordinära säkerhetspolisen, åkt fast med sina buggar på senare år så har avlyssning blivit det fulaste av allt. Det har inget med logik att göra. Men vi är kort sagt förbjudna att ens i avgörande läge använda oss av den tekniken. Var har du ditt material förresten?"

"Hemma i lägenheten, jag har två extra vapenskåp."

"Det är inte bra. Vi får hitta på nåt annat."

"Destruktion?"

"Var inte barnslig. Det politiska läget kan ändras. Det operativa läget kan kanske också ändras och i såna fall vet du vad som gäller. Det är du och Joar som gäller."

"Jag kommer skyndande i min träningsoverall från kustjägarskolan? Vad ska jag förresten instruera i."

"*What do you think, sucker?*"

"Närstrid."

"Nåjo. Närstrid."

"Det blir int lätt."

"Nej jag vet. Men jag förutsätter att *kapten* Stålhandske begriper att avsikten inte är att slå ihjäl eleverna."

"Jo. Hur går det med våra nya förresten?"

"Du menar i San Diego?"

"Jo."

"Hittills bra. En av dom är förresten halvitalienare, tvåspråkig. Jag ska över på en sån där inspektion snart, du vet."

"Saatan vad du lurade mej när du kom över. Jag var så saatans säker på att du var amerikan."

"På sätt och vis är vi det, *Orca*, dom där fem åren gör en på sätt och vis till amerikan, det är nog svårt att komma förbi."

"Int jag. Jag blir aldrig annat än finlandssvensk."

"Hurså?"

"Vet int. Det är int det att jag har nåt emot amerikansk fotboll eller hamburgare med ost eller nåt sånt. Men, ja det har med familj och historia och sånt råddigt att göra. Jag träffade min far igår för första gången på länge."

"Ja, så bra. Hur mådde gubben?"

"Nåjo, nog mådde han som vanligt allt. Finlandssvensk knapadel, vita servetter, du vet, och så int nån för mycket sprit förrän på slutet av kvällen, men då ska man supa som en hel karl. Och så tog han fram sitt Frihetskors och sen så somna han. Jag fäste Frihetskorset på bringan på honom och bar in honom på sängen."

Carl satt tyst en stund. Åke Stålhandske var ingen mångordig man och det här var förmodligen en av de längsta sammanhängande berättelser han någonsin fått av Stålhandske. Men det var som en underton, någonting annat i orden än orden.

"Vad är det du vill säga, Åke?" frågade Carl med omedvetet sänkt röstläge.

"Int så mycket, int. Bara att jag beundrar gubben. Han slogs först för friheten, sen vägrade han slåss med nazisterna, trots Finlands sak och allt det där du vet. Jag ångrar int att dom där nazistynglen fick lit' på käften."

"Hm", sa Carl. "Det är inte en politisk fråga, det är en praktisk, en taktisk fråga. För närvarande är vi bara tre kvalificerade operatörer i Sverige. Med lite tur är vi fem om ett par år. Det är Östeuropa som gäller, Finland gränsar till Östeuropa, vi kommer alltid att behöva dej."

"Men int just nu?"

"Nej, inte just nu. Vad tänker du göra av vårt förslag?"

"Behandla mina unga kustjägarkolleger varsamt", sa Åke Stålhandske, reste sig och markerade en amerikansk honnör innan han utan att säga något mer gick ut ur rummet och stängde dörren tyst efter sig.

Carl satt orörlig och bet i en blyertspenna. Det gjorde ont i honom. Även med befordran till kapten skulle Åke Stålhandske naturligtvis uppfatta sin omplacering som en degradering. Han var en fullblodsstridis, den saken var ju klar. Han hade utseendet emot sig när det gällde ett och annat som hade med hemlig tjänst att göra. En man som skulle kunna skrämma vettet ur Hulken, den saken var också klar.

Men för några minuter sen hade Carl sett in i en helt annan Stålhandske, och han var inte säker på vad han sett.

Åke hade inte ens frågat om eventuella konsekvenser för Joar Lundwalls del. Nej, det var ju klart. Lundwall hade fullföljt sin examen i en rätt anständig och för närvarande synnerligen politiskt gångbar disciplin. Han skulle förstås vara kvar på dataenheten inom den särskilda verksamheten och förresten skulle också han lyftas upp till kapten. I värsta fall skulle de träffas på någon av de obligatoriska kurserna.

Orca, mördarvalen, som närstridsinstruktör för unga kustjägare. Gud bevare kustjägarna.

Han övervägde om han skulle plocka fram sitt utkast till kvartalsrapport som blivit månadsrapport på nytt, men han kände sig slut i huvudet, som om kontrasten mellan det som var jobbet, och det som *Orca* hoppades på var jobbet, hade blivit för svår att låtsas sig igenom.

Klockan var fyra på eftermiddagen. Han kunde lika gärna gå hem och göra middag. Nej, då måste han handla, och med sitt återtagna utseende ville han inte gärna gå ner i något snabbköp även om risken att bli misstänkt för snatteri var eliminerad nu. Han kunde gå hem och köra sitt träningspass lite tidigare så att de kunde äta tidigare eftersom Eva-Britt verkade vilja ha det så.

Han sträckte sig efter telefonluren för att ringa henne. Just då kom Beata in i rummet och la en gul telefonlapp på hans bord och såg ut som om hon utan vidare tänkte gå igen.

"Vadå telefonlapp?" frågade Carl förvånat. Hundratals människor ville tala med honom i telefon varje vecka i skiftande ärenden, alltifrån teorier om hur det egentligen låg till med sovjetiska miniubåtar till frågan om Guds sanna vilja, men ingen kom fram och telefonisterna på försvarsstaben hade redan gjort det till en facklig fråga om nyanställning eller höjda löner. Han fick helt enkelt inte telefonlappar.

"Hon ringde Sam, sa att hon kände dej och Sam bad mej ge dej lappen", sa sekreteraren och gick ut.

Han såg på den gula lappen. Den hade en tunn rand av klister i ovankanten som klibbade på skrivbordet.

Grand Hotel rum 450 telefon 22 10 20 Tessie O'Connor. Ring så fort du kan.

Hela hans svenska trygghet, allt det förutsägbara, den långa linjära framtiden med eller utan herrgård på Mälaröarna — Eva-Britt hade inte varit särskilt förtjust — åkte plötsligt berg-och-dalbana rakt upp i en loop.

"Nej!" väste han mellan sammanbitna tänder och knycklade med vitnande knogar ihop telefonlappen.

Sen ångrade han sig långsamt och slätade med försiktiga rörelser, med samma teknik som han skulle kunna behandla halvt förstörda dokument, ut telefonlappen igen och fäste den framför sig på den bruna skrivbordsytan och läste den några gånger från början till slut medan han försökte tänka och bestämma sig.

Sen grep han beslutsamt, förtvivlat beslutsamt, telefonluren och ringde vakthavande på PO 1.

"Hej", sa han kort och jäktat, "det har tillstått en del komplikationer. Jag kommer nog hem mycket sent."

"Vad är det för konstigt vinande, ringer du från biltelefon?" undrade hon glatt.

Han såg häpet på telefonluren i sin egen hand. Av misstag, eller av instinkt, hade han använt den avlyssningsskyddade linjen.

"Nej", småskrattade han, "det är bara en radiotelefon. Inget farligt, jag blir nog bara lite sen, ät något för säkerhets skull så får vi se om vi tar en nattmacka eller nåt när jag kommer hem."

"Med sardiner, oliver och ketchup", fnittrade hon.

Hon hade ju fått så konstiga sug, precis som det sas att man skulle få i havandeskapets senare skede.

* * *

Rune Janssons farhågor besannades mycket snabbt. Herta *af* Klintén skulle inte bli lätt att förhöra på nytt. Hennes hårda blick var mer än tydlig på den punkten och Rune Jansson förbannade tyst för sig själv sin modernsvenska chefshygglighet; det hade ju varit Kapten Böljas jobb, det var han som ansvarade för förhörsenheten i utredningen. Men det var förstås rimligt att Kapten Bölja stannade någon dag i Göteborg för att knyta ihop säcken kring säkerhetspolisens vildsinta kurd- och kommunistspår. Ju förr man fick bort alla tvivel i den saken dess bättre.

Så nu satt han här med en överdimensionerad engelsk tekopp i ena handen och försökte manövrera smuliga scones med andra handen medan hennes bruna ögon försökte se rätt igenom honom.

"Jag måste ändå säga att jag är tacksam för en sak som jag tycker polisen har skött bra", sa hon när hon ställde ner tekoppen på ett sätt som fick Rune Jansson att tro att någon hemlig överklassregel nu bestämde att te inte längre fick drickas.

"Det är verkligen... verkligen inte mycket ni har att vara tacksam för... mot oss menar jag", svarade Rune Jansson generat, eftersom den mjöliga tekakan klibbat fast i gommen på honom och han måste försöka peta undan den med tungan samtidigt som han pratade. Det verkade som om hon såg det också.

"Jo, men jag menar att skandalpressen inte fått snaska i sig sånt som skulle glädja dom men vara förskräckligt pinsamt, nej plågsamt snarare, för oss i familjen."

"Ni menar... det sätt som er man blev tilltygad på?"

"Så kan man uttrycka det, ja."

"Men jag är nog rädd att vi måste tala mer om den saken, fru af Klintén."

"Ni menar om svastikor och... och sånt?"

"Ja, just precis det."

"På villkor att ingenting kommer ut, kan ni lova mej det?"

Hon hade redan gett honom ett halvt medgivande och möjligen också ett halvt löfte. Men han kunde inte lova henne något av det hon tydligen önskade, att "ingenting" skulle komma ut. Det var en sak att polisen just nu strävade efter att "ingenting" skulle komma ut, eftersom man förr eller senare skulle ha en misstänkt att förhöra och helst då en misstänkt som inte läst alla detaljer i kvällspressen.

Men om den misstänkte åtalades skulle det bli rättegång, och om han överbevisades så skulle han ingående förklara sina politiska motiv. Och då skulle detta ingenting snart förvandlas till allting. Åtminstone som Herta af Klintén såg på saken.

"Ni dröjer med svaret, kommissarie Jansson?"

"Ja, låt mej säga så här. Så länge den här utredningen pågår ämnar jag göra mitt yttersta för att dom här detaljerna inte sipprar ut. Det kan jag försäkra."

Han svalde och såg bort, generad eftersom han bara sagt henne en halv sanning som egentligen var lögn.

Hon nickade långsamt, eftertänksamt och det stramade kring hennes mungipor.

"Nå, vad är det som ni tycks känna ett så starkt behov av att veta?" frågade hon efter en demonstrativ paus, med långsam betoning på varje ord. Rune Jansson gissade att han måste gå rakt på sak, att han måste gå till nät, att han aldrig skulle kunna bolla ut denna stålkvinna försiktigt från baslinjen.

"Er man var tydligen nazistsympatisör under kriget", konstaterade han och sköt demonstrativt undan sin tekopp och slog upp anteckningsblocket. I just hennes fall var det bättre att anteckna än att använda bandspelare som säkert skulle göra henne mer förtegen.

"Får jag fråga er en personlig sak, kommissarie Jansson?" frågade hon i ett plötsligt sänkt tonläge, som om hans enkla fråga hade träffat henne midskepps.

"Ja, naturligtvis", sa han snabbt.

"När är ni född?"

"Ni menar vilket år?"

"Ja, jag frågade inte precis efter något stjärntecken."

"1943."

"Ni var alltså två år gammal vid andra världskrigets slut."

"Ja, ungefär, ja."

"Vad vet ni om andra världskriget?"

Frågan gjorde honom brydd och han måste tänka efter innan han svarade.

"Jag antar att jag är normalt allmänbildad. Varför undrar ni det?"

"Därför att det ni kallar normalt allmänbildad betyder att ni bara har historiens dom i bagaget, ni har bara efterklokhetens protokoll i minnet om man kan formulera sig så."

"Men er man var i 40-årsåldern och ni själv i 30-årsåldern vid andra världskrigets slut, så ni har alltså en annan upplevelse, en annan historia eller hur jag ska säga?"

"Inte en annan historia, det som har hänt har hänt. Men naturligtvis en annan upplevelse."

Hon såg tankfull ut och vände blicken mot fönstret som om hon såg bakåt i sina minnen. Rune Jansson sköt demonstrativt undan sitt anteckningsblock.

"Berätta för mej om den upplevelsen och ta hur mycket tid på er ni vill", sa han lågt och ångrade sig i samma ögonblick. Han hade ett besvärligt möte med polismästaren väntande inne i Norrköping. Men hans yrkesinstinkt sa honom att det hon kunde berätta skulle vara viktigt och att det dessutom skulle bli lättare att ställa frågor senare, när hon på något sätt erkänt i form av ett försvarstal.

Försvarstalet blev kortare och mer koncentrerat än han väntat sig. Det gick ut på att det var Tyskland man sympatiserade med i första hand, inte nazismen. Felet med nazismen från början var snarare att det föreföll som en sorts vänsterideologi, *nationalsocialism*, en mer nationalistisk form av socialdemokrati. Nazisterna föreföll som en sorts käckare *såssar*.

Nej, det var Tyskland det handlade om. Det tyska språket som var skolornas första språk, som alla bildade människor talade som man idag talar engelska i stället, den tyska litteraturen, tyska viner, tyska semesterresor, till och med tyska badstränder för moderna människor som var intresserade av strandbad, naturligtvis den tyska krigsmakten för den som var militär, tysk teknologi, tyska luftskepp som seglade över Atlanten, tyska kikare som såg bättre än alla andra kikare och så vidare.

Tyskland var någon sorts familjens storebror, ja alltså de germanska språkens storebror. Här uppe var vi som en provins, förvisso med Valkyrior i den egna historien och allt det där men ändå bara den fattiga kusinen från landet. Det var inte konstigt att beundra Tyskland och att vara Tysklands-orienterad. Det vore snarare konstigt om bildat folk inte vore det.

Alltså Tyskland först, sen nazismen ehuru med viss brist på entusiasm, snarare av lojalitet mot Tyskland som man måste hålla på i vått och torrt och även med en något löjeväckande vänsterinriktad korpral i spetsen.

Rune Jansson började känna sig okoncentrerad. Det kunde möjligen ligga en hel del i det hon försökte säga, visst skrivs historien av segrarna, visst är det lätt att vara efterklok, visst kunde det vara Tysklands storhet som nation saken gällde för svenska nassesympatisörer snarare än judehat och blodsromantik. Men i denna bakgrund måste finnas mer konkreta uppgifter än så.

Någon hatade den gamle generalen alldeles obeskrivligt, detta hat måste ha ett samband med hans nazism och därför det inskurna hakkorset i offrets bröst. Det var ju, som hans egen dotter Louise påpekat, knappast någon som ritat in sitt eget bomärke där.

Den som hatade en gammal general för att han en gång för ett halvt århundrade sen varit på Tysklands sida måste ha något annat än ett ideologiskt motiv. Den gamle skitstöveln måste ha *gjort* någonting, skadat någon, krossat någons karriär, dödat någon och detta just på grund av sin nazism, naivt okunnig nazism eller ej.

Och nu gällde det att börja ställa frågor för att upptäcka ett spår bakåt i tiden som sen ledde framåt mot ursinnig hämnd. Rune Jansson makade på nytt åt sig sitt anteckningsblock när han tyckte att det började gå lite tomgång i hennes ideologiska plädering.

"Om ni ursäktar fru af Klintén... Nu när jag har fått den här mycket intressanta bakgrunden så...?" Han gjorde en frågande gest mot sitt anteckningsblock och hon nickade tyst medgivande.

"Er man var alltså anställd officer under hela andra världskriget?"

"Ja naturligtvis."

"Var han någonsin stationerad utanför Sverige, var han exempelvis Finlandsfrivillig eller nåt sånt?"

"Nej, aldrig. Han var inte utanför Sverige en enda gång mellan 1939 och 1945, inte jag själv heller förresten."

"Nehe. Vet ni om han var medlem i något hemligt sällskap?"

"Vad menar ni med det?"

"Jaa... det fanns ju ganska många svenska officerare som var Tysklandsvänner. Hade de någon förening eller så?"

"Nej, inte vad jag vet. Som i alla andra sammanhang väljer man väl sitt privata umgänge en del efter gemensamma sympatier eller antipatier, men om ni frågar efter någon organisation eller så så tror jag inte på det. För man ska ju faktiskt betänka att officerare är skyldiga att värna Sverige i första hand och att, ska vi säga överdrivna, utländska sympatier faktiskt kunde betraktas som landsförrädiska. Och kosta en del karriärer, vilket det väl också gjorde. Åtminstone efter Stalingrad."

"Hurså Stalingrad?"

"Alltså när krigslyckan vände. Den berömda svenska englandsvänligheten tog väl sin början ungefär då. Rysslandsvänligheten också föralldel."

"Om jag nu frågar er igen, fru af Klintén, efter er mycket uppriktiga berättelse som jag förstår måste ha kostat på en del... om jag nu frågar er igen. Vem kan ha hatat er man så gränslöst för hans nazistiska sympatiers skull...?"

Hon såg lugnt på honom, på nytt som om hon på något sätt såg rakt igenom honom.

"Jag kan inte tänka mej någon enda människa som skulle ha ett motiverat hat mot min man. Han må ha haft en del mindre framsynta politiska sympatier under andra världskriget, och det var han inte ensam om. Men han skadade aldrig någon människa. På den punkten känner jag mej fullkomligt övertygad."

Rune Jansson kunde inte undvika en grimas av besvikelse. Det fanns något överdrivet i hennes visshet. Det kunde naturligtvis lika gärna vara en hustrus och livskamrats reflex, min man var världens mest underbare och ingen kunde någonsin hata en sån man och allt det där. Men han hade ändå en känsla som han inte kunde göra sig fri från. Hon dolde något.

"Jaha, fru af Klintén", suckade han demonstrativt, "då tror jag vi har en lång och knagglig väg framför oss. Jag skulle vilja ha er hjälp med att göra upp en lista på alla vänner och bekanta som er man hade, säg åren 1938 till 1946, nåt i den stilen. Kan ni hjälpa mej med det, så mycket ni kommer ihåg?"

Hon spärrade upp ögonen som i en blandning av förvåning och förtrytelse.

"Ni menar väl ändå inte att ni skulle söka en misstänkt i kretsen av min mans gamla vänner, det är väl ändå i magstarkaste laget måste jag säga."

Hon såg ut som om hon inte hade en tanke på att hjälpa till med att göra upp en så *skandalös* lista.

"Nej", sa Rune Jansson med ett spelat trött tonfall, "jag har verkligen ingen sån tanke. Men någon annan än ni själv kanske kan komma på en anledning till hat och då måste vi nog leta bland vänner och bekanta under just dom här åren."

Hon sa ingenting på en lång stund. Sen nickade hon kort, nästan som en knyck på nacken snarare än nick. Det såg i alla fall ut som en bekräftelse.

* * *

Carl höjde handen för att knacka men sänkte den igen. Han hade aldrig såvitt han kunde minnas känt någon skräck för vadhelst som kunde finnas på andra sidan en dörr, men nu gjorde han det. Reflexmässigt förde han upp högerhanden till halspulsådern och räknade samtidigt som han såg på sitt armbandsur. Det var egentligen en fullkomligt onödig upplysning han fick.

Han tog ett djupt andetag och knackade hårt och bestämt. Sen tog han ett steg tillbaka, la tveksamt händerna på ryggen och väntade. Han hörde aldrig hennes steg där inne och ryckte till när dörren plötsligt öppnades. Hon måste ha gått i strumplästen på en heltäckande matta, hann han tänka, men sen upphörde han att tänka eftersom världen och tiden stannade.

Hon hade håret i en tjock fläta som hängde ner på hennes vänstra sida, den där frisyren som underströk hennes mexikanska ursprung.

Först såg hon på honom som om också hennes tid hade frusit till stillhet, men sen började hon le. Först med ögonen, sen med hela munnen och så nickade hon på sitt särskilda sätt, upprepat långsamt bakåt uppåt.

"Wow! Är det inte superspionen själv", sa hon samtidigt som hennes leende övergick till ett nervöst fnitter som inte var likt henne.

"Ska du inte be mej stiga in, jag är ju inte här för att pracka på dej en dammsugare", svarade han med rösten lätt raspig.

"Det där är Bogarts replik."

"Jag vet. Ur 'Storstadsdjungel', det lärde du mej i Santa Barbara." De såg osäkert på varandra några obeslutsamma ögonblick, men så slog hon ut armarna och omfamnade honom. Han lät det ske, tveksamt först medan han oroligt såg sig om i korridoren, sen mer beslutsamt samtidigt som han vred både henne och sig själv ett halvt varv inåt rummet och drog igen dörren med foten.

De höll om varandra utan att säga något, men så växlade hon grepp för att få ett fastare tag runt honom och då kom hennes högra överarm att spänna emot hans pistol och det bröt förtrollningen.

"Kom in, kom in i mitt nya hem", sa hon samtidigt som hon försiktigt slingrade sig loss.

Han följde henne in, det var ett dubbelrum med hörnutsikt mot Strömmen och det omedelbara valet skulle gälla antingen soffan eller en av de två fåtöljerna. Han valde snabbt en av fåtöljerna och hon satte sig i den andra. På något sätt kändes det lite säkrare.

"Jaha", sa han och log osäkert, "vem ska börja, du eller jag?"

"Du menar vad har hänt sen sist, liksom?"

"Liksom. Vad har hänt dej sen sist?"

"Du vet ingenting om det?"

"Nej, inte ett dugg. Du gick ut ur mitt liv på Pier Café i San Diego den där gången. Inte ur mina sinnen men ur mitt liv. Alltså. Vad hände sen?"

"Säkert att du inte vet?"

"Ja, säkert. Vi känner varandra för väl för att kunna ljuga och det vet du."

"Tja, om jag ska dra det mycket kort. Du blev ju först utnämnd till rysk spion av våra begåvade amerikanska säkerhetstjänster, kommer du ihåg?"

"Mja, begåvade eller inte, det var ett ryskt påfund, dom jobbar så ibland för att ställa till ett helvete för oss på Västsidan. Ofta lyckas dom och den här gången gjorde dom det."

"Ja, dom lyckades ställa till ett helvete för mej åtminstone."

"Och?"

Carl insåg att han redan ljög för henne och han avskydde sitt korthuggna nonchalanta sätt att fråga om något där han med absolut säkerhet visste att svaret skulle göra mycket ont. Hon samlade sig något innan hon tog sats för att berätta.

"Jag blev ivägssläpad till en källare nånstans och förhörd i tre dygn under former som man bara tror existerar i propagandafilmer om det elaka Albanien eller nåt i den stilen. Om du var spion så var ju jag i lindrigaste fall spionhora och i sämsta fall spion själv, ja du kan väl tänka dej."

Hon bet sig i läppen och såg forskande på honom. Han fick koncentrera sig på att inte visa vad han nu kände.

"Ja", sa han, "som du väl anar har jag en ungefärlig kunskap om hur såna där förhör går till. Men du var ju oskyldig och det insåg dom väl i sinom tid?"

"I sinom tid, ja. Men dessförinnan hade dom jävla babianerna förhört inte bara min vänkrets, varenda en, inte bara min far utan också min man. Och då kan du ju tänka dej."

"Uhuh. Det kan jag tänka mej. Han föreföll mej inte som en gladlynt typ, Burt heter han väl? Men det kanske bara var jag som inte fick se honom från hans bästa sida den där gången. Så han blev förbannad?"

"Förbannad är bara första bokstaven. Och resten kan du väl tänka dej?"

"Du är skild?"

"En snabbisskilsmässa i Reno, naturligtvis. Gift i Las Vegas och skild i Reno. Men han tog Stan också."

"Hur gammal är Stan nu?"

"Tre år. Jag får inte träffa honom."

Carl kände sig förkrossad av obestämd skuld, hur det hela än hängde ihop så bar han på något sätt skulden.

"Men du är ju advokat, du borde kunna sätta emot i en skilsmässoprocess, dom kaliforniska lagarna brukar inte precis vara kända för att missgynna den kvinnliga parten", försökte han med fullkomligt genomskinlig vilja att släta över eller bagatellisera. Hon såg det naturligtvis och skakade lite förmanande på huvudet åt honom.

"Det där är inte likt dej, Carl, du brukar inte låtsas att du inte fattar. Så vad tror du en misstänkt kommunisthora har för chans i en skilsmässoprocess? Burt saknar inte pengar att hyra skilsmässoadvokater, som du väl vet. Jag hade inte haft större möjligheter än en Seven-up i skärselden, som du brukade säga."

"Så vad hände?"

"Alla utom pappa tog avstånd från mej, gamla vänner gjorde plötsligt omvägar eller fick någonting i ögat om jag mötte dom på gatan så att dom måste torka sej eller se bort. Jag förlorade vårdnaden och fick ett engångsunderhåll på 100 000 dollar."

"Vad gjorde du då?"

"Flyttade ner till San Diego, hyrde ett rum på Martin Luther Street och tog hand om pappa som bodde i närheten. Försökte få jobb på något advokatkontor men det gick naturligtvis inte. Försökte få jobb på kommittén för stöd åt mexikanska invandrare men det gick naturligtvis inte heller."

"Varför inte det? Du jobbade ju för dom innan... innan du flyttade till Santa Barbara?"

"Kommunisthora. Halv spion åtminstone, alla visste ju. Alla hade blivit förhörda och dom som inte hade blivit det saknade inte information från mer än en villig skvallrare."

"Men ingenting av det där var ju sant?"

"Nej, just det."

"Men om jag har förstått saken rätt så... det blev väl en del uppmärksamhet även i USA sen när den här historien... ja, när en något gynnsammare version kom ut?"

Hon brast ut i gapskratt. Det fanns ingenting hysteriskt i det, även om hon måste hålla på rätt länge för att arbeta sig igenom sitt skratt. Olika minnesbilder blixtrade genom Carls huvud, hennes vita tänder, sanden på Imperial Beach där de först träffats, dit de gick så ofta sen. Och alltid hennes skratt.

"Du är obetalbar, Carl", sa hon när hon kommit över det värsta i sin attack men så brast det igen för henne och hon måste vänta en stund innan hon kunde återta tråden. "Verkligen obetalbar. Jo, en 'något gynnsammare version' kom onekligen ut en tid efteråt, det kan man kanske säga. San Diego dränktes i bilder på dej, Time Magazine hade dej som 'Man of the Year' och varenda TV-station körde snuttar ur dina senatsförhör här hemma i Sverige. 'Spionen som gjorde det omöjliga' och allt det där. Var du verkligen i Moskva, gjorde du allt det där?"

Hon hade plötsligt bytt till allvar, snabbare än han sett henne byta humör någonsin tidigare.

"Tja", sa han besvärat. "Vad jag gjorde eller inte gjorde i Moskva är faktiskt en svensk statshemlighet."

"Inte om man får tro dom amerikanska massmedierna, dom var vilda i storyn."

"Kan möjligen ha berott på att dom inte har tillbörlig respekt för svenska statshemligheter. Men i alla fall. När den här historien kom ut med sånt eftertryck borde väl alla ha insett att det här med dej, jag menar det sätt som dom behandlat dej på, var ett misstag?"

"Du är ovanligt mycket för underdrifter idag. Jo, det kan man säga. Det var ingen hejd på vilken förståelse och vänlighet som plötsligt sköljde över mej från alla håll. Dom ville veta allt om dej, till exempel."

"Och vad sa Burt?"

"Han hade väl ingen anledning att känna sig förtjust över att den man som han en gång allvarligt övervägt att hetsa sina älsklingsdobermannhundar på nu visade sig lite för bra. Är det förresten sant att du skulle ha dödat hundarna i så fall? Du sa det, kommer du ihåg?"

"Ja, det är sant."

Hon stannade plötsligt upp, det påminde honom om en häftig inbromsning med en amerikansk bil på torr varm asfalt; det skriker till i bromsarna och sen står bilen gungande upp och ner några sekunder innan den sjunker ner i stillastående.

Hon såg forskande på honom, som om hon med sin blick skulle kunna tränga in i det innersta som hon mindes som sitt eget rum. Sen fick hon något beslutsamt advokataktigt i ögonen, åtminstone föreföll det honom som advokataktigt.

"*Hur* skulle du ha dödat hundarna i så fall?" frågade hon skarpt.

"Älskade Tessie, försök att inse en sak. Den där förtjusande unge skandinaviske studenten du en gång kände och halvt om halvt levde med och älskade med i ljummen sand i Kalifornien finns inte mer. Jag skulle ha slagit ihjäl hundarna, jag är förvånansvärt bra på sånt. Hundar som människor."

"Hur många människor har du dödat, eller är det möjligen en svensk statshemlighet?"

"Advokaten får ursäkta, men det är faktiskt en svensk statshemlighet, ja."

"Så vad du vill säga mej är att Carl som jag älskade har förvandlats till en mördare, dr Jekyll är numera permanent mr Hyde?"

"Ungefär så, ja."

"Så här kan vi inte hålla på. Försök inte! Och förresten är jag hungrig."

"Jag kan inte gå ut och äta för... jag väcker sån uppmärksamhet", sa han generat eftersom det var sant och eftersom det ändå var en sorts undanflykt. Det hårda tonläget mellan dem passade honom, han var rädd för att det förflutna annars skulle komma tillbaks med samma definitiva kraft som tidvatten, alldeles oavsett hur mycket han sprang omkring på den kaliforniska sandstranden och försökte bygga vallar eller uttala besvärjelser.

"Jag hade förutsett det", sa hon samtidigt som hon sprack upp i hela sitt gamla leende och sakta nickade bakåt uppåt, "jag hade faktiskt förutsett det. Så om du ursäktar kommer middagen upp här. Jag får bjuda dej för en gångs skull."

En stund senare när det knackade på dörren, en diskret lätt knackning som det brukas när room service kommer, kände Carl något som liknade panik stiga inom sig. Det skulle bli för trevligt, alldeles förbannat trevligt, och sentimentalt och hon var alldeles för vacker och hon var alldeles för många minnen och han förbannade det som hände samtidigt som han viftade bort varje tanke på att resa sig och gå.

"Det här är inte sant. Jag är inte här, du är inte här. Det här händer inte. Det kan bara inte hända", viskade han, eftersom hon ändå inte hörde, eftersom hon redan var framme vid dörren för att släppa in matvagnen.

Han sneglade oroligt på den lilla vagnen med vit linneduk och silverglänsande karotter som täckte maten. Där stod en iskylare med en flaska fransk champagne och en flaska kalifornisk chardonnay, naturligtvis kalifornisk.

Hon hade antagligen valt vinlistans dyraste champagne, eftersom det var en Perrier Fin de Siecle med handmålade reliefblommor i Jugendstil i slingor över hela flaskan; servitören korkade upp med demonstrativ vördnad. Typiskt amerikanskt, tänkte han. Nittio procent av Frankrikes prestigechampagne dricks i USA, förmodligen mest i Las Vegas och liknande ställen, förmodligen mest av personer som lika gärna kunnat dricka rysk *champanskoje* eller Pommac med lite brännvin i.

"Jag låter det här stå så att det håller värmen", sa servitören med en gest åt de glänsande kupolerna som täckte maten och så nappade han diskret åt sig den tiodollarsedel som Tessie mindre diskret höll upp mot honom och bugade sig bort.

Det var skymning i rummet, vårljus där ute över Strömmen. Hon höjde sitt glas mot honom och han kände en lika stark som överraskande våg av sorg slå upp inom sig.

"För absent friends", sa hon och förde glaset mot munnen. Han nickade kort och famlade samtidigt nästan desperat efter något ofarligt samtalsämne.

"Hur mår Herb, farsgubben?" frågade han när han ställde ner glaset, "det var närmast honom jag kunde tänka mej som absent friend."

"Han dog för två månader sen. Jag begravde honom och sålde huset", svarade hon snabbt och drog flämtande in andan som om hon ansträngde sig att inte överväldigas av sin sorg.

"Jag är ledsen, det är jag verkligen. Både för dej och Herb, vi kom ju rätt fint överens han och jag."

"Ja, han höll alltid på dej. Han var nog den ende som inte lät sig rubbas av dom där gorillorna. Kyss mej i mitt irländska arsle, sa han, om Carl är rysspion är jag Mickey Mouse. Tja, han hade ju rätt och det var han ensam om."

"Och du själv? Vad trodde du?"

Hon dröjde med svaret, räddade sig en stund genom att dricka långsamt av champagnen och göra en gest mot flaskan som om hon ville servera eftersom hon visste att Carl skulle förekomma henne.

"Lustigt", sa Carl för att skänka henne ytterligare tid, "men jag har en amerikansk vän, en militär som du inte känner, han sa också det där om Mickey Mouse. Varför just Mickey Mouse, varför inte lika gärna Goofy eller Donald Duck? Nåja. Alltså, vad trodde du själv?"

"Jag trodde förstås inte att du var spion, åtminstone inte rysk spion, men jag hade ju blivit lite osäker, du vet, efter vårt möte på Pier Café. Under alla år hade du dolt någonting för mej utan att förråda hemligheten, till och med till priset av vårt.. ja, vårt förhållande, dolde du det där."

"Att det egentliga skälet för mina fem år i USA var min utbildning till specialist inom underrättelseverksamhet?"

"Just det. Jag gick omkring och trodde att det var nån annan, det var så fånigt allting och när du sen berättade, flera år försent, så kände jag mej som en idiot. Du var förändrad, du hade det där ärret i ansiktet ganska färskt, du sa att det hade hänt i Syrien, du såg ut som om du hade ärr inom dej och... ja allt det där gjorde mej osäker."

"Men gamle Herb höll på mej i alla fall", sa Carl lätt och ställde fram två nya vinglas. Han serverade den amerikanska varianten på vit bourgogne, såg frågande på henne samtidigt som han greppade de två silverglänsande kupolerna över maten och när hon nickade sitt medgivande ryckte han upp dem båda på en gång, som man gör på malligare restauranger.

Han hajade till när han såg maten, förstod först inte varför medan han snabbt sökte i minnet. Men så insåg han att det var det sista de ätit tillsammans den där gången, grillspett på fisk, havskräftor och pilgrimsmusslor.

"Du har minne som en häst", sa han artigt men inte särskilt entusiastiskt när han vecklade ut sin servett, grep efter besticken och avvaktade att hon gjorde detsamma.

"Ja", sa hon när hon smakat första tuggan, "ibland har jag minne som en häst. Ibland använder jag tekniska hjälpmedel."

"Hurdå?"

"Dagbok. Jag skrev ner allt jag kom ihåg från den där kvällen. Kommer du ihåg vad vi talade om?"

"En del mycket väl, annat har jag väl glömt."

Han försökte göra sig upptagen genom att se ner i maten och äta som om han var ursinnigt hungrig. Som flykt var det ändå meningslöst, allt det han inte ville ha upprepat skulle nu upprepas, i värsta fall med en dagboks exakthet, även om han själv inte behövde någon dagbok för att komma ihåg just detta samtal, antagligen bättre än han kom ihåg något annat samtal i livet.

Han hade ännu inte sagt henne att han var gift, nåja praktiskt taget gift, och att hans fru väntade barn i sjätte månaden och hette Eva-Britt och var polis.

Han borde säga det, och han borde säga det nu. Det kändes som om han skulle vandra rakt in i en katastrof om han inte sa det nu omedelbart.

Ändå sa han det inte.

"Kommer du ihåg vad du lovade mej den där gången?" frågade hon och tog en något för stor klunk av det kaliforniska vinet.

Det hade en mer citrongul färg i San Diego, en vacker färg mot det blåa i bordsduken, det såg nästan ut som en svensk flagga, tänkte han.

"Jag friade till dej men det gick inte så bra", sa han.

"Inte riktigt. Jag sa här och nu och du sa senare, att det var någonting du måste göra först, en man måste göra vad en man måste göra och sånt."

"Mm. Stämmer."

"Så frågade jag vad det var som var viktigare än du och jag och du sa att det kunde du inte säga då men att, jag citerar, när jag kommer tillbaks ska jag berätta."

"Ja. Och?"

"Menade du det där om att emigrera till Kalifornien, börja ett nytt civilt liv och allt det där?"

"Ja, men det sprack av olika skäl, dej bland annat. Burt och Stan och så."

"Fast det bara var en sak, en enda sak som du måste göra först?"

"Ja. Det var så, det var omöjligt att komma ifrån."

"Vad var det som var så viktigt?"

"Du frågar efter en av Sveriges djupast bevarade hemligheter."

"Som du lovat att berätta."

"Det här är inte klokt, advokaten. Jag insåg inte vidden av det hela när jag sa så där. Dessutom är det där med att ljuga och bryta löften mitt yrke numera. Om du vill veta vad jag sysslat med dom senaste dagarna så har jag bland annat manipulerat rättvisan så att vissa förbrytare kommer att undgå rannsakan och dom, jag har ljugit för en av mina närmaste vänner och fått honom sparkad fullkomligt orättvist, mitt yrke är delvis fullkomligt perverst och jag är dessvärre ganska bra på det."

"Hur blir man sån, Carl?"

"Det är en mycket bra fråga, ungefär som när du frågade mej vad som var viktigare än jag själv, viktigare än både dej och mej."

"Vilket minne du har."

"Ja. Stämmer med dagboken va? Svaret är att man faktiskt tror på det där, jag gjorde det, gör det ibland fortfarande. Sen är det bara att ta fram Batman-kostymen och gå ut och bryta mot lagen, allt i demokratins och nationens intresse givetvis, allt i tron att just nu står vi inför någonting fullkomligt avgörande, just nu gäller inga regler, i morgon går vi tillbaks till regelboken. Men inte just nu."

"Så du skulle kunna bli en bra kalifornisk skilsmässoadvokat."

"Det finns en skillnad. Dom tror inte på annat än tjuvtricks för att tjäna pengar. Jag gör mej vissa föreställningar om högre intressen."

"Det är ju ädelt."

"Larva dej inte."

"Nej, jag var inte ironisk, du var sån. Alltid. Du är naturligtvis fortfarande sån, fast äldre. Det är svårare att förklara hur jag själv ställde till mitt liv."

Det aggressiva tonfallet hade passat honom, fått honom att känna sig tryggare, och han fyllde beslutsamt på vinglasen just när hon sa att hon ställt till sitt liv. Eftersom hon samtidigt växlade in på ett nytt spår i tonfallet, mjukare och sorgsnare, så kom han av sig i uppbygget av bepansring. Han kunde inte undgå hennes blick och han kunde inte undgå att fråga vad hon menade, och därmed vände samtalet nittio grader in på den kurs som han hade fruktat.

Det var naturligtvis hennes livs misstag att gifta sig med Burt, sa hon och han hade inte minsta skäl att tvivla på den saken. Det hela hade förefallit honom obegripligt, även efter att han så snävt som möjligt försökt ta hänsyn till hur hans egen svartsjuka kunde förvränga synen.

Hon var politiskt radikal, efter amerikanska förhållanden mycket radikal. Hon kämpade för mexikanska immigranters rätt, en hopplös fråga i Kalifornien, hon ville ägna sitt liv och sin juridik bara åt det som han själv, med sin egen terminologi från den tiden, skulle ha kallat "tjäna folket" eller något i den stilen.

Och så plötsligt gift med en golfspelande vit anglosaksisk protestantisk direktör i kylskåpsbranschen i Santa Barbara. I ett hus i mexitegel, förmodligen med svart mexikansk arbetskraft i trädgården och i disken eller i hundgården, även om hon förnekat det när de sågs den där gången.

Så hur var det nu, hur kan man begå såna dumheter?

Hon berättade om sin ensamhet tiden efter att de gjort slut. Efter att *hon* gjort slut, eftersom hon inte trodde på hans frånvaroförklaringar, rättade han. Hon kände sig isolerad, inte ensam men isolerad. Så länge Carl fanns kvar hade hon aldrig tänkt sig att hon bara levde i en liten krets av människor med exakt samma uppfattningar om allting, men nu började hon längta efter något i en annan värld, andra och vanliga människor som inte alltid talade politik och moral. Burt hade först framstått som den perfekta representanten för denna andra, vanliga, riktiga amerikanska värld och hon hade låtit sig svepas med på expeditionen. Till slut var hon så långt inne i främmande land att det kändes omöjligt eller nästan skamligt att försöka hitta ut igen.

Och så blev hon med barn.

Och hennes far höll på att gå under i fattigdom och supande.

Och abort ville hon naturligtvis inte tänka sig och så valde hon den enklaste utvägen och det var hennes livs misstag.

Carl var djupt skakad av hennes berättelse och han kände inte ens en reflex av att försöka förneka det inför sig själv. Medan hon berättade mörknade det utanför fönstret så att glittret i hennes ögon försvann och konturerna av hennes kropp flöt samman med den ljusa bulliga fåtöljen.

Han kunde inte komma ifrån det. Hon hade gett en ganska god, för att inte säga precis beskrivning av hans egen expedition in i det främmande landet av helt andra och normala människor där polis-

113

assistent Jönsson hade blivit själva sammanfattningen av den goda anständiga och fullkomligt normala människan som han sökte sig till mer för sin egen skull än för hennes.

Nu satt hon tyst som om det inte fanns så mycket mer att säga och han gjorde på nytt ett försök att bryta stämningen, som för att rädda sig undan fast han inte ville rädda sig undan.

"Nej, så här kan vi inte ha det", sa han kort och reste sig, gick bort till hörnfönstret och tände den stora golvlampan och några lampetter över tavlorna i rummet. Himlen ovanför slottet var mörkröd, resten var blått eller svart. Han lättade lite på slipsen, hällde upp det sista kaliforniska vinet och vände flaskan uppochned i iskylaren där isbitarna hade smält.

"Ta av dej kavajen, du ser så formell ut på det där viset", sa hon lågt utan någon skönjbar biavsikt vid sidan av orden.

Reflexmässigt lydde han, men kom på sig halvvägs och log generat när han redan blottat sitt axelhölster, så gick han ut i tamburen och hängde av sig kavajen, snörde snabbt av sig vapnet och hängde in det i ena ärmen.

"Skål", sa han när han lite besvärad kom tillbaks till sin fåtölj, "det heter så i Sverige."

"Jag vet", sa hon med ett svagt leende och höjde sitt glas med en kort nick.

"Ja du måste veta en del om Sverige", fortsatte han när han såg en möjlighet att gripa tag i ett ofarligt samtalsämne, "exempelvis hur man ringer till någon i underrättelsetjänsten som inte går att ringa till. Hur bar du dej åt?"

"Enkelt", skrattade hon, "lika enkelt som det skulle ha varit i USA, antar jag. Det var bara att be hotellreceptionisten ringa upp den militära underrättelsetjänsten. Hon sa att den inte fanns och då bad jag att få numret till överbefälhavaren, och när jag sen ringde upp bad jag att få bli kopplad till chefen för den militära underrättelsetjänsten och blev kopplad till nån som hette Samuel nånting. Resten kan du tänka dej, jag sa vem jag var, att du säkert skulle ringa mej om du bara fick veta att jag var i Sverige och några timmar senare knackade du på dörren."

Carl skrattade högt. Det var naturligtvis sant, överbefälhavarens nummer eller försvarsstabens eller för den delen Militärhögskolans, allt skulle fungera lika bra om man ville nå Sam.

När han skrockat färdigt tog hon honom med överraskning.

"Här och nu, sa jag den där gången, kommer du ihåg? Om det inte varit för den där statshemligheten just då, hade du ställt upp?" Carl svalde och slickade sig om läpparna. Som samtalet gestaltat sig då, som hon tydligen kom ihåg lika bra som han själv, så fanns ingen oklarhet, ingen möjlighet att ljuga ens med hans skicklighet.

"Ja", sa han grötigt i en samtidig harkling, "ja, utan att tveka och för tid och evighet. Men du tog ju tillbaks sen, skyllde på dina plikter och vad det var."

"Ja, men det var först när du hade slingrat dej. Så nära var vi alltså, bara en enda djävla hemlig operation från ett annat liv."

Det hon sa var alldeles sant, så nära hade det varit. Nu måste han säga det där andra eller kasta en vas i golvet eller båda delarna. Han fyllde på deras glas med champagne eftersom det kaliforniska vinet var slut.

"Det är en sak jag måste säga dej", började han i ett tonfall som tydligen var lätt att genomskåda.

"Att du är gift och har barn", avbröt hon tvärt.

"Ja, ungefär. Visste du det?"

"Att du var gift med nån polis, ja. Men inte att ni hade barn. Det står en hel del om dej fortfarande i amerikansk press."

"Vi har inte barn men hon är i sjätte månaden."

Hon sa ingenting, som om hon inte ville höra svaren på de frågor hon absolut ville ställa. Hon satt alldeles stilla, såg ner i sitt champagneglas och rörde pekfingret i cirkel runt kanten så att det uppstod ett sjungande ljud.

"Kommer du ihåg?" frågade hon lågt.

Han nickade. Naturligtvis kom han ihåg, han kom ihåg allting hur intensivt han än försökt låtsas för sig själv att detta allting inte existerade och aldrig hade existerat.

"Hur länge stannar du i Sverige?" frågade han affärsmässigt.

"Jag vet inte", svarade hon med blicken ner i champagneglaset, "jag har emigrerat."

"Du har gjort vadförnånting!"

"Emigrerat, lämnat USA, det är inte mitt land längre, inte mitt land som behandlar en på det viset, och inga vänner, ingen släkt, inget jobb, bara ett fett engångsunderhåll."

"Din mors släktingar i Mexico, du talar ju ändå perfekt spanska?"

"Driver spelhåla i Tijuana, inte riktigt min kopp te. Jag är för mexikansk för USA och för amerikansk för Mexico och Irland har jag aldrig ens besökt. Men kommer du ihåg Lucy, hon som alltid bantade?"

"Svagt, ja."

"Hon är nån sorts direktörsassistent på IBM här i Stockholm, hon har gjort vissa utfästelser."

"Om vadå?"

"Ett jobb på deras utlandsjuridiska avdelning, inget särskilt välbetalt jobb så länge jag inte kan svenska. Men jag kan ju sånt som juridisk terminologi på engelska, spanska och franska och det skulle kanske bli nyttigt. Jag ska på anställningsintervju i morgon."

Carl hade börjat kallsvettas. Han kvävde en impuls att plötsligt gå fram och öppna fönstret. I stället drack han desperat upp sin sista champagne som smakade ljummet och äcklade honom och påminde honom om tiden i Moskva.

"Det var inga små nyheter", sa han till slut i ett så behärskat tonfall att han överraskade sig själv, "men du kan inte bara komma invalsande i mitt liv eftersom det inte längre är mitt eget. Var hade du förresten tänkt bo, inte här på Grand Hotel antar jag?"

"Nej, men sånt brukar ju fixa sig. Jag har inga höga pretentioner och förresten trodde jag att du kunde hjälpa mej med den saken."

"Att jag? Skulle jag fixa bostad åt dej?"

"Ja. Du har ju fastighetsbolag."

"Hur vet du det? Javisst ja, amerikansk press. Jo, det är sant. Men lediga lägenheter växer inte på träd, vi har ett oerhört komplicerat och oerhört demokratiskt system i Sverige med en bostadskö. Jag är möjligen en av de bäst bevakade hyresvärdarna i Stockholm och..."

"Du behöver inte om du inte vill, jag vill naturligtvis inte ställa till besvär för dej. Och jag kan valsa ut ur ditt liv som du valsade ur mitt där i San Diego."

"Det var väl ett ömsesidigt misstag."

"Ja. Ett misstag."

Han kände att han måste fly, omedelbart. Han reste sig utan ett ljud, gick ut till tamburen, snörde på sig sitt vapen och kavajen, slog överrocken över armen och lutade sig in genom dörröppningen och vinkade åt henne.

"Om du får jobbet fixar jag bostaden åt dej, jag ringer dej i morgon. Tack för middagen", sa han nästan rabblande och så gick han snabbt ut och lät dörren suga igen bakom sig.

Han lutade sig några ögonblick mot dörren, blundade och bet ihop tänderna som om han ville kontrollera en stark fysisk smärta. Sen ryckte han upp sig och gick bort i korridoren åt det håll som skulle leda till Grand Hotels bakväg genom Royal-entrén.

Han promenerade raskt hem, nästan i ursinnigt tempo, så att han väckte onödig uppmärksamhet. Sena kvällsvandrare kom häpet av sig mitt i samtal och flanerande när de upptäckte vem som kom gående eller nästan springande som om han hade mycket viktiga ärenden i rikets hemliga tjänst.

Hon hade gått och lagt sig när han kom hem. Hon hade ett långt mjukt nattlinne i tunn flanell med mönster av linnéa och hon hade nästan somnat.

Hon vred sig runt och drog upp benen så att hon låg i någon sorts fosterställning så att han kunde lägga sig på sidan och med ena handen försiktigt smeka hennes mage och känna när det rörde sig därinne.

Han låg kvar så, långt efter att hon hade somnat, han svettades men vågade inte ändra ställning, som om det vore ytterligare ett svek att ens ändra ställning och han var absolut klarvaken timme efter timme.

* * *

Rune Jansson satt vid sitt köksbord med ett glas varm mjölk och stirrade ut i natten. Han kunde omöjligt sova, men varm mjölk var den enda kur han kunde komma på, sömnpiller hade han aldrig ens funderat över.

Utredningen riskerade att gå över styr, det var svårt att komma ifrån, och om någon hade det direkta ansvaret för att försöka undvika en katastrof så var det han själv.

Men kvällens sena, försenade möte hos polismästaren hade varit illavarslande. Det var gott och väl att dra in rikskrim i utredningen, det höll Rune Jansson själv med om. Det kunde ju bland annat bli tal om att leta upp gamla militärer runt om i landet och ju flera man som kunde resa på såna jobb, desto bättre. Så långt var allt gott.

Däremot kunde det inte innebära annat än trassel om säkerhets-

117

polisen skulle driva en parallell utredning, och det var faktiskt den enda tolkning Rune Jansson kunde få av polismästarens kryptiska formuleringar. Han hade försökt invända att man själva var tillräckligt kapabla för att avföra den där kurd- och kommunistteorin. Det var därför som Kapten Bölja, ja alltså Gustafsson på 6:e roteln, skulle stanna ett par dar extra i Göteborg, för att sopa ihop alla fakta så att man kunde få bort det där huvudspåret, eller vad man skulle kalla det, från arbetsordningen.

Men det nya mordet i Uppsala ställde förstås allt på huvudet. Det var en amiral den här gången, i ungefär samma ålder som deras egen mördade general. Så långt var det bara det som var anknytningen mellan de två mordoffren, de var höga pensionerade militärer, de hade mördats av okänd gärningsman och morden föreföll inte vara några vanliga svenska mord, det vill säga familjeangelägenheter. Det kunde naturligtvis finnas ett samband.

Men den omständigheten, som Säk tydligen anfört, att det fanns gott om kurder i Uppsala var ingen anknytning, inget samband. Det fanns i så fall gott om kurder på universitetet i Linköping, liksom för övrigt iranier, turkar och araber och annat som Säpo tyckte illa om.

Om man på egen hand kunde avföra den där kurdteorin i fallet af Klintén så skulle en sån anknytning till amiralsmordet bara visa att de två fallen inte hängde samman.

Det var något annat, som de båda offrens höga ålder antydde, som sammanhängde med det förflutna, med andra världskriget.

Kriminalavdelningen i Uppsala hade naturligtvis inte kommit särskilt långt på en enda dag. Såvitt man kunde bedöma var det frågan om ett enda skott, tydligen med gevär, genom ett fönster. Eftersom skottlinjen var given genom offrets position i förhållande till kulhålet i fönstret så hade man snabbt hittat skottplatsen och säkrat en gevärspatron och några fotavtryck och möjligen, men naturligtvis mer osäkert, ett bilspår i närheten. Det fanns ett vagt signalement på en småbil i silverfärg som kunde vara allt möjligt.

Offret hade den här gången bara avrättats, utan förklaringar, utan hämndriter av något slag. Tillvägagångssättet var alltså i grunden helt annorlunda, varför skulle de två fallen då automatiskt hänga ihop?

Naturligtvis skulle man göra alla jämförelser man kunde tänka sig, desto enklare om rikskrim redan var inkopplad. Det var normal arbetsrutin, ingenting konstigt.

Men det oroande, det gnagande oroande som nog var det egentliga skälet till Rune Janssons sömnlöshet var det där med Säk. Om de började jaga kurder igen, med metoder som bara avlägset påminde om det som hände i jakten på Olof Palmes mördare, så fanns det inget ordnat polisarbete i världen som inte skulle rasa samman i ett enda kaos av sidoskandaler, utredningar av justitiekanslersämbete och riksåklagare och, vilket väl var värst, en press- och reklamkampanj kring det egna listiga arbetet som skrämde vettet ur vartenda tänkbart vittne.

Rune Jansson värmde en ny kopp mjölk. Inte för att han trodde att det skulle ha någon verkan, men för att åtminstone göra något annat än att bara stirra ut genom sitt köksfönster.

5

Carl hade haft en egendomligt jäktig dag med mycket skiftande sysselsättningar. På förmiddagen hade han besökt några skinheads i hemmet, just hemkomna från sjukhus med ännu inte fullklottrat gips kring armbågsleder och knän. Han hade köpt deras tystnad med hänvisning till de oerhört viktiga nationella försvarsintressen som stod på spel och de oerhört betydelsefulla insatser för det älskade fosterlandet som nasseligisterna kunde göra genom att acceptera en enkel muta i form av ovikta tusenlappar utan kvitto, vilka tusenlappar påstods vara hemliga underrättelsefonder för särskilt viktiga nationella intressen och så vidare.

Vilket inte ens det var sant, eftersom det var Carls personliga tillgångar han använde. Vilket bland annat skulle innebära en betydelsefull skillnad om det skulle till skandal och mutaffär.

Därefter hade han tillbringat någon timme i sammanträde med sina fastighetsförvaltare och organiserat två triangelbyten som frigjort en tvårummare på Gärdet och en tvårummare på Kungsholmen, i fastigheter som inte hade någon anknytning till honom själv eller något av hans bolag. Därefter hade han i förbigående gjort några affärer, eller i vart fall undertecknat några dokument som skulle frigöra det nödvändiga inköpskapitalet. Det lät som en vansinnig idé, men riskerna var små.

En av landets före detta finans- och industrihjältar hade försatts i konkurs och åkt i fängelse som svindlare, medan hans rådgivare rakat åt sig några hundratal miljoner och sen pekat finger åt skurken, som ju dessutom var utlänning, en arab som eftersom han var arab påstods ha lögnaktigheten i generna och annat som inte svenska klippare skulle kunna tänkas ha i generna.

Den stackars svindlaren, om han nu var det, hade i alla fall lämnat efter sig en skuld på 1 300 miljoner, en summa som han aldrig någonsin skulle kunna betala, självfallet. Det var i huvudsak två banker som hade dessa i högsta grad osäkra fordringar.

Idén var enkel. Carl skulle via ett av sina fastighetsbolag köpa upp skulderna, det vill säga överta fordringarna på den naturligt lögnaktige etcetera araben till det facila priset av 30 miljoner kronor.

På så vis fick bankerna åtminstone 30 miljoner i stället för ingenting och på så vis ägde Carl en skuld på 1 300 miljoner. Vilket, som Sveriges socialdemokratiska skattelagstiftning såg ut, innebar en lysande tillgång. Eftersom skulden kunde delas upp på 200 kommanditbolag som vart och ett fick en liten behändig skuld. Dessa kommanditbolag, Triton 1, Triton 2, Triton 3 och så vidare upp till Triton 200 kunde sen utbjudas på den fria marknaden till det attraktiva priset av 2 miljoner styck.

Vem som ville köpa ett bolag för 2 miljoner med en skuld på 60 miljoner kronor? Enkelt, det ville vilken som helst förnuftig affärsman. En sådan skuld kunde i vilken som helst rörelse kvitta bort vartenda öre i vinst utan att skulden kostat mer än ynka 2 miljoner. En strålande affär för alla inblandade parter utom möjligen araben i fängelse.

Den vinst som Carls rådgivare snävt och konservativt beräknade för hans egen del, *efter* räntekostnader och *efter* generösa provisioner till rådgivarna som haft idén men inte kapitalet att genomföra den, uppgick till minst 90 miljoner kronor. *Efter* skatte, alltså.

Kanske hade han inte gett sig in på detta en vanlig dag. Men det var en desperat dag då han aldrig slutade svettas, som om eftersvettningen efter morgonens träningspass envisades med att hänga med honom hela dagen, om det nu hade att göra med hans dåliga nattsömn eller något annat.

Han hade någon vag idé i förbigående att ifall det hela lyckades så skulle han inrätta en konstnärsfond av något slag.

Det var desperat vårdslöst, men han såg någon sorts svart humor i operationen, eller såg den möjligen bara som ett skämt, som om det inte var verklighet. Eller verklighet först i en avlägsen framtid då det skulle visa sig om han förlorat en försumbar miljon i byråkratiska omkostnader och skriftväxling med skattemyndigheter eller om han vunnit 90 miljoner på den socialdemokratiska inkomstutjämningens rouletthjul.

Han glömde bort, eller förträngde, affären så fort han kom ut från kontoret och klev in i taxin som skulle ta honom till försvarsstaben.

Där uppe väntade redan Joar Lundwall eftersom Carl, extremt mot sina vanor, kom försent.

"Jag har en idé, Joar, jag har fixat en sak som jag tror du uppskattar", började han utan omsvep när han hängde av sig rocken.

Joar Lundwall såg surmulet på honom, vilket antydde att han redan kände till hur Åke hade fått sparken, eller "överförts till den taktiska underrättelsereserven", vilket ju var samma sak.

"Jag ska förstås bli befordrad till kapten", muttrade Joar Lundwall utan att visa någon som helst entusiasm.

"Svar ja. För formens skull ska du gå på en och annan kurs nere på MHS, men det lär inte bli särskilt betungande. Jag vill ha upp din lön och några andra metoder finns inte än att kombinera lön med antal ränder runt ärmen, ja stjärnor på axelklaffen i ditt fall förstås."

"Fel. Kustartilleriet har fått blåa uniformer med ränder på. Det ansågs orättvist att marinens ena vapengren skulle ha tjusiga uniformer och dom andra måste se ut som knekteriet, du vet. Lököglor i stället för runda öglor. En rand till, alltså. Tackar ödmjukast."

"Jaja. Du kan väl inte ha några vägande invändningar mot det där, stjärnor eller lökformade öglor?"

"Nej, men jag tycker synd om Al."

"Du menar Åke?"

"Ja, men vi kallade honom Al i San Diego. Ingen jävel kan ju säga Åke där."

"Åke har inte lämnat familjen, tro inte det. För det första är det kanske bara en tillfällig disposition nu medan den här nasseyngelhistorien blåser över. För det andra vill jag ha upp honom i graderna också, och det här var enda sättet. Han kan ju inte bara vara nån sorts discjockey åt dej där borta bland IBM-maskinerna, ja och så är det en del annat."

Nästan inte ett ord var sant och Carl såg forskande på Joar Lundwall som om han skulle kunna räkna ut om han var genomskådad. Han tog för givet att han inte var det och gick snabbt över på nästa fråga.

"Jag har fixat en lägenhet åt dej, du får välja. En tvåa på Gärdet eller en tvåa på Kungsholmen."

Till Carls besvikelse väckte hans erbjudande ingen påtaglig entusiasm, snarare tvärtom. Joar Lundwall misstänkte någon biavsikt, och efter ett kort och inte särskilt diplomatiskt resonemang sa han rent ut att han trodde att Carl helt enkelt hade invändningar mot en underlydande officer som bodde hemma hos mamma, som om det på något sätt var genant, som om man måste dölja det där med Joars sexuella läggning, som om det i värsta fall var en sorts kur som nu erbjöds eftersom det väl fick antas vara särskilt omanligt eller i vart fall heterosexuellt omanligt att bo hemma hos mamma.

Problemet med Joars reaktion var att den i viss utsträckning var helt korrekt i sina slutsatser. Men Carl framhöll bestämt att den som verkade inom den operativa sektionen måste kunna väckas mitt i natten, hämtas när som helst och med vilket fordon som helst och då kanske också utrusta sig på visst sätt som mammor inte tycker om att se. Eller som åtminstone borde oroa mammor. Även den mest omisstänksamma mamma skulle ju kunna tänkas dra vissa slutsatser av sådant som svarta knivblad fästa runt vristen eller pistol i axelhölster eller tysk ljuddämpad kulsprutepistol.

Joar Lundwall gav naturligtvis med sig, ingen storstadsbo någonstans kan med förståndet och omgivningens respekt i behåll säga nej till en gratis centralt belägen egen lägenhet.

De avbröts av Sams sekreterare i snabbtelefonen. Sam ville träffa Carl omgående.

"Jag kommer", svarade han och slog av kontakten och vände sig mot Joar på nytt.

"Så vad föredrar du, Kungsholmen eller Gärdet, utsikt över gröna fält och fjärran hav eller utsikt över Riddarfjärden?"

Under Joars betänketid rotade Carl fram två kontrakt och visade med en gest i chefsriktningen att han hade bråttom.

"Riddarfjärden, tack", sa Joar och såg äntligen lite glad ut.

"Bra, här är kontraktet i två exemplar, underteckna det ena och ge mej och behåll det andra, nycklarna får du hos en portvakt som heter Andersson på nedre botten, bjud mej och Åke på housewarming-party."

"Ordern är uppfattad och skall verkställas", sa Joar och skrev snabbt under det ena kontraktet och sköt över det mot Carl som stoppade ner det i sin skrivbordslåda.

De skakade hand utan att säga något mer med ord och skyndade sen ut åt samma håll i korridoren där de skildes vid hissen och Sams dörr.

Carl hade väntat sig att det skulle gälla invändningar eller detaljer i månadsrapporten, men det enda han såg på Sams skrivbord var en kvällstidning. Och Sam själv var inte att känna igen. Han såg ut som om ryssen landstigit på Djurgården.

Carl satte sig avvaktande.

"Stäng dörren", sa Samuel Ulfsson sammanbitet och Carl lydde något brydd, både över tonfallet och över den oväntade signalen att hålla det följande hemligt till och med för Beata.

"Vad är det som har hänt?" frågade Carl oroligt. Den där kvällstidningen kunde innebära att hela hans *Operation cover-up the Nazihooligans* höll på att gå all världens väg.

"Se på det här", sa Sam aggressivt, kastade över kvällstidningen och stjälpte i nästa ögonblick irriterat ner sin överfulla askkopp i en papperskorg. Han trevade i två fickor innan han hittade ett nytt paket Vita Bond i den tredje. "Är det inte för djävligt?"

Carl bläddrade oroligt i kvällstidningen efter rubriker om militära mutor och skinheads men hittade ingenting i den vägen. I övrigt var det bara mord och skvaller som knappast kunde ha med deras verksamhet att göra.

"Vad är det egentligen du vill att jag ska läsa?" frågade han uppgivet.

"Sidan sex, mordet på Uttern!" nästan röt Samuel Ulfsson och Carl började lydigt ögna artikeln.

En pensionerad konteramiral von Otter hade mördats av terrorister i Uppsala, mordet sammanhängde med ett liknande mord i Östergötland för någon tid sen där en likaledes pensionerad generallöjtnant af Klintén hade mördats och torterats dessförinnan. Aha, här var det: "högt uppsatta källor inom Säpo som Expressen har varit i kontakt med säger att utländska terrorister är misstänkta i båda fallen. Vilken sorts terrorister vill man emellertid inte uppge för närvarande av spaningstekniska skäl. Men brotten har antagligen ett samband med de två pensionärernas nazistiska förflutna."

"Jaha", sa Carl och vek ihop tidningen och sköt försiktigt tillbaks den över skrivbordet i riktning mot centrum på själva rökmolnet.

"Världens terrorister blir alltmer excentriska för var dag som går, eller också är våra vänner inom säkerhetstjänsten nere på Aphuset på Kungsholmen ovanligt genialiska. Och? Ska vi se det här som en attack på försvarsmakten, eller vadå?"

"Gör dej inte lustig", fräste Samuel Ulfsson, "för det här är förbanne mej inte lustigt. Uttern var min första fartygschef, kryssaren Gotland 1951 när jag hade min första sjökommendering, jag kände hans fru och hennes före detta man ganska väl. Det där med nazism är fullkomligt idiotiskt, och förfärligt för barnen. Och det är ju fullständigt för jävligt att vår fria press ska få hålla på så här, jag talade med hans son alldeles nyss och... ja, du kan ju tänka dej."

Carl insåg att Samuel Ulfsson var mer upprörd än någonsin tidigare i deras nu ganska långa umgänge, han insåg att ytterligare raljans skulle vara sällsynt opassande. Men han kunde inte inse vad de själva hade med saken att göra.

"Hade du tänkt dej att vi skulle försöka göra någonting åt saken?" frågade Carl försiktigt.

"Ja, det är väl närmast det som är frågan. Det här är knappast min specialitet och inte din heller, men hur får man tyst på såna där skandaljournalister?"

"Det får man inte. Inte utan vidare, dessutom är vi till för att försvara deras rätt att vara skandaljournalister. Tryckfriheten, du vet."

"I helvete heller!"

"Jo. Om *militären* försöker blanda sej i vad den fria pressen håller på med så hamnar vi i en sån där skandal igen. Fast dom efterlevande kan förstås kräva dementier."

"Dementier! Det vet du väl hur sånt brukar se ut, små notiser längst bak i sån liten stil att man måste ha både läsglasögon och förstoringsglas."

"Ett annat alternativ är att stämma tidningen för förtal av avliden, eller åtminstone hota med det om man inte får en större dementi."

"Tror du på det där?"

"Något sånär. För du vill väl inte att vi ska skicka ut något *sonderkommando* och tysta journalisterna, eller låta Stålhandske lägga sig i försåt framåt natten? Våra resurser är, lindrigt sagt, inte anpassade för den här typen av krigföring."

"Allright. Jag ska vidarebefordra det där med att stämma dom jävlarna. Men så till nästa steg. Eftersom det inte är sant, varifrån kommer det då?"

"Från Aphuset på Kungsholmen, naturligtvis."

"Varför det?"

"Därför att dom förmodligen, ohyggligt intelligenta och politiskt kunniga som dom är, tror på vad dom dikterar för Expressen. Du kan väl ringa Näslund och skälla lite."

"Du vet mycket väl att han bara skyller ifrån sej."

"Ge honom lite stål i så fall. Ta formell kontakt, tjänstevägen, och fråga på försvarsmaktens vägnar om det ligger någonting i det där med nazism och vilka belägg som finns hos säkerhetstjänsten eftersom saken i så fall förvandlas till ett försvarsärende."

Samuel Ulfsson fimpade upphetsat sin cigarrett och tände omedelbart en ny, det syntes på honom att han tyckte att idén var lysande.

"Utmärkt idé, Carl, faktiskt utmärkt. Och om vi får en dementi så att säga skriftligt och formellt från Aphuset, vad gör vi då?"

"Enkelt. Då innehåller dementin inga försvarshemligheter och över huvud taget ingenting som inte kan publiceras. Då ger vi den till Dagens Eko, det kan jag ordna via den där Ponti. Sen så är det färdigtjafsat, åtminstone vad gäller din gamle fartygschef."

"Var har du lärt dej att intrigera på det där viset, ingick det också i kurserna i San Diego?"

"Knappast. Det sitter i väggarna här i huset, vistas man tillräckligt länge här i korridorerna blir man sån, har du inte märkt det?"

"Faktiskt inte. Nå min käre Machiavelli, ser du något ytterligare mått och steg?"

"Svar ja. Kvällspressen och Aphuset bedriver mördarjakt. Dom kommer väl inte att få tag på mördarna om det är just Säk som håller i skaftet. Däremot blir det, följaktligen, en lång mördarjakt och mycket skriverier, den ena teorin efter den andra, det ena huvudspåret efter det andra, nazister, iranska fundamentalister och vad du vill. I ett avseende kan du få dom att sluta kasta dynga på din FC, när det gäller det där med nazismen, förutsatt att det inte var sant. Men du kan väl ana vilka andra möjligheter som står till buds, det är ju spektakulära mord. Det är förresten jävligt svårt att skjuta med precision genom ett fönster."

"Ett proffsjobb?"

126

"Beror på vad det var för ammunition, det kan ju lika gärna ha varit tur. Jag måste se nån utredning om jag ska kunna svara på det. Men en helt annan sak. Den där af Klintén, vad var det för en?"

"Inte en aning, arméofficer och såna umgås man ju inte med."

"Tänk om han var nazist och det kan bevisas. Då kommer din FC lik förbannat att buntas ihop med honom, nazisten alltså. Det är märkligt att två pensionärer mördas inom loppet av någon vecka, det ser ju ut som ett samband. Det måste du hålla med om?"

"Ja. Det måste jag. Det blir inte roligt det här. Borde vi utreda saken själva?"

"Det tycker jag faktiskt inte, absolut inte. Det är polisens sak, till och med säkerhetspolisens sak i värsta fall. Men vi kan formellt inte lägga oss i vad dom gör. Och det är förresten egendomligt att det ska vara jag som förmanar dej på den punkten och inte tvärtom."

"Ingenting hindrar väl att vi friar en gammal sjöofficer från nazianklagelsen?"

"Du har ett privat intresse av saken."

"Ja, det kan du ge dej fan på att jag har, ursäkta uttrycket. Nå?"

"Underrättelsetjänsten författar Utterns vitbok, är det nåt sånt du tänker dej?"

"Ja, nåt sånt. Kan du hålla i det ärendet är du hygglig?"

"Ordern är uppfattad och skall verkställas."

"Var inte ironisk. Hade du själv nåt på hjärtat?"

"Ja, en sak. Jag har överfört Stålhandske till reserven inom underrättelsetjänsten. Hans nya tjänstgöring blir på kustjägarskolan i Vaxholm."

"Det var som fan. Varför det? Eller är det nåt som jag inte bör känna till?"

"Det berör delvis det där du inte känner till. Om mina försök att sabotera polisarbetet misslyckas, exempelvis genom publicitet, så åker en instruktör i närstrid på Kustjägarskolan fast. Inte en officer på underrättelsetjänsten. Det är viss skillnad."

"Ett bondeoffer. Jag trodde ni stod varandra mycket nära."

"Det gör vi också. Jag skyllde för övrigt på dej när jag delgav honom den trista nyheten."

"Jaja, det får jag väl stå ut med. Orättvist mot stackars kustjägarskolan om dom får vår skandal i knät."

"Ja, men praktiskt."

127

"Jo, det förstås. Ordnar du underlag på Uttern?"
"Ja, om jag får hans personnummer."

* * *

Carl tillbringade de följande timmarna med den militära rullan och en del liknande föga hemliga handlingar för att sammanställa sin chefs beundrade före detta nu hädangångne FC. Det var ingen dum karriär, det måste ha varit en kompetent officer, son till en kommendörkapten, själv till slut konteramiral.

Fänrik i flottan 1925, långresa med HMS Fylgia samma år, löjtnant 1928 och sjökommendering på pansarskeppet Gustaf V 1929—30, mannen var alltså från en annan tid, herregud pansarskepp!

Diverse jagarkommenderingar, jobb i land plötsligt på torpedverkstaden i Motala 1933—34, alltså tidpunkten för Hitlers maktövertagande, sen två nya jagarkommenderingar, befordrad till kapten 1936, sekond på pansarkryssaren Fylgia 1937, fartygschef själv för första gången 1938, so far so good, men, mer bekymmersamt möjligen, biträdande marinattaché i Warszawa 1939, verkade alltså inom svensk underrättelsetjänst vid själva krigsutbrottet, lämnade förstås Polen vid den tyska erövringen, på marinstaben, antagligen underrättelseofficer 1939—40, alltså första krigsåret, och sen till staben vid MDV, Västkustens marindistrikt 1940—43, under brinnande krig med tyska fartyg utanför, erövringen av Danmark och Norge, alltså.

Plötsligt överflyttad som lärare vid Sjökrigsskolan de sista två krigsåren, 1943—45, torpedlära.

Från aktiv tjänst så nära den svenska fronten man kunde komma, vid MDV, i Göteborg antagligen, plötsligt till ett enkelt lärarjobb vid Sjökrigsskolan?

Där kunde något ha hänt. Förflyttad på grund av nazistiska sympatier? Tagen från ett känsligt jobb till ett skrivbord eller en lärarpulpet?

Efter kriget nya fartygskommenderingar, FC på kryssaren Gotland 1951, kommendörkapten samma år.

Om han förflyttats på grund av olämpliga uppfattningar så hindrade ju det inte karriären efter kriget, kunde tyckas.

Utredningsuppdrag beträffande robotanskaffning 1955, kommendör samma år, bara fyra år efter att han blivit kommendörkapten. Populär tydligen.

Tjänstgjorde i Bundesmarine 1958. Vad i helvete gjorde han då? Nå, tyska flottan måste väl ändå ha varit fullkomligt avnazifierad 1958?

Sakkunnig i diverse utredningar och konteramiral 1962, utsedd till Chef för Marinkommando Ost samma år men tillträdde aldrig jobbet, något hände. Vad?

Till Chefen för Marinens förfogande i stället, utredde arbetsmiljöfrågor 1962—65.

Arbetsmiljöfrågor? Varför sätta en nybliven konteramiral och nyutnämnd chef för ett helt marinkommando på ett idiotjobb?

Någonting hade kommit fram? Han hade en belastning som gjorde honom olämplig, men någonting som man inte ville skulle komma ut, någonting som inte heller hindrade honom från fortsatt tjänstgöring, låt vara på idiotjobb.

Förtidspensionerad 1966.

Mördad 24 år senare.

Carl var brydd och kände sig obehaglig till mods. Han svettades fortfarande fastän klockan hade hunnit bli åtta på kvällen, han hade ringt sig sen och sagt att hon inte skulle vänta med nån middag.

Skulle han verkligen göra det här jobbet, som ändå inte var något riktigt jobb utan snarare en tjänst åt Sam?

Sam ville ju bara ha en typ av svar. Läste man Utterns personalia med viss misstänksamhet så syntes ju flera möjligheter att Sam skulle kunna bli mycket besviken. Vad skulle det tjäna till?

En gammal konteramiral var en hygglig prick fast nasse under några år för så länge sen att det lika gärna hade kunnat vara yngre bronsålder. Än sen?

Jo, det fanns en hake. Någon hade mördat honom.

Men för det första var det polisens sak. För det andra blir väl ingen mördad år 1990 för brun anstuckenhet 1938—45, man fick ju anta att sånt gick över 1945?

Han övervägde om han skulle avråda Sam från att fullfölja utredningen. Men det skulle inte gå att komma med onda aningar och antydningar eftersom Sam ju "visste" att allt sånt var skitprat. Och skitprat från Carls sida skulle bara leda till en ytterligare specificerad order, i värsta fall skriftligt, att fullfölja uppdraget.

Det skulle ta tid, vara trassligt och improduktivt och dessutom hade man viktigare saker för sig på OP 5 än att rentvå Sams gamla fartygschefer.

Och för övrigt brydde sig Sam ju inte ens om den där generalen. Man borde, för att utreda von Otter, naturligtvis titta på den där Klintén också. Rätt vad det var kanske de dök upp i samma officersklubb eller nåt i den stilen.

Nej, Sam riskerade att få åtskilliga anledningar att förbanna den order han nu gett Carl. Men ordern var uppfattad och skulle verkställas och i värsta fall fick Sovjetunionens undergång vänta ett slag.

Han ringde efter en taxi och låste in sina datautskrifter i kassaskåpet. På väg ner för trapporna bestämde han sig för att inte åka till Grand utan direkt hem.

Hon satt i den gröna soffan med fötterna på en kudde på stenbordet och stickade när han kom hem. Hon stickade något skärt eftersom hon ju "kände på sig" att det skulle bli en flicka.

Han gick fram och kysste henne på pannan, på kinderna och försiktigt på munnen. Hon la undan stickningen och slog armarna runt hans nacke, drog honom hårt till sig och han sjönk ner på knä framför soffan med händerna på hennes mage. De satt så en stund utan att säga något.

"Jag har blivit anmäld för misshandel idag, din kvinna är ett disciplinärende", sa hon plötsligt.

Han sköt henne milt ifrån sig och försökte se i hennes ögon om hon skämtade. Hon log men skämtade kanske inte ändå.

"Du har väl inte varit i slagsmål? Med den magen?" sa han bestört när olika absurda visioner plötsligt for genom hans huvud.

"Ja inte klappa jag till han med kaggen, om det är det du tror", skrattade hon.

Carl satte sig upp på bordet och såg forskande på henne. Nej, det var sant.

"Vad hände?" frågade han.

"Jag sitter ju i mottagningen, va? Jag menar, jag har inte varit ute på stan för att prygla bus eller så, sånt är emot våra fackliga regler och förresten måste jag bli mammaledig snart."

"Ja, men vad hände?"

"Jo alltså, dom kommer in med ett styck bus som är ganska packad. Och så när dom ska avvisitera han så lutar dom han framåt och händelsevis över mitt skrivbord fast vi har en spyskärm där, och så rätt som det är så bara BLOOOAAPP! Från nästippen ner till magen, gamla fyllespyor dessutom. Och då drog jag till han rätt över nosen. Rak höger bara rätt på."

Carl vek sig bakåt och skrattade, han skrattade länge eftersom det kändes som en befrielse långt utöver själva komiken i den scen han såg framför sig, han skrattade så han fick tårar i ögonen.

"Träffade du rent?" skrockade han samtidigt som han försökte torka sina tårar.

"Visst. Klockrent, dom påstår att han fick en spricka i näsbenet så han ville göra anmälan för grov misshandel", svarade hon nästan stolt.

Carl vek sig på nytt bakåt i skrattparoxysmer.

"Hoppas det blir rättegång fort, så att du har magen kvar, den rättegången skulle jag vilja se. Fyllebuse med förtrytsamt utsträckt finger mot liten kvinna i välsignat tillstånd. Rätten kommer inte att kunna hålla sig särskilt allvarlig."

"Nej, i alla fall så tog jag en taxi hem. Det var knappt att chaffisen släppte in mej i bilen, som jag luktade. Jag tar inte fyllon, sa han. Men det gör jag, sa jag, eftersom jag är snut. Det är därför jag luktar så här. Och så garva han och körde mej hem."

"Slutet gott allting gott."

"Nej, bättre än så. Jag gick ut och handlade, det var ju min tur att göra middag."

"Men jag sa ju att du inte skulle. . ."

"Du har inte käkat nåt än, va?"

"Nej, men. . ."

"Sitt bara still, rör dej inte på femton sekunder, det är en order!"

"Ordern är uppfattad och skall verkställas", suckade Carl.

Hon reste sig lite tungt och klumpigt och smög in i matsalen. Han hörde ljudet av tändstickeplån, sen ropade hon färdigt och leende gick han in i matsalen där hon dukat upp med förrätt och en flaska bordeauxvin som hon till och med hade dekanterat.

Det låg gåsleverpastej på förrättstallriken, med några endiveblad och lite tryffel och gelé.

"Fint va, varsågod och sitt", sa hon glatt.

Han gick först runt bordet och kysste henne och drog ut hennes stol innan han satte sig. Han sneglade på vinet, hon hade förstås valt på måfå och det hade råkat bli ett Margauxvin som han tänkt spara till något mycket speciellt tillfälle eftersom det var en eftertraktad årgång. Men det här kunde ju mycket väl vara just det tillfället, rättade han förebrående sig själv.

"Vadan denna strålande festmåltid, du brukar ju föredra kåldolmar?" frågade han glatt när han vek upp servetten i knät och koordinerade greppet kring besticken så att de började samtidigt.

"Man har kommit upp sig, du vet. Sakta men säkert har kvinnan av folket låtit sig korrumperas av överklassens dyrbara smak, grevinnan Jönsson slår till igen", svarade hon med en spelat nonchalant axelryckning.

De åt en stund under tystnad.

"Du är en underbar polis, jag älskar dej", sa han plötsligt.

"Schysst grabben, att vi åtminstone är överens på den viktigaste punkten, jag älskar dej med sån här pastej lika mycket som med kroppkakor", sa hon och fattade menande sitt vattenglas. Hon ville inte dricka alkohol.

"Ta åtminstone ett litet glas, det är ett fantastiskt vin, den lille blir bara gott uppfostrad av det", sa han trugande och när hon inte protesterade slog han upp ett halvt glas åt henne.

"Den *lilla*", sa hon när hon höjde sitt glas, "den lilla, inte den lille."

"Ska vi slå vad?"

"Ja, fem miljoner."

"Det har du inte råd med."

"Det har jag visst det, allt ditt är mitt som du brukar säga. Torskar jag tar jag fem av dina miljoner och ger dej tillbaks bara. Riskfritt. Vinner jag så går jag och köper upp NK:s franska och syr upp snutuniformer i råsiden."

"Låter som en lysande affärsidé", muttrade han samtidigt som han spelade överdrivet kränkt. "Men vad ska du göra med alla skära kläder om det blir en pojke?"

"Då har ju jag förlorat vadet så då får jag vigga lite stålar av dej för att köpa ljusblå kläder. Förresten är det inget som säger att smågrevar inte kan gå klädda i skärt, åtminstone inte moderna jämnställda smågrevar, och det är väl såna vi ska ha i så fall."

"Ja, förhoppningsvis. Men barn har en förmåga att göra tvärtom som föräldrar vill. Min far höll på att bli vansinnig på mej, långt hår, demonstrationer och allt det där. Jag försökte till och med skriva till riddarhuset och avsäga mej adelskapet men dom svarade att det inte gick. Möjligheten skulle i så fall bestå i att hitta på ett sånt där taget namn, Fjunemo eller nåt, och således förvandlas till den hemlige greven Fjunemo."

"Då hade jag aldrig gift mej med dej. Fy fan för att bli grevinnan Fjunemo."

"Men grevinnan Hamilton?"

"Jönsson-Hamilton, om jag får be."

Han suckade och ställde tungt ner glaset som om han tänkte börja om hela den där diskussionen på nytt. Sen gjorde han en demonstrativ paus innan han plötsligt såg upp och mötte hennes blick.

"Okay, vi kör. Jönsson-Hamilton får det bli. Men inte i kyrkan."

"Det är taget, inte i kyrkan. Men jag vill bli av med magen först, det känns så corny, tror jag, att gifta sig med mage."

"Det är också taget."

Han drack en långsam stor klunk och lät vinsmaken fylla alla sinnen, som om ingenting annat fanns, som om allting hade löst sig, som om det inte fanns ett enda orosmoln kvar.

* * *

Rune Jansson var både ursinnig och förtvivlad och han kunde inte avgöra vilken känsla som var starkast. Antagligen förtvivlan, han kände sig otillräcklig som chef, han skulle vara den som kunde medla mellan de olika stridande parterna, men ingen lyssnade på honom. De sprang till sina olika överordnade i stället och fick divergerande instruktioner som bara förstärkte den katastrofala splittring som redan präglade utredningsarbetet.

Kollegerna på rikskrim reagerade som om de höll på att få krupp på morgonens möte när det gick upp för dem att Säk i Stockholm hade börjat röra på sig. Det här var inget säk-mord, hävdade de och det höll Rune Jansson naturligtvis med om. Men inte polismästaren och Norrköpings lokale säk-chef. I och med att saken intresserade Säk så var det ett säk-mord, därtill hade Säk egna uppgifter av betydelse och dessutom hade Uppsala-mordet gjort att hela saken kom i en annan dager och så vidare.

Säk hade en arbetshypotes.

Under senare år hade kurdiska och västtyska terrorister inlett samarbete, vilket sammanhängde med en massrättegång mot kurdiska påstådda terrorister i Västtyskland. Det var någonting om en paragraf 159 a som, om Rune Jansson förstått sin säk-kollega rätt, innebar att staten kunde bura in vem som helst hur länge som helst om säkerhetspolisen misstänkte vederbörande. I Sverige kunde man ju bara belägga utlänningar med kommunarrest och liknande om Säk misstänkte dem.

Men genom den påbörjade massprocessen i Västtyskland hade kurdiska extremister och västtyska terrorister på något sätt hamnat i samma båt. Dels förde deras sympatisanter nu en gemensam kamp mot de fascistiska lagarna, det fascistiska våldssamhället och så vidare. Dels hade de, enligt uppgifter som Säk fått från icke närmare angivna källor, börjat inleda ett operativt samarbete. Det fanns åtminstone ett mord i Västtyskland på en höjdare inom bilindustrin, som motiverades med att han som före detta nazist var en typisk representant för den moderna, förklädda fascismen och att folkets styrkor då, i sin kamp mot den förtryckande staten på fascistisk grund men med demokratisk mask, var i sin fulla rätt att utkräva folkets hämnd eller vad de nu kallade dådet.

Mördarna hade inte gripits och det fanns en teori om att kurder från PKK hade gjort sina kolleger i RAF en tjänst, mot kommande gentjänster, fick man anta.

Sålunda hade Säk arbetat sig fram till Östergötland och den pensionerade generallöjtnanten:

Louise Klintén behövde inte vara medvetet skyldig. Men bland sina kurdvänner hade hon naturligtvis berättat om sin far och då hade de beslutat att han var ett lämpligt offer, särskilt om de fick reda på hur han bodde.

I utredningen var det ju redan styrkt att af Klintén faktiskt hade ett nazistiskt förflutet. Det var ju Kapten Bölja och Rune Jansson själva som hade kunnat belägga den saken, eller hur?

Nå, då så. Men vilka kunde känna till något sådant ute bland allmänheten? Alltså gick spåret mot kretsen kring Louise Klintén.

Mordet hade ju, på det sätt det genomförts, en mycket klar syftning på det nazistiska förflutna. Eller hur?

134

Och det fanns dessutom klara indikationer på ett liknande spår när det gällde den där amiralen i Uppsala.

Nej inte så att han hade en dotter, inte direkt så. Men skottplatsen låg tvärsöver gatan från amiralens hus i villaområdet. I villan mitt emot amiralens, som beboddes av ett äldre par, hyrdes övervåningen ut till fyra flickor som läste juridik vid Uppsala universitet. En av flickorna hade en syster i Stockholm som var gift med, eller i vart fall sammanbodde med, ledaren för de kurdiska terroristerna i Sverige.

Så långt i redogörelsen hade Rune Jansson avbrutit säkerhetspolisens föredragning med en milt framsagd undran om det var samme man som en viss polismästare i Stockholm utpekat som "Hjärnan" bakom Palme-mordet.

Jo, så var det. Samme man.

Men var han inte oskyldig till Palme-mordet?

Jo, det fick man anta. Faktiskt.

Nå, men om han var felaktigt utpekad som terrorist och mördare den gången så borde väl det försvaga misstankarna den här gången?

Nej, det gjorde det inte. Låt vara att han inte mördade Palme, trots att mycket tydde på det, men han var ändå hjärnan bakom två andra kurdiska extremistmord i Sverige. Det visste Säk, oklart hur.

Det faktum att "Hjärnan" inte kunnat anhållas för något av morden visade bara på hur otroligt skicklig han var.

Och så där hade det hållit på en hel morgon.

Och på eftermiddagen hade det inte precis ljusnat när resultatet från SKL kom in. Kulan hade återfunnits något sånär hel och den passade tydligen till den tomhylsa man hittat vid den plats där skottet måste ha avfyrats.

Hylsan var märkt med en cirkel med kors i botten, vilket angav att den var NATO-ammunition. Dessutom fanns det en kodbeteckning som angav vilken vapenfabrik inom NATO-alliansen som tillverkat patronen, nämligen en fabrik i Turkiet.

Det var inte svårt att räkna ut vilken entusiasm det beskedet skulle medföra vid rikets säkerhetstjänst. Turkisk ammunition, alltså kurdisk mördare, det var ju klart som korvspad. Kurderna i Sverige hyste en intensiv avsky mot äldre modellbyggande amiraler, det förstod ju varje normalt begåvad säkerhetspolis.

Kapten Bölja hade just kommit tillbaks från Göteborg och de

gick in på Rune Janssons rum och stängde dörren. Rune Jansson berättade utan omsvep om sina farhågor, om en utredning som skulle kunna förvandlas till kaos inom loppet av några dagar.

Kapten Bölja lyssnade med malande käkar på Rune Janssons uppgivna referat av hur ett kommande kurdspår skulle växa fram ovanför deras huvuden.

När Rune Jansson tystnade sympatiteg de en stund, eller teg i väntan på att den andre skulle säga något förlösande ord.

"Ja e la ingen politisk expert", började Kapten Bölja lite tveksamt och med en överraskande stark göteborsk klang i tonfallet, som om ett par dagars vistelse där nere skulle ha gett återfall, "men jag har ju i alla fall träffat dom här människorna. Ja, alltså dom misstänkta svartskallarna. Och den här Louise är en jävligt populär person i dom där kretsarna och så mycket vet jag i alla fall om svartskallar att det ska mycket till innan man går bakom ryggen på en kompis och mördar kompisens föräldrar."

"Hm. Dessutom har hela gänget alibi, enligt vad du kommit fram till. Är det för bra?" frågade Rune Jansson tonlöst.

"Du menar att dom arrangerat det så att alla blivande misstänkta ger varandra alibi?"

"Hm. Nåt i den vägen. Jag menar, det måste ju ligga i vårt intresse att avverka vår bit av det här kurdspåret hela vägen, så att vi slipper ifrån det om inte annat."

"Den där festen ägde rum, flera personer har till exempel haft barnvakt den kvällen och kommit hem i normal tid och så där."

"Och det har du kollat upp?"

"Ja."

"Utmärkt, bra polisarbete, verkligen utmärkt. Men har svartskallar barnvakt? Jag trodde dom hade moster och mormor och sånt."

"Trodde la ja med. Men dom här är, ska vi säga rätt civiliserade. En av dom är kirurg på thoraxkliniken i Göteborg, byter hjärtan och sånt där, en annan är docent i orientalisk litteratur och så vidare."

"Två av Säks misstänkta mördare är alltså läkare?" skrockade Rune Jansson. Kapten Bölja log tveksamt som om han också höll på att komma över sitt kuvade raseri.

"Nå, om vi ska försöka hålla oss lite kalla och bedriva normalt po-

136

lisarbete, åtminstone här i Norrköping", började Rune Jansson med plötsligt förnyad energi, "så föreslår jag att vi skiter i Säk tills vidare. Vi fortsätter vårt arbete som om vi bara ville ha tag på en mördare, med vårt eget material."

"Precis min uppfattning."

"Vad har förhören gett?"

"Vi har väl gjort en sjuttifem procent av grannskapet och hittills har vi inget som ringer i några larmklockor precis."

"Hm. Men fullfölj det där så långt ni kan, ta den tid ni behöver med dörrknackning och annat. Och sen har jag ett annat uppslag. Vi ska spåra det där med nazismen på något sätt och tanten har gett mej en hel del personuppgifter, gamla vänner och sånt som vi borde ge oss på. Det är lite tidsödande, men vi kan ju åtminstone använda våra resurser till nåt vettigt medan Säk löper med nosen mot marken efter sina kurder."

Kapten Bölja nickade, reste sig och skulle just gå när telefonen ringde. Så fort Rune Jansson hörde vem det var tecknade han med handen åt sin kollega att stanna kvar och slog på högtalartelefonen så att samtalet hördes i hela rummet.

Det var generalskan af Klintén som ringde och tonfallet gjorde henne just till generalska och ingenting annat. Hon var fullkomligt ursinnig. Det som stod i tidningen nu omöjliggjorde allt samarbete i fortsättningen. Rune Jansson eller "herr Jansson" som han plötsligt degraderades till, hade ju gjort vissa utfästelser, eller rättare sagt avgett bestämda löften beträffande publicitet. Och nu skulle hon tala med sin son hovrättsrådet och med sin advokat och möjligen med hela högsta domstolen för att få Rune Jansson avskedad och vad beträffar vidare upplysningar så kunde han se sig om i månen efter sådana. Och så slängde hon på luren.

De två poliserna utbytte ett hastigt ögonkast och sen gick de med bestämda steg bort till hissen och åkte högst upp till kafeterian och slet åt sig en Expressen från en bestört kollega.

Det de fick se fick dem nästan att falla i gråt av ursinne.

TERROR-MORDEN
HÄMND PÅ
NAZISTER

stod det på första sidan. Och på tre hela uppslag fanns bilder på af Klinténs herrgård i flygperspektiv, bilder på villan i Uppsala, bilder på de två gamla officerarna i uniform med skuggade hakkors över och, kanske värst av allt, en utförlig, vällustigt exakt beskrivning av hur generalen af Klintén hade sett ut efter mordet.

Enligt källor på säkerhetspolisen letade nu polisen, alltså även den riktiga polisen, efter terrorister med tysk eller turkisk anknytning.

"Jag tror jag blir galen", viskade Kapten Bölja hest när han sköt ifrån sig tidningen över kafébordet till den förvånade kollega som de hade ryckt tidningen ifrån. "Jag blir javvlarimej galen. Hur fan kan dom!"

Det fanns inget svar på den frågan. Eftersom de ändå var uppe i kafeterian tog de varsin kopp kaffe och satte sig för sig själva vid ett fönsterbord.

"Jag har javvlarimej aldrig förstått det här", tog Kapten Bölja upp tråden på nytt efter en lång dyster tystnad. "Men om dom nu på allvar tror att det ligger till så här. Okay, vi säger det för resonemangets skull. Doktor Klintén och hennes vänner beslutar sig för att mörda hennes far för att på så vis ta ett stort steg mot ett bättre samhälle. Det är sant, vi säger det. Och deras kurdiska vänner i Uppsala, vad dom nu kan vara för docenter, tycker att det här är en utmärkt idé så dom vill också dra sitt strå till stacken och hittar en egen pensionär att skjuta. Hurra hurra. Terroristerna firar sin stora seger. Men dom ska la inte känna sig för säkra. Rikets fruktansvärt smarta säkerhetspolis är dom hack i häl. Det vet dom inte, men så är det."

Kapten Bölja tystnade och drog sig med knytnävarna utefter tinningarna som om han drabbats av en plötslig huvudvärk.

"Ja?" sa Rune Jansson. "Så är det, det ligger till precis så här. Och vadå?"

"Varför i helvete gå till Expressen och upplysa dom misstänkta om att dom är misstänkta!"

Frågan blev självklart hängande i luften. Det fanns inget svar. Det var obegripligt, men det hände ändå gång på gång. Ständigt dessa offentliga mördarjakter om dom där kollegerna på Säk blev inblandade.

"Vi får det inte lätt med vårt projekt att gå till gubbens gamla bekanta. Dom kommer ju att tro att nästa steg blir att dom får sin bild i Expressen med skuggat hakkors över ansiktet", muttrade Rune Jansson och insåg samtidigt att det mesta av det han tänkt sig som fortsättning i arbetet, vid sidan av alla självklara rutiner, faktiskt var sönderslaget.

* * *

Carl hade tillbringat eftermiddagen nere på Militärhögskolans historiska avdelning där han överväldigats både av all hjälpsamhet och den förkrossande mängd källhänvisningar och forskningsuppslag som man öst över honom. Flera av kollegerna där nere var dessutom före detta underrättelseofficerare som tydligen hamnat på sidospår i karriären eller, som i några fall, blivit brända av den där Ponti på Dagens Eko när han gav sig på den hemliga delen av underrättelsetjänsten för några år sen.

Sverige var ett byråkratiskt oerhört välorganiserat land, så mycket hade Carl snabbt förstått. All militär historia, ner till minsta detalj, från 1700-talet eller ännu tidigare och framåt fanns någonstans. Riksarkivet, Krigsarkivet och Kungliga Biblioteket skulle sammantagna kunna beskriva en löjtnant från 1860-talet lika väl som en konteramiral från 1900-talet in i minsta tjänstgöringsorder.

Problemet var bara den oerhörda mängden material, och att det fanns på olika ställen och, framför allt, att det inte var datoriserat.

Hade all denna väldiga kunskap funnits inom räckhåll för Joars IBM-maskiner hade Joar och han själv kartlagt de två mördade pensionärerna på mindre än två dagar. Nu måste allt göras för hand, lunta för lunta. Det var inget inspirerande perspektiv, särskilt som saken egentligen inte föreföll Carl så angelägen. Sovjetunionen var faktiskt viktigare för Sveriges underrättelsetjänst än den gamle Uttern, hur mycket Sam än beundrade honom.

Det var vackert vårväder och en koltrast hade börjat sin vårsång någonstans i Valhallavägens allé. Carl vände och gick åt fel håll för att ta sig en promenad, skolka lite, vara för sig själv och oansvarig för åtminstone en halvtimme som omvägen till militärstaberna skulle ta honom.

Han tvärstannade när han kom till en Seven-to-Eleven-butik och såg Expressens självlysande löpsedel.

Där var Uttern på bild, med hakkors och allt och dessutom mördad av terrorister. Carl tvekade innan han gick in i butiken och köpte två exemplar av tidningen; Sam skulle bli vansinnig, det var ju klart.

Han stoppade tidningarna under armen, rullade ihop dom som om han köpt något skamligt och började gå med raska steg åt andra hållet, det kortaste hållet upp till stackars Sam.

Han gick in på sitt rum och läste tidningen först. Scenariot föreföll inte särskilt troligt, men det var ju inte det viktiga. Nu var det ett etablerat faktum att Uttern var nazist och dessutom mördad av terrorister. Carls uppdrag att författa vitbok satt alltså som gjutet i betong nu. Det var ofrånkomligt.

Han slätade ut den ena tidningen och gick in till sin chef som just avslutade ett rökigt sammanträde med folk från säkerhetsavdelningen, vars chef gav Carl ett mycket giftigt ögonkast när de möttes i dörren. De avskydde fortfarande varandra sen tiden då Carl faktiskt på allvar blivit förhörd som misstänkt rysk spion och förmodligen var han fortfarande misstänkt i den mannens ögon.

"Du håller väl inte på med att mobilisera den där Borgström också i kampen för Uttern", sa Carl och stängde dörren efter sig, "i så fall ska du passa dej, han kommer att göra Uttern till rysk spion i stället."

Samuel Ulfsson log roat åt den föga diskreta anspelningen på det förflutna men stelnade i sitt leende när Carl höll upp kvällstidningens förstasida framför honom.

Samuel Ulfsson tog ett språng framåt, förvånansvärt vigt tänkte Carl, och ryckte åt sig tidningen och bläddrade snabbt upp de första nyhetssidorna innan han sjönk ner i sin stol.

Carl avvaktade medan Samuel Ulfssons ögon for genom materialet, det tog bara någon minut innan han var klar med sin läsning.

"Det här är alldeles urjävligt. Och dessutom är det lögnaktigt, men mest urjävligt", sa Samuel Ulfsson, eller väste snarare, mellan sammanbitna käkar.

"Har du talat med dom på Aphuset?" försökte Carl parera det som såg ut som ett kommande vredesutbrott.

"Ja!" röt Samuel Ulfsson. "Och kan du tänka dej vad den där jävla Näslund säger!"

"Att dom har ett huvudspår, Kurdspåret II, att dom har säkra indikationer, att flera kurder känner varandra vilket kan bevisas, samt att såväl Uttern som den där af Klintén var nazister, vilket dom nu tydligen har fått sona."

"Har du själv talat med Näslund?"

"Nej, det var ju du som skulle göra det. Men jag har just läst Expressen. Varför publicerar dom alltid sina spaningsuppslag förresten?"

"Det har jag aldrig begripit. Inte för att jag förstår mej så mycket på polisarbete, men det måste ju bli svårare att fånga mördare om man går med harskramlor och plakat i förväg och talar om att man smyger på dom. Nå. Hur går det för dej?"

"Jag har inte kommit så långt, men jag har just varit på MHA och dom..."

"MHA?"

"Ja. Militärhögskolans historiska avdelning."

"Jasså dom, ja. Där har vi en del gamla bekanta. Nå, vad sa dom?"

"Dom var mycket hjälpsamma, verkligen mycket hjälpsamma. Men summan av deras förslag är att jag får en helvetes massa material att gå igenom. Det *går* att ta fram sanningen om Uttern och den där af Klintén om du vill, men det tar kanske ett par månader. På heltid."

"Vad vill du ha sagt med det?"

"Två saker. För det första frågar jag mej om vi verkligen ska satsa så mycket på någonting som ligger vid sidan av..."

Samuel Ulfsson gjorde en energisk ansats till att avbryta Carl men ångrade sig halvvägs.

"Nej förlåt, fortsätt. Vid sidan av?"

"Ja, vid sidan av vårt egentliga arbete, vi är ju faktiskt inte poliser. För det andra. Om du verkligen vidhåller att vi ska göra det här så kan jag inte göra det ensam. Arbetet är inte svårt eller omöjligt, bara tidskrävande."

Samuel Ulfsson lutade sig bakåt, tände en cigarrett och tänkte efter. Carl avvaktade.

"Tror du det kan ligga någonting i det där som kvällsblaskan skriver?" frågade Samuel Ulfsson när han lugnat ner sig några bloss. Det var första gången han varit nära att ge Carl en utskällning.

"Det som står i Expressen kommer från Aphuset och kan väl då antas vara fel i alla huvuddrag, som vanligt. Men det är deras hypotes och den kommer dom att driva vecka efter vecka, särskilt om den är felaktig så att dom aldrig får tag på nån mördare. Då kommer dom att basunera ut sina framgångar bit för bit i sin tidning."

"Jo, men det var inte svar på frågan. Tror du att Uttern var nazist och tror du att han mördades av terrorister för den sakens skull?"

"Jag tror än så länge ingenting om Utterns politiska böjelser, det är du som kände honom, inte jag. Det är mycket för tidigt att frikänna honom, så mycket kan jag säga. Och vad det där med kurder beträffar så... äh!"

"Jo, men någon mördade honom."

"Ja, men knappast några kurder."

"Då har vi följande situation. Två pensionerade flaggofficerare mördas vid hög ålder. Vår civila säkerhetstjänst löper in på ett vansinnesspår. På vilket sätt angår saken oss?"

Carl insåg att Samuel Ulfsson naturligtvis ville ha ett svar som gick ut på att saken angick underrättelse- och säkerhetsavdelningarna inom försvarsmakten.

"Dom visste för mycket om någonting, låt oss till exempel anta det. Det har naturligtvis ingenting med politiska flyktingar i modern tid att göra, men någon mördar dom för det förflutnas skull. Ja. Det kan tänkas. Det kan ligga ett intresse i saken. Vi borde få veta varför. Det är bara det att det är polisens sak att utreda det."

"Kommer dom att göra det?"

"Inte som det ser ut i dagens Expressen. Dom kan internera kurder och tjuvlyssna på kurder tills fan avlöser, men det är ju en orimlig hypotes."

"Nå, då gör vi så här. Vi svarar för den militärhistoriska forskningen du skisserat. Får vi fram relevant material tar vi, vid ett senare tillfälle, ställning till om vi skall delge polismakten våra fynd."

Carl log. Han hyste inga tvivel om vilka fynd som kunde, och vilka som i så fall inte kunde delges "polismakten".

"Okay", sa Carl. "Då gör vi det. Men jag vill ha två medhjälpare som håller käften om fynden inte blir dom du önskar dej."

"Insinuerar du att jag skulle vilja undertrycka sanningen?"

"Ja."

Samuel Ulfsson fimpade häpet sin cigarrett. Han valde plötsligt mellan två mycket olika reaktioner men fann att ansiktsmusklerna sprang i förväg. Han log glatt åt Carls fräckhet.

"Du är inte lite fräck du", sa han muntert medan han tände en ny cigarrett.

"Nej."

"Nå, vilka vill du ha."

142

"Det har du redan förstått."

"Har Orca börjat på Kustjägarskolan ännu, är det inte så du kallar honom, vad har du för kodnamn förresten?"

"*Trident*. Nej, jag tror inte det. I så fall får du kalla tillbaks honom. Det var ju som du vet du som sparkade honom."

"Ordern är uppfattad och skall verkställas."

Det hade blåst över, det hade varit nära storm men nu skildes de med ett bekräftande handslag och breda leenden, kanske något för breda leenden.

Carl var ändå på gott humör när han återvände till sitt rum för att kalla in resten av styrkan och börja instruera om olika räder i svenska statens myllrande arkiv. "Spionen lägger pussel", tänkte han glatt när han sträckte sig efter telefonluren. Men just då ringde det.

Han drog tillbaks handen som om telefonen varit elektrisk. Få personer kunde ringa honom direkt och en av dem hade han just talat med. Han tvekade medan det ringde en ny signal och sen ryckte han snabbt upp luren och sa bara hallå.

"Är det Hamilton, Carl Gustaf Gilbert Hamilton", frågade den okände med stark Norrköpingsdialekt som fick det hela att låta som ett practical joke.

"Hurså, vem är det som frågar?" mumlade Carl misstänksamt.

"Kriminalkommissarie Rune Jansson vid Norrköpingspolisen."

"Jaså är det du, hej. Vill du sätta fast mej för mord nu igen?"

"Nä, snarare tvärtom. Jag menar jag behöver din hjälp, om det går för sej."

"Sist vi samarbetade gick det ju bra."

"Sånär som på att ni sköt våra efterlysta innan vi fick lägga vantarna på dom."

"Fel, vi sköt en, skadsköt en och slog ner den tredje. Vad kan vi stå till tjänst med den här gången?"

"Ja, alltså... vi har det rätt besvärligt."

"Mordutredningen?"

"Ja, så klart. Och det är så att våra värderade vänner vid säkerhetspoli..."

"Jatack. Jag har läst deras bulletiner i Expressen. Varför i helvete gör dom sådär."

"Det frågar vi oss också. I vart fall sabbar det vårt jobb."

"Ja, det kan jag tänka mej. Nå, och vad gäller saken, jag menar vad

143

tror du vi kan hjälpa till med?"

"Det här måste väl betraktas som ett förtroligt samtal?"

"Ja det är ju inte för gammal vänskaps skull, det är polisen i Norrköping som tar en underhandskontakt med försvarets underrättelsetjänst, så allt stannar mellan oss såvida vi inte är avlyssnade."

"Är vi det, tror du?"

"Jag kan ringa dej från en avlyssningsskyddad linje om du vill. Men så mycket kan jag i alla fall säga dej att några kurder lyssnar inte på våra telefoner. Ryssarna möjligtvis, men inga kurder."

"Gör dej inte lustig, om jag får be."

"Så ni är inte inne på Kurdspåret II, menar du?"

"Svar nej."

"Och vad är ert spår?"

"Vi har ingen definitiv teori, annat än att det där som Säk håller på med och som du fått läsa i tidningen tror vi inte på."

"Nej, så bra. Men till saken nu, vad kan vi göra?"

"Jag ville gå igenom den där generalens förflutna, hans historia, hans gamla vänner och bekanta, och allt sånt där ligger ju rätt långt tillbaka i tiden och dessutom gör ju den här publiciteten det nästan omöjligt för oss att förhöra folk."

"Hurså?"

"Dom kan ju få för sig att dom hamnar i Expressen med hakkors på."

"Jo, det är klart. Vill du att vi ska genomföra såna förhör åt dej?"

"Inte i första hand..."

"I så fall kan jag inte ge dej ett besked nu direkt. Men om du gör så här, du skriver ett formellt brev, alltså från polismyndigheten i Norrköping, till chefen för OP 5, kommendören av första graden Samuel Ulfsson och gör en officiell framställning om försvarets hjälp. Jag tror du har goda utsikter, annars skulle jag inte ge dej rådet."

"Fint. Och så var det det här med gamla officerares historia."

"Det är lättare. Vill du ha båda två?"

"Båda två?"

"Ja, den där konteramiralen i Uppsala också?"

"Ja, det kan ju inte skada, kan du ordna det."

"Du kan få ett utdrag på båda herrarnas hela karriär, samtliga tjänstgöringsorter, platser dom jobbat på och så där... ska vi säga i övermorgon."

"Kan du ordna det så snabbt."

"Ja, det här är underrättelsetjänsten, inte aphuset på Kungsholmen."

"Aphuset?"

"Ja, Säk alltså."

"Kallar ni dom för aphuset? Det ska jag lägga på minnet, mycket passande."

"Ja. Var det nåt mer?"

"Ja, jag grubblar över en del tekniska detaljer som jag fått fram idag och du kan nog bedöma... jag menar det har med vapen och sånt att göra."

"Okay, vad är problemet?"

"Jo, om man ska skjuta en människa genom fönster, vad måste man veta då, är man proffs eller amatör om man lyckas med det?"

"Beror på en massa saker. Vad handlar det om för kaliber?"

"Ett ögonblick, jag har papperen här... jo, 308."

"Hm. Och vilken typ av kula?"

"Helmantlad."

"Ingen mjuk blyspets, ingen hålspets eller nåt sånt, utan helmantlad?"

"Ja."

"Det är nog bästa valet. Vad var det för fönster?"

"Vanligt fönsterglas, spröjsat fönster, två glas alltså, dubbelkopplat fönster."

"Om skytten står i rät vinkel, vänta förresten, vad är avståndet och hur långt från fönstret befann sig offret?"

"Avståndet från den plats där skytten befann sig är 33 meter, offret satt en och en halv meter från fönstret, skottvinkeln är alldeles rät, alltså skytten har placerat sig så att han inte har behövt skjuta snett genom fönsterglaset. Vad tror du?"

"Svårt att säga, det beror ju på om han rekat på platsen och kände till förutsättningarna på förhand, men det får vi väl nästan anta. Valet av kula är klokt. Det hade gått med en mjuk blyspets också, skulle jag bedöma, men då hade kulan börjat expandera när den gick genom fönstret och effekten hade blivit större. Å andra sidan en risk att missa. Nej, det är ett klokt val av kultyp, och framför allt en bra

145

placering, att inte skjuta snett. Verkar som om killen visste vad han gjorde."

"Då kommer vi till nästa fråga. Varför ligger det kvar en hylsa på platsen där han sköt?"

"Hur långt från platsen där han stod låg hylsan, två tre meter eller vadå?"

"Nej, intill fötterna så att säga."

"Konstigt."

"Hurså?"

"Jo, som du väl redan vet är 308 en rätt vanlig militär kaliber, och skjuter man med ett halvautomatiskt vapen så slungas patronhylsan ut medan nästa patron åker upp i läge, som på en pistol. Då kan det vara bökigt att hitta den om man har bråttom från platsen. Men om hylsan ligger rakt ner, vid fötterna som du säger, så är det inget automatvapen. Det skulle betyda att skytten gjort mantelrörelse, dragit ut den tomma hylsan för hand så att säga och skjutit in nästa patron i läge medan han försökte överblicka effekten av sitt skott. Fast då borde han ju ha plockat med sig sin tomhylsa. Är det nåt speciellt med hylsan eftersom du frågar?"

"Ja, den är turkisk."

"Va, turkisk? Svensk pensionerad konteramiral skjuten med turkisk Natoammunition?"

"Ja."

"Konstigt. Aha, det bevisar förstås att det är kurder som varit i farten, det vet ju alla att turkiska kurder har fri tillgång till NATO:s ammunition. Tror du att någon har placerat hylsan där?"

"Tanken har slagit mej, den ligger så jävla prydligt, omöjlig att missa, precis vid skottplatsen."

"Har mördaren använt bil?"

"Ja, hurså?"

"Jag tycker det verkar så. Jag skulle ha gjort så i alla fall. Med bil kan du åka förbi då och då, rentav flera gånger under en kväll. När offret sitter på plats, upplyst var han väl eftersom han byggde båtmodeller eller nåt. Så stiger man lugnt ur, tar fram geväret under en filt i baksätet, använder biltaket som stöd, skjuter ett skott, tar ner geväret och lägger tillbaks det, sätter sig och kör långsamt från platsen. Har mördaren gjort så?"

"Såvitt vi tror."

"Okay, det är en bra kille, han vet vad han gör. Men det är en sak som är fel, tror jag, och det är hylsan. En som gör allting rätt i att förbereda skottet är rimligtvis en säker skytt och på 33 meters håll är det i så fall bergsäker träff. Han gör inte mantelrörelse eftersom han vet att han ska träffa i samma ögonblick han kramar in avtryckaren. Den där tomhylsan skulle jag se mycket skeptiskt på."

"Kan man se om en viss kula verkligen hör ihop med en viss tomhylsa?"

"Det tror jag inte, det får du fråga SKL om. Men du kan vara förvissad om att kulans dimension stämmer med tomhylsan. För antingen är det rätt, eller också är det ett avsiktligt villospår och då är det nog inget fel på matchningen mellan hylsa och kula. Hur det än hänger ihop så har du att göra med en kille som vet hur han ska skjuta och har tillgång till turkisk tomhylsa."

"Intressant. Ja, du skickar dom där personaliabladen eller vad vi ska säga?"

"Du har dom senast i övermorgon. Men du!"

"Ja?"

"Gör som jag sa, gör en sån där skriftlig begäran om assistans till vår chef, jag har på känn att du får ett positivt svar. Och det blir enklare för oss att trampa in på polisens arbete om polisen faktiskt ber oss."

"Det ska jag göra. Du har den senast i övermorgon. Tack så mycket för hjälpen, det var verkligen värdefullt."

"Det var så lite så, alltid trevligt, *nästan* alltid, att hjälpa dej hitta mördare, hehe."

"Carl kände sig mycket nöjd när han la på luren. Ett inte oväsentligt byråkratiskt problem hade löst sig självt. Nu riskerade man inte skandal för att underrättelsetjänsten störde polisens arbete längre.

Han grubblade en kort stund över den turkiska tomhylsan, sen ringde han Åke Stålhandske och berättade den glada nyheten att de skulle genomföra en operation tillsammans varför det där med kustjägarinstruktion fick anstå på obestämd tid. Han hade inte hjärta att närmare specificera "operationens" taktiska innebörd. Sen ringde han Joar och sa som det var. Båda skulle infinna sig 08:00 nästa morgon.

Sen ringde han hem och sa att han skulle bli sen och tog en taxi till Grand Hotel.

Hon var inne och det överraskade honom inte det minsta. Han hade en känsla av att vara på väg mot katastrof, och just därför skulle ingen tillfällighet rädda honom, och alltså skulle hon självklart vara inne när han utan vidare knackade på.

Hon öppnade i vit badrock, vått hår och hårborste i handen. Han sa hej, steg in och drog igen dörren efter sig och hon backade samtidigt som hon fortsatte att dra igenom sitt långa mexikanskt svarta hår med stålborsten, huvudet på sned.

"Hur gick anställningsintervjun?" frågade han och försökte få frågan att låta som om han hade frågat om en shoppingrunda och inte om att förvandla livet till kaos.

"Fint", sa hon utan att avbryta hårborstningen, "jobbet är mitt om jag vill ha det. 13 000 kronor i månaden. Hur mycket är det?"

"Tvåtusen dollar. Du betalar väl femtusen i skatt, hyran är på nästan tretusen, du har femtusen kvar att leva på, det är 800 dollar."

"Hyran?"

"Ja, jag har fixat en lägenhet åt dej. Har kontraktet med mej."

"Dom sa att det skulle bli svårt, att dom inte kunde hjälpa till, att det enda som fanns var mycket små eller mycket stora lägenheter långt ute i förorterna.

Hon slutade borsta och slog håret bakåt med en knyck på nacken och drog den vita hotellbadrocken lite tätare omkring sig. Hon var våt om fötterna och den mjuka mattan hade sugit upp en liten pöl av vatten under henne.

"Lägenheten är ganska centralt belägen i innerstan, ett rätt bra område", sa han i samma frånvarande tonläge som han rabblat siffror alldeles nyss, utan att ta blicken från hennes ögon. Och fortfarande utan att ta blicken från hennes ögon hängde han upp sin överrock, ställde ner sin portfölj på golvet, hängde upp sin kavaj, snörde av sig sitt axelhölster med den tunga svarta pistolen och hängde in det i ena kavajärmen.

De stod alldeles stilla mitt emot varandra, hon slog hårborsten lätt i ena handflatan med en sekund mellan slagen, som hon markerade hans puls som säkert hade stigit upp till sextio vid det här laget. Han visste inte hur han skulle stå eller vad han skulle göra av sina händer. Han lutade sig mot väggen och ställde benen i kors. Det var omöjligt att säga något och det var omöjligt att släppa hennes blick trots att han kände att han borde slita sig. Men han ville inte, han ville inte undvika katastrofen.

"Det är väl ingen poäng med att vi försöker lura oss själva längre", sa hon, först allvarligt men sen smög sig hennes leende fram, det breda leendet med hennes vackra tänder som snart skulle hugga in på honom och så nickade hon uppåt bakåt på ett språk som bara de två kunde.

Hon vände sig tvärt och plötsligt och började gå inåt de två rummen, och när hon passerade soffgruppen och svängde av mot den inre alkoven med den stora dubbelsängen som han bara skymtat, knappt vågat se åt, vid sitt tidigare besök släppte hon badrocken i golvet.

Han följde tveksamt efter, fumlade med sina skjortknappar och försökte sparka av sig skorna samtidigt som han gick.

Hon svepte undan det stora täcket med ett enda kraftigt ryck, rullade ner och la sig på sidan och såg roat på honom medan han under nervöst besvär fick av sig sina kläder.

Han tvekade när han stod naken framför henne, dels för hennes blick över ärren i hans kropp som hon noterade men alldeles tydligt beslöt sig för att diskutera vid ett senare tillfälle, dels för att en plötslig rädsla kom över honom; att det skulle bli med Tessie som det så ofta varit med Eva-Britt, att han inte kunde.

"Det är bara jag", sa hon som om hon läst oron i hans ansikte, vilket hon väl hade gjort eftersom hon kände honom bättre än någon annan människa. Åtminstone det som varit hans jag, det jag han ville vara, inte det han blivit.

Hon sträckte upp sin vänsterhand mot honom och han tog den försiktigt och så drog hon ner honom.

"Det är bara du", mumlade han och tvekade med sin handflata några centimeter från hennes hud, som om det skulle brännas. Sen la han försiktigt ner handen på hennes axel. De låg alldeles stilla och han slöt ögonen och smekte henne långsamt över ryggen där hon hade två födelsemärken, nu som då, allt i ett och samma ögonblick som om han just kommit ner till San Diego från Ridgecrest och hettan från öknen hade övergått till svalkan vid kusten; som om det var alldeles nyss så länge han höll ögonen slutna.

Han såg Eva-Britt framför sig. Hon satt i den smaragdgröna soffan med fötterna på bordet och stickade små skära kläder. Han lät en våg av sin plötsliga panik svepa bort bilden och intalade sig att han fanns utanför tiden, att detta nu var för tio år sen i San Diego.

Han fortsatte att smeka henne, kände hennes ärr efter en bilolycka i ungdomen, kände hennes höfter och midja och mage och till slut hennes ena bröst. Han höll det mycket försiktigt som om han inte vågade röra sig längre och inte vågade flytta handen och inte vågade göra som om det verkligen var San Diego.

Hon rörde sig försiktigt, trasslade in sina fingrar i håret på hans bröst och ryckte honom lite skämtsamt. Det lät som om hon fnittrade till.

Hon flyttade sin hand från hans bröst, la båda handflatorna mot hans kinder och drog ner hans ansikte mot hennes. När han kommit över sin första tveksamhet i kyssen sjönk han djupt ner i det mjuka, som var mycket främmande och mycket bekant samtidigt.

Han tänkte på ökenvinden genom bilfönstret på väg från Ridgecrest, han var äntligen hemma. Och när han kände att hennes bröst började svara hans hand spolades all sista oro bort eftersom han kände att han obönhörligen var på väg mot henne.

De älskade lugnt, nästan metodiskt längs hela den gamla vägen, utan någon hysteri som han hade föreställt sig. Han öppnade till slut sina ögon när han kände hur hennes naglar började borra in sig i hans skulderblad. Försiktigt reflexmässigt parerade han blivande bevis genom att hålla ut sina armbågar så att hennes händer halkade undan något och så såg han henne in i ögonen när hon var på väg att komma, som förr, och visste att han själv var på väg i samma ögonblick som hon berättade för honom. Som förr, i San Diego.

De låg stilla bredvid varandra ganska länge, de var inte särskilt svettiga. Det hade blivit nästan mörkt i rummet av den sena skymningen.

De sa ingenting på mycket länge. Hon välte honom försiktigt över på sidan och kysste hans ärr på bröstet uppifrån och ner, det ena efter det andra, fem gånger. Det var som en fråga, men han svarade inte. De hade inte sagt någonting på så länge och det skulle bryta förtrollningen att börja tala om knivärr. Det var som om hon förstod, eftersom hon inte uttalade frågan. Eller som om hon kunde läsa hans reaktioner med samma lätthet som förr, som om han redan sagt att han inte ville tala om sånt. Nu.

"Jag älskar dej, Carl", viskade hon till slut, tätt mot hans öra.

Han såg upp i taket. Sen vände han sig häftigt om och grep tag om hennes hår med vänsterhanden, rullade ihop det till ett stadigt milt grepp bakom hennes nacke och lutade sig fram mycket nära hennes ansikte.

"Vi är galna Tessie, vet du det, men jag älskar dej också, det har jag alltid gjort och det vet du."

Han såg henne i ögonen några sekunder sen släppte han greppet och kastade sig tungt bakåt.

Det var inte klokt, det var alldeles vansinnigt. Men det var också så mycket lättare att säga på engelska, som om orden på engelska inte hade samma klang av svek och bedrägeri som de skulle ha haft på svenska.

I love you too, Tessie. I have always and you know it. Det betydde allt och ingenting samtidigt.

Nej det var inte sant. Han tänkte om frasen ord för ord på svenska. Han hade menat det på svenska också.

Som om en plötslig våg av panik slagit in i honom reste han sig abrupt och gick över golvet till kylskåpet och slog upp dörren. Som han gissat hade hon inte rört innehållet. Där stod en halv flaska tysk sekt med skruvkork, gissade han, pilsner, läsk, plastmuggar och champagneglas. Han slog snabbt upp två glas av den tyska sekten och gick tillbaks mot sängen, tvekade på halva vägen, tände ena läslampan över sängen och vred in skärmen mot väggen så att belysningen inte skulle bli för hård i deras mörkeranpassade ögon.

"Det här är absolut etthundra procent galenskap, vet du det, älskade Tessie", sa han när han räckte över det ena glaset och skvimpade lite på det rena, lätt fuktiga vita lakanet.

"Naturligtvis", sa hon glatt, "det mesta i ditt och mitt liv har varit absolut etthundra procent galet sen det där dumma grälet."

"Mm. Jag trodde att jag tjänade mitt eget land och mänskligheten bäst genom att hellre göra dej sårad, svartsjuk och förbannad än att ge dej en enkel förklaring på vad jag höll på med. *Berätta sanningen eller förlora mej för alltid,* jag trodde inte du menade det bokstavligt."

"Jag trodde inte du skulle stå emot den sortens påtryckning."

"Men det gjorde jag."

"Ja det gjorde du."

"Jag var en idiot."

"Ja det var du. Och jag med."

151

De drack en stund under tystnad och såg på varandra. Hon smittade honom med sitt leende, hon fångade honom med det, som hon alltid hade kunnat göra och han kände sig plötsligt överraskande lätt, nästan lycklig, som om han vore narkotiskt omedveten om vidden av det som skedde.

"Nå", sa hon och höll upp sitt tomma glas. "För en stund sen ville du inte svara, så då frågar jag igen. Dom där ärren på bröstet?"

Han reste sig och gick bort till kylskåpet och fyllde på deras glas på nytt. Sen skakade han på huvudet och brast i skratt.

"Det finns en risk att du inte skulle tro mej och då skulle vi fortare än kvickt hamna i 1981 igen", sa han och gick tillbaks till sängen.

"Försök, så får vi se", log hon. "För det första är jag nyfiken, för det andra vill jag veta allt om dej och för det tredje är jag nyfiken."

"Okay", sa han och satte sig upp i sängen med benen i kors under sig och betraktade henne med spelat bekymmersam forskande min. "Jag var tillfångatagen av den palestinska underrättelsetjänsten tillsammans med två tyska terrorister. Jag hade nämligen infiltrerat den tyska terroriströrelsen. Men nu var det så att ledaren för det palestinska kommandot var en bekant till mej, en underskön palestinsk officer som heter... det kan vi hoppa över. Västtyskarna dödades, men eftersom hon och jag var goda vänner och dessutom på samma sida, så var hon hygglig nog att skjuta mej mycket försiktigt två gånger, här genom skulderbladet och här genom låret, se utgångshål där och ingångshål där. Och för att göra det hela trovärdigt så skar hon snabbt upp mej lite i bröstet så att jag skulle se torterad ut. Den syriska säkerhetspolisen köpte bluffen, jag överlevde, den västerländska demokratin segrade och ungefär ett dussin västtyska terrorister kunde levereras till avskjutning vid ett senare, tämligen väl valt tillfälle. Vad tycker du om den förklaringen?"

Hon såg forskande på honom några ögonblick innan hon svarade. "Jag tror det där är alldeles sant", sa hon mycket lugnt.

"Hur kan du tro det?" frågade han provocerande som om han i nästa ögonblick var beredd att skratta bort hela historien.

"Jag vet det. Det du sa är alldeles sant, fast du känner inte på samma sätt som du berättade. Det är jag som är Tessie, jag känner dej och du har inte förändrats så mycket som du tror. Jag känner dej in i minsta skrymsle. Vi har levt tillsammans i fem år nästan, om du kommer ihåg det."

"Mm", svarade han dämpat, "det var sant. Problemet är bara att om du ställer såna där frågor riskerar du hela tiden såna där historier. Och så kan vi inte ha det."

"Nej, så kan vi inte ha det. Men det är inte huvudsaken."

"Vad är det som är huvudsaken", frågade han så snabbt att han inte hann stoppa orden eftersom ångern kom på efterkälken. Han ville inte fråga så, han ville inte ha några definitiva svar eller ställa några definitiva frågor.

Hon tänkte efter mycket kort, med en liten rynka i pannan som han kände mycket väl men inte sett på nio år. Sen fläktade hon bort det plötsliga bekymret i en enda handrörelse när hon svepte undan sitt glas till nattduksbordet, ryckte ifrån honom hans glas och gjorde om manövern innan hon drog honom till sig, ner och över sig.

"Just nu finns bara en huvudsak och just nu finns bara just nu", viskade hon. "Jag vill älska mera med dej, just nu, och det är det enda som räknas."

Han behövde inte svara, hans kropp hade redan svarat och hon kände ju det.

Och nu var det som om de kommit över en sorts mild inledande tvekan och all överväldigande ömhet. Nu kunde det ske på ett helt annat sätt, länge och intensivt och då och då högljutt, mest med hennes skratt.

Och efteråt skrattade de tillsammans, som om de överraskat sig själva. Vilket var både sant och osant eftersom historien bara upprepat sig, fast allt enligt överenskommelse bara skulle vara här och nu.

De var rufsiga och svettiga och låg mycket tätt tillsammans tills de började frysa och komma tillbaks till medvetande om den andra världen.

Han såg på klockan. Det var en och en halv timme senare än han hade gissat. Efter kort funderande kom han fram till att förklaringar, ursäkter och liknande skulle vara helt fel. Det fanns ingenting att säga nu som inte skulle bli fel.

Han reste sig utan ett ljud och stoppade försiktigt om henne, kysste henne på pannan och samlade upp sina kläder när han gick ut mot badrummet.

Han måste ju duscha sig fri från hennes dofter och safter, hur okänsligt det än föreföll så måste han det. Han var rätt korthårig och det fanns hårtork, så om han tvättade håret kunde han ändå bli

153

helt torr tills han kom hem och en promenad i den kyliga luften, även en så kort promenad som den från Grand Hotel till Gamla stan, skulle utplåna alla spår.

När han hade klätt sig smög han in till henne igen. Hon såg ut som om hon sov, men hennes leende var för kraftigt markerat för det; hon drömde vaken.

Han lutade sig ner och kysste henne på kinden. Men han sa ingenting. Och så gick han, smög omedvetet över de heltäckande mattorna som om någon skulle ha kunnat upptäcka honom annars.

Det blåste iskallt på Strömbron och han drog på sig rocken i stegen och fällde upp rockkragen, men ångrade sig genast som om han trodde att den kalla vinden skulle blåsa honom ännu renare.

Han var övertygad om att hon skulle sitta med fötterna på stenbordet och sticka, det var som om det ingick i hans förberedelser, och på väg upp i Gamla stan koncentrerade han sig hårt på att inte börja resonera med sig själv, inte ställa en enda fråga om vafan han höll på med, bara gå hem så raskt som möjligt.

Hon satt med fötterna på stenbordet och stickade, fast något annat än kvällen innan, något ljusblått.

"Vadnu", hälsade han uppriktigt förvånat, "börjar du bli orolig att du ska förlora vadet?"

"Icke sa Nicke", svarade hon med ett snabbt leende innan hon återgick till sin koncentration, hon höll ut tungspetsen i ena mungipan när hon koncentrerade sig, "men om nu små killar kan ha skärt så kan små tjejer ha ljusblått, så det så. Har du haft det besvärligt?"

"Ja, det kan man säga, hurså?"

"Sena kvällar och så där. Är det ryssarna eller är det nåt du kan snacka om?"

Han tänkte efter några ögonblick innan han bestämde sig.

"Dels är det ryssarna, ingenting märkvärdigt egentligen, men det kan vi hoppa över. Dels är det faktiskt något jag kan snacka om. Vill du ha te förresten?"

Hon nickade medan hon räknade maskor, som om hon skulle komma av sig om hon svarade, och han gick ut i köket och satte på vatten, tog mekaniskt fram koppar, mjölk och socker, en skiva citron och preparerade tekannan innan han gick in och dukade på bordet framför henne.

Han såg på hennes mage, satte sig på knä och smekte den, lutade

154

sig fram och kysste henne försiktigt på kinden som om han inte ville störa hennes räknande.

"Har du druckit vin på jobbet?" frågade hon förvånat.

"Nej", sa han lugnt och fortsatte att smeka hennes mage, "jag träffade en amerikan på hemvägen och vi tog ett glas på Grand."

"CIA?"

"Ja, vilka amerikaner skulle jag annars umgås med? Jo, det var det här som drabbat oss, vi har plötsligt degraderats till snutar jag och några arbetskamrater."

"Vadå degraderats!" sa hon överdrivet förtrytsamt. "Skulle det plötsligt vara fel att vara snut i den här familjen."

"Njäe, inte direkt, vänta jag tror vattnet kokar."

Han släppte försiktigt hennes mage, reste sig och gick ut i köket och hällde vattnet över påsen med teblad, kastade en blick på klockan och gick långsamt tillbaks.

"Jo", sa han på väg in i rummet och sjönk ner i en fåtölj i stället för hos henne, "vi har hamnat i den här mordutredningen."

"Du menar den där generalen och hans polare i Uppsala, nazisterna? Men det är väl ändå polisens sak?"

"Det kan man tycka. Men nu är det så att vår kära säkerhetspolis har övertagit ansvaret för utredningen, och då kan du ju tänka dej."

"Nej", sa hon och la undan stickningen, "det kan jag faktiskt inte tänka mej. Förklara."

"Ja alltså, om säpo börjar trassla med en mordutredning så blir den riktiga snuten inte så glad, milt uttryckt, eftersom säpo har en tendens, inte bara att ständigt jaga politiska flyktingar så fort dom över huvud taget ska jaga nåt, utan också att sprida en mängd publicitet omkring sig som sabbar jobbet för den riktiga polisen."

"Mm, jag är med så långt. Det kan inte vara kul att vara mordutredare på rikskrim om man ska få dagliga recensioner i kvällspressen."

"Nä. Och du som är polis, kan du förklara för mej varför dom gör så där?"

"Hur då så där?"

"Publicerar sina spaningsuppslag. Det verkar ju nästan som medvetet sabotage, som när den galne polismästaren skulle jaga Palmes mördare du vet. Det var ju medvetet sabotage, men sätter dom det i system och i så fall varför?"

"Dom håller ju bara på så där när dom är osäkra. Har du inte tänkt på alla mördare som tas utan att det blir en massa publicitet förrän i efterhand? Dom flesta mördarna i Sverige torskar ju faktiskt."

"Mm. Är det en medveten taktik, sprida förvirring i fiendens led, lägga ut villospår för att den verklige mördaren ska känna sig säker eller nåt? Vänta, jag ska hämta teet nu."

Han gick ut i köket, lyfte mekaniskt undan tepåsen, hällde en skvätt kallt vatten i tekannan och gick tillbaks med tekannan i ena handen och ett underlägg i andra, serverade tankspritt, med mjölk först till henne och med citron till sig själv. Hon såg ut som om hon funderade på något och han flydde bort till grammofonen och satte på en tidig stråkkvartett av Mozart, det som råkade ligga närmast till hands, hon hade tydligen lyssnat på den under kvällen.

"Nej", sa hon eftertänksamt, "det är för dumt. Dom menar allvar, dom har ju gjort husrannsakan hemma hos en del av dom där svartskallarna i kväll. Man kan inte tillgripa såna tvångsmedel om det inte finns en grundad misstanke, man måste ju för fan ha en åklagare med sej på anhållanden och husrannsakan."

"Va?" sa han förstummad för några ögonblick innan han kunde formulera en fortsättning, "har det gripits misstänkta i kväll?"

"Ja, du ser tydligen inte på TV på jobbet i alla fall, det har vart ett jävla hallå."

"Vad är det för personer som har gripits?"

"Hämtats till förhör heter det, inte gripits. Ja, det är väl kurder mest, här i stan och i Uppsala."

"Släpptes dom senare på kvällen?"

"Ja faktiskt. Hur kunde du veta det?"

"Därför att dom inte har mördat några generaler. Jag har sett den där teorin som Säpo byggt upp, den är fullkomligt orimlig. Varför griper dom personer som dom inte ens själva tror är skyldiga, är inte det tjänstefel förresten?"

"Nej, det är grovt tjänstemissbruk. I så fall. Men vad har ni med saken att göra?"

"Vi tror att morden har med någon brottslighet långt bak i det förflutna att göra, med förräderi eller spioneri eller nåt sånt som inträffade under kriget. Och eftersom säpo inte kommer att utreda den här saken så vill vi ändå gärna veta vafan det är frågan om. Det är så att säga våra förluster och det angår ju oss."

156

"Jaha, och hur går nu spaningsledningen på försvarsstaben till väga i sitt polisarbete, det skulle roa mej att veta."

"Mm, kan tro det. Vi börjar med att kartlägga offrens hela militära historia, rubb som stubb i deras förflutna, alla kommenderingar, hela karriären, vänner och bekanta längs vägen. Sen spårar vi parallellt i alla spion- och terroristaffärer och liknande som finns utefter samma historiska väg. Där någonstans måste förklaringen finnas. Eller?"

"Godkänt, du skulle nog kunna komma in på polisskolan. Men varför gör inte våra poliskolleger så, det borde dom ju."

"Därför att Säpo skrämmer vettet ur vartenda vittne längs vägen, tänk dej själv att hamna i Expressen med hakkors på om du talar med snuten."

"Vet *snuten* om att ni håller på med det här?"

"Ja, dom har till och med bett oss, den riktiga snuten alltså. Ja, Rune Jansson i Norrköping du vet, sen den där affären...."

"Ja, jag vet. När du var ute och sköt folk och hann tvätta blodet av händerna och komma i precis lagom tid hem till mej, som avtalat. Trevlig historia. Men den där Rune Jansson är en vit man, han har blivit chef för Norrköpings krimavdelning. Om han har bett er om hjälp så är det nog schysst. Behöver du tips så säg bara till."

Hon log lite försmädligt när hon sa det sista.

"Mm", sa han, "det ska jag göra. Vi lär inte sakna polisiärt samtalsämne här i huset dom närmaste månaderna. Hur har du själv haft det på jobbet idag, inte blivit nerspydd igen hoppas jag."

"Nä, men vet du vad den jäveln gjorde!"

"Försökte slå tillbaks när han släpptes i morse?"

"Nej. Han anmälde mej för misshandel, fick läkarintyg på tilltufsad nos och intyget ser jävligt seriöst ut, med 'svåra smärtor' och han har känt allvarlig fruktan och dittan och dattan."

Carl rynkade pannan och reste sig för att byta musik, valde en stund innan han fastnade för en av Brandenburg-konserterna.

"Är inte det där rätt allvarligt?" undrade han oroligt. "Fyllo eller ej så är det väl förbjudet att klippa till dom, även om dom spyr på en?"

"Ja. Jag ska på förhör i morgon och det ska killarna som bar in han också."

"Vad händer då?"

"Killarna säger förstås att dom var så upptagna att dom inte såg någonting."

"Men vad säger du?"

"Ja, det är just det som är frågan. Om jag erkänner så torskar jag. Det kan bli ringa misshandel och då får jag böter och inget mer. Men det kan bli misshandel och då riskerar jag fängelse och sparken."

Carl tystnade. Han såg på henne länge utan att säga något.

"Det är ju en fråga om hederlighet", sa hon lågt när hon insåg att han inte skulle ta nästa initiativ. "Ska en polis ljuga?"

"Dina kolleger kommer ju att göra det, dom som inte har sett något fast dom väl hade ganska roligt åt din uppvisning."

"Ja, men det är en annan sak. Dom ljuger eller undanhåller i vart fall sanningen för att skydda en kollega, det skulle nog jag också ha gjort. Men nu är det kollegan som själv får ta ställning. Erkänner jag så torskar jag."

"Ljug, det är väl det enklaste", sa Carl matt.

"Tycker du verkligen det?"

"Ja absolut. Det finns ingen rimlig proportion mellan din högst spontana och högst begripliga reaktion och dom konsekvenser ett erkännande skulle föra med sej."

"Nej, det är sant. Men det är inte det som är poängen."

"Vad är poängen?"

"Att en polis inte ska ljuga, jag ska inte ljuga, aldrig för dej och aldrig för nån annan heller. En god officer ska väl heller inte ljuga."

"Jo, det ingår i mina yrkesplikter."

"Men inte för mej?"

"Nej, naturligtvis inte. Men det kan inte jämföras."

"Ja nu är ju jag inte vid spioneriet eller så, jag är bara en högst vanlig och hittills hederlig polis. Jag vill kunna se mina barn i ögonen när tidningarna kastar skit på polisen och säga att deras mamma har i alla fall alltid varit en hederlig snut."

"Så länge hon var det. Sanningen kan ju kosta dej jobbet. Har du tänkt igenom vad det skulle betyda för dej, att söka jobb som väktare och inte ens kunna få det därför att du är en misshandelsdömd polis. Det är ju groteskt."

"Ja. Men fortfarande ska man inte ljuga. Inte för någon."

Carl satt stum och grubblade över en eventuell hemlig innebörd i det hon hade sagt. Men det fanns ingen sådan, hon hade inte genomskådat honom, hon talade bara fullkomligt uppriktigt om sin egen vånda inför lögnen.

Han fick en impuls att plötsligt bekänna för henne, berätta om Tessie, be om förlåtelse, lova att aldrig mer och så vidare.

Men han gjorde det inte. Han såg på hennes mage och bestämde sig för att det var bättre att ljuga.

6

Mördarna greps inte mindre än tre gånger. Vid tre olika tillfällen de följande två veckorna stormade skyddsutrustade och, som det brukar heta, tungt beväpnade poliser in i olika hem i Stockholm och Uppsala och släpade ut skrikande människor i fotoblixtar och starka TV-lampor.

För eftersom det var säkerhetspolisens operationer så var de inte särskilt hemliga; som av en förunderlig tillfällighet infann sig TV-bussar och reportagebilar ett par minuter före varje tillslag, trots att tillslagen för effektens skull eller åtminstone överraskningsmomentets skull (för dem som skulle omhändertas vill säga) undantagslöst skedde på småtimmarna.

Razziorna riktades så gott som uteslutande mot helt kurdiska familjer, men i några fall även mot "blandäktenskap" då det förekommit att svenska kvinnor faktiskt gift sig med eller flyttat samman med politiskt aktiva eller högutbildade kurder, det vill säga misstänkta terrorister.

Vissa bestämda mönster upprepade sig från gång till gång, exempelvis att de som delgivits misstanke om brott, och därmed försågs med advokat, också fick sina advokater belagda med tystnadsplikt. Så att ingenting skulle kunna sägas till de misstänktas försvar inför massmedierna.

I inget fall kunde de misstänkta terroristerna kvarhållas längre än sex timmar, vilket alltså innebar att misstankarna, de hemligstämplade, inte ens hade tillräcklig styrka för att duga som underlag för

160

ett anhållande.

Polisens talesmän lät sig dock inte nedslås av denna egendomligt restriktiva hållning hos åklagarsidan. Razziorna kunde på intet sätt betraktas som misslyckade, ty dels höll man bit för bit på att ringa in mördare och terrorister och dels fanns också andra skäl som rikspolisstyrelsens talesman Leif Hallberg meddelade de ibland något besviket blodtörstiga journalisterna. Även om ingen kunde anhållas så uppnåddes andra goda effekter i det svenska samhället, nämligen. För det första så hade polisen genom sina husrannsakningar och förhör och sina delgivna misstankar sannolikt lyckats "skrämma upp" de misstänkta.

För det andra kunde polisen genom dessa dramatiska åtgärder på ett tydligt sätt kommunicera sin uppfattning till de misstänkta "att vi i Sverige inte tolererar terrorism".

Och för det tredje anmälde således säkerhetspolisens språkrör att publiciteten i sig var en avsikt då det handlade om något som "varit mycket uppmärksammat i internationell press. Då var det bra att ge offentlighet åt det hela. Att avdelningen (säpo) sedan får lite PR, kan ju inte skada".

Rent juridiskt var detta sensationella motiveringar, eftersom de var olagliga. Naturligtvis blev det tjogtal familjer som fick sina hem sönderslagna och delvis nerstoppade i svarta plastsäckar mitt i natten, samtidigt som de själva släpades ut med handbojor på ryggen i det bländande TV-ljuset — "uppskrämda".

Och oavsett om de var terrorister eller ej borde de redan utan dessa åtgärder haft tämligen klart för sig att "vi i Sverige inte tolererar terrorism".

Men PR fick ju polisen, liksom objekten för denna PR i motsvarande grad misstänkliggjordes genom att bland annat se konstigt förbrytaraktiga ut på de pressbilder som förevisade dem halvnakna, handbojade och omgivna av poliser i skyddshjälmar och skottsäkra västar.

Men eftersom sådana bilder är dramatiska och kommersiellt inte utan betydelse så måste de oundvikligen publiceras på grund av ett förmodat allmänintresse. Och eftersom bilderna måste publiceras så måste de också förklaras på något rimligt sätt. Och de enda förklaringar som stod till buds var givetvis polisens, eftersom de misstänktas advokater var förbjudna att förklara något. Och följaktli-

161

gen publicerades polisens förklaringar och följaktligen tog medierna ställning för sin egen version, som den enda tillåtna versionen ju blev.

I sådan dramatik tänkte ingen på att de officiella motiveringarna för dessa ingripanden var brottsliga.

Däremot riktade den i polissamarbetet mest gynnade kvällstidningen på sin ledarsida viss kritik mot polisen för att beslagen vid dessa husrannsakningar inte gett mer handfast underlag för åtal eller ens anhållanden.

Det beslagtagna materialet bestod emellertid mest av tryckta skrifter, förklarade polisens talesmän, varför det tog tid att bearbeta materialet.

De tryckta skrifterna bestod av misstänkt vänsterlitteratur, där urvalet emellertid kunde te sig något stickprovsartat. Hos en docent i teoretisk fysik visade det sig således att skrifter av K Marx beslagtagits medan en för säkerhetspolisen sannolikt mer okänd författare som V I Lenin ratats (möjligen eftersom hans samlade verk hade haft skinnband och därför såg mer respektabla ut), liksom för övrigt en ur bombkastarsynpunkt inte helt ointressant Bakunin ratats, medan däremot de svenska författarna Göran Palm och Sara Lidman konfiskerats. Liksom Jan Myrdals barndomsskildringar.

Medan kommunistledaren C H Hermanssons skrifter om Sveriges styrande kapitalistfamiljer lämnats därhän.

Då det gällde frågan vad dessa beslag var ämnade att styrka, förutom den husrannsakade familjens olämpliga läsvanor, presterade polisen en förklaring som dämpade alla invändningar.

Det var givetvis inte så att det var förbjudet att läsa skrifter av denna typ, även om de på vissa litterära grunder kunde ifrågasättas, vilket dock inte hörde hit. Det var frågan om att hitta spaningsuppslag i form av anteckningar. Om exempelvis den där K Marx, som så att säga var upphovet till allt, hade ett kapitel om politiska mord och terrorism, så kunde man tänka sig att blivande terrorister som förberedde sig för sin verksamhet vid instuderande av själva grundmaterialet gjorde anteckningar i marginalen. Och det var snarare sådant polisen ville åt, inte själva grundtexten.

Frågan om var Karl Marx i sina trassliga nationalekonomiska teorier hade rekommenderat terrorism och mord lämnades obesvarad. Däremot tog detta bläddrande i alla skrifter viss tid och i vad mån man fann anteckningar på misstänkta ställen så var de ofta skrivna på kurdiska, dessvärre, varför det bildades en propp vid själva översättningsmomentet.

Efter någon tid kunde Dagens Eko avslöja den verkliga anledningen till de spektakulära polisinsatserna.

De verkliga motiven för alla dessa husrannsakningar låg tämligen långt från uppgiften att uppspåra mördare. Det hade med mikrofoner, olagligt installerad avlyssningsutrustning, att göra. Sverige är nämligen ett av de få västländer där polisen inte får installera dolda mikrofoner hos misstänkta spioner och terrorister, man måste telefonavlyssna dem i stället.

Systemet har, ur rent spaningsteknisk synvinkel, vissa nackdelar. Personer som kan misstänkas för spioneri eller terrorism är allergiska mot utförliga telefonsamtal, annars vore de varken spioner eller terrorister.

Med hänvisning till högre rätt än lagen, nationens intresse, "nödvärn" och så vidare hade således den svenska säkerhetspolisen under lång tid olagligen betett sig på samma sätt som deras utländska systerorganisationer lagligen betedde sig.

Ingenting av detta skulle ha kommit ut om inte regeringspartiet startat en egen extraordinär säkerhetstjänst, ledd av en revanschlysten polismästare som fortfarande ville sätta fast kurder för mordet på Olof Palme och en av hans mer säregna vänner, en före detta informationssekreterare i regeringen som i kraft av gamla vänskapsband i regeringspartiets societet åtnjöt högt beskydd.

Det är oklart vad denna extraordinära säkerhetstjänst hann uträtta innan man åkte fast i tullen med ett par hundra kilo avlyssningsutrustning. Men när de väl åkt fast för sin smuggling, och saken hann komma ut innan högt beskydd kunde ingripa, så gnisslade det juridiska maskineriet igång med viss långsam obönhörlighet. Ett par medlemmar av den socialdemokratiska societeten och några tjänstemän vid den reguljära säkerhetspolisen som knäckte extra åt den socialdemokratiska säkerhetstjänsten delgavs i laga ordning misstanke om brott, nämligen grov varusmuggling och försök till olaglig avlyssning.

Det var inte mycket att neka till, eftersom flera medlemmar i ligan tagits på bar gärning.

Däremot började två av ligamedlemmarna, som i normala fall var säkerhetspoliser, att värja sig genom att påstå att andra minsann var mycket brottsligare än de själva och om polisen eller åklagarmyndigheten inte släppte alla vidare utredningsförsök så skulle ligan kunna hämnas genom att offentliggöra vad säkerhetspolisen egentligen hade för sig. Därigenom skulle Sverige drabbas av obotlig skada. Varför de själva måste få löpa, vilket ju vore bäst för Sverige, med andra ord.

Taktiken fungerade inte. Möjligen därför att ett par av ligamedlemmarna icke utan stolthet meddelade sina allierade journalister vilken smart idé de kommit på för att värja sig. Och i sammanhanget valde de den något olyckliga beskrivningen "utpressning" för sin smarthet.

Resultatet av detta kunde bara bli ett. Regeringen bestämde med "fasthet" att *all* olaglig avlyssning skulle undersökas av åklagare, ett arbete som på grund av de skvallrande ligamedlemmarna blev betydligt mer omfattande än någon kunnat ana.

Därvid kom de kurdiska "terroristmisstänkta" familjerna in i sammanhanget. Då de flesta av dem var föremål för olaga avlyssning skulle de, pinsamt nog, komma att bli målsägare mot säkerhetspolisen vid kommande åtal.

Det var illa nog. Men än värre var att de hade mikrofoner kvar i sina hem. Dessa mikrofoner måste demonteras eller hämtas på något sätt, men frågan var hur.

Polisen kunde inte gärna knacka på och säga förlåt, det var från säpo, vi skulle bara hämta våra mikrofoner. Ty om någon eller några av de mest förhärdade kurderna då vägrade att släppa in förrättningsmannen fanns ingen laglig grund att tränga sig på. Ett sannolikt resultat av en sådan misslyckad expedition riskerade dessutom att bli uppvisade mikrofoner i vänsterpressen, vilket skulle kunna få en demoraliserande effekt inte bara på tjänstemän inom rikets säkerhetstjänst utan också på allmänheten, vilket möjligen var värre.

Därför kläckte till slut säpoledningen den geniala idén att husrannsaka de misstänkta och åtminstone få dem dömda i Expressen, eftersom ju domstolarna dessvärre krävde bevis även då det gällde kurder. Vid dessa husrannsakningar kunde man medsända särskilda tekniska team som ansvarade för själva mikrofonfrågan. På så sätt slog man flera flugor i en smäll.

Man fick bort sina mikrofoner på ett fiffigt sätt och slapp risken att de hamnade i orätta händer (ty vad skulle inte sådan utrustning kunna användas till i orätta händer).

Man slapp att få terroristerna att framstå som martyrer i en kommande process mot rikets säkerhetstjänst och kunde tvärtom få dem dömda i Expressen.

Man hade dessutom en liten chans att hitta nåt skumt om man vände upp och ner på tjugo misstänkta hem. De flesta människor har i alla fall *nånting* skumt hemma. Hemtillverkad sprit eller pinsamma pornografiska attiraljer, om inte annat.

Den sista förhoppningen kunde väl snarast betraktas som resultatet av nån sorts kulturkrock, om man skall förklara den överdrivna optimismen. De muslimska kurderna brände inte hemma och deras sexualmoral, främmande för västerlandet som de ju var, omfattade inte penisattrapper och uppblåsbara kvinnodockor med vattenfyllda håligheter.

Då hela sammanhanget uppenbarades riktade den liberala pressen förnyad kritik mot säkerhetspolisen för att man inte på ett skickligare sätt kunnat genomföra sina razzior så att åtminstone något bevis om muslimsk terrorism säkrats.

I sinom tid, verkade det, skulle Kurdspåret II komma att klinga av, om inte nya graverande omständigheter kom i dagen. Vilket polisens talesman påstod skulle komma att ske mycket snart, ehuru han av spaningstekniska skäl inte kunnat röja den fruktansvärda innebörden av polisens spaningsarbete eller dess inriktning just vid rådande tillfälle.

* * *

Carl och hans två medhjälpare hade sen länge upphört att intressera sig för massmediernas kurdjakt eftersom de i huvudsak bedrev sina spaningar i en tid långt innan någon av de misstänkta terroristerna ens var född.

De var alla tre på invigningsfest i Joar Lundwalls lägenhet. På inbjudningskortet — han hade använt försvarsstabens högst formella kort — hade angivits "Californian leisure dress" som önskad klädsel och så hade gästerna också infunnit sig. Carl kom i jeans, löparskor och en urblekt college-tröja märkt UCSD med en siffra på ryggen som åtminstone för amerikaner skulle ha kunnat identifiera

honom som quarterback i skolans fotbollslag, medan Joar Lund-
wall på samma sätt utgav sig för att företräda friidrottslaget och Åke
Stålhandske, som vanligt föga diskret, bar en T-shirt i mörkt blått
med dramatiska beteckningar i gult och rött. NAVAL SPECIAL
WARFARE UNIT stod det i versaler ovanför ett emblem som före-
ställde en mycket amerikansk örn som höll en marinpistol från
1700-talet i ena klon, en treudd, en *trident* i sin högra klo och ändå
på något sätt lyckades trassla fast ett stort ankare mellan de två andra
symbolerna.

SEAL TEAM, stod det under bilden.

Få, om ens några, svenska kolleger skulle kunna tänkas känna till
vad ett SEAL TEAM var för någonting: den amerikanska flottans
försök att skapa det som de flesta stormakters försvarsorganisatio-
ner någon gång frestades att försöka skapa, "särskilda enheter för
okonventionell och avancerad krigföring i små förband", som sa-
ken brukade omskrivas, vilket mest kortfattat och enklast uttryckt
betydde att man velat hitta på någonting som var bättre, tuffare, häf-
tigare, eller vilket ord man nu ville använda, än den sovjetiska legen-
den *spetznaz*.

Det var också ett av dessa ständigt återkommande och fullkomligt
meningslösa diskussionsämnen: hade man lyckats?

Själva trodde de det, naturligtvis. De var ju alla SEAL-specialister,
till och med klassade som eliten inom SEAL, med amerikansk rätt
att bära särskilt indiskreta uniformsbeteckningar som de inte hade
rätt att bära i Sverige, utom den gången Carl skulle uppträda inför
KU och någon försvarsstabschef hade fått för sig att uppgiften be-
stod i att så långt möjligt imponera på allmänheten för att ej framstå
som skurkaktig.

Nå, såvitt man visste om *spetznaz* uppträdde de bara till lands.
SEAL-styrkor kunde operera såväl från luften som till lands som till
sjöss och under vatten vilket borde vara häftigare. Vilket vanligtvis
skulle bevisas.

Men de diskussionerna var sen länge körda nu. Carl och Joar små-
log bara åt den bekanta symbolen på Åke Stålhandskes väldiga
bröstkorg — tröjan måste ha varit en XXXL. Med varsin välkomst-
bourbon i handen gick de ut på den lilla balkongen för att njuta en
stund av våren och ljuset och den magnifika utsikten över Riddar-
fjärden där säsongens första djärva seglare redan befann sig.

Det var en nybyggd lägenhet i en vindsvåning vid Norr Mälarstrand, allting rent och vitt, med preparerade mörkbruna bjälkar i taket och matt ljusblå kakel i badrummet, naturligtvis en strålande lägenhet för en ungkarl i Stockholm.

Joar skulle ha två invigningsfester, berättade han på balkongen. Det här var den första, den hemligstämplade, och i nästa vecka när han fått tag på lite mer möbler och en musikanläggning skulle den civila festen för den andra världens vänner följa.

Det måste förstås vara så. Åke Stålhandske visste inte så mycket om Joars privata umgänge, Carl visste förmodligen allt, förutsatt att Joar avrapporterade sanningsenligt, inklusive sina sexuella kontakter. Vilket Carl förmodade att han gjorde.

Vinden från fjärden kändes ljum och nästan försommarlik i deras ansikten, där nere började gräsmattorna bli gröna och träden var på väg att slå ut. Carl försjönk i tankar långt bort från både vänner och arbete och militära hemligheter.

"Och för dina andra kavari, dom *civila kavari* menar jag, vad säger du att du jobbar med?" frågade Åke Stålhandske plötsligt i ett tonfall som bröt något av den eftertänksamma stämningen och kanske därför lite orättvist kom att låta överdrivet misstänksamt.

"Jag är förstås en något sånär liten avdelningschef på det bekanta internationella eller multinationella företaget, på datasidan, hurså?" svarade Joar Lundwall vaksamt.

"Nåjo, du är ju sån där datanisse och dom får ju tag på dej på samma telefonväxel om dom ringer", nickade Åke Stålhandske som om han ville släta över sin onödiga fråga. Egentligen visste han ju svaret.

Carl vaknade till av de vibrationer av misstänksamhet som plötsligt kändes i luften och föreslog att de skulle gå in och sätta sig i den nymonterade IKEA-soffan; gästerna hade fått börja med en teknisk hjälpoperation som inte visat sig helt enkel ens för tre SEA-AIR-LAND-specialister som förmodades kunna lösa de mest komplicerade arbetsuppgifter under eldgivning eller på väg ner i fallskärm i mörkret eller långt under havsytan med fingrarnas stelfrusna känsel som enda garanti för liv i stället för död.

De hade dock lyckats montera soffan.

"Alltså", sa Carl och grävde åt sig lite jordnötter medan Joar serverade honom en ny omgång bourbon, "du lägger en viss grund med

IKEA, det fullkomligt normalsvenska skulle man kunna säga, men vad gör du sen?"

"Plockar in en del gamla möbler från, ja från mej och mamma, konstruerar någon sorts normalsvenskt hem antar jag?" svarade Joar motvilligt.

"Hm, och utan några som helst militära insignier på väggarna och så vidare", fortsatte Carl medan han lät blicken glida runt de ännu helt vita och tomma väggarna som om han försökte föreställa sig vilka bilder som skulle sitta där vid nästa fest, den civila festen.

"Ja, förutom att jag förstås tänkte montera upp en glasmonter med SEAL:s guldvingar och Gustaf III:s tapperhetsmedalj i tamburen", svarade Joar som om han mycket tydligt ville markera sitt ogillande och sin underkastelse samtidigt. Åke Stålhandske förhöll sig plötsligt mycket diskret avvaktande, som om han ville låtsas att han inte ens fanns i rummet.

"Jag tror man ska vara ganska försiktig med att bo på nåt sätt som inte stämmer med en själv", fortsatte Carl tankfullt och förmodligen på ett helt annat spår än de två andra hade väntat sig. "För jag gjorde en maskeradlägenhet först som inte stämde med mej själv utan bara med något jävla förmodat cover. Jag hade konstiga läderfåtöljer av bilhandlartyp som jag absolut inte betraktade som min egen stil eller min egen smak, jag försökte på något sätt klä ut mej också med mina möbler. Men jag tror faktiskt inte det är så bra, som cover är det meningslöst och man bara vantrivs av det. Var har du dina vapenskåp?"

"I garderoben inne i sovrummet, det finns gott om utrymme där inne", svarade Joar avvaktande.

"Ja, men det är ju rätt bra. Du förvarar datalistor och företagshemligheter där, men då behöver du ju bara en hemdator av något slag så funkar det. Ingen jävel skulle komma på tanken att du har sprängmedel, förbjuden ammunition och otrevliga knivar och handfängsel och annat perverst i kassaskåpen."

Carl ångrade sig försent när han använt ordet *perverst.* Han övervägde om han skulle försöka släta över men gissade att det bara skulle göra saken värre.

"Vad jag menar är", förtydligade han, "att ni ska bo precis som ni trivs. Åke är uppenbarligen Tarzan och reservare, det behöver man ju inte dölja, det vore bara löjligt att ens försöka. Ni är båda kustjä-

168

gare, vill ni hänga en grön basker över spisen så gör det, ni finns ändå i rullan som kustjägare. Gör vafan ni vill med era hem, låt bara inte några hemliga handlingar ligga framme och skräpa, det är mitt råd. Själv gjorde jag alltså fel och kände det som om jag bodde i ett museum, ja det är inte över än, och det är ingen som helst nytta med sånt."

"Jo, men det är lite annorlunda för dej", invände Åke Stålhandske milt men med ett ansiktsuttryck som om han ändå kände en viss lättnad, "du är försaatan jordens mest offentliga hemliga underrättelseofficer, men dina kära underordnade har ju inte blåst sitt cover än."

Carl skrattade. Det var ju sant. Han var onekligen den minst hemlige hemlige man kunde tänka sig, med turistgrupper utanför bostaden till och med.

"Okay, jag ger mej", sa han och reste sig, fortfarande skrattande, "du fick en poäng där, sir. Om jag minns rätt på ritningarna ska det finnas grill i köket och eftersom det här är ett kaliforniskt party misstänker jag att det blir grillade T-bones och i värsta fall marshmallows ovanpå med lite coke som tänkt dryck. *Let's get on with it.*"

"Beträffande T-bones svar jakande, beträffande grillade marshmallows svar nekande", log Joar som om en storm av obehag plötsligt hade dragit förbi, "vi *är* ju trots allt svenskar och inte amerikaner."

"Svenskar och finlandssvensk, *if you don't mind, sir*", invände Åke Stålhandske och de gick gemensamt ut i köket för att grilla sitt kött.

Carl hade fruktat coca-cola-alternativet och tagit med sig några flaskor bordeauxvin från sitt tillfälliga favoritdistrikt Saint-Estèphe.

Maten bestod av tre jättestekar och ett paket djupfryst majs och ett paket djupfrysta gröna bönor och allt stod snart framme på bordet.

Joar drack gärna rödvin till köttet, sa han åtminstone, medan Åke framhärdade med Coca-Cola, ty skulle det vara kaliforniskt så skulle det, hävdade han. De andra betraktade det där bara som en undanflykt, Åkes *egentliga* personlighet var nog tillräckligt amerikansk för att föredra Coca-Cola, *excuse or no excuse.*

"Gentlemen, skålar gör vi för Operation Truth-finding", sa Carl i måltidens enda högtidliga ögonblick.

Ty samtalsämnet höll oundvikligen på att krypa närmare. Carl hade dåligt samvete för att han den sista tiden sysslat med så mycket annat, nämligen det egentliga jobbet, Sovjetunionen, medan Åke och Joar fått syssla med det oändliga långsamma rotandet i riksarkiv och krigsarkiv.

Han ursäktade sig också lite åt det hållet innan han började fråga om den senaste tidens idéer och fynd bland luntorna. Det var ju det här med bilderna från Primorsk till exempel.

Ryssarna hade modifierat sin taktik. Det där med fasta baser inne på svenskt territorium hade de förhoppningsvis övergett, det fanns i vart fall inga indikationer på motsatsen.

Alla tre i köket insåg varför, just de tre borde bättre än några andra på den svenska sidan inse detta, eftersom det var hemligheten som för evigt band den samman. Baser på svenskt territorium riskerade att sprängas av tre dykspecialister med viss kalifornisk bakgrund, nämligen.

Ryssarna hade alltså övergått till en rörlig taktik med den egna östersjökusten som utgångspunkt, och nu hade det blivit en del larm om saken i internationell press eftersom västtyskarna ju blivit förbannade häromåret när de fått korn på en miniubåt inne i Kiels hamn. De hade sänt en egen ubåt ända bort till Primorsk och lyckats få med sig några tekniskt lyckade bilder hem som föreställde en moderfarkost till miniubåtarna. Det var utmärkta bilder, kunde Carl försäkra eftersom han själv hade sett dem. Problemet var att bilderna omöjligen kunde ha tagits från en position utanför sovjetiskt territorialvatten. Alltså var de folkrättsligt sett spioneri, alltså kunde de naturligtvis aldrig publiceras och nu när det skrevs om saken så var det ju bara dementimaskin från början till slut som gällde.

Men det var ju, även om operationen var djärv och tydligen mycket skickligt genomförd, en evinnerlig tur att västtyskarna inte torskade inne på sovjetiskt territorium. Det hade vält allt på ända, ryssarna hade ju inte kunnat undgå att använda sig av den saken och därefter hade regeringspressen och regeringstelevisionen i Sverige larmat i veckotal om huruvida inte vissa oförklarliga utbåtsbesök i Sverige hade varit västtyska snarare än sovjetiska. Och då hade försvarsstaben fått välja mellan att antingen germanisera ryska ubåtsbesök i Sverige eller också offentliggöra material som visade exakt hur långt svensk underrättelsetjänst hade nått i konsten att skilja den ena ubåten från den andra.

Carl berättade tämligen obekymrat om detta som Joar och Åke, även som officerare inom svensk underrättelsetjänst, saknade all rätt att få kunskap om. Det gällde ändå inte dem, ansåg Carl, eftersom de till skillnad från stabsofficerare uppe på Töntagon, det svenska försvarskomplexet på Lidingövägen där Carl men inte de andra två arbetade, faktiskt hade deltagit i den mest hemliga av alla svenska underrättelseoperationer sen andra världskriget.

Dessutom var hans förtroende för dem båda absolut.

Dessutom hade han ett behov av att urskulda sig, att förklara vilka avgöranden han deltagit i under senare tid så att han därför, givetvis endast därför, inte kunnat ägna så mycket tid åt Operation Finna Sanningen. Det hade till slut blivit deras skämtsamma benämning på chefens, högste chefens, personliga vendetta för att rentvå en gammal skurk. Eller hur det nu var.

"Nå", sa Carl när han bänkade sig på nytt inne i IKEA-soffan efter deras gemensamma och snabba disk i Joars kök, "den som söker skall finna. Berätta något! Du Åke, vad har du funnit?"

"Nåjo", sa Åke Stålhandske som om han väntat länge, "när vi nu äntligen kan lämna frågan om vad våra oppositionsvänner har för sig i Primorsk och det där varvet Sudomech eller vad det heter, så ska jag åtminstone berätta nån bra historia, en *case model* kan man kanske säga."

Han försvann ut i tamburen där han hade lämnat en diger portfölj och Joar suckade tungt vid tanken på vad som nu kunde tänkas förstöra resten av kvällen.

"Visste ni till exempel", sa Åke Stålhandske entusiastiskt när han kom tillbaks med sin portfölj och några redan till hälften uppbläddrade låneluntor från långt ner i något djupt arkivs glömska, "att det fanns Finlandsfrivilliga åt andra hållet?"

De båda andra såg undrande på honom. Frågeställningen var i mer än ett avseende oklar. Men han lät sig inte avskräckas.

"Jo för saatan, så här var det", sa han och bläddrade fram anteckningar samtidigt som han rutinerat slog upp tre olika referensverk på tre olika ställen — underrättelseman är han min själ, hann Carl tänka. "Jo, dom Finlandsfrivilliga åt andra hållet skulle alltså hjälpa ryssen. Finlands sak var inte vår utan Sovjetunionens sak var vår, med andra ord. Här har vi det. Dom Spanienfrivilliga, där började det. En sån där som di säger legendariskt progressiv person som hette Gösta "Göken" Andersson höll i den svenska biten. Hans norska liaison hette Asbjörn Sunde och dom städslades alltså av Wollweber-organisationen efter kriget i Spanien... jo här har vi det. För att 'motverka den imperialistiska propagandan' i Sverige, ni vet det där med Finlandsfrivilliga, så skulle dom organisera en frivilligbrigad åt andra hållet, på rysk sida. Dom jävlarna kom i alla fall försent, två norrmän var på väg över isen på Bottenviken när Finland kapitulerade den 13 mars 1940. Är det int saatans fantastiskt!"

Åke Stålhandske var ivrig. De andra två var frågande och skeptiska och det måste ha synts på dem. Vägen fram till Uttern eller den där af Klintén syntes lång och knagglig.

"Ni undrar över poängen?" sa Åke Stålhandske utan att låta sig avskräckas av deras skeptiska blickar. De nickade båda på en gång. De undrade faktiskt över poängen.

"Jo, snart kommer poängen", fortsatte Stålhandske och bläddrade i sina luntor, de en gång hemligstämplade luntorna som nu tydligen undantagslöst passerat 40-årsgränsen, "den där Wollweber var ingen dumskalle precis."

"Nej, det var väl han som blev underrättelsechef i Östtyskland sen", kommenterade Joar Lundwall avmätt med tonfallet att även en blind höna kan hitta ett korn.

"Nåjo, visst är det han allt. Och då får vi leta efter vad Wollweberligan hade för sig i Sverige. Startad i Moskva på mitten av 30-talet, från början en anti-imperialistisk sabotage- och terror-organisation och allt det där, men under kriget, det stora fosterländska kriget ni vet, naturligtvis mer inriktad som en kamporganisation mot all nazism. Jo här! Wollweber åkte ju fast i Sverige men var smart nog att ange sig lagom mycket för att åka i fängelse lagom länge men int fan bli utlämnad till några nazister int. Men så hade han en norsk kamrat som torskade på en enkel identitetskontroll, vänt nu, Rasmussen-Hjelmen hette han. Lyssna på det här. Det är ur nåt som heter Sandler-kommissionen, en satans svensk bibel över svensk rättfärdighet vid den här tiden: *I samband med den razzia som säkerhetstjänsten företog den 10 februari 1940 å kommunistiska partiets olika lokaler och expeditioner i riket samt hos vissa enskilda kommunister, anträffades i Ängby en person, som uppgav sig vara norske med-*

172

borgaren Fridtjof Johannessen', och så vidare. Så börjar det."

De andra stirrade vilt frågande på honom när han såg upp för att kontrollera att de följde hans tankegång som de ännu inte ens var i närheten av.

"Vad den svenska säkerhetspolisen nu har slagit grabbnävarna i, möjligen utan att dom själva fattar det, är alltså Hjelmen, den norska huvudmannen i Wollweberorganisationen. Dom fastställde naturligtvis hans äkta identitet, eftersom dom ju samarbetade med den norska quislingpolisen och med Gestapo, och i Sandlerkommissionens offentliga dokument talas dunkelt om vissa telefonsamtal hit och dit, som man i efterhand betraktar som mindre lämpliga. Men i själva verket, det finns bland originaldokumenten i Riksarkivet fast det int är sagt nåt i kommissionens utlåtande, gjorde den svenska säkerhetspolisen en resa till Berlin, mitt under brinnande krig 1941, och där återfinner vi nu en person Erik Lönn, specialist på Sovjetunionen som han kallas. Och en överkonstapel Nils Fahlander, specialist på de allierades spioner som han kallas, och självaste chefen för svensk säkerhetspolis Martin Lundquist. Och vem träffar dom i Berlin? Jo Reinhard Heydrich om det namnet säger herrarna något?"

Åke Stålhandske slog just ihop en av sina luntor och såg triumferande på de andra två som inte hade reducerat skepticismen i sina ansiktsuttryck.

"Jaja. Chefen för tyskarnas Sicherheitsdienst, Himmlers högra hand kan man säga. Na und? Svenska föregångarna till vårt nuvarande aphus på Kungsholmen träffar nassarna, och sen?" frågade Joar Lundwall utan att ens dölja sin irritation.

Åke Stålhandske lät sig på intet sätt dämpas i sin entusiasm. Han var tydligen rätt säker på att ta hem någon sorts slutpoäng.

"Jo alltså. Svenska säkerhetspolisen träffar dom nazistiska höjdarna där i Berlin. Ett av ärendena gäller den här Hjelmen. Problemet är att Hjelmen bara kunde dömas i Sverige för att han var kommunist och för att han hade falska papper."

"Vadå dömas för att han var kommunist?" muttrade Carl.

"Jojo", fortsatte Åke Stålhandske oförtrutet, "det står här i protokollet från den adertonde april vid nåt som faktiskt heter Jösse domsagas häradsrätt att 'vidgick Hjelmen på åklagarens fråga att han, ehuru icke partimedlem, hade kommunistiska sympatier'. Och så

173

vägrade han förstås lämna andra uppgifter, han var ju proffs. Dömdes till straffarbete i åtta månader och femton dagar. Ni fattar poängen?"

De andra två skakade samstämmigt, nästan i takt på huvudet.

"Poängen är satans enkel. Han erkände så mycket att han precis som Wollweber skulle bli internerad lagom länge, men absolut int utlämnad till nazisterna. Men nog vart han utlämnad, det kom di ju överens om i Berlin, och di kom överens om att svensk polis int skulle visa hur mycket man visste om Hjelmen, och så skickade di han till norska gränsen och där väntade Gestapo."

Åke Stålhandske slog triumferande ihop en av sina luntor så att dammet rök. Det verkade som om det nu fanns en uppenbar poäng någonstans som hans två undrande kolleger inte hade sett.

"Väntade Gestapo vid gränsen?" frågade Carl tveksamt för att åtminstone fråga någonting.

"Jo men för saatan", fortsatte Åke Stålhandske med obruten energi, "det står ju till exempel här..."

Han bläddrade en stund i en av sina luntor.

"Jo, här är det, sidan 171 i Sandler-kommissionens rapport. Det handlar om en kvinna i norska motståndsrörelsen som hade hjälpt engelska flygare att fly eller vad för osvensk gärning nu det var... hon skulle förstås förpassas över gränsen och där vart hon hämtad av Gestapo och satt i koncentrationsläger och så vidare. Jo: *Att N då hon befordrades över gränsen hade omhändertagits av tysk gränspolis, hade icke inneburit något ovanligt. Så hade nämligen vid ifrågavarande tid skett med alla flyktingar, som förpassats till Norge över svensk-norska gränsen.*'"

"Överlämnade dom *flyktingar* från Norge till Gestapo?" frågade Carl skeptiskt.

"Nej, int flyktingar", svarade Åke Stålhandske med plötsligt dämpat tempo. "Int flyktingar. *Alla flyktingar* står det. Alla flyktingar som dom kastade ut la dom i gapet på Gestapo."

Det blev plötsligt tyst i rummet, som om alla där inne hade drabbats av ett samtidigt äckel.

"Nå, och vår vän den norske motståndsmannen Hjelmen, vad hände med honom sen?" frågade Joar Lundwall med en röst som han inte riktigt kontrollerade.

"Halshöggs. Den 30 maj 1944 halshöggs han tillsammans med sin

174

kompis Pettersen eller vad han hette, av tyskarna", svarade Stålhandske snabbt som om han nu fått sin poäng.

"Halshöggs?" undrade Joar Lundwall tvehågset. "Vadå halshöggs?"

"Jo. Dom gjorde så, tyskarna. Halshuggning med giljotin. För brott mot tyska staten och så vidare. Han den där Hjelmen hade ju suttit i svenska fängelser under hela perioden när Norge vart ockuperat, tills svenska säpo lämnade ut han till Gestapo. Så i en av nådeansökningarna framförs den invändningen, från en norsk advokat, att han ju int gärna kan ha skadat norsk nazism eller så under ockupationen av Norge eftersom han suttit i svenskt fängelse under hela den perioden. Men int hjälpte den invändningen. En annan advokat försökte med att han hade lappblod, och således var en särskilt barnslig typ som man int borde ta på allvar, eftersom lappar var naturfolk som int förstod vad dom gjorde och så vidare. Men int hjälpte den invändningen heller. Fan vet om det var så lyckat att framföra icke-ariska rasegenskaper som förmildrande omständigheter till tyskar vid den tiden. Halshuggen blev han, och hans kompis."

Åke Stålhandske slog ihop sina luntor, hällde upp en ny bourbon åt sig och lutade sig tillbaka. Medan han drack studerade han de andra två som mest tycktes känna äckel över det skamliga i det de hört men inte visade något som helst tecken på att förstå sambandet med någon von Otter eller någon av Klintén. Vilket ju ändå uppdraget gick ut på.

"Alltså", sa Carl som kände att han plötsligt hade ett chefsansvar för att ta tag i diskussionen, "du sa att du hade någon sorts *case model* när du började. Får man fråga hur den ser ut?"

Carl hade varit noga med att undvika all ironi i sin fråga. Det var en vidrig historia som tycktes bekräfta vad Stålhandske ibland låtit undslippa sig som sin bild av Sverige under kriget. Men den hade ingenting med "saken" att göra, såvitt man kunde se.

"Int är det så saatans komplicerat", sa Åke Stålhandske ivrigt, reste sig och gick i det följande fram och tillbaka över golvet när han förtydligade sin tankegång.

"Vad har vi? Vi har följande. Svensk säkerhetspolis gör rutinmässiga razzior bland kommunister i Sverige. Det är ännu långt till Stalingrad och di jävlarna håller på nazismen och di samarbetar från krigets första timme med Gestapo. Di får napp, int av skicklighet utan därför att det var rutin, massarresteringar bland kommunister. Vi är i samma epok som officerare och poliser begår mordbrand på en kommunistisk tidning, kommunistiska tidningar förbjuds att transporteras och allt det där. Nåjo. Genom en antikommunistisk razzia får di tag på en norsk motståndsman, di får från Gestapo veta att han är en saatans viktig motståndsman som Gestapo gärna vill halshugga. Di lämnar ut honom, han blir halshuggen. Ser ni nu?"

De båda andra stirrade tvehågset mot den ivrige Stålhandske. De kände fortfarande äckel och skam, som om de på något sätt var mer släkt med förrädarna än den finlandssvenske Stålhandske. Men de såg inte hans tankegång hela vägen ut.

"Jomen för helvitte!" fortsatte Stålhandske som om allting borde vara kristallklart. "Vem mördade Hjelmen, en antinazistisk norsk motståndsman, kommunist eller ej? Svenska säpo gjorde det. Vi kan förstås via något tyskt arkiv få fram namnet på bödeln, men bödlarna heter ju för helvete Erik Lönn, Nils Fahlander och Martin Lundquist. Eller hur?"

De två andra nickade motvilligt bekräftande.

"Skulle någon av oss tre ha skjutit Lönn, Fahlander eller Lundquist om vi hade levat då?"

Åke Stålhandske lät frågan hänga en stund i luften. Han gick ett varv runt rummet medan han prövade de båda andra med blicken. Av hans attityd framgick mer än tydligt att svaret bara kunde bli ett.

"Okay", sa Joar Lundwall dröjande, "om vi fått tag på några av dom där jävlarna just då, vi får väl ändå förutsätta att vi står på Hjelmens sida i andra världskriget och inte på Gestapos, så skulle vi alltså ha strypt dom. Utan något krångel, diskret och snyggt och utan samvetsbetänkligheter. Men nu är det så att Hjelmen och Pettersen eller vad han hette halshöggs 1944. Du måste medge att det är ett problem?"

Åke Stålhandske skakade frågande på huvudet till tecken åt Joar att fortsätta tankegången.

"Jo", sa Joar långsamt eftersom han fortfarande var tagen av berättelsen om en man som kunde ha varit någon av de tre i rummet, åtminstone som de ville se på sig själva, "Hjelmen och alla som han som kan ha utsatts för sånt här halshöggs eller torterades ihjäl mellan 1940 och 1945. Hur mycket dom än kan ha hatat såna som Lönn och Lundquist och vad nu den tredje hette, så är alla döda. Hur gammal var Hjelmen 1944? Trettio år? Låt oss säga att han eller någon annan Hjelmen som genom ett under överlevt, tyskarna hann inte, de allierades seger kom i vägen, det där argumentet om att han var halvlapp och således otillräknelig hade funkat eller vad du vill. Idag hade han varit närmare 80 än 70 år gammal. Vi söker en mördare, bland annat, som skjuter ungefär lika bra som vi själva, *take or give*, och som torterar sitt offer i mån av tid och läglighet. Inbilla mej inte att vi söker den Hjelmen som överlevde."

Joar hade talat långsamt, han hade framfört sin invändning utan någon som helst arrogans, inte tillnärmelsevis på så sätt som han trodde när han hörde början på Åke Stålhandskes berättelse. Det fanns för mycket äckel och för mycket svek och för mycket av hans egen rädsla för det han själv hade börjat finna i sina egna luntor för att han skulle kunna bemöta sin vän, om nu Åke Stålhandske var en vän i naturlig mening, nå i vart fall kollega inom underrättelsetjänsten, med annat än respekt.

"Nej, int fan tror jag att det är Hjelmen som mördade", sa Åke Stålhandske tankfullt. "Int fan tror jag det. Men jag ville visa hur ett motiv kan se ut, problemet är bara att hela det jävla svenska andra världskriget ser ut på det här sättet."

"Mm", instämde Joar Lundwall, "hela det jävla svenska kriget såg ut på det här sättet. Det är ett intryck jag börjar få. Jag har exempelvis sysslat några dar med judar."

"Judar?" frynte Carl förvånat.

"Ja. Judar. '*Enbart den omständigheten att vederbörande flykting hänvisade till vantrivsel i Tyskland och av Tyskland behärskade länder till följd av därstädes rådande judelagstiftning kunde ej anses utgöra tillräcklig grund för beviljande av politisk asyl.*' Sånt, ungefär sånt."

"Vad var det där för nåt?" undrade Åke Stålhandske sammanbitet.

"Nåt jävla regemente om vilka flyktingar som fick släppas in och så. Tänk va, *vantrivsel* till följd av tysk judelagstiftning. Jo, ni behöver inte fråga, jag vet förstås vad ni undrar, men jag tänkte som så att det är ju faktiskt ett av våra få utomordentligt konkreta, moderna indicier vi har att hålla oss till. Den där Klintén sköts faktiskt med militär israelisk ammunition."

177

"Det är uteslutet att den israeliska staten skulle börja genomföra eller ens sanktionera såna vendettor i Europa. Om inte annat för att dom skulle få för mycket att göra", invände Carl torrt.

"Jovisst", fortsatte Joar Lundwall mjukt, "det tror jag också. Naturligtvis inte den israeliska staten, men någon person i dagens Israel med mer eller mindre personliga minnen eller släktförbindelser med Sverige. Någon som har sån ammunition hemma, och det har väl dom flesta israeler. I alla fall så har jag så att säga sysslat med judar och det är inte särskilt upplyftande läsning. Låt oss gissa att Sverige bidrog till någonting mellan 10 000 och 20 000 mördade judar, konservativt beräknat. Och bara när det gäller Norge, som du talade om Åke, så har vi alla ansökningarna i Riksarkivet under HP 21, norska judar som så att säga började känna vantrivsel under den nazistiska ockupationen. Dom ansöker den ena efter den andra om svenskt inresetillstånd, men då måste dom bevisa någon sorts svensk anknytning. Och det försöker dom också med, allt från att dom har svenska släktingar och bara olyckliga omständigheter gjorde att dom inte växte upp här och således egentligen är att betrakta som svenskar, till att dom är födda i Caroli församling i Malmö och således från början är svenskar. För som sagt, att hänvisa till *vantrivsel* bara för att man är jude under nazistisk ockupation höll inte. Och medan dom svenska byråkraterna granskar och utreder fylls det ena fartyget efter det andra, sakta men säkert, i Norge och avseglar mot Tyskland. Några såna där som hade fått tillstånd till slut hade till exempel avseglat med M/S Donau, till okänd destination i Tyskland. Så då vidtar skriftväxling för att få tillbaks dom eller åtminstone få reda på vart dom tog vägen. Men tyska myndigheter svarar bara att 'på dom platser där nämnda individer av judisk härkomst nu befinner sig torde brev- och postgång vara särdeles oregelbunden'. Det kan man tro, dom hamnade nämligen i förintelseläger."

Det kändes kallt och mörkt i rummet. Joar reste sig och experimenterade en stund med sin provisoriska belysning, en av IKEA-lamporna fungerade inte eftersom den saknade glödlampa, och sjönk sen tungt ner på sin plats igen.

"Jag tror", började Carl långsamt eftersom han på nytt drabbades av sitt outtalade ordförandeskap och således måste säga något när ingen kunde säga något, "jag tror att vi måste bestämma oss på något sätt. Letar vi extensivt i den skamliga svenska historien så drunknar vi. Själv är jag född 1954, ni är från 1959 och 60 och det här som för en eller ett par generationer före oss är levande minnen är bara historia för oss, ofattbar historia dessutom. Det är förstås nyttigt att allmänbilda sig, men vi måste bestämma oss för en metod, leta efter något särskilt."

Han gjorde en paus och hällde upp mera bourbon åt sig, inte så mycket för att han ville ha eftersom han redan kände sig påverkad, utan mest för att han måste tänka efter innan han fortsatte.

"Vi måste utgå från personerna själva", fortsatte han när tankarna hunnit ikapp pausen, "och det betyder två saker. Vi letar för det första efter en personlig eller organisatorisk förbindelse mellan en sjöofficer och en arméofficer som var i vår egen ålder mellan 1939 och 45. Då begick en av dom, eller båda, handlingar som leder till att dom mördas först i år. Åtminstone när det gäller den där Klintén, han som ju i alla fall hade inkarvat hakkors på bröstet, är det det som är hypotesen. För det andra så måste vi leta i tiden kring deras möjligheter att bli krigsförbrytare eller spioner och i den geografi dom då befann sig. Vi måste bygga en struktur kring dom här två objekten, annars drunknar vi bara i allmänna skamligheter, håller ni med?"

De båda andra nickade. Carl hade hoppats på någon invändning för att just nu slippa ifrån att formulera en hel strategi och utdela någon sorts underförstådd order som självklart skulle uppfattas och verkställas. Men nu måste han fortsätta.

"Vi har två gubbar, det rimliga är väl att ni tar varsin som utgångspunkt. Problemet är att den som tar Uttern har ett underförstått önskemål över sig att *inte* hitta en nazistisk förklaring till hans död, det är ju det Sam vill. Vem tar alltså Uttern?"

Ingen svarade.

"Ska vi dra lott?" frågade Carl lätt. "Antingen anmäler sig nån av er som frivillig på Uttern, eller också drar vi lott."

"Jag tar Uttern, på sätt och vis har jag redan börjat", sa Joar Lundwall forcerat, som om han absolut inte ville se någon lottdragning.

"Bra", sa Carl, "du utgår från von Otter och Åke utgår från af Klintén. Vad är det du har börjat med?"

Joar Lundwall hade redan tänkt det som Carl trodde att han själv skulle kommit fram till. Men säker var han ju inte, det lät självklart när Joar berättade och Carl var dessutom något okoncentrerad av

179

att han ville iväg och ville se på klockan men samtidigt ville undvika att visa att han såg på klockan. Han var försenad och han avskydde att vara försenad.

"Jo", sa Lundwall dröjande, "jag har utgått från att den heta perioden i Utterns tjänsteförteckning måste vara 1940—43. Då tjänstgjorde han vid Västkustens Marindistrikt, tror jag det hette då. Sen förflyttades han till en lärartjänst vid Sjökrickan i Näsbypark, om den låg där då. Alltså. Vad hände i Göteborg 1940—43? Bland annat en del spionaffärer med anknytning till Tyskland, och det är dom handlingarna jag har rekvirerat från Riksarkivet, vilket inte är sådär helt lätt eftersom dom antingen kan finnas på Landsarkivet i Göteborg eller också Stadsarkivet eller också i Krigsarkivet eftersom ett par av dom dömda var officerare i flottan."

De andra hajade omedelbart till.

"Saatan", utbrast Åke Stålhandske, "det var som saatan. Dömdes nu två marinofficerare som tyska spioner?"

"Svar ja."

"Och vid just den här tiden när vår vän Uttern var verksam i Göteborg?"

"Svar ja."

"Jamen det där verkar ju utmärkt", avbröt Carl och såg för första gången på klockan vilket de båda andra naturligtvis och omedelbart observerade. "Då har vi alltså vår vän af Klintén, vad gjorde han under den kritiska perioden, Åke?"

"Nåjo", tänkte Åke Stålhandske efter, "han var alltså lite mer rörlig under den här perioden, dessvärre. Han var kapten vid något som hette Generalstabskåren 1937, ryttmästare vid Norrlands dragoner, alltså K 4, 1940, major vid få se nu, jo vid Bohusläns regemente, I 17 alltså, 1941 och sen var han på underrättelsetjänsten från 1944 till 1946 när han vart skånsk kavallerist eller nåt sånt."

"Vid underrättelsetjänsten, vardå?" frågade Carl med förnyat intresse.

"Jo det var nåt sånt som Generalstabens underrättelseavdelning, fan vet vad det motsvarar i dagens läge."

"Ja, fan vet. Det var en mindre organisation på den tiden, det motsvarar nog rätt mycket är jag rädd. Men finns det inte egna arkiv på sånt, i våra gamla gömmor?"

"Jo, men det är hemligstämplat."

Carl skrattade till. Om det var någonting som inte borde leda till besvär så var det interna militära hemligstämplar.

"Det där ordnar nog Sam åt dej", log han. "Nu skiter vi i jobbet en stund, jag måste i alla fall snart gå. Fram med ett modernt samtalsämne utan hakkors."

"Som hur vi ska studera för att bli kaptener", sa Joar Lundwall surt. "Det är flera månader ute på Berga om man tillhör marinen, vilket vi tillfälligtvis gör. Hur hade du tänkt dej det?"

"En annan lösning", sa Carl lätt och såg en andra gång på klockan, "vi går en omväg, ni blir först byrådirektörer, sen omvandlas den civila titeln till en militär grad och så är ni kaptener. För att bli byrådirektör behövs ingen särskild kurs. Häpp!"

De båda andra stirrade klentroget på honom, som om de mot förnuft och reson trodde att han skulle kunna skämta med dem utan att de upptäckte det.

"Byråkratiska problem är till för att besegras", svarade han på deras outtalade fråga och slog ut med armarna i en amerikansk gest som betydde att byråkratin var till för att luras.

"Och vår förstärkning, när kommer dom och hur går det för dom och vad är det för ena?" frågade Åke Stålhandske trött eftersom han egentligen bara tvingade sig till att finna samtalsämne.

"Ett år eller ettochetthalvt beroende lite på den civila sidan, jag ska över och inspektera, ni vet, om nån vecka eller så."

"Och spela amerikansk kommendörkapten", log Joar Lundwall och nickade markerat uppåt och nedåt för att visa hur väl han mindes det lurendrejeri han själv och Åke Stålhandske en gång blivit utsatta för.

"Just det", sa Carl. "Samma procedur, om dom inte tar jobb..."

Han avbröt sig plötsligt när han insåg sitt katastrofala tankefel. Med en irriterad gest ställde han ner sitt spritglas eftersom det var där han såg förklaringen till sin oförmåga att se det självklara.

"Nu är det förstås så här", sa han allvarligt dröjande innan han sprack upp i ett generat leende, "att mina möjligheter den gången att spela anonym amerikan för er var något större än vad dom kommer att bli för vår vän Luigi och Göran. Dom lär nämligen känna igen mej..."

De andra två brast samtidigt i skratt. Världens genom tiderna mest kände och igenkände hemlige underrättelseofficer skulle inte vara särskilt anonym ens ute i Ridgecrest i Mojaveöknen.

"Du får använda lösskägg", föreslog Joar Lundwall.

"Eller måla om dej till neger", la Åke Stålhandske till.

"Hette en av dom Luigi, vilket udda namn", funderade Joar.

"Det beror på att han är halvitalienare, Luigi Svensson har italiensk mor och svensk far, tvåspråkig från start. Kan visa sig värdefullt nån gång, men nu om herrarna ursäktar så måste jag faktiskt gå."

Carl reste sig och tog i hand utan att vare sig bli för högtidlig eller nonchalant. Han föreslog att de skulle dricka ur det som fanns och ta förmiddagen ledig om det behövdes. Operationen var ju ändå långsiktig, några timmar hit eller dit skulle inte förändra sanningen.

När Carl gått ägnade de andra två en pliktskyldig stund åt att försöka koordinera sina planer. Om Joar sysslade med att gå igenom spionhistorier i Göteborg med nazistisk anknytning under den givna perioden så skulle alltså Åke göra samma sak i Stockholm.

De bedömde det inte som en metod som skulle kunna ge ett omedelbart eller definitivt resultat, men ändå något som måste göras. Om man läste det som fanns i dessa dokument så borde det för det första ge en hel mängd personuppgifter som inte fanns med i de slutliga domstolsutslagen. För det andra borde det generera andra uppslag, till säkerhetspolisens arkiv till exempel, i vad mån nu säkerhetspolisen vid den här tiden betraktade nazister som rikets fiender, men det gjorde man väl, åtminstone efter Stalingrad.

Ingen kunde väl gärna gå omkring och vara nazist helt för sig själv, utan kontakt med likasinnade. Det måste ju ha funnits en massa människor, inom och utom försvaret, som faktiskt trodde att Tyskland skulle vinna kriget. Alltså visste de inte att de inom några år skulle betraktas som skurkar och landsförrädare eller att de skulle glömma och förneka allt. Alltså kunde de finnas som medlemmar i organisationsprotokoll, omnämnda i förhörsprotokoll eller i släktskapsförhållanden till sådana personer.

Det kunde man också gå igenom och där fanns ju numera datorer till hjälp: alla släktingar kring intressanta personer. En son eller en far eller en kusin eller en bror.

Det var hursomhelst ett hästjobb, även med de taktiska begränsningar som Carl hade anvisat. Och det troliga var att man aldrig skulle kunna lösa uppgiften, men det troliga fick inte bli utgångspunkten. Allt det där var egentligen självklart och nu var det bara avslagen fest eftersom Carl hade gått. Han hade verkat som om det var viktigt att gå och eftersom han inte sagt något så hade de självklart inte frågat. Det kunde vara någon expressrapport från FRA eller vad fan som helst. Fienden höll ju aldrig svenska regelbundna arbetstider och följaktligen inte chefspersoner som Carl heller.

De fortsatte att dricka sprit i måttlig takt, efterhand uppblandad med Coca-Cola och ägnade sig under resten av kvällen mest åt kaliforniska minnen, som klädseln inbjöd till.

Åke Stålhandske berättade en del heroiska kvinnohistorier och Joar utmanade honom med att, som om det var självklart, kontra med ett äventyr med en manlig lärare som jobbade som instruktör vid superdatorn på UCSD.

Men Åke lyssnade intresserat, eller snarare fascinerat, utan att med en min visa någon inställning som ens påminde om när de först träffats och det gått upp för honom att kollegan faktiskt var bög.

Nu var det som det var med den saken, tycktes Stålhandske inse, och dessutom var de i alla fall arbetskamrater intill och teoretiskt bortom döden; de hade varit där en gång tillsammans och det var det avgörande.

"Fast int saatan har jag förstått det där med att knulla i ändan", suckade Stålhandske som om det var ett oändligt stort problem samtidigt som han blinkade åt Joar att så var det inte alls, "för nog kan jag förstå att man själv kan ha, ska vi säga en sensationell upplevelse av att köra in den där, men int för att jag begriper hur det kan vara någon förlustelse att någon annan kör in den där, nej ids int förklara, jag skulle aldrig begripa i alla fall."

"Du skulle bara ana, du skulle bara ana", skrattade Joar Lundwall lättad över att motsättningen dem emellan äntligen tycktes vara borta.

* * *

Carl hade ansträngt sig att gå raskt utefter Norr Mälarstrand utan att halvspringa för att inte få de enstaka kvällsvandrarna att upptäcka honom, stanna och börja glo. Uppe vid Kungsholmstorg fick han tag på en taxi som just var på väg att köra ut från taxistolpen. När han ryckte upp dörren till framsätet började chauffören skälla ut honom med hänvisning till att bilen ju redan var upptagen, men ändrade sig plötsligt när han såg närmare på sin nekade kund och upptäckte vem det var.

Hela vägen nerför Hantverkargatan fick Carl lyssna på och kommentera olika mer eller mindre fantastiska idéer om hur det låg till med Palme-mordet. Taxichauffören tycktes luta åt antingen CIA, eftersom Palme skulle ha varit rysk agent, eller också åt säkerhetspolisen, eftersom det var de som skulle ha bevakat Palme, vilket de ju tydligen försummat i så fall.

Carl var evinnerligt trött på denna ständiga svenska diskussion. Själv tog han för givet att det där fyllot som man åtalat och frikänt nog var skyldig. Men något sådant skulle han aldrig kunna säga, naturligtvis, eftersom det bara skulle leda till ryktesspridning om vad den svenska underrättelsetjänsten i själva verket "visste".

Försiktigt försökte han polemisera mot CIA-uppslaget, med hänvisning till att underrättelsetjänster inte arbetade så, oavsett på vilken sida de befann sig och oavsett vad de tyckte om Palme (som ju i så fall hade sitt förflutna i västerländsk och USA-orienterad underrättelsetjänst och inte rysk, tänkte han).

En spionorganisation, rysk eller amerikansk, kunde inte genomföra så stora operationer — alltså stora i politisk mening, inte i taktisk mening för då var det ju en liten sak, bara att skjuta en man — men alltså man kunde inte genomföra så stora operationer utan att få saken godkänd från det politiska ledarskapet. Och det skulle ingen få av ett enda enkelt skäl. De politiska riskerna om man åkte fast var för stora. Ingen regering ville ta på sig en sån risk, att framstå som lönnmördare, oavsett mängden av lättskjutna skurkar på premiärminister- och presidentposter runt om i världen.

Jamen för proffs, alltså riktiga proffs som, hehe, han själv till exempel, borde väl ett enkelt mord gå att genomföra utan risk för att åka fast?

"Ja", sa Carl kallt med vagt syfte att få slut på diskussionen, "ingen såg ju mej stiga in i den här bilen. Ingen vet vart jag är på väg, var jag befinner mej, utom du förstås. Det finns inga band mellan oss. Om jag diskret mördar dej vid nästa trafikljus och kör undan bilen och promenerar därifrån så kommer taximordet aldrig att klaras upp."

Resan fortsatte en stund under kylig tystnad. När det blev rött ljus nere vid Strömbron sneglade chauffören nervöst på Carl som insåg att ytterligare något ändå borde sägas för undvikande av alla högst eventuella missförstånd.

"Vad jag menade var bara", sa han trött, "att man måste skilja på sannolikheter och kalkylerade politiska risker. Jag mördar dej, det går säkert bra. Men när jag stiger ur bilen faller en tegelpanna ner rätt i huvudet på mej och jag blir kvar på brottsplatsen och allt klaras upp och den svenska regeringen åker fast och allt blir ett helvete utom för dej och mej, beroende på hur tegelpannan träffade. Det där är inte så sannolikt, men risken för oförutsedda *flaps*, som det heter på spionspråk, är aldrig mindre än tre fyra procent. Och det är för stor risk för en regering att godkänna ens den mest idiotsäkra plan eftersom verkligt idiotsäkra planer inte finns. Så menade jag, bara det. Alltså var det inte CIA eller KGB som mördade Palme."

Han stannade bilen två kvarter från rätt adress och begärde kvitto utan färdsträcka och började gå åt fel håll tills bilen var utom synhåll.

Han hade glömt att fråga efter portkoden och fick svärande ägna flera minuter åt att forcera koden innan han ens kom in genom porten. Klockan var över elva, han skulle ha kommit vid "tiotiden".

"Hej spionen som alltid kommer i tid", sa hon, inte ovänligt, när hon öppnade dörren.

"Hemskt lessen, men det var så att..."

Hon tystnade och avbröt honom genom att lägga ett pekfinger över hans mun samtidigt som hon med andra armen sträckte sig bakom honom och drog igen dörren.

"Schh! Inga förklaringar, det blir bara värre", sa hon och ersatte blixtsnabbt sitt pekfinger med munnen.

Han började skämmas under deras långa kyss, han skämdes för att han luktade sprit, för att han kommit försent, för att han kommit över huvud taget, för att han ljög för alla och just varit på väg att ljuga för henne och för att ju längre de kysstes desto oemotståndligare kröp åtrån på honom, vilket hon naturligtvis kände, vilket hon naturligtvis påverkades av, vilket han, mindre naturligt, också skämdes för.

Till slut bröt hon sig försiktigt loss, höll hans ansikte mellan sina båda handflator som för att stänga varje annan blickriktning, så började hon le på sitt särskilda sätt, nickade bakåt uppåt som om hon förstod allt som kunde förstås.

"Kom nu, och ta mej genast i säng eller förlora mej för alltid", sa hon samtidigt som hon brast i skratt. Det lät som om hon härmade någon filmreplik.

Han lydde genast, som om det skulle befria honom från hans skamkänslor, lyfte upp henne och bar henne in genom den tomma lägenheten till en halvt monterad säng, bäddad och klar men med sängbenen i en hög vid sidan av, och släppte mjukt ner henne.

Hon värjde sig när han försökte kyssa henne på nytt och började i stället klä av sig. Efter någon tvekan gjorde han detsamma, släppte först ner sin jacka på golvet, smusslade sen snabbt undan sin pistol som han först nu kom att tänka på att han bar i svanken vid byxlinningen, det var sämre än att ha den i axelhölster men han hade bytt just för risken att i vissa sammanhang ta av sig jackan; ändå hade han haft pistolen där hela kvällen hos Joar utan att ens tänka på den, vilket ju Joar och Åke måste ha gjort.

Hon såg inte eller låtsades inte se pistolen och hann bli naken före honom. Hon slog med en demonstrativ gest upp täcket och väntade tills han fumlat färdigt med resten av sina kläder så att han kunde slinka ner till henne.

Han kopplade ett försiktigt grepp runt henne, drog henne nära och låg alldeles stilla med slutna ögon och försökte förtvivlat tränga undan bilden av Eva-Britt med stickningen hemma i soffan som på nytt kom för honom.

"Säg ingenting, Carl, tänk ingenting, bara älska mej. Ingenting annat finns just nu, ingenting", viskade hon som om hon hade läst hans tankar eller känt dem genom sin hud, vilket hon säkert hade.

Hon slingrade sig försiktigt ur hans grepp och började kyssa de långa ärren på hans bröstkorg, det ena efter det andra, uppifrån och ned. Det blev alldeles ljust bakom hans ögonlock, som solsken på en strand någonstans utanför San Diego, ljust som motsatsen till mörk skam, och han förstod att han nu i fortsättningen inte skulle se någonting annat framför sig.

När hon kommit till slutet på den femte ärrlinjen vände hon inte uppåt för att börja om, som han hade trott, utan fortsatte långsamt och med tydlig avsikt nedåt.

Hon måste ha känt hur han på något sätt stelnade till eller spände sig och utan att avbryta den långsamma förflyttningen viskade hon att hon längtade så efter just det här, att hon aldrig gjort det med någon annan.

Någon annan betydde hennes man, Burt, och hans stelnade muskler hade betytt Burt, som om det allra mest privata mellan dem skulle ha kunnat bli någonting helt annat just på grund av Burt, som om han med den förödande logik som hör svartsjukan till hade blivit retroaktivt svartsjuk. Och i så fall hade hon förstått det och parerat det bara genom att känna hans kropps reaktioner under sina händer. Det var ju sant, tänkte han eller viskade han till sig själv utan att veta vilket, men hon kände ju honom bättre än någon annan människa.

Sen lät han sig fullkomligt motståndslöst svepas med.

Hon drev honom milt framför sig tills hon kände att han inte längre skulle kunna hålla sig tillbaka, och då kröp hon försiktigt upp på honom och lutade sig ner och viskade att hon ville att han skulle komma i henne, att hon längtade så mycket efter att känna just det.

Hon höll honom hårt just då, sen satte hon sig upp och slog sitt långa, svarta, rufsiga hår bakåt med en knyck på nacken och skrattade oväntat och högt. Hon började sen röra sig, lekfullt till en början, medan hon såg forskande på honom för att undersöka om det verkligen var sant.

Det var det, han inte bara kunde fortsätta, han ville det mycket tydligt, och en kort tanke flimrade genom honom om det egendomliga i hans svårigheter med andra när det var så här det alltid hade varit, fast *alltid* ju egentligen inte betydde någonting annat än Tessie. Sen tänkte han över huvud taget ingenting under en tid som kunde ha varit lång eller kort, men som han inte hade någon uppfattning om längre eftersom deras milda försiktiga kärleksfullhet sakta men ohejdbart började förvildas på väg mot någonting som han i efterhand, långt i efterhand, skulle tänka på antingen som frenesi, extas eller någonting sådant, eller också desperation och förtvivlan åt andra hållet.

Han hade legat stilla, nästan somnat och var våt av svett som kylde huden så att han kanske just därför inte somnade. De låg nära varandra, omslingrade, hon med näsan i hans halsgrop så att han kände hennes andetag tydligt från andfåddheten hela vägen till det lugna sövande eller nästan sovande. Bland hjärnans växlande bildspel från

Kalifornien och stränderna, solen och fantasin till det kala rummet och IKEA-sängen och verkligheten skilde sig inte dröm från verklighet. Allt flöt samman i hennes andhämtning mot hans hals.

"Okay, nu får vi prata", sa hon plötsligt och reste sig upp på armbågen och svepte försiktigt undan svettigt hår från hans ansikte. "Är du bra på att montera sängar?"

"Mm, kanske, är det benen du tänker på?" svarade han nästan halvsovande men slog upp ögonen, torkade sig med handflatorna i ansiktet och koncentrerade sig på att komma tillbaka till verkligheten. Och han stålsatte sig för att inte se på klockan.

"Första tjing på badrummet", sa hon glatt och hoppade vigt upp ur sängen och var borta.

Han såg på klockan. Hon var halv ett, tydligt och obönhörligen halv ett. Han reste sig långsamt upp i halvsittande och betraktade sängbenen som låg i en plastpåse ute på den tomma golvytan. Det skulle egentligen behövas en skiftnyckel. Han trevade en stund i sin jackficka tills han hittade sin imitation av schweizisk armépennkniv som både hade färre och mer egenartade verktyg än originalet. I huvudsak var det en blandning mellan inbrottsverktyg och mordverktyg, men där fanns också ett instrument han aldrig haft användning för som kunde fungera som provisorisk skiftnyckel.

Han reste sig snabbt upp, välte sängen på sidan, tände den extra golvlampan och slet upp plastförpackningen med sängbenen. Han log åt dagens andra kontakt med IKEA. Den här gången var det inget fel i vare sig påsen med de delar som skulle skruvas fast eller med de förborrade hålen. När hon kom in och sa att det var hans tur stod sängen färdigmonterad och nybäddad, fönstret var öppnat och han själv hade dragit på sig sin collegetröja.

"Kom ut i köket när du är klar", sa hon och drog på sig sin vita morgonrock som hon antingen köpt eller stulit på Grand Hotel, förmodligen köpt.

När han kom ut i badrummet försökte han medvetet undvika att se sig själv i spegeln. Men det var förstås oundvikligt, och han lutade sig med händerna stödda mot handfatet och såg forskande in i sitt eget avsvalnande röda och rufsiga jag. Det var en blandning av skam och fascination, skammen självklar och fascinationen för att det som varit där inne i IKEA-sängen fanns kvar i honom, i den blick han gav sig själv i spegeln.

Han duschade snabbt och iskallt och torkade sig på en IKEA-badhandduk som var halkigt glansig i kvalitén och bara med svårighet absorberade vatten. Sen gick han hastigt tillbaka till sovrummet och drog på sig sina kläder, kom att tänka på att han borde kamma sig innan håret torkade eftersom han annars skulle se ut som ett alltför rufsigt otrohetsindicium, återvände ett varv till badrummet och fick med hjälp av en hårborste som han hittade i badrumsskåpet nödtorftigt fason på skuldbeviset och gick sen till köket. Han tvärstannade i dörren.

Hon hade köpt ett IKEA-bord och två IKEA-stolar i vad hon förmodligen måste ha uppfattat som en exotisk svensk bondestil i furu. På bordet stod en flaska champagne, två spetsiga champagneglas i åttkantig stil, säkert från IKEA:s särskilda fyndavdelning, och i mitten ett stort fat med ostron.

Hon stod vid diskbänken och öppnade snabbt och vant de sista ostronen i högen; hon måste ha köpt två dussin.

"Som du vet finns det ingen pepparrotschili här i Sverige", sa han med häpenheten dröjande kvar i rösten.

"Jag vet", sa hon mellan sammanbitna tänder eftersom ostronkniven trasslade i ett knöligt och oregelbundet skal, det måste vara franska ostron, Bélon, tänkte han, "men tänk på att jag har emigrerat. Man måste acceptera den främmande men underlägsna kulturen. Det ligger en citron i kylskåpet, vill du ta fram den och skära halsen av den är du snäll?"

"Hur har du fått tag i ostron?" undrade han medan han skar citronen i fyra klyftor och la fram på serveringsfatet.

"Folk talar engelska. Jag har intervjuat mej fram bland infödingsbefolkningen och lärt mej inte bara IKEA-teknik utan också att ni har särskilda regeringskontrollerade affärer för kröken och att ostron av viss kvalitet bara finns på Östermalms saluhall och är förskräckande dyra, ehuru jag som naiv amerikanska ännu inte begripit mej på växelkursen. Så där, nu är det klart!"

Han hade öppnat champagneflaskan och serverade utan att visa sin motvilja; han skulle hem till Eva-Britt och lukta alkohol. Fast hon borde ju sova när han kom hem.

Hon kastade fram två amerikanska ostrongafflar och när han förvånat frågande såg på dem förklarade hon med en axelryckning att de ingick i hennes amerikanska arv, det hon tagit med sig i kappsäcken.

"Konstig klädsel du har", sa hon efter en stund när de skålat och hunnit med några ostron var, "bekant men konstig. Jag menar, är inte San Diego-klädsel exotisk här vid nordpolen?"

"Nja... jag behövde den faktiskt i kväll, den ingick i..."

Han bromsade sig just när han var på väg att reflexmässigt duka upp någon historia för henne.

"Så här är det", fortsatte han beslutsamt, "när jag kom in genom dörren förut så var jag så här nära att ljuga för dej."

Han visade en centimeter mellan tummen och pekfingret.

"Jag såg det", konstaterade hon och välte nacken bakåt och slukade ett ostron, "jag såg det och därför stoppade jag dej."

"Jag måste kunna tala sanning för nån."

"Ljuger du så förbannat? Inte likt dej."

"Ja, jag ljuger för mina överordnade, jag ljuger för mina underordnade, jag ljuger för... för min fru, jag myglar med rättvisan, ljuger för stackars misshandlade brottsoffer och dessutom är jag otrogen."

"Ja det är du. Dubbelt otrogen."

"Ja. Men så kan det inte hålla på."

"Nej, och vad tänker du göra mer åt det än att tala sanning för mej? Är det nån särskild sanning du vill säga just nu? Om du vill åker jag tillbaks till USA, det kanske inte var världens bästa idé det här. Vill du det?"

"Nej. Nej, det vill jag inte och förresten vet jag inte vad jag vill. Tro inte att jag ångrar någonting, som till exempel för en stund sen. Jag ångrar det inte men känner mej inte direkt stolt över mitt beteende, om du förstår vad jag menar."

"Visst. Jag kanske har betett mej idiotiskt men jag kunde inte göra annat och ville inte annat och vadsomhelst hade varit sämre än att inte göra det. Förresten måste jag tillbaks till USA i alla fall."

Hon log plötsligt hemlighetsfullt när hon sa det, och därmed bröts stämningen eftersom han såg på henne att det hon skulle säga var något annat än det farliga de just hade snuddat vid.

På IBM hade de tagit för givet att hon hade såväl arbets- som uppehållstillstånd och själv hade hon tagit för givet att hon som medborgare i den fria världen kunde resa vart hon ville och arbeta var hon ville. Nu hade det visat sig något mer komplicerat. För visserligen hade hon jobb och bostad ordnade och dessutom kunde hon räknas som vit *kaukasisk* och västerlänning, varför uppehållstillstånd och

190

så vidare egentligen inte var något problem. Det var bara det att man av outgrundliga byråkratiska skäl måste ansöka i sitt hemland om dessa tillstånd. Det gick alltså inte att ansöka här i Sveriges administrativa centrum, man måste tillbaks till USA och ansöka. För att sen återvända i triumf med vederbörande stämplar i sitt pass.

Hon måste alltså flyga över till New York och fylla i några blanketter. På IBM hade man förutsett att proceduren bara skulle ta någon vecka och man reserverade jobbet åt henne. Men det vore för båda parter brottsligt om hon arbetade så mycket som en timme innan stämplarna från New York fanns i passet. Hon hade fått ifyllda blanketter som intygade hennes status av anställd och med laglig bostad försedd.

"Du kan lika gärna åka till L.A.", konstaterade han, "det finns ett svenskt generalkonsulat där, det kanske rentav går fortare där."

"Förefaller som något av en extratur", skrattade hon.

"Ja. Men vi kan åka tillsammans, jag ska över till L.A. så fort som möjligt... ja, det vill säga, någon gång i den närmaste framtiden, men jag kan tidigarelägga den resan. Så åker vi tillsammans och tar ett par dar ledigt på Imperial Beach till exempel."

"Och Pier House Café."

"Ja, i synnerhet det."

Han ville inte tala mer. Varje samtal riskerade att trassla in sig i sådant som skulle förstöra stämningen och tvinga fram någonting som han inte ville tvinga fram, åtminstone inte just nu, och han tog hennes hand och såg på henne länge. Som om det gick att säga något utan att säga något.

Och som om det plötsligt blivit en överenskommelse höll de sig tysta i fortsättningen. De åt upp de sista ostronen och drack ur champagnen utan ett ord men utan att tystnaden kändes besvärande. Det var tvärtom som om de kom varandra närmare utan ord.

Efter en stund reste han sig och gick in i sovrummet med den provisoriskt monterade sängen, bestämde sig för att inte säga någonting om det provisoriska och drog på sig strumpor och skor, placerade pistolen på sin plats, tog jackan i handen och vinkade mot henne när han passerade köksdörren på väg ut.

Nere på gatan upptäckte han att hon bodde praktiskt taget granne med Krigsarkivet.

Klockan var halv tre när han kom hem och han tog för givet att

Eva-Britt sov. I badrummet betraktade han sig själv i spegeln med mycket blandade känslor och konstaterade att frisk vårluft och promenad tar bort vissa indicier. Hans händer luktade ingenting, hans kropp luktade bara sig själv av de egna kläderna, hans kön luktade ingenting utom tvål. Han borstade tänderna, ovanligt länge som om det skulle ha kunnat förändra någonting i sak, och smög in till henne.

Först trodde han att hon sov. Men hon vände sig om och kysste honom så fort han kommit ner i sängen.

"Ute och borstat med kompisarna", fnittrade hon när hon kände hans andedräkt.

"Mm", sa han sömnigt, "det blev förstås för sent. När ska du upp i morgon?"

"Sju. Morgonstund har guld i mun."

"Väck mej då också, är du snäll."

Han sa det sista som ett försök att säga godnatt, att stänga av alla samtal som bara skulle leda till lögn.

Hon sa ingenting mer men vred sig mot honom och smekte honom som om hon ville ha honom, men gav fort upp när hon kände hur han stelnade till av rädsla.

"Det är bara jag", viskade hon, "du behöver aldrig vara rädd för mej. Det finns dom som älskar ända fram till taxin till BB."

"Jag älskar dej", viskade han desperat och kände hur han var på väg att börja kallsvettas.

"Jag vet", viskade hon tillbaks i ett tonfall som han inte kunde tolka och som förmodligen kunde betyda många saker.

Sen vände hon sig bort och låtsades somna och han låg klarvaken och låtsades sova. Han bestämde sig för att förlänga sin morgonträning med tio minuter varje dag och definitivt minska på alkoholintaget.

* * *

Samuel Ulfsson våndades inför mötet med Carl. Det han skulle framföra, det han måste framföra, var inte lätt. Carl hade ju en ibland något överdriven förmåga att avsky sådana operativa instrument som lögn och lagbrott, och även om nu både det ena och det andra kunde anses vara tolkningsfrågor så var det nog ganska troligt

192

att Samuel Ulfssons egna tolkningar inte alltid skulle falla in i Carl Hamiltons rigida moralregler. På lång sikt fanns det naturligtvis någonting gott i den där läggningen som väl så många kolleger, särskilt inom Carls egen avdelning, skulle betrakta som perfid. För även om det var en oskriven regel som de flesta underrättelseorganisationer, oavsett politiskt system, tillämpade, att inte göra före detta operatörer från fältet till alltför höga chefer i organisationen, för vilket det fanns en mängd logiska och empiriska skäl, så stod Carl i en särställning.

Han hade på mycket kort tid under sin mellanställning som någon sorts allmän koordinator inom organisationen visat sig vara en ovärderlig medhjälpare på sådant som låg mycket fjärran från det man kanske orättvist betraktade som hans verkliga specialiteter.

Men dessa verkliga specialiteter hade ju i den dagliga praktiken ett mycket begränsat utrymme i modern underrättelseverksamhet, låt vara att Carls record inte precis styrkte den tesen. Men man kunde se det där som statistiska oregelbundenheter, som en serie vid ett roulettbord där samma nummer kommer upp tre gånger i följd. Det skulle då, statistiskt sett, dröja oändligt länge tills den händelsen upprepades; Carl skulle aldrig mer kunna befinna sig, statistiskt sett, ombord på ett flygplan som man försökte kapa, med de konsekvenser Carls närvaro då skulle medföra, han skulle aldrig mer genomföra en dykoperation mot sovjetiska militära mål på svenskt territorium, aldrig mer "konfrontera" utländska statsterrorister eller mörda, nåja, eliminera, en svensk förrädare i Moskva. Numren kunde helt enkelt inte få ett sånt nytt serieutfall.

Dessutom var han onekligen olämplig för varje form av covert action eftersom han skulle kännas igen på varenda gata eller vartenda hamnkvarter från Hongkong till San Diego, andra vägen jorden runt.

Kort sagt, han var ett utmärkt chefsämne i en offentlig chefsposition, dessutom, vilket ÖB och vissa andra ibland väl kraftigt understrukit, det svenska försvarets största PR-tillgång, vilket ju inte minst det brittiska amiralsbesöket nyligen visat.

Samuel Ulfsson smålog när han såg på klockans sekundvisare. Han räknade tyst för sig själv, nedåt från tio till noll.

"Kom in!" sa han högt för sig själv i samma ögonblick visaren nådde noll.

193

"Har du skaffat dej röntgenblick eller videoövervakning utanför dörren?" hälsade Carl förvånat när han steg in. Han hade just höjt handen för att knacka.

"Inte alls", sa Samuel Ulfsson muntert, "men gamla spionchefer har som du förstår intuition."

Carl såg skeptiskt på sin chef. Typiskt, tänkte Samuel Ulfsson, alltid lika rationell, alltid lika svårlurad. Då är det bara att kasta loss och se hur det går.

"Sitt ner, ja jag har inte haft tillfälle att säga det förut men vi har fått ett mycket vänligt brev från det brittiska amiralitetet. First Sealord var synnerligen förtjust över att få träffa dej", började Samuel Ulfsson aningen forcerat.

"Då är han väl bög som alla andra engelsmän", muttrade Carl surt.

"Ånej, såväl farfar som morfar står det i våra papper. Vad gjorde du för att charma honom?"

"Spelade James Bond, uppträdde väluppfostrat, skrattade åt hans skämt, framhöll den brittiska flottan som vår förebild och ideal och lite sånt. Men det var väl inte därför du ville träffa mej", muttrade Carl som kände sig lätt illa till mods av sin eftersvettning efter morgonens överdrivna träningspass och dessutom misstänksam mot Samuel Ulfssons översvallande attityd. Han hade sett det där förut.

"Ja, hrm, för att gå rakt på sak", började Samuel Ulfsson och tog omedelbart en omväg över sitt paket Vita Bond, som han höll upp menande för Carl som inte ens smålog åt anspelningen, "jo alltså för att komma till pudelns kärna eller skälet för detta särskilda sammanträffande eller vad vi ska säga. Hur vet du förresten att det är så särskilt?"

"Du är alldeles för vänlig, Sam. För vänlig, bara det. Då brukar det vara nåt jävelskap som att jag ska klippa mej eller nåt. Vad är det nu?"

Carl var oföränderligt avvaktande och Samuel Ulfsson måste dra några djupa bloss innan han stegade in i minfältet.

"Jo, alltså, hrm... jag var uppe på departementet igår. Och... ja. Det dom hade att säga är delvis förståeligt, delvis lite knepigt men i sak går det ut på att... ja, du vet ju hur det står till med vår civila säkerhetstjänst?"

"Om du säger att jag ska dit så slutar jag, säger upp mej, jag antar att även jag har såna fackliga rättigheter", svarade Carl blixtsnabbt och med en betoning som uteslöt varje tvivel om allvaret i hans avsikter.

"Nej, hehe, det skulle se ut det. Coq Rouge nere på aphuset på Kungsholmen, du skulle väl förresten inte bli särskilt populär där."

"Nej. Av naturliga skäl. Men vad har nu aphuset ställt till med?"

"Jaa... det är ju närmast en filosofisk fråga, men som du vet går det inte så bra för dom."

"Nej, det gör inte det och jag vet inte när det skulle ha gjort det. När man mördade Gustav III kanske, men inte under dom senaste tvåhundra åren. Nå?"

Samuel Ulfsson fick en egendomlig känsla av att inte vara den överordnade. Det var annars något som han trodde satt i ryggmärgen, att den som hade ett streck eller en stjärna mer var överordnad.

Men nu var det onekligen inte så lätt att säga det som måste sägas och samtidigt försöka bibehålla betydelsen av ett tjockare streck samt en stjärna.

"Jo alltså", sa han och tände en ny cigarrett på sin halvrökta, "departementet menar kort sagt att vår avdelning måste överta ansvaret för vissa funktioner i samhället som den civila säkerhetstjänsten inte har, ska vi kalla det full kapacitet, att genomföra just nu. Och..."

"Det är för det första olagligt. För det andra är vi knappast skickade."

"Var snäll och avbryt mej inte!"

"Nej, förlåt."

"Alltså. Man kan nog diskutera det där med lagligheten, eftersom vi har instruktioner från regeringen. Det är ingen självklarhet sådär utan vidare att landets regering inte skulle kunna göra tillfälliga instruktioner för säkerhets- och underrättelseorganen. Eller hur?"

"Nej, det är möjligt. Men går det åt helvete så lär inte dom ta ansvaret utan det hamnar på oss. Och om det gäller något *tillfälligt* så är det väl den pågående cirkusen det är frågan om. Och om du tror att den där idioten Borgström och hans avdelning skulle kunna rosa marknaden så vill jag bestämt hävda en annan uppfattning. Jag kan nämligen inte se meningen med att ersätta den pågående kurdjakten med jakt på vänsterstudenter, eller vad nu vår vän jubelåsnan skulle kunna tänka sej."

"Du talar om chefen för vår säkerhetsavdelning."

"Svar ja."

"Jag undanber mej uttryck typ jubelåsna och idiot i så fall."

"Uppfattat."

"Dessutom har jag min fulla rätt som chef för samtliga avdelningar att disponera personalen som jag finner klokast, utan att strikt ta hänsyn till de bokstavsbeteckningar som vidhäftar vederbörandes namn."

"Jaa", sa Carl dröjande eftersom han insåg att han nu hade minst ett gott skäl att byta attityd, "säg nu vad jag ska göra."

"Vi har fått ett utökat ansvar för att utreda det här med mordet på Uttern och den där, ja du vet den där."

"Vill regeringen det och i så fall varför?"

"Svar ja. Det har man minst sagt tydligt understrukit för mej. Dom ser det som ett problem med en ny sån här jakt på utlänningar eftersom det enda sannolika resultatet blir en ökad utlänningsfientlighet i landet."

"Ja, men det är ju en politisk fråga."

"Just det. Men regeringen råkar bestå av politiker. Det har uppstått en politisk angelägenhet att få den här saken uppklarad och eftersom aphuset inte lär göra det ber dom oss. Nåja *ber* är väl aningen försiktigt uttryckt. Du har redan ansvaret för vår, ska vi säga inofficiella undersökning av det här. Nu undrar jag, ja alltså du behåller naturligtvis det ansvaret, nu undrar jag vilka ytterligare personella resurser du skulle vilja ha."

Samtalet hade tagit en oväntad vändning för Carl. Han var inte säker på att han riktigt insåg alla de vanligt legala och eventuellt grundlagsmässiga komplikationer som frågeställningen hyste, men det han närmast måste ta ställning till var ju bara en personalfråga.

"Jag har två utomordentligt kompetenta underrättelseofficerare till mitt förfogande redan", sa han tveksamt medan han tänkte efter.

"Vi kan tänka oss två modeller för att förstärka verksamheten. Den ena är att vi ersätter deras vanliga funktioner på avdelningen på något sätt, den andra möjligheten är att rekvirera hjälp från MHA."

"MHA?"

"Ja. Militärhistoriska avdelningen. Vad vi sysslar med just nu är att försöka penetrera en tid som inte är riktigt levande för oss själva. Skickar du ut oss tre på ett dykuppdrag, jag menar bokstavligen ett

196

dykuppdrag, så vet vi hur varenda grej funkar, vi kan varandra, ingenting är främmande. Men nu är det lite som om vi skulle arbeta med 30-åriga kriget. Dom är bra där nere på MHA, jag har redan fått en hel del hjälp." .

"Vi kan inte ta in ny personal på särskilda avdelningen. Däremot måste Joar och Åke få det här som heltidssyssla. Vilka problem har vi när det gäller att dra in MHA?"

"Standard. Ryktesrisken, jag förutsätter att även med regeringens hemliga godkännande vill ingen av oss ha rubriker typ MILITÄREN TAR ÖVER SÄPO och liknande."

"Och hur gör vi?"

"Vi tar mer hjälp av MHA, men vi talar inte om för dom att vi så att säga har blivit nytt aphus. Dom är mycket hjälpsamma som det är och ställer inga onödiga frågor, en del av dom har ju ett förflutet som du vet. Huvudsaken just nu är att frigöra Joar och Åke på heltid och med gott samvete. Ska jag förklara regeringens direktiv för dom?"

"Vad tycker du själv?"

"Ja, det tycker jag. Åtminstone kan jag antyda det hela."

"Gott. Gör så. Och så till nästa problem."

"Var inte det här stort nog? Vi ska betrakta grundlagen som ett skämt, vi ska acceptera ett så kallat ministerstyre och vi ska bryta mot den lagstiftning som säger att vi inte får trampa in på aphusets domäner. Vad har du mer för karameller i gottpåsen?"

"Du ska träffa en journalist om fem minuter."

"Jag hörde inte det där."

"Jo det gjorde du. Den sluge jäveln har gått via regeringen."

"Från vadå, Expressen eller Månadsjournalen, vill dom ha en detaljerad redogörelse för Operation Big Red eller vadå?"

"Nej, det gäller inte en intervju. Du ska ta emot informationer."

"Det är mitt jobb, det behöver jag inga instruktioner från regeringen för att göra. Nå?"

"Bara det. Ta emot vissa informationer och... erbjuda vissa tjänster ifall informationerna kan användas."

"Jag hörde inte det där heller."

"Jo det gjorde du visst. Bedöm om informationerna har betydelse, fatta sen självständigt beslut. Ja, det är alltså Erik Ponti. Han kommer upp om en halvtimme."

"Det är den enda journalist jag känner, han myglar inte på det där viset, han är inte på Expressen om jag säger så."

"I krig och kärlek är allt tillåtet, du vet. Vi är i krig, kanske han också. Lyssna och fatta sen självständiga beslut. Jag vill inte bli inblandad om du inte upplever det som absolut nödvändigt."

"Nej, kan tro det."

"Var inte ironisk."

"Okay, jag träffar honom, jag informerar Åke och Joar om vårt utvidgade ansvar, jag ordnar nåt med MHA. Blir det bra så?"

"Svar ja."

Carl nickade, reste sig och gick. Samuel Ulfsson väntade med att andas ut tills Carl hade stängt dörren.

Situationen var inte helt okomplicerad, tänkte han. Sen log han åt sin egen underdrift. Men när obehaget nu var över så kände han sig mycket snabbt på gott humör. Framför allt för att det där med gamle Uttern nu kanske skulle ordna upp sig.

Carl gick in och städade sitt rum från allt som kunde ge minsta antydning om vad han sysslade med och sen satte han sig för att vänta, som han trodde i några minuter. Han hade ibland en tendens att tro att andra människor passade tiden.

Men när ingen kom som skulle ha kommit stannade tiden. Han såg ut genom fönstret och försökte vänta utan att tänka, bara vänta. Men allt som inte fick tränga sig på gjorde nu det, i hans oväntade stiltje.

Han älskade Tessie, hade alltid gjort det, och varje tanke på att leva utan henne föreföll omöjlig.

Han älskade Eva-Britt också, hon var snart mor till hans barn, nej hon var redan mor till hans barn och om inte Tessie hade kommit nervalsande på Arlanda så levde dom lyckliga resten av sitt liv.

Och det var orimligt, men sant och omöjligt men inte desto mindre sant, och försökte man tänka förnuftigt så måste han antingen överge Tessie eller Eva-Britt, förr eller senare.

Valsituation, borde vara enkelt. Borde ha med förnuftet att göra.

Han tog fram ett vitt pappersark, som om det gällde vilken som helst förberedande operationsplanering. Vad talar mot och vad talar för? En rubrik EB och en rubrik T. Så, enkelt och logiskt.

För Tessie att...

Han kunde inte fästa det på papper, dels för att det var en känsla

198

som inte lät sig fångas i anteckningsstil hur som helst, dels för att han helt enkelt blev generad. Men med Tessie kunde han ju älska när som helst och hur som helst, med alla andra inklusive Eva-Britt var han mer eller mindre impotent.

Det var första gången han klart och tydligt tänkt ordet.

Utom förstås när det gällde i tjänsten. I tjänsten kunde han förmodligen göra vad som helst med vilket som helst av sina organ.

Nå och Eva-Britt, bortsett från att han älskade henne?

Plikt moral trohet ansvar skyldighet, löften, hennes situation, förtroende, en man står vid sitt ord, barn ska ha en far, vårdnadstvist, hennes fortsatta liv som mobbad polis och så vidare.

Orden flödade lätt nedför kolumnen under EB.

Han försökte hitta motsvarigheter i den andra kolumnen. Tessies förstörda tillvaro, hans fel, känslolivet som ändå inte gick att lura, hade inte människor i alla tider gjort det, tänk på kungahusen, nej han kunde inte vara gift med EB och ha T som *älskarinna*, så betedde sig ingen hederlig man och det måste han ju vara.

Varför måste han det i just det här avseendet när han inte längre var det i andra? Därför att. Dessutom måste han ändra på det där andra.

Till slut blev det bara ett sammelsurium av klotter på papperet som inte direkt vägledde tankarna. Han reste sig och gick med klottret tvärs över rummet till dokumentförstöraren och lät strimla alla tankegångar.

Då ringde vakten och meddelade att en herr Conti som var föranmält besök var på väg upp, beledsagad naturligtvis.

Carl gick ut och ställde sig vid hissen tio meter bort, alldeles utanför Sams stängda dörr, där en röd lampa lyste, och väntade med sänkt huvud tills hissen kom upp och han kunde hålla upp dörren för Erik Ponti och Sams sekreterare. De trasslade in sig något i hälsningsceremonin eftersom Erik Ponti trängde sig bakåt i hissen för att Beata skulle få komma ut först.

"Följ mej", sa Carl kort i tonen och gick mot den kodade dörren några meter bort och dolde nästan demonstrativt med kroppen hur han öppnade. Sen fortsatte han in på sitt rum utan att se sig om, satte sig och snurrade runt i sin något gammaldags läderfåtölj och väntade medan Ponti, som var utan såväl bandspelare, åtminstone synlig, som anteckningsblock, installerade sig i en av de två besöksfåtöljerna.

199

"Spartanskt rum", sa Ponti och såg sig omkring, "man skulle ha väntat sej en del troféer eller nåt."

"Dom är hemligstämplade, vad vill du?"

"Värst vad du var kort i tonen."

"Jag får allergiska besvär av journalister, det vet du."

"Det har vi klarat av förut, det vet du också."

Carl betraktade journalisten med så starkt undertryckande av sin yrkesmässiga fientlighet som han kunde uppbåda. Personligen var de inte fiender, tvärtom. Men det var en helt annan sak, ungdoms-åren och studentvänster och sådant hade inte med saken att göra, oavsett vad som var saken. Ponti hade åldrats, nått förstadiet till de grå tinningarnas charm. Men han hade inte blivit fet och av hans kroppshållning att döma, och av hans armar när han nu långsamt reste sig och hängde av sig mockajackan på den andra fåtöljen, så skulle han nog fortfarande hävda sig väl i krogslagsmål. Om det nu var hans gebit, vilket det väl inte var. Han var ju kändis och sånt skulle ha synts.

"Okay, *shoot*, vad är det du ville informera mej om?" frågade Carl ansträngt vänligt.

"Inte bara informera, jag vill ha din hjälp", svarade Ponti kallt som om han inte tvivlade på att han också skulle få hjälp.

"Med vadå", frågade Carl som om han inte observerat Pontis självsäkerhet, "vad kan rikets underrättelsetjänst göra för Dagens Eko?"

"Hitta en mikrofon."

"Vardå?"

"I villan mitt emot den mördade von Otters hus i Uppsala. Det bor tre studentskor där, inackorderade på övervåningen och dom är avlyssnade av säpo."

"Jag trodde säpo hade, ska vi säga under uppseendeväckande for-mer, hämtat in sina olagliga mikrofoner vid det här laget."

"Det kan man tro. Men så är det med till visshet gränsande sanno-likhet inte."

Carl kunde inte låta bli att le åt Pontis anspelning på vissa marina termer när det gällde aldrig hittade ubåtsbaser eller ubåtar. I nästa ögonblick kunde han inte låta bli att skratta och de såg varandra i ögonen och log båda och tänkte båda ungefär samma tankar om outgrundliga ödets vägar eller något i den stilen; en av dem blev journalist i statens radio, den andre officer på underrättelsetjänsten. Inte illa för en av de mest välbevakade vänsterorganisationer som någonsin beslutat sig för att "infiltrera" den borgerliga staten.

"Och vad vill du att vi ska göra åt säpos eller om det nu är Expressens eller båda parters olagliga mikrofoner?" frågade Carl lugnt. Han visste redan vad han skulle göra. Oavsett Ponti.

"Kan ni svepa stället?"

"Du menar, kan vi konstatera att stället är buggat? Svar ja."

"Kan ni hitta avlyssnarna eller deras bandspelare?"

"Svårt att garantera. Sannolikt ja. Men innan vi går vidare, vart vill du komma med ditt tips?"

"Det här är inget tips, det är en enkel affärsuppgörelse. Ni ordnar den tekniska delen av avslöjandet, jag den journalistiska."

"Du har redan gett ditt tips för det första. Jag kan använda det hur jag vill och det är inte ens säkert att jag vill. Eftersom, för det andra, den militära underrättelsetjänsten, vars mark du faktiskt beträder, inte kan syssla med inrikes polisärenden."

"Jag är mycket väl medveten om vilken mark jag beträder och det har inte varit lätt att komma hit. Men det är inte så enkelt. Regeringen har gett er vissa instruktioner."

"Något sånt kan jag inte kommentera, du kan valserna, oavsett om det är sant eller inte."

"Gör dej inte till. Det var jag som kontaktade regeringen."

"Hurdå?"

"Inte så svårt. Lars Kjellsson, du vet, han som alltid hänger på Operabaren."

"Nej jag vet inte."

"Regeringens säkerhetsansvarige i statsrådsberedningen, om vi ska vara formella."

"Egendomligt att regeringens säkerhetsansvarige i statsrådsberedningen alltid skulle hänga på Operabaren."

"Ja. Men nu är det så och jag känner honom. Om du vill veta fortsättningen är det ganska enkelt. Jag ville att vi själva först skulle ta fram den där avlyssningsapparaturen, Sveriges Radio saknar ju inte tekniska resurser. Men min chef, ja jag vet inte om du känner honom men han är en sån där som vill bli landshövding och känner ett väldigt ansvar för den svenska staten, förbjöd allt som skulle gå utanför normala journalistiska principer."

"Då gick du, lindrigt talat, utanför normala journalistiska principer?"

"Ja, vad skulle jag annars göra."

Carl kunde inte hålla sig helt allvarlig eftersom han bland annat fått en något oväntad bakgrund till sin chefs högtidliga tal om regering och annat.

"Nå", sa han och försökte släta ut sitt flin, "du gick alltså på Operabaren?"

"Ja. Och det har sen lett till att jag är här. Hans Majestäts regering skulle för närvarande inte ha någonting emot att sätta fast dom där avlyssnarna. Dom vill reformera säkerhetspolisen nu igen."

"Då borde Hans Majestäts regering gå till åklagarväsendet."

"Helt riktigt. Men det är inte helt enkelt, eftersom det är dom åklagarna som, av outgrundliga lojalitetsskäl eller av andra skäl, faktiskt hjälper säpo att plocka bort olagliga mikrofoner medelst husrannsakan hos olagligen avlyssnade här i riket befintliga personer."

"Så nu ska rikets militära underrättelsetjänst dra på sej svarta trikåer?"

"Det är tanken, ja."

"Och vad ska du ha?"

"Första tjing, skulle man kunna säga. Först ut med storyn innan Expressen förvanskar den och gör dej eller nån annan till skurken i dramat."

Carl lutade sig tillbaks i fåtöljen och började tänka efter. Han brydde sig inte om att han redan därigenom hade gett något halvt löfte eller åtminstone visat att saken var mycket intressant. Sam skulle tycka om operationen, på grund av det där med hans gamle fartygschef. Carl själv skulle tycka om operationen och vad Erik Ponti och Åke Stålhandske skulle tycka om operationen lät sig inte uttryckas i några kortare superlativer.

"Okay", sa Carl utan att dölja sin förtjusning, "vi gör det. Men det sker i två steg. Först vill vi konstatera om du har rätt. I steg två slår vi till och omhändertar själva apparaturen. Du får vara anträffbar någonstans per telefon dom närmaste 48 timmarna. Gott nog?"

"Utan tvekan gott nog", sa Erik Ponti leende och reste sig upp för att gå.

"Du kan ändå inte komma ut utan min hjälp, och förresten ska du

202

ha besöksbricka på dej här i huset. Men en sak till. Jag ber om ursäkt om jag frågar efter dina källor eller nåt som är otillåtet. Men hur vet du?"

"Enkelt", sa Ponti när han sträckte sig efter kavajen, "det är ungefär som förr i världen när såna som du och jag alltid var avlyssnade. Tjejerna har hittat på ett hemlighetsfullt möte, sen gick dom till platsen och såg att den var övervakad, ungefär som vi själva brukade göra. Kommer du ihåg det där med loppan?"

"Nej vadå?"

"Om man trodde att man var utsatt för brevkontroll så skrev man att brevet hade öppnats om det inte låg en loppa i det. Själv la man naturligtvis ingen loppa i brevet. Men om där *låg* en loppa så visste adressaten hur det stod till. Jag har alltid undrat var säpo fick sina loppor ifrån, Sverige var ju ett rent land på den tiden."

"Hm", log Carl när han erinrade sig historien. "Men dom kan ju ha varit telefonavlyssnade?"

"Nix, dom talade aldrig i telefon om det där, bara inne i sin bostad och bara i det rum dom misstänkte. Sen gick dom till mej och så vidare."

"Duktiga flickor, jag trodde inte ungdomen var sån nuförtiden."

"Det är den inte. Men en av flickorna har en syster som är tillsammans med en vid det här laget synnerligen misstänksam kurd, ja det är förstås det som är upphovet till säpos operation, och han instruerade dom. Kan jag gå nu?"

"Ja, ge mej fungerande telefonnummer först. Sen kommer Beata att följa dej ut, jag kan inte göra det av ett antal skäl."

* * *

Åke Stålhandskes entusiasm var inte det minsta förvånande. För det första hade han ju faktiskt *beordrats* att plocka fram sin officiellt icke befintliga utrustning ur gömmorna, för det andra skulle han nu, fortfarande enligt order, använda utrustningen i en reguljär operation och för det tredje skedde det, åtminstone antydningsvis, på regeringens instruktion.

Det sista var en mild överdrift från Carls sida. Regeringen hade inte utfärdat några taktiska förhållningsorder. Dock var den utrustning som Stålhandske nu packat Volvon full med laglig.

Åke Stålhandskes pyssel i baksätet gav ett gediget intryck och Carl måste snabbt erkänna för sig själv att apparaturen mer än delvis gick utanför hans eget kunskapsområde. Men själv var han ju bara allmänbildad på området. *Orca* var numera bevisligen specialist.

Till Carls förtjusning kopplade Stålhandske utan ringaste besvär en minidator till sina sökinstrument, han var alltså inte hopplös på datorer om det verkligen gällde. Och sen kunde han redan efter fem minuters uppmärksamt lyssnande konstatera att hela FM-bandet var rent, ja rent från avlyssning vill säga. Det var annars det vanliga att man använde FM-bandet.

"Antingen är det här bom eller också har di nån ganska modern amerikansk utrustning", muttrade Stålhandske när han slog om frekvensväljaren för att låta datorn söka på nytt.

"Jag antar att din utrustning är amerikansk också", skrockade Carl.

"Det kan du ge dej faan på", väste Stålhandske när han på nytt justerade sina hörlurar, "kaka söker maka. Dom är praktiskt taget kusiner om det är som jag tror, vänta här är det!"

Han räckte över hörlurarna till Carl som snabbt kunde konstatera att man nu hörde, rent och tydligt, tre studentskor sitta och diskutera en kommande vårfest med viss tonvikt på vårfestens erotiska implikationer.

"Intressant", viskade Carl när han räckte tillbaks hörlurarna. "Kan du säga något om tekniken, hörbarheten är ju strålande."

"Det bästa som finns för saatan", viskade Stålhandske tillbaks, "dom använder hoppande frekvens på kortvågsbandet, omöjligt att fånga in utan den här manicken, dom måste ha en likadan själva."

"Bandspelare eller manuellt?"

"Båda delarna. Eftersom dom byter frekvenser så måste dom göra det manuellt. Dom sitter i närheten."

"Vardå?"

"Måste ha annan utrustning för det, men behövs inte. Använd ditt förstånd för saatan, var skulle vi själva sitta?"

"Vi själva skulle givetvis aldrig bedriva någon illegal avlyssning", sa Carl med spelad stränghet som nog borde ha genomskådats ganska lätt, "men om vi skulle sitta nånstans så ville vi så här års bara sitta inomhus?"

"Självklart, och inte bara av klimatologiska skäl. Det är rätt skrymmande utrustning."

"Och för hörbarhetens skull vill vi sitta ganska nära?"

"Självklart. Och resten är också självklart."

De log i plötsligt samförstånd när de vände blickarna mot von Ot-ters nedsläckta bostad. Han var begravd, huset skulle säljas, men ingen var där nattetid, avståndet var idealiskt och ingen annan be-hövde blandas in.

"Ska vi gå in och ta dom jävlarna", log Stålhandske och sträckte sig mot sitt axelhölster."

"Nej", sa Carl, "vi har dom men låt oss tänka först. Hur många är dom?"

"En för att sköta frekvensblandaren och en för att sköta själva av-tappningen och kanske en till, högst tre, det gör vi på en kafferast."

"Ja naturligtvis, men det var inte det jag tänkte på."

Han startade bilen och körde sakta därifrån. När han var inne i Uppsala centrum ringde han från biltelefonen till Ponti och medde-lade bara ett klockslag om två timmar, såg på klockan och ringde upp Samuel Ulfsson på dennes avlyssningsskyddade telefonlinje hemma och slog på sin egen scrambler.

Åke Stålhandske lyssnade otåligt på den för honom något perifera diskussionen om släktingars tillstånd, olaga intrång och andra juri-diska småttigheter som pågick i närmare tio minuter.

Carl log blinkande åt honom och ringde sen efter Joar Lundwall, vilket genast gjorde Stålhandske mer optimistisk eftersom innebör-den i samtalet till *Swordfish* var att han skulle infinna sig fullkomligt välklädd till viss given punkt i Uppsala om en timme, no matter what.

Fullkomligt välklädd hade en mycket konkret innebörd om anro-pet samtidigt var *Swordfish*. Operationen var nu på red alert. Stål-handske gnuggade optimistiskt händerna.

"Ta inte ut något i förskott", varnade Carl leende, "vi måste få ett slutgiltigt go från von Otters närmaste arvingar. Det är aphuset som ska åka på olaga intrång och inte vi."

"Alltid dessa saatans juridiska finurligheter", morrade Stål-handske.

"Mm", svarade Carl tankfullt, "alltid dessa juridiska finurlighe-ter."

På exakt angiven tidpunkt femtiofyra minuter senare plockade de upp Joar Lundwall längs Fyrisån, ett kvarter från Lundequistska bokhandeln; Carl stannade bilen i mindre än tio sekunder medan Joar Lundwall kånkade in sina två stora och mycket tunga bagar i bagageluckan och gick runt och satte sig i baksätet samtidigt som Carl startade på nytt.

Carl körde ett långsamt varv inne i stans centrum, längs Fyrisån först åt ena hållet, sen åt andra hållet medan de alla tre automatiskt kontrollerade omgivningen och den övriga trafiken. Sen tog Carl vägen ut mot Ulleråker och körde av på en liten stickväg in i skogen, stannade och tände takbelysningen och tog fram ett anteckningsblock och penna.

"Målet är en villa i två och ett halvt plan", började han och ritade samtidigt, "där vi har tre banditer, från det kära aphuset för övrigt, som sysslar med olaglig avlyssning av några tjejer i villan mitt emot, här. Hur många handfängsel har vi förresten?"

"Fyra par", svarade Joar Lundwall.

"Och beväpning?"

"Ak, handvapen, tårgas, chockgranater, knivar, IR-sikten och bildförstärkare, en MP 5 med vardera", rabblade Joar Lundwall snabbt.

"Gott. Hörselskydd?"

"Jävlar. Svar nej."

"Kul med chockgranater i så fall, nåja det här är ändå en viss overkill skulle man kunna säga. Vi räknar alltså med tre personer, högst fyra. Avsikten med operationen är att oskadliggöra dom här polismännen, inte diskutera med dom, över huvud taget inte säga någonting, bara oskadliggöra dom, paketera dom på lämpligt sätt på platsen och beslagta utrustningen och avvika samtidigt som vi ber vanliga polisen hämta våra paket. Är det uppfattat?"

De båda andra nickade.

"Kan dom vara beväpnade?" frågade Åke Stålhandske förhoppningsfullt.

"Ja, naturligtvis, men det lär sakna praktisk betydelse", svarade Carl strängt. "Strikt order enligt följande. Ni får inte skjuta annat än för att skada och absolut inte skjuta i annat syfte än att besvara redan levererad eldgivning. *Do not fire until fired upon, is that clear!*"

Joar Lundwall och Åke Stålhandske nickade på nytt.

"Operationen genomförs enligt följande", fortsatte Carl, "inbrytning sker här, från baksidan. Det sköter jag och Åke. Du Joar intar position här, vid grinden för att täcka upp om nån försöker smita. Vederbörande skall i så fall avväpnas och paketeras. Med rimlig insats av våld, vi vill inte ha några allvarligt skadade poliser, det är inga skinheads det här."

"Nåjo, men skillnaden kan tyckas minimal", fnissade Åke Stålhandske.

"Icke desto mindre", fortsatte Carl utan att ens le åt den frivola kommentaren, "så är det av betydelse att vi inte allvarligt skadar objekten. Och sen fortsätter operationen som följer. Förutsatt att du Åke kan instruera mej i mikrofonjakt. Ni återvänder till bas, jag går in i grannvillan och försöker hitta deras mikrofon, så att vi får med oss hela klabbet."

"Men i grannvillan är det väl folk?" invände Åke Stålhandske.

"Ja, och det är just därför jag skall stå för den inbrytningen. Det vill säga, jag knackar på och ber om tillträde. Till skillnad från er är jag ju redan känd, och er anonymitet vill vi bevara. Sannolikheten för att bli insläppt i ett så ovanligt ärende är större om jag frågar än om nån av er gör det. Allt uppfattat så långt? Bra. Mörka kläder, täckta ansikten för er del, inte för mej. Några frågor?"

"Vad vet vi om lås och sånt på baksidan?" undrade Åke Stålhandske.

"Ingenting, men det lär inte vara värre än att du och jag med gemensamma intellektuella ansträngningar forcerar ett vanligt villalås. Var nånstans i villan tror du dom sitter?"

"Andra våningen, mot baksidan verkar mest logiskt. Förtejpade fönster, jag menar täckta fönster, för di vill väl kunna se utan att det syns utåt att dom har ljus."

"Logiskt. Det betyder att vi har ett gott utgångsläge vid inbrytningen, eller hur?"

"Ja. Dom hör oss inte eftersom dom sitter i ett stängt rum, det är ljust inne hos dom och mörkt varifrån vi kommer. Perfekt i så fall, men det är ju bara gissningar."

Carl repeterade hastigt planen en gång till med en något utvidgad karta över omgivningen och tvingade sig sen att berätta att det fanns viss risk att man skulle ha ett journalistiskt vittne, vilket fick de andra två att gapa av förvåning. Carl låtsades inte om det utan fortsatte bara med några praktiska synpunkter om hur han själv men inte de andra två skulle kunna exponeras för eventuella vittnen, journalister eller ej. Om operationen genomfördes skulle försvaret ta på sig ansvaret för den och av lätt insedda skäl var det praktiskt om det fanns ett namn på någon ansvarig och av ännu lättare insedda skäl var det särskilt praktiskt om den personen var Carl. Ifall det skulle bli konstitutionsutskott eller annat tjafs.

De klädde om och sorterade fram den utrustning de skulle behöva och kontrollerade varandras kläder som de dykare och fallskärmsjägare de i grunden var, en minutiös och allvarlig noggrannhet i detaljer som kanske hade lika stor psykologisk betydelse som praktisk. Det var någonting som sakta förvandlade dem, fick dem att prata mindre och snart övergå till engelska. Deras operativa språk var av säkerhetsskäl engelska, det språk där alla reflexer i snabba ordersituationer satt inpräglade.

Biltelefonen ringde. Carl slog på scramblern och svarade. Det blev ett mycket kort telefonsamtal.

"It's go on all systems, we are on red alert. Break in point 14 minutes 30 seconds from now", sa han kort och vred om tändningsnyckeln.

De sa ingenting under hela vägen tillbaks in genom Uppsala och ut till villaområdet.

Han stannade bilen ett kvarter från målet, onödigt långt kunde tyckas. Men han hade upptäckt en svart fransk bil av tämligen uppseendeväckande karaktär, tecknade åt de andra att vänta, att det inte var någon fara och gick ut fram till den svarta Citroënen.

Erik Ponti hissade ner sin sidoruta och såg frågande på Carl, som var klädd i en mörk camouflagejacka med flottans gradbeteckningar och svart stickad mössa.

"Det som kommer att hända är följande", gick Carl rakt på sak. "Om tre minuter går vi in i villan och tar dom personer som finns där, och beslagtar deras utrustning. När det är över ska jag gå in i den andra villan och be om tillstånd att hämta en dold mikrofon. Är det uppfattat? Du sitter naturligtvis bara här."

"Det är uppfattat, ja. Kan jag gå med dej in i villan, jag menar till tjejerna?"

"Inte gärna."

"Kan du hindra mej?"

"Nej."

"Kan jag gå in i villan där avlyssningen dirigerats?"

"På eget ansvar. Vi har tillstånd, det har sannolikt inte du."

"Jo men jag tänkte på dom där personerna."

"Dom lär inte kunna hindra dej vid det laget. Polisen, alltså den vanliga polisen kommer och hämtar dom ungefär en kvart efter vårt tillslag."

"Synd att man inte är TV. Kan jag spela in ljud?"

"Kan inte hindra dej, jag kan bara be dej om en sak."

"Ja?"

"Undvik att identifiera eller ens försöka känna igen mina medarbetare."

"Om du undviker att hindra mej."

Carl svarade inte, han log ironiskt, både åt sig själv och åt själva situationen. Sen gick han tillbaks till de andra och de körde fram bilen nästan ända till målet och såg på sina klockor. Carl överräckte en walkie-talkie till Joar Lundwall som nickade när han tog emot den. Ingenting behövde sägas, innebörden var självklar.

Sen steg de ur bilen och gick in genom grinden där Joar satte sig på huk och drog ner huvan över ansiktet medan de andra två fortsatte runt huset till den baksidesdörr eller köksdörr som måste finnas. De gick i kanten av gräsmattan för att inte höras.

Det var en liten stentrappa upp till köksdörren. De utbytte ett kort ögonkast och så tog Åke Stålhandske upp sin revolver och täckte dörren samtidigt som Carl smög upp till den och inspekterade låset och snabbt tecknade att det var frågan om några sekunder. Sen öppnade han tyst låset och drog mycket sakta upp dörren. Det var mörkt där inne.

Carl viskade ett kort meddelande till Joar att de nu var inne, sen tog han ett snabbt steg in i mörkret och väntade på att Åke Stålhandske skulle följa efter. När båda var inne stängde de försiktigt dörren och tecknade åt varandra att söka av undervåningen åt varsitt håll och mötas på samma plats igen, vid trappan upp till övervåningen.

De hade ingen brådska. Mörkret var deras skydd, men ljud deras fiende. Alla hastiga rörelser skulle kunna ge ljud ifrån sig, men i mörkret var de säkra om de rörde sig mycket långsamt.

Det tog fem minuter för dem att konstatera att det var tomt på undervåningen och under tiden hade båda kunnat uppfatta svaga ljud från övervåningen.

När de slutligen möttes på nytt vid trappan tecknade Carl att han själv skulle gå först, och så började han försiktigt treva med handen på närmaste trappsteg innan han flyttade sig uppåt, och så fortsatte han att söka av trappan med händerna för att behålla tystnad och övertag. Fortfarande tog de det mycket sakta, fortfarande gällde att tystnaden var huvudsaken.

När de kommit upp för trappan såg de en ljusspringa runt en av dörrarna på andra sidan hallen. Men de stod stilla en stund för att inte låta ivern ta över. Stålhandske kände mycket långsamt av den översta delen av trappräcket och upptäckte en liten blomkruka, som han uppmärksammade Carl på. Det var just sådant som kunde gå fel, man välter något sekunderna innan man skall vinna.

De bestämde sig för fortsättningen utan att ens säga någonting. Åke flyttade sig något åt sidan, så att han inte stod mitt för dörren med ljusspringan men ändå hade såväl den som trappan under kontroll. Carl visste utan att se vad Stålhandske hade gjort och Stålhandske visste exakt vad Carl var på väg att göra.

Carl tog plötsligt tre snabba steg framåt, ryckte upp dörren och kastade sig sen in en och en halv meter i rummet med sin pistol sträckt framför sig i en svepande rörelse.

De tre männen där inne, uttråkade till döds av rockmusik och pladder som de var, halvlåg kring sina instrument som var riggade på ett litet skrivbord och ett extrabord som de släpat upp från köket. De rörde sig knappt, om de var för förvånade av det de såg eller om de var för stela i kroppen av timmar av stillasittande.

Carl körde lugnt ner sin pistol bakom ryggen och tog två steg framåt. Han ryckte upp den närmaste polisen med ett grepp runt skjorta och kavaj, och när han fått upp honom i lagom höjd slog han två slag och välte sen undan den medvetslöse med knäet innan han gick fram mot nästa som nu var på väg upp och samtidigt sträckte sig mot sin innerficka i kavajen.

"Polis", hann han säga innan smärta och skräck blandade sig och golvet reste sig och slog honom i ansiktet så att det blev svart.

Den tredje gjorde just då ett utbrytningsförsök och sprang förbi Carl som bara skakade på huvudet och väntade någon sekund tills han hörde det dova ljudet av Åke Stålhandskes två träffar där ute i mörkret.

Carl tog fram sin radio och slog på kontakten.

"Nästet intaget, hämta bagar för transport av material, klart slut", meddelade han.

Åke Stålhandske kom glatt insläpande med den tredje polisen.

"Ett litet smitningsförsök", log han.

"Hm", sa Carl, "jag ville bara kolla att du var vaken. Handfängsel?"

De bojade upp de tre medvetslösa och fäste dem med ena handleden vid rummets hederligt gammaldags tunga element, la dem i framstupa sidoläge, lättade på kläderna kring andningsvägarna och letade fram plånböcker från kavaj- och bakfickor.

Medan Åke Stålhandske började koppla isär och stapla den tekniska utrustningen i rummet tog Carl fram tre polislegitimationer och skrev upp nummer och namn, stoppade tillbaks handlingarna och kastade plånböckerna bredvid de tre. En av dem rörde sig något, en annan stönade svagt.

När Joar Lundwall kom upp med en av de stora bagarna packade de snabbt ner utrustningen, det som fick plats, och slet bort mörkläggningsfilmen från fönstret.

De kånkade ner sina tunga bagar och en del lös utrustning och ställde ifrån sig vid utgången på nedre botten. Åke Stålhandske hade nämligen upptäckt någonting där nere när han trevade sig fram i mörkret som han ville se närmare på. Han gick själv först in i rummet och tände ljuset.

Det var ett stort vardagsrum, äkta mattor och väggarna fyllda med marinmålningar, rummet där von Otter hade dött.

Framför det fönster som vette ut mot vägen stod ett stort arbetsbord med flera färdiga eller halvfärdiga fartygsmodeller och material, slöjdknivar och små färgburkar i prydliga rader.

De närmade sig nästan andaktsfullt arbetsbordet och gjorde en omedveten sväng runt den stora bruna fläcken av intorkat blod i den persiska mattan.

Åke Stålhandske tände arbetslampan över bordet så att fönstret framför bordet blev en svart ogenomtränglig spegel. Någon hade med frystejp täckt över de båda kulhålen i det dubbelkopplade fönstret. Arbetsstolen i brunt stoppat engelskt läder måste ha vält bakåt, av blodfläckens läge att döma. Men någon hade ställt tillbaks den, prydligt och exakt.

"Nåjo, det var det här jag undrade över", sa Åke Stålhandske och pekade på en nästan halvfärdig fartygsmodell som stod framför de andra, närmast stolen. "Det var ju just här han dog, just när han skulle fästa det här sista kanontornet akterut."

"Pansarskeppet Gustaf V", konstaterade Joar Lundwall. "Han var stationerad där nån gång i ungdomen. Alla som varit på Gustaf V rökte en särskild sorts cigarr som tobaksmonopolet gjorde åt dom. Den hette också Gustaf V. Där framme står Fylgia och där nån jagare. Han gjorde helt enkelt alla fartygen som han varit på."

"Och hade en sak, kanske en minut kvar, innan han dog", konstaterade Carl.

"Nåjo", sa Åke Stålhandske. "En minut till och det sista kanontornet hade varit på plats. Han kanske dog lycklig."

De betraktade fartygsmodellerna en stund under tystnad, som om de ofrivilligt hamnat i en påbjuden tyst minut. Sen släckte de ned och gick smygande därifrån genom mörkret och hämtade sin beslagtagna utrustning nere i tamburen.

På väg ut längs grusgången drog Joar Lundwall och Åke Stålhandske ner de stickade luvorna framför sina ansikten, och när Carl hade spanat av gatan bortifrån grinden och vinkade fram dem gick de snabbt till bilen och packade in.

Åke Stålhandske repeterade sökinstrumentets funktioner för Carl och gissade samtidigt att det måste röra sig om en jämförelsevis stor mikrofon, åtta gånger två centimeter eller så. Även utan sökinstrument borde man snabbt kunna hitta en sån stor sak i ett enda rum, om man visste i vilket rum.

Carl nickade och bad dem vänta ett och ett halvt kvarter bort på gatan, steg ur bilen och gick över gatan mot villan mitt emot.

När han ringde på dörren kom Erik Ponti ifatt, med sin bandspelare i högsta hugg.

"Hur gick det?" flämtade han.

Carl svarade inte utan pekade bara på bandspelaren och motvilligt stängde Erik Ponti av sin bandspelare och upprepade frågan.

"Tre kriminella avlyssnare ligger handbojade där inne och kommer att hämtas av polis om en kvart eller så, vi har inte ringt än. Deras utrustning är beslagtagen", svarade Carl snabbt eftersom det hördes steg där inne.

Dörren öppnades av en äldre man med bok i handen och läsglasögon. Erik Ponti slog blixtsnabbt på sin bandspelare igen.

"Godafton, förlåt att jag stör så här sent, mitt namn är kommendörkapten Carl Hamilton från försvarsstaben", hälsade Carl artigt.

"Jaa... ja jag ser det", flämtade mannen i dörren och tappade samtidigt sin bok i golvet, ursäktade sig generat medan han tog upp den. "Och vad... vad föranleder den äran om jag så får säga?" fortsatte han när han hunnit samla sig något och förstått att han verkligen såg vad han såg.

"Jo, ni har tre damer som bor här på övervåningen, jag undrar om jag skulle kunna få säga några ord till dem, helst där uppe", fortsatte Carl på samma oföränderligt artiga vis, som om det var frågan om vilket som helst socialt besök.

Den gamle mannen kom sig inte längre för att svara. Han bara nickade och tecknade åt de två männen att följa med och så steg de in, tog av sig om fötterna och följde sen med en trappa upp.

Det hördes ljudlig rockmusik där inne och Carl flinade åt tanken vad de stackars avlyssnarna måste ha fått stå ut med. Sen knackade han diskret, givetvis utan effekt och därefter något högre.

"Jajaja! Vi ska stänga av!" hördes där inne samtidigt som dörren öppnades av en blond flicka i 20-årsåldern i bh med en handduksturban runt sitt nytvättade hår.

Hon blev som en staty av förvåning när hon först stirrade in i Carls bröst i tron att det var värdinnan som skulle ha synpunkter på musik och sen höjde blicken och fick se Carl.

Det fanns något oemotståndligt komiskt i situationen, inte minst på grund av den mikrofon som nu nästan obscent sträcktes fram mellan dem. Carl kunde inte låta bli.

"Mitt namn är Hamilton", sa han leende, "Carl Hamilton."

Flickan i bh såg ut som om hon skulle svimma.

"Får vi möjligen stiga in och får jag träffa dom andra två också", fortsatte Carl. Den överraskade nyblivna värdinnan kom först nu på att hon inte var klädd för besök och tecknade att det gick naturligtvis bra, samtidigt som hon ropade på sina väninnor och sprang iväg för att klä sig.

Rockmusiken hade plötsligt tystnat och de andra två kom avvaktande skeptiskt till mötes.

"Hej, så här är det", började Carl för att gå rakt på sak och väl medveten om att ytterligare presentation inte var nödvändig, "på försvarsstaben har vi fått vetskap om att det sen en tid pågått olaglig avlyssning här hos er. Den har skötts från villan mitt emot. Och eftersom vi har beslagtagit den utrustning som brottslingarna använde där borta, skulle vi gärna vilja hämta deras mikrofon. För det behöver jag ert tillstånd. Har jag det?"

Han gick in i rummet och såg sig omkring som om han redan hade fått tillståndet.

"Det var säpo, va?" frågade en av flickorna.

"Vem det var kommer du utan tvivel att få veta, men får jag leta fram deras mikrofon?" parerade Carl eftersom Dagens Eko spelade in och det kanske skulle visa sig onödigt att tala om att man på förhand visste att man skulle misshandla poliser.

De nickade ivrigt och Carl tog fram Åke Stålhandskes sökinstrument och såg sig om i rummet.

"Det är det här som är ert vardagsrum, det är här ni har pratat mest?" frågade han och de nickade på nytt.

Det fanns tavlor på väggarna, antika byråar, en moraklocka, en öppen spis, breda gammaldags golvplankor, stuckatur och lite av varje att välja mellan.

Han gick några steg inåt i rummet och slog på sitt instrument. Allt annat tystnade och åskådarna försjönk i fascination.

"Vill någon, du där, ställa sig mitt i rummet och räkna högt, medan ni andra är vänliga att vara tysta", föreslog Carl så obesvärat han förmådde.

Flickan som nu dragit en röd polotröja över sig och tagit bort handduken kring sitt våta hår ställde sig generat mitt på golvet och fnissade lite åt sina kamrater.

"Blir det bra så här?" frågade hon.

Carl nickade och hon började räkna högt medan Carl svepte med sin sökarantenn för att finna sändaren.

Det var snabbt gjort.

"Tack", sa han, "det räcker. Har ni möjligen en ficklampa i huset, nej förresten, det kanske inte behövs."

Och så gick han fram till den öppna spisen, trevade uppåt en stund och drog ut mikrofonen, tittade på den och stoppade den leende i bröstfickan.

"Kronans egendom, återtas härmed med ert benägna tillstånd", skrattade han. "Från och med nu kan ni diskutera vilka studentfester ni vill här inne. Och kurder med för den delen."

214

Han bugade sig artigt, kanske något överdrivet åt de olika personerna i rummet och gick sen snabbt ut.

Halvvägs nerför trappan hann Erik Ponti ifatt honom.

"Vad händer nu?" frågade han upphetsat, "kan jag gå in i villan och intervjua dom där... poliserna?"

"Ja", sa Carl och höll stenhårt masken. "Om personerna ifråga är i stånd att besvara dina frågor och dessutom angelägna att göra det så kan jag inte lägga mej i den saken."

"När blir dom upphämtade?"

"Om cirka en kvart."

Carl gick utan vidare ut genom ytterdörren och promenerade sen raskt bort mot sin väntande bil. Erik Ponti befann sig mellan två hötappar, men insåg att de avlyssnade skulle vara kvar på platsen medan skurkarna skulle transporteras bort, varför det taktiska beslutet var enkelt. Bovar först, offer sen. Och så skyndade han över gatan med sin bandspelare i högsta hugg.

Tillbaka i bilen slog sig Carl ner som om allt hade gått åt skogen. Sen log han och kastade över mikrofonen till Åke Stålhandske.

"Vad är det för skit?" undrade han medan Stålhandske ivrigt betraktade mikrofon och sändare.

"Modernt, stor sak för det där med hoppande frekvens och annat, en nackdel man måste ta. Men meningen är ju att ingen annan ska kunna lyssna på vad man avlyssnar så att säga."

"Såvida man inte har samma utrustning?"

"Jo just."

"Det är alltså amerikanska prylar?"

"Jo."

"Sam får väl ha ett kritiskt samtal med våra amerikanska kusiner om det där, att sätta sånt i händerna på aphuset kan ju bara sluta på det här viset."

Han ringde Samuel Ulfsson och meddelade kort att operationen var genomförd och att teamet skulle anlända försvarsstaben om 45 minuter. Sen ringde han polisen i Uppsala och fick ta om såväl meddelandets innebörd som sitt eget namn för tre personer innan de begrep att de inte var utsatta för något studentskämt.

* * *

215

Samuel Ulfsson var ovan vid presskonferenser. Dessutom oroade han sig för en del frågor av juridisk karaktär som han hade försökt gå igenom med någon av försvarsstabens jurister. Men det hade då visat sig att, i vad mån detta alls var juridik, så var man ute i såpass oklara gränsmarker att ingen kunde säga vad som var lagligt och vad som var olagligt.

Med juristens hjälp författades därför först en presskommuniké med innebörden att då det kommit till försvarsstabens kännedom att avlyssning skedde i Uppsala med en typ av instrument som var av främmande militärt ursprung, hade det, enligt lagar och förordningar, ålegat försvarsstaben att utan dröjsmål vidarebefordra denna kunskap till den civila säkerhetstjänsten för åtgärd. Men då det kunde anses föreligga fara i dröjsmål, och då det inte kunde uteslutas att ingrepp vore förenade med viss fysisk fara, hade man beslutat att uppdra åt kommendörkapten Carl Hamilton att leda en operation i syfte att avbryta den brottsliga verksamheten samt att, i händelse av tillfångatagna, utan dröjsmål överlämna dessa till polisen. Vilket också hade skett.

Den avlyssningsutrustning som nu skulle visas i valda delar på presskonferensen skulle överlämnas till åklagarmyndigheten i Uppsala, eftersom det var där brottet hade förövats.

Vad de brottsmisstänka själva beträffade hade det beklagligtvis visat sig att de var poliser vid rikspolisstyrelsens säkerhetsavdelning.

Punkt slut.

Under morgonen och lunchtimmarna hade Dagens Eko haft fullkomliga orgier i originella reportage. Där fanns inslag som kunde få de mest garvade reportrar att gråta av lycka, exempelvis när det knackas på och man hör förvånad flämtning från den som öppnar och sen en röst, för alla välbekant röst, som säger: "Mitt namn är Hamilton. Carl Hamilton."

Eller några fullkomligt absurda intervjuförsök med tydligen rätt dimmiga säkerhetspoliser som ber reportern att inte sprida det hela vidare, samt att ringa säkerhetspolisen i Stockholm och be dem ta med nycklar till handbojor.

Presskonferensen skulle äga rum i en av de största lokaler man kunnat uppbringa, nere i Grå Huset på Östermalmsgatan.

Och Samuel Ulfsson kände rampfeber som om han skulle debutera på Operan eller något liknande mardrömslikt när han gick in till

216

den fullsatta lokalen och möttes av en skur av kamerablixtar och uppflammande TV-lampor.

Eftersom ingen sa något, eftersom det var svensk presskonferens vars närmare ritualer var okända för Samuel Ulfsson, började han lite tveksamt med att i stort sett läsa upp det som stod i det pressmeddelande som alla redan hade fått. Därefter, smålog han osäkert, skulle han försöka svara på frågor, och så presenterade han sina medhjälpare, överstelöjtnant Borgström vid försvarsstabens säkerhetsavdelning och förre hovrättsrådet Eliazon vid försvarsstabens juridiska avdelning.

Därefter brast frågorna ut, de kom i salvor, tio åt gången.

Mest handlade det om hur det hela rent fysiskt hade gått till, vilka vapen eller dylikt som militären medfört, eller vilken teknik man hade använt för att uppspåra avlyssningen och liknande som var lätt att antingen besvara eller att mumla bort med hänsyn till säkerhetsskäl.

Samuel Ulfsson upptäckte snart att han hade de flesta sympatier på sin sida, vilket nog kunde ha en hel del med Dagens Eko-sändningar att göra.

Den viktigaste frågan var, tydligen, var kommendörkapten Hamilton befann sig och varför han inte var närvarande.

Svaret var att kommendörkapten Hamilton nu befann sig utomlands på ett uppdrag vars natur inte ens gick att antyda. Ett svar som väckte sus av förväntan i salen.

Den knepigaste frågan kom från Dagens Ekos reporter som, anade Samuel Ulfsson, redan visste svaret:

"Har regeringen haft kännedom om försvarsmaktens polisiära insatser?"

"Regeringen har fått full information om det som har hänt och vi har inte mött någon form av kritik från det hållet", duckade Samuel Ulfsson.

"Jo det var ett bra svar på en fråga jag inte ställde. Men har dom känt till i förväg, rentav sanktionerat er verksamhet."

"Jag kan inte kommentera det. Ni får ställa den frågan till regeringen."

"Men är det inte polisens uppgift att sköta sånt här?"

Det var den principiella knäckfrågan, det var där det hängde. Samuel Ulfsson valde en desperat, men som det visade sig helt lyckad metod att slinka undan.

"Jo det kan man tycka", började han tankfullt, "men då det nu förhåller sig på det beklagliga viset att det är polisen själv som står för den brottsliga verksamheten vore det, om inte annat så ur rent taktisk synvinkel, något opraktiskt att be polisen omhänderta sig själv. Det finns en betydande risk att saken då inte skulle genomföras med den entusiasm och beslutsamhet som Carl Hamilton och hans medhjälpare visade vid sitt ingripande."

Skrattsalvorna räddade Samuel Ulfsson från alla besvärligheter.

7

Rune Jansson saknade tur, ansåg han. Med lite tur hade det kunnat bli en öppning någonstans, men arbetet hade bara systematiskt borrat sig fram till den ena stängda dörren efter den andra.

Som det där med pisset. Han hade tydligen haft fullkomligt orealistiska föreställningar om vad mördarens eller mördarnas urinprov hade kunnat ge. Utom möjligen på en punkt. Det föreföll som om pisset bara kom från en enda person. Men vägen fram till den slutsatsen hade varit lång och knagglig. För det som Statens Rättskemiska Laboratorium lyckats fastställa, efter en vecka, var tämligen magert. Först hade man ägnat någon dag till att konstatera att det var urin från en människa och inte från ett djur. Därefter hade man kunnat visa att personen i fråga, man eller kvinna av okänd ålder, inte nyttjade narkotika.

Urinproverna hade sen vandrat vidare till urologen på Linköpings sjukhus och där hade man kommit lite längre. Det fanns sediment i urinen som tydde på vissa gallstensbesvär och rester efter medicin som kunde kopplas samman just med sådana besvär.

Där slutade alltså pisspåret. En människa av okänt kön och av okänd ålder men med vissa gallstensbesvär hade alltså pissat på generallöjtnant af Klinténs uniform. Det var vad man kunde säga med vetenskapens hjälp och det var ju inte särskilt mycket mer än vad Rune Jansson själv, med hjälp av egen "organoleptisk" undersökning, alltså att lukta på pisset, hade kommit fram till redan vid sitt första besök på brottsplatsen. Så där tog det uppslaget slut.

De förhör som gjorts i närheten av brottsplatsen med grannar, brevbärare, mjölkbilsförare och liknande var avslutade, utskrivna och placerade i fyra sprängfyllda A-4-pärmar. Där fanns i stort sett ingenting av värde. Ingen hade sett något ovanligt utom en äldre kvinna två kilometer bort som hade träffat en mystisk norrman som frågat efter bästa sättet att ta sig ut på E 4:an. Av outgrundliga skäl ansåg hon just norrmän vara särskilt opålitliga, och denne norrman, som hon beskrev som en lömsk rödblond typ i 50-årsåldern, betraktade hon som synnerligen skum. Det framgick inte närmare vad hon byggde den uppfattningen på annat än att han ju hade kört en norsk bil med en konstig bokstav, om det var Z eller Y eller någonting sånt, i registreringsskylten.

Skum norrman frågar efter vägen ett dygn före mordet, suckade Rune Jansson. Varför kan vi inte ha lite tur?

Han letade upp pärmen med tekniska undersökningar från brottsplatsen och betraktade fotografierna av den torterade generalen. Sen tog han en pennkniv och försökte med spetsen skriva bokstäverna E och D på ett vitt papper.

Det var rimligt att D:et skulle likna en triangel. Men om det *var* en triangel? Fanns det inte en frimurarorganisation som haft något liknande tecken? Och kunde E:et vara någonting helt annat, något sånt där grekisk-ortodoxt kors till exempel?

Nej, då skulle den lodräta linjen bara korsats på två ställen, inte på tre. Det var nog ett E. Och sannolikt ett D. Att det var versaler behövde inte betyda annat än att man med kniv inte kan skriva ett litet e och ett litet d lika lätt som just versaler. Ordet kunde vara ed, Ed eller E.d. eller E.D.

Kapten Bölja intog plötsligt rummet, det såg ut så eftersom han var klädd i flygets uniform och bar ett stort fodral med sin trombon i ena handen.

"Ville bara sprida lite glädje", sa han dystert och kastade fram dagens Expressen på bordet framför Rune Jansson som då fann sig öga mot öga med Carl Hamilton, vars bild täckte hela första sidan.

"Mm", muttrade Rune Jansson, "det kan inte ha varit för roligt för säk-killarna att få såna där expresslok över sig mitt i natten. Fy fan vilken situation."

"Jo, men dom satt ju där och fortsatte med sin jävla buggning, obegripligt efter allt liv som varit om den saken."

"Dom måste väl på allvar ha trott att det var så viktigt att andra hänsyn fick vika. Konstigt egentligen."

"Att den där Hüssein eller vad han heter skulle vara vår mördare? Kyss mej?"

"Nej, jag menar konstigt att militären hoppar in på det här viset. Det verkar ju som om dom blivit jävligt sura på våra kära kolleger uppe på aphuset."

"Aphuset?"

"Ja militären säger så. Dom kallar Säk för aphuset."

Kapten Bölja skrattade till och ställde ifrån sig sin trombon och slog sig ner. Han hade egentligen inte tänkt stanna men det kändes som om Rune hade behov av lite stöd och lite bollande av idéer.

"Alltså", sa Kapten Bölja när han satt sig till rätta, "Säk trodde att det var värt stora risker att fortsätta att jaga den där Hüssein. Såvitt vi förstår är ju det vansinnigt, men *dom* trodde inte det. Nå. Militären får på något sätt nys om det hela och så slår dom till med självaste Hamilton, misshandlar kollegerna, nåja om vi ska kalla dom det, snor alla bevis från dom och överlämnar sen hela rasket till åklageriet i Uppsala. Jag frågar mej varför."

"Varför vadå?"

"Varför tycker militären att dom ska knyta upp svansen så till den milda grad på Säk? Jag menar, det blir ju inte roligt det här, dom blir dömda i domstol, dom förlorar jobbet och fan vet om inte huvuden kommer att rulla ganska högt upp. Någon är ju ansvarig för skiten."

"Ja, den operativa chefen till exempel. Det är den där Näslund och det blir inte lätt för honom att köra med att han inte visste någonting den här gången heller."

"Just det. Militären inte bara sabbar den här kurdjakten, dom slår ju faktiskt Säk sönder och samman."

"Dom kanske har gammalt groll, dom kanske såg en chans att betala igen för gud vet vilken gammal ost. Det brukar ju alltid vara bråk mellan såna här organisationer."

"Tror du det räcker?"

"Inte vet jag. Tror du dom ville ha slut på kurdjakten?"

"Det är ju i alla fall vad dom har åstadkommit och det måste dom ju ha insett på förhand. Och inte är det väl av någon allmän omtanke om våra minoriteters ställning som dom tar till storsläggan."

"Nej", sa Rune Jansson tankfullt medan han bläddrade i Expressen och råkade upptäcka en artikel som häftigt angrep regeringen för det inträffade, "men se här", fortsatte han och sköt fram tidningen på skrivbordet. "Det sägs ju att regeringen tog initiativ till det här, att militären har agerat på regeringens uppdrag och... ja, vilket det ju blir ett jävla liv om, ministerstyre, regeringens hemliga polis, sapo och allt dom börjar snacka om, blir visst nya turer till konstitutionsutskottet och det ena med det andra. Men det kan ju ha varit regeringen som ville ha slut på det där kurdtramset."

"Och så skickade dom stridsladdade torpeder från underrättelsetjänsten rakt in i Säk?"

"Ja. Så kan det väl vara. Men jag menar, vi kan ju inte gärna börja tro på kurdnojan bara för att Hamilton och hans kamrater slår Säk fördärvade?"

"Nej, det håller inte. Det är förstås nåt politiskt skit som inte angår oss, som vi åtminstone inte behöver bry oss om. Tillbaks till jobbet, var står vi egentligen?"

"Ja, du vet ju själv. Pistolspåret är slut, det fanns 16 pistoler av rätt typ i regionen här och ingen av ägarna kan ha något samband till den där af Klintén. Och pisset, ja pisset ja. Men jag tänker på en annan sak, det här med bokstäverna E och D."

"Ja? Det har väl inte dykt upp nånstans?"

"Nej, det var nog det vi hoppades på, men nu har det inte det. Så om vi skulle börja själva med att gissa lite åtminstone?"

"Du menar att vi ska förstå vad det betyder till exempel?"

"Ja. Den som karvade in bokstäverna måste ju ha ansett att dom hade en tydlig innebörd. Titta här, om man ristar med en kniv så måste det bli stora bokstäver va?"

Rune Jansson visade upp sina olika modeller och Kapten Bölja nickade eftertänksamt. Mördaren hade ju faktiskt lämnat ett meddelande som måste ha haft en lika tydlig innebörd för honom själv som för offret.

"Låt oss anta att du och jag har avlagt nån sorts ed...", började Kapten Bölja trevande men kom av sig.

"Ja", hängde Rune Jansson på, "du och jag har avlagt en ed och du sviker den och det vill jag hämnas för eller straffa dej för. Det är en jävligt helig ed förstås, en SS-ed eller nåt sånt och den heter väl någonting annat än bara ed? Den heter... tja, vadå?"

"Den heter scouteden eller Siegfrieds ed eller vår ed eller din ed

222

eller *eden*", föreslog Kapten Bölja och fick samtidigt en idé. Han reste sig och gick runt Rune Janssons skrivbord och rotade en stund bland telefonkatalogerna innan han fann vad han sökte, en vanlig postnummerkatalog.

"Det finns bara ett ställe", konstaterade han när han bläddrat en stund, "ett enda ställe som heter Ed, se själv."

"668 00 Ed", konstaterade Rune Jansson när han tog emot den uppslagna postnummerkatalogen, "det ligger i Dalsland nånstans va?"

"Ja, nära norska gränsen, på väg mot Halden och Fredrikstad."

De såg på varandra och fick samtidigt nästa idé. Rune Jansson tog ner en pärm med material som kommit från försvarets underrättelsetjänst och som bland annat innehöll offrets hela militära karriär.

"Nu ska vi se", sa han hoppfullt och sökte sig snabbt nedåt det som borde vara de hetaste åren kring andra världskriget, "kapten vid generalstabskåren 1937, måste vara i Stockholm väl? Ryttmästare vid Norrlands dragoner, K 4 i Umeå 1940, major vid Bohusläns regemente I 17 1941, major vid försvarsstabens underrättelseavdelning i Stockholm 1944, överstelöjtnant vid Skånska kavalleriregementet K 2 1946, milostaben i Kristianstad 1948—49 och så vidare. Fan att vi aldrig kan ha lite tur. Bohuslän är det närmaste vi kommer Ed i Dalsland. Det var inte precis Bingo."

"Nä, men vad gjorde han vid underrättelsetjänsten 1944—46?"

"Bra fråga, som det heter."

"Kan vi inte be militären ta reda på det åt oss?"

Rune Jansson tog på nytt fram postnummerkatalogen. Ordet kanske var en förkortning?

Edarne, Edsbro, Edsbruk, Esbyn, Edsele, Edsvalla, läste han. Inga lätta ord att skära in med kniv i ett människobröst.

Men då skulle väl ingen heller komma på tanken att exempelvis rista in EDSVALLA.

De vände och vred på orden en stund och provade med Rune Janssons pennkniv och enades om att den enda ort tillräckligt stor eller känd för att ha eget postnummer, som kunde komma ifråga, om det nu var det saken gällde, måste vara Ed i Dalsland.

Hamilton och det där gänget kunde väl också se om de hittade någon anknytning till Ed. Hade den gamle nassen någon gång när han exempelvis var vid Bohusläns regemente haft längre eller kortare kommenderingar i Ed?

Vad gjorde militären i Ed under andra världskriget förresten?

Det måste finnas polisstation där, man kunde ju alltid ringa dit först.

Rune Jansson hade inga större förhoppningar när han letade fram ett telefonnummer för att ringa någon kollega i 25-årsåldern i Ed för att ställa historiska frågor.

Men han fick ett oväntat besked. Det fanns en pensionär som visste allt om den där tiden, en kollega faktiskt. Han var känd som "flyktingpolisen" under kriget och hade haft en hel del med militären att göra, på båda sidorna om gränsen för övrigt. Om nån skulle veta nåt så var det han.

"Är det värt ett försök?" undrade Rune Jansson tveksamt när han refererat telefonsamtalets innebörd för sin kollega. "Jag menar, det är ju en och en halv dag på att resa ända dit och höra på en pensionär som vi inte ens vet vad vi ska fråga. Vad tycker du?"

"Som läget är har vi väl inte råd att avstå från minsta uppslag. Det är klart att det är lite halmstrå över det där, men vafan? Kan ju inte skada."

"Vill du åka till Dalsland?"

"Jadå", skrattade Kapten Bölja, "jag åker gärna till Dalsland."

Rune Jansson nickade. De hade ju faktiskt inte råd att avstå från de mest långsökta uppslag. Be om ytterligare hjälp från militären och tala med flyktingpolisen i Ed var åtminstone mera angenämt än att göra det Rune Jansson själv måste göra nu, läsa samtliga mer eller mindre meningslösa förhörsprotokoll en gång till. I alfabetsordning.

* * *

Först i San Diego började det släppa något. För deras flykt, resan hade mycket snart börjat kännas som en flykt, hade stött på oväntade pinsamheter av det mycket enkla skälet att Carl underskattat vissa komplikationer.

De tog sig på olika vägar och med olika flygbolag till Paris och träffades inte förrän de satt bredvid varandra långt bak i turistklass i Air France-planet mot Los Angeles.

Där, utan svenskar, bland fransmän och enstaka amerikaner skul-

224

le de kunna påbörja sitt projekt, att vara anonyma som på den tiden i San Diego, att resa tillbaks till San Diego som om ingenting annat hade hänt i mellantiden. Illusionen blev inte långlivad.

Carl fanns på bild på förstasidan på Herald Tribune som delades ut bland passagerarna. Det var visserligen en av de gamla vanliga bilderna i uniform och med uniformsmössan från förra årets KU-förhör, men ärret på kinden syntes ju tydligt på bilden, liksom i verkligheten.

Tessie ville läsa först och Carl drog på sig sina rökfärgade solglasögon och sjönk bakåt i fåtöljen som om han skulle kunna förminska sig medan han väntade på att få tidningen. Han hade inte berättat för henne med mer än några ord, men nu föreföll det som om det skulle behövas mer än så. Det var en ganska stor artikel med fortsättning inne i tidningen, han kunde inte begripa hur en så trivial händelse kunde väcka internationellt intresse.

Men enligt Herald Tribune var det ingen trivial händelse, och inte enligt den politiska oppositionen i Sverige heller, som tidningen refererade. Det var exempellöst i västerländsk historia att en regering använde militära styrkor för att torpedera sin egen polis. Sådant hade bara inträffat i Sovjetunionen, citerades den konservative vice ordföranden i, som det hette, det svenska parlamentets särskilda utskottskommitté för granskande av regeringsansvar och regeringsutövande.

Det var inte helt korrekt, tänkte Carl. Den där moderaten syftade naturligtvis på de olika omgångarna av utrotningskrig mellan KGB och GRU, men något liknande hade ju faktiskt hänt i Västtyskland också, när den gamla underrättelsetjänsten, *Organisation Gehlen*, praktiskt taget sprängdes av säkerhetstjänsten Verfassungsschutz. Låt vara av misstag.

Det var tydligen diverse legalistiska resonemang som utgjorde huvudsaken. Enligt lagar och förordningar skulle polisen ha en sorts exklusiv rätt att utöva polisiär auktoritet. Om den svenska regeringen hade kört över de principerna så måste det vara lagbrott och då måste någon lagbrytare finnas i regeringen. Vilken lagbrytare nu borde uppspåras och tillrättaföras, enligt den borgerliga oppositionen. I viss borgerlig press, Carl hade inte svårt att gissa vilken, hävdades det också att regeringen i konspiration med sin egen exklusivt kontrollerade militära underrättelsetjänst hade saboterat polisens

225

jakt på utländska terrorister, vilket skylldes på den svenska utrikes-ministern som antyddes ha intresse av att inte ställa till bråk med radikala grupperingar i Mellanöstern.

Men den publicistiska huvudsaken som gjort att den lilla operationen fått så groteska proportioner var, insåg Carl alltmer besvärad, hans egen delaktighet. Det romantiserade på något sätt händelsen och gav den orimliga möjligheter till spekulationer och sidohistorier. Ja, sidohistorierna om Carls diverse förehavanden genom åren, det som var känt, rekapitulerades i en särskild artikel. Vilket inte hade gjort så mycket om inte historien om kapningsförsöket på Air France 129 från Kairo till Paris hade funnits med med bilder och allt. Nu hade ändå hans deltagande på något sätt skapat en föreställning om *overkill*, som om den svenska regeringen praktiskt taget kärnvapenbombat sin säkerhetstjänst. Ty varför ta till med en så högt uppsatt officer och en så synnerligen speciell officer om det bara varit ett enkelt ingripande utan några särskilda komplikationer, som en anonym talesman för den svenska försvarsstaben hävdat?

"Är det sant?" frågade Tessie så fort han slutat läsa.

"Du vet hur det är med tidningar", stönade han. "Det är sant men ändå inte sant på något sätt. Vi är ett litet land och vi har en liten operationsavdelning där jag är den ende offentligt kände tjänstemannen. Därför var det såklart praktiskt om jag ledde operationen, eftersom jag kan synas och tala med folk utan att röja någon hemlig identitet. Det finns ju redan bilder på mej, som du ser. Det var bara det vi tänkte, vi hade ingen aning om att vi 'kärnvapenbombade' säkerhetspolisen när vi bara buntade ihop tre små skurkar."

"Och det där om att regeringen saboterar säkerhetstjänstens möjligheter att gripa terrorister genom att använda dej och dina kompisar som torpeder?"

"Äh! Det är bara liberala politiker och den där tidningen Expressen som har fått för sej att kurder är detsamma som araber. Dom tycker illa om araber, nämligen."

Carl tvekade. Det skulle bli långt att förklara Expressens och folkpartiets förhållande till araber och den svenska säkerhetspolisens kompetensnivå och dessutom var det fel sort samtalsämne, ett samtalsämne som var motsatsen till den frihet han hoppades att deras resa skulle bli. Tessie var jurist, dessutom amerikansk jurist och en amerikansk jurist hade säkert en hel del undringar över en händelse som skulle motsvara ett CIA-tillslag mot FBI.

Han räddades, trodde han, av en flygvärdinna som kom fram till dem och lutade sig ner med ett mycket stort leende.

"Monsieur 'amilton, välkommen ombord. Det är en ära för Air France att ni på nytt hedrar oss med att välja Air France", hälsade hon och Carl log ansträngt tillbaka.

Men det var inte över bara med den pinsamheten. På kaptenens instruktion inbjöds nu Carl och Tessie att flytta över till förstaklass. Först försökte han vägra men snart anade han att det bara skulle leda till nya inbjudningar, i värsta fall över högtalarsystemet från kaptenen själv, och motvilligt som om förflyttningen gått åt andra hållet följde de med flygvärdinnan framåt i planet.

Sen fick de champage, rysk kaviar och gåslever och blev beglodda. När planet passerat Engelska kanalen meddelade kaptenen stolt över högtalarsystemet att det var en särskild glädje för Air France att på nytt få transportera kommendörkapten Carl Gustaf Gilbert 'amilton — förnamnen hade korrekt återgivits i dagens Herald Tribune och kanske också i franska tidningar — men att man hoppades slippa flygkapning den här gången. Trots det betryggande sällskapet.

Efter en sån annons var sällskapet nog inte särskilt betryggande, muttrade Carl surt. Tessie försökte en stund övertala honom att se saken från den humoristiska sidan. Okay, de blev beglodda här och nu, men så fort planet landade i L.A. skulle alla gå åt varsitt håll och sen skulle de snabbt uppslukas av Kalifornien.

Sakta gav han med sig, han försökte åtminstone. Han försökte till och med le åt den flygvärdinna som undrade om han ville ha sin drink skakad eller rörd. Han avböjde drink och beställde mer champagne i stället.

För första gången som han kunde minnas hade han svårt att sova på ett flygplan. Han intalade sig att det skulle bli som Tessie sagt, att så fort de släpptes fria i Kalifornien skulle resan kunna börja, resan till en annan tid.

Det lossnade något när de kunde blanda sig bland alla människor på flygplatsen och ta sig igenom kösystemet till Avis och ut på motorvägarna söderut. Det var försommar, full sommar enligt svenskt mått, och de försvann behagligt i de oändliga bilköerna.

Deras hotell i San Diego hette Horton Grand. Det var inrett i sekelskiftesstil och låg bara på kort promenadavstånd från Pier House Café, det var det enda han bett sin resebyrå hålla reda på. Det var nio timmars tidsskillnad i deras kroppar, eftermiddag i San Diego men kväll långt efter middagstid i Stockholm. De packade upp, klädde sig i jeans och tunna tröjor och promenerade hand i hand ner till resans början, för omedvetet började de nu om sin resa, vid Pier House Café.

Huset såg likadant ut som för några år sen, grått spåntak, obehandlat trä i väggarna eller trä behandlat med silvernitrat så att det skulle se obehandlat ut, ett enkelt hus vid vilken kust som helst i världen med bara en detalj som gav vägledning: vindflöjeln uppe på taket var formad som en kaskelotval.

Fortfarande blårutiga dukar på borden och det var givetvis perfekt, just den illusion av stillastående tid som de sökte. Det var någon sorts happy hour och få gäster, så de kunde välja sitt eget bord vid fönstret på andra våningen.

Ute vid Coronado låg bara ett hangarfartyg den här gången. Inga Corsairs eller F-14 på däck. Hon beställde ett visst kaliforniskt chardonnay-vin och grillspett med pilgrimsmusslor, fisk och räkor för dem båda. Det var ju vad de hade beställt förra gången och det var som en besvärjelse som roade och skrämde honom samtidigt. Han ville undvika förlängningen; den gången hade han friat till henne och hon hade sagt *här och nu* och det var i tiden före Eva-Britt, skulle ha varit ett enkelt beslut om det inte vore för Operation Big Red som han naturligtvis inte kunde hoppa av från, ens för Tessies skull. Åtminstone resonerade han så då. Idag kanske han inte skulle ha gjort det, men idag var det Eva-Britt.

"Det var två hangarfartyg den gången", sa hon som om hon som vanligt läst hans tankar eller åtminstone hans känslor.

"Ja", sa han dröjande, "med tända lanternor och Tomcats på däcket. Det såg ut som supermakten färdig till språng."

"Du sa nåt i den vägen."

Carl kände paniken stiga inom sig och det fanns ingenting han kunde göra åt det. Det var glittrande dagsljus över grönblått vatten och vanligt mänskligt umgänge som han kände att han inte skulle klara av; alltså inte natt, mörker, månsken, helst svagt månsken, och fienden någonstans där inne i dunklet, det han skulle klara av. Tillfälligt räddades han av servitrisen som kom med vinet, ett annat vin än det de druckit den gången, det hade varit gulare i färgen den gången så att det såg ut som svenska flaggan mot den blå duken.

De skålade, naturligtvis, och han gjorde sig plötsligt upptagen med att kommentera vinet och se på färgen mot en vit pappersservi- ett; tillfälliga undanflykter.

Om hon frågade rent ut måste han säga nej, bestämde han. De lev- de i en illusion, man kan inte återkalla det förflutna. Nej, tänkte han i nästa ögonblick, det var sannerligen inte illusion men det var inte heller det som var problemet. Det enkla problemet, det mycket en- kelt formulerade problemet, var ju att han inte kunde lämna Eva- Britt i sjätte månaden, eller för den delen i sjunde eller åttonde eller nionde eller tionde eller senare.

Man kan inte svika *allting*, försökte han summera. Sen slog det honom omedelbart att det inte fanns någon utväg, ingen väg utan svek. Vad han än gjorde eller sa skulle det bli fel på något sätt. Och han kunde inte tala om vinfärger hur länge som helst, inte fly sär- skilt långt bortom grillspettet som väl också den här gången skulle smaka djupfryst och vattnigt.

Nya gäster hade börjat strömma in i lokalen. En kvinna i deras egen ålder gav upp ett tjut av förtjusning och sen blev det puss och kram och var har du varit och får jag presentera Chester och mera i den stilen.

Carl kände svagt igen henne, hon var någon studentkamrat till Tessie och själv kände han sig skyddad bakom sitt amerikanska språk när han presenterade sig för henne och hennes Chester. Något oroande fällde hon då en kommentar i stil med att San Diegos son hade återvänt, och sen fortsatte hon det amerikanska snicksnacket långt utöver gränserna för det sedvanliga. Carl och Chester stod upp och försökte se obesvärade ut medan studentkamrater och student- minnen passerade revy och hon började se sig om efter plats att sitta med den tydliga avsikten att bli nerbjuden.

Tessie höll emot i det längsta, men när hon till slut nästan fick frå- gan rent ut ("verkar vara svårt att få fönsterbord här, va?") så skulle det bli omöjligt att undvika den självklara kapitulationen ("men varför sätter ni er inte här hos oss?") och Carl överlämnade det be- svärliga beslutet åt Tessie utan att röra en min. Det kunde bara sluta på ett sätt, när ståendet och pinsamheten börjat gå för långt.

"Men ni kan väl sitta hos oss?" sa Tessie till slut uppgivet.

Amerikaner, tänkte Carl.

Efter en stunds administrerande av de objudna gästernas önskemål, efter diverse ursäkter när Tessies och Carls mat kom in, efter förnyade meningslösheter om tiden vid San Diego University, någon undervisande nunna, några gratulationer till skilsmässan ("jag hörde att du äntligen dumpat den där knölen"), medan Carl nästan demonstrativt börjat försjunka i utsikten mot hangarfartyget och vattenytan och vattenytors minnen, trygg som han kände sig i sin anonymitet och bakom sitt amerikanska språk, visade det sig att den pladdrande damen, som han tyst för sig själv döpt henne till, hade ett konkret ärende.

"Det är faktiskt lustigt nog så att min man är journalist och vi hörde att ni satt här och jag tänkte att det är ju inte liksom varje dag som vi har en James Bond på besök i stan..."

Hörde Carl med plötsligt uppvaknande tydlighet hur hon sa.

"Kan vi få notan, tack", sa han till närmsta servitris i samma ögonblick han reste sig. Efter någon tvekan, mycket kort tvekan noterade Carl, reste sig Tessie också.

"Det var hemskt trevligt att få lära känna dej, Chester", sa Carl och log mycket brett och amerikanskt sekunden innan han vände sig om och gick mot trappan.

* * *

Joar Lundwall hade med hjälp av diverse tillstånd som Samuel Ulfsson skaffat honom fått rätt att ta med vissa handlingar hem till bostaden. Särskilt sådant som inte var hemligstämplat, och på grund av 40-årsregeln var det mesta av det han satt och läste inte längre hemligstämplat. Inte läst på 40 år heller som det verkade. Papperen var gulnade och sköra och luktade damm.

Han satt och slet med en spionaffär i Göteborg som utspelats mellan 1940 och 1942. Eftersom en del av de sedermera dömda hade varit civila och två av dem officerare hade han haft kafkaartade besvär med att få ihop materialet på ett och samma ställe, nämligen sitt eget skrivbord. En del hade funnits i krigsarkivet, som beslut av Fältkrigsrätten vid Västkustens Marindistrikt, annat hade funnits i landsarkivet, via rekvisition från riksarkivet, som utslag av Göteborgs rådhusrätt den 13 mars 1942 eller Göta hovrätt, dit de civila åtalade hade överklagat, eller i krigshovrättens i Stockholm handlingar, dit de anställda inom krigsmakten hade överklagat.

Han började få överblick över själva händelseförloppet, åtminstone det som kunde avspegla sig i domstolshandlingarna, i domarna själva och i de förhör som hörde till de olika rättegångarnas handlingar.

Om man kokade ner det hela till hårda fakta — tänker jag på engelska, börjar jag bli för trött, undrade han för sig själv — nåja, om man koncentrerade historien så var förloppet lika tydligt som tragikomiskt.

En tjänsteman, Carl Johan Torin, och en försäljningschef i bilbranschen, Herbert Pott, hade haft likartade föreställningar om Tyskland och Tysklands säkra seger i kriget. Och likartade drömmar om sin egen lysande framtid som skulle kunna komma som omedelbart resultat av att Sverige införlivades med Tyskland.

Torin trodde att han skulle få en generalagentur på tyskt humle. En antagligen strålande affär med tanke på att varje german i Sverige borde börja dricka äkta tyskt öl i och med nyordningen av Europa. Generalagenturen för tyskt humle skulle inbringa honom inte mindre än 150 000 kronor i ren vinst per år, antagligen en svindlande summa på den tiden, säg tio direktörslöner.

Herr Pott var inte sämre han. Efter kriget skulle gengaseländet naturligtvis försvinna och man hade ställt honom i utsikt att få generalagenturen för en ny tysk bil, folkvagnen, som väl förmodligen skulle göra honom lika förmögen som humleimportören.

De var naturligtvis i viss mening nazister. De hade föreställningar om det ariska blodets överlägsenhet, om Sverige som ett äkta germanskt land, sånär som på viss invandring och judisk förorening naturligtvis, men judar släpptes ju inte in längre och den socialdemokratiska dominansen i regeringen var ju, enligt vad herrarna påstod i sina förhörsprotokoll, höjd över varje misstanke när det gällde frågan om rasmedvetenhet.

Någon av dem, som det verkade Carl Johan Torin, hade tydligen värvats av tysk underrättelsetjänst på en affärsresa i Tyskland. Åtminstone var det Joars slutsats, även om ingenting framkom i direkta belägg. Men den organisation som snart byggdes upp i Göteborg var typisk och klassisk på ett sätt som bara underrättelsefolk skulle förstå.

Torin och Pott tillhörde bildarna av "Sällskapet för kulturell och social upplysning", vilket var organisationens front utåt. Man skulle syssla med propaganda och filmvisning, ölkvällar när man sjöng "Wir fahren gegen Engeland" och liknande.

Men inom sällskapet bildade man en inre cirkel, en hemlig organisation med det germanskt slagkraftiga namnet "Vikingarna".

Vid ett sammanträde med tio likasinnade i sin lägenhet på Kungshöjdsgatan 11 hade Carl Johan Torin delat ut de framtida ministerposterna och bland annat gjort bilhandlaren Pott till kommunikationsminister:

"Du som är specialist på bilar och sådant får ta kommunikationerna."

För egen blygsam del behöll han posterna som Führer och statsminister, men utfärdade samtidigt en viss reservation med hänsyn till vad den Stortyska europeiska regeringen kunde komma med för förslag i framtiden.

Därefter hade utbrutit en ivrig diskussion om kungens ställning, eftersom en av de närvarande ministrarna hade varit jurist och påpekat att det enligt grundlagen var kungen som utnämnde ministrar. Man hade till slut enats om att behålla kungen men att utnämna ministrar själva.

Så långt var ju allting enkelt och dessutom delvis komiskt, åtminstone när man läste det med historiens facit i huvudet.

Det var också lätt att förstå att dessa män, som nu samtliga var döda, skulle finna det ganska enkelt att samarbeta med Stortyskland även under former som tillfälligtvis skulle kallas förräderi, eller rentav högförräderi, i Sveriges då gällande lag.

Vikingarna, den hemliga organisationen bakom den yttre organisationen Sällskapet för kulturell och social upplysning, blev alltså på ett lättfattligt sätt en spionorganisation i väntan på större uppgifter efter segern.

Spionorganisationens handledare var en konsulatstjänsteman vid namn Walter Rothe och denne Rothe uppträdde också vid "Sällskapets" offentliga propagandaföreställningar med tysk filmvisning och annat. Det var föråldrad arbetsteknik, så skulle ingen arbeta idag.

Spionorganisationens organisatoriska liv blev följaktligen ganska kort och från bildandet den 26 juni 1940 hemma hos den blivande

Führern hade man egentligen bara tiden fram till 1 november på sig att ställa till skada.

Joar funderade över varför vissa självklara misstag nu hade begåtts. Om samma personer som ingår i en propagandaorganisation samtidigt är spioner så drar man på sig all existerande säkerhetspolis, och det kan ju ingen, utom säkerhetspolisen, vara särskilt betjänt av.

Men det var en annan tid. Det var det han gång på gång måste påminna sig. Den flera år långa och förmodligen mycket gedigna grundkurs i beteenden inom spioneri och säkerhetstjänst som han själv hade inbankad i huvudet sen tiden i San Diego byggde naturligtvis mest på bra och dåliga erfarenheter från andra världskriget. Kanske var det där med en täckorganisation — "Sällskapet" — som skulle dölja en spionorganisation — "Vikingarna" — en fiffig innovation när den byggdes upp i Göteborg från och med juni 1940. Och idag stenålder och amatörmässig.

Han hade ingen relation till tiden. Det var lättare att föreställa sig själv som ryttmästare vid Poltava eller musketör i drottningens garde i Frankrike än att föreställa sig själv under andra världskriget.

Skulle han själv, förutsatt det ena och det andra, någonsin...?

Nej, redan av det skälet att såna som han själv skickades till förintelseläger av nazisterna. Nå, men om man bortsåg från det, om man föreställde sig som heterosexuell, blond och svensk med våg i håret och vida byxor och året är 1940 och man är militärt intresserad och blir uttagen till kustjägare, om den typen av krigföring var introducerad i Sverige då? Nåväl, det spelar ju ingen roll, säg lumpen som underofficer på jagare?

Bismarck, Graf Spee, formidabla fartyg. Oövervinneliga. Beundrade. Tills de sänktes av engelsmännen med diverse "svekfulla" metoder.

Nej, det var en orimlig tanke. Dessutom meningslös både för personlig del och för arbetets del.

Alltså tillbaks till saken, till säkerhetstjänstens klumpigheter när den militära anknytningen dök upp.

December 1940. I Göteborgs hamn ligger ett norskt fartyg, Elisabeth Bakke. Norge är ockuperat sen den 9 april, och Norges judar vägras fly till Sverige eftersom det inte håller att skylla på nazistisk ockupation och då känna vantrivsel som jude och allt det där. Sveri-

233

ge har inte erkänt Quislings regering utan håller på den norske kungen och hans regering i London. Den flyende norska regeringen fick på något sätt sin handelsflotta med sig.

Nu skall Elisabeth Bakke avgå till London, eller åtminstone till England. I Nordsjön väntar den tyska örlogsflottan, men vid den här tiden kan man skydda sig med såväl mörker som dimma som Guds försyn.

Den 16 december. Fartygschefen på jagaren Ehrensköld kallar till sig sekonden, en löjtnant Rune Renhammar, som händelsevis har en bror i den svenska quislingregering som konstituerats på Kungshöjdsgatan 11 ungefär ett halvår tidigare.

Nazisten Renhammar får veta att jagaren skall avgå klockan 07:00 nästa morgon för att eskortera Elisabeth Bakke, så länge hon är på svenskt vatten vill säga, på väg mot England.

Löjtnant Renhammar har en förtrogen som heter Carl Leopold Sterner, fänrik ombord. De har nu bråttom med att få över informationerna till tyskarna och man ordnar det föga skickligt på så vis att fänriken ringer till den vid det här laget utomordentligt kände, och följaktligen telefonavlyssnade, nazistbrodern till sin kapten och ber denne ila till tyska konsulatet med uppgifterna. Allt med namns nämnande.

Elisabeth Bakke fördröjs visserligen av dimma, men tyska myndigheter i Stockholm kan redan dagen därpå vända sig till svenska myndigheter och beklaga sig över neutralitetsbrottet att eskortera det norska fartyget.

Vid samma tidpunkt som svenska jagare eskorterade tyska konvojer i Östersjön, för övrigt.

Den tyska underrättelsetjänstens fel, om det nu var arrogans eller dumhet, att så snabbt visa att man kände till saken var oförlåtlig.

Den svenska säkerhetstjänsten betedde sig i stort sett inte bättre, eftersom man nu grep fänriken och kaptenen i stället för att sätta in spaningsåtgärder för att hitta fler implicerade sjöofficerare i Göteborg.

En viss kapten von Otter till exempel.

Men det gjorde man inte. Ville man inte? Slog man med avsikt till för tidigt? Omöjligt att svara på.

Sen självklart rättegångar. Självklart dömdes nu hela gänget, i all synnerhet som var och varannan misstänkt bekände allt som kunde bekännas, delvis i tron att en fängelsedom för Tysklands skull bara skulle gagna dem, eller deras affärer, när Sverige blev tysk lydstat inom något år.

En urmakare i ligan, utnämnd till handelsminister, förklarade vid rättegången att ingenting kunde vara honom mer likgiltigt än längden på hans fängelsestraff eftersom han ändå skulle vara på fri fot inom ett halvår.

Ett halvår? Ett halvår fram i tiden låg slaget vid Stalingrad.

Inte någonstans i rättegångshandlingarna, vare sig i de civila domstolarna som tog hand om "Vikingarna" eller i de militära krigsrätterna, nämndes ett enda ord som kunde associera till en kapten von Otter.

Däremot fanns många påståenden om engelsk agentverksamhet i Göteborgstrakten och om hur denna mot Sverige fientliga verksamhet hade varit ett huvudobjekt för ligan. Man hade därvidlag haft god hjälp från polisen, men vägrade uppge namn på "fosterlandsvänner inom polismakten".

Det verkade som högt beskydd, eller åtminstone som beskydd någonstans inom polisen.

Kunde det beskyddet inom polisen vara en okänd och aldrig uppletad förgrening av den nazistiska spionligan?

Det kunde lika gärna finnas fler sjöofficerare, man hade ju bara tagit den där Renhammar och den där Sterner så fort möjlighet gavs och sen agerat som om de varit fullkomligt ensamma. Om av dumhet eller av omsorg.

Hade den svenska polisen agerat mot engelska spioner samtidigt, fanns det polismän som hade det som huvudsyssla och hade de i så fall tipsare i antiengelska, exempelvis nazistiska kretsar?

Hur undersökte man polisens verksamhet i Göteborg 1940—45?

Joar Lundwall kände hur tröttheten tog över, vilket kanske berodde på att han anade vilket hästjobb det skulle vara att gå igenom spionpolisens i Göteborg verksamhet under fyra fem krigsår.

Han knappade in sina sista anteckningar och frågeställningar i datorn och släckte ned, ändrade sig, tände ljuset och låste in handlingarna i ett av sina vapenskåp innan han nästan vacklade ut i badrummet.

* * *

1939—46 dömdes 444 människor för spionbrott i Sverige. 140 arbetade för Nazityskland, 304 för de allierade. I början greps flest spioner för de allierade, mot slutet av kriget, precis som man kunde ana, spurtade den svenska säkerhetspolisen något när det gällde nazityska spioner men kunde ändå inte haft en möjlighet att komma ikapp. Enkel matematik. Enkel beskrivning av Sveriges neutralitet under krigslyckans växlingar.

Åke Stålhandske betraktade siffrorna. Hans ilska svepte undan tröttheten och han gick ut i köket och preparerade en ny balja te.

Samuel Ulfsson hade gett honom tillgång till alla handlingar som funnits kvar från något som en gång kallades försvarsstabens inrikesavdelning, som den militära säkerhetstjänsten döpts om till från och med 1 oktober 1942.

Bland materialet fanns en fullständig förteckning över alla personer med ställning över furirs grad som haft anknytning till extremistiska organisationer, en ren guldgruva.

Enligt numera avdöda kolleger i tjänsten fanns det under kriget mellan 3000 och 3500 kommunister bland värnpliktiga, 20—25 bland stamanställt manskap och befäl och ingen noterad kommunist bland officerarna.

Åke Stålhandske smålog åt den prudentlighet med vilken denna självklarhet noterades.

Vad gällde nazister var läget något annorlunda. Man hade bara funnit 341 nazister bland de värnpliktiga och 43 bland stamanställda och befäl. Däremot 17 underofficerare och 18 officerare.

Samtliga officerare fanns förtecknade. Bland dem en major Nils Axel Agaton af Klintén som verkat vid underrättelsetjänsten.

En nazist vid underrättelsetjänsten, till och med registrerad av kollegerna några dörrar bort i korridoren vid inrikesavdelningen?

Nå, men det väsentliga var att där inte fanns någon kapten vid flottan vid namn Ture Teofil von Otter, son till kommendörkapten Sven Hugo, född den 6 september 1904 i Karlskrona och så vidare.

Vilket ju på sätt och vis var vad hela det här undersökningsarbetet syftade till, att fastställa Sams gamle fartygschefs oskuld.

Men någon hade ändå mördat honom och någon som definitivt hade politiska skäl att mörda hade samtidigt mördat den där af Klintén, som ju var nazist.

Problemet var den påtagliga frånvaron av sjöofficerare bland de

236

förtecknade nazisterna i inrikesavdelningens gamla handlingar.

Det verkade som om nazismen hade svårt att rekrytera sig högre än furir och högbåtsman i flottan, vad nu det kunde bero på. Alla sjöofficerares hemliga vurm för själva originalflottan, den engelska? Det faktum att de flesta sjöofficerare vid den här tiden kom från överklassen och således hade lite svårt för "radikala" politiska uppfattningar som socialism och den tyska varianten nationalsocialism?

Det spelade ingen roll, han fick ändå börja om och leta i det som fanns med anknytning till flottan i de spioneriprocesser och landsförräderiprocesser som ägt rum en gång mot exempelvis Brun Marin och Bruna Gardet.

Klockan var fyra på morgonen och de dammiga rättegångshandlingarna låg som ett tyst hot på stolen bredvid skrivbordet. Han skulle få iväg några handlingar till Norrköpingspolisen så fort som möjligt nästa morgon, de ville plötsligt veta allting om Ed i Dalsland med militär anknytning. Det var nu inte så svårt att förstå, det var ju det mördaren hade knivristat i bröstet på den där af Klintén, som möjligtvis fick vad han förtjänade. Fast någon sent påtänkt.

Åke Stålhandske tog ett djupt andetag och så började han på nytt läsa själva grundhistorien om hur polisen lyckats spränga Bruna Gardet. Han måste kunna grundhistorien perfekt innan han gick in på förhörsprotokoll och andra enskildheter.

Men han märkte hur han ganska snabbt började tappa koncentrationen. Han funderade över alla de allierade spioner som åkt fast och vilken flit de svenska säkerhetsorganen ägnat dem, jämfört med de nazistiska spionerna.

304 gripna. Det betydde rimligtvis att det måste ha funnits minst dubbelt så många verksamma som inte åkte fast, trots den svenska polisens nitiska arbete.

Omkring 1000 allierade spioner i stort och smått i ett litet land som Sverige under andra världskriget, det neutrala västvänliga Sverige, som det framstod i sin egen historiebeskrivning.

Det var ju det som var den svenska favoritlögnen. Medlöperiet skulle döljas till varje pris och inte ens Joar Lundwall tycktes ha en aning om vad hans landsmän egentligen sysslat med vid den här tiden.

Malmtågen gick fullastade varje timme till Narvik för vidare transport till de tyska vapensmedjorna, följaktligen spionerade man mot malmtrafiken. I de svenska utskeppshamnarna lastades tiotusentals ton järnmalm för vidare befordran till Tyskland varje dag, följaktligen spionerade man mot hamnarna. På de svenska järnvägarna fraktades under kriget mer än två miljoner man tysk trupp, följaktligen spionerade man mot järnvägstrafiken. Förresten var det inte bara "permittenter", alltså fullt stridsutrustade soldater, som använde det svenska järnvägsnätet. Tyskt artilleri fraktades på samma sätt upp till Nordnorge och, i mån av behov, från Nordnorge till Sydnorge på svenska järnvägar. Kanske var det sabotage mot ett sånt tåg, "ammunitionsolyckan" i Krylbo? Kanske var det sabotage 1941 vid Hårsfjärden när tre jagare sänktes, eftersom de svenska jagarnas huvudsakliga uppgift fram till Stalingrad, eller till Hårsfjärden, tycktes vara att skydda de tyska konvojerna i Östersjön.

Svenska flottan deltog alltså i andra världskriget på tysk sida. Så var det och det kunde varken marinofficer eller civilist förneka.

Han påminde sig om att han vid tillfälle skulle passa på att fråga sin far om det där med Hårsfjärden. Hade svenskarna verkligen av misstag bombat sig själva, som en av teorierna var, eller var det den mycket unge kollegan James Bond som hade gjort det? Eller GRU-underlöjtnanten Ivan Ivanovitj?

Det hette visst inte GRU på den tiden?

Nej, han var för trött. Om polisen i Norrköping skulle få något ordnat material i morgon bitti måste han sluta nu.

När han låst in sitt material kunde han ändå inte somna. Om det var för det sista onödiga teet eller för något annat som hade med hans far och kriget att göra.

* * *

Vid La Jollas stränder upphävde de äntligen tiden. Eller om det var havet, det kalla vattnet och vågorna som gjorde det. Det var knappt 70 grader i vattnet och knappast någon skulle komma på idén att bada vid den temperaturen utom hon, hon hade alltid älskat att dyka och simma och hon hade ju simmat i universitetslaget och vant sig vid att alltid vara överlägsen män i vattnet.

Tills hon träffade Carl, inte vid den här stranden utan vid Imperial Beach.

Han hade förklarat att hemma i hans gamla land blev det sällan så varmt som 70 grader i vattnet, det räknades som *hett*. Han var som en utter på något sätt, en jättelik kalifornisk havsutter. Hon kunde simma ifrån honom på kort distans men dök han så försvann han bara, hon hade aldrig förstått hur det var möjligt men han kunde simma på ytan i ena ögonblicket och sen plötsligt bara försvinna och vara borta i flera minuter, kanske dyka ner tjugo meter eller försvinna bort under ytan i hundra meter. På den tiden var det obegripligt men nu hade han skrattande antytt att det var sånt han sysslat med i fem års tid, varje gång han reste bort så där. Det som slutligen förstörde allting mellan dem.

Han blev lätt röd av solen, skandinav med vitt skinn som han var och fram mot eftermiddagen lyste ärren på hans kropp som röda larmsignaler. Hon tjatade sig till att få smörja in honom med solskydd, påminde honom att han inte på något sätt var mexikan.

Hon iakttog honom försiktigt i början på dagen. Men det var som om allting släppte, alla spänningar från gårdagens misslyckade middag och framåt, när de kastade sig ut i vattnet den första gången och började sin gamla lek med att försöka surfa så långt som möjligt i vågorna med själva kroppen som surfbräda.

När de simmade ut för tredje gången för att vänta på en lagom stor våg tog hon sig fram till honom medan det fortfarande gick att bottna och slog armar och ben runt honom. Han höll henne länge så medan de kysstes och skrattade och då och då spolades över av en vågkam.

Han såg lycklig ut, som om inte dessa ständiga hemlighetsfulla moln längre drog genom hans ansiktsuttryck och hon bestämde sig för att det fick vara bra så här, så länge det varade, att inte fråga något definitivt, att inte framkalla några demoner av plikt och ansvar som berörde hans känsligaste punkt.

Och hennes. Hon behövde också förtränga. Också för henne var det ju verkligt och overkligt på samma gång. Hon hade tagit en desperat chans, utan att egentligen planera eller förutse hur det skulle gå eller kunde gå. Bara rest till Stockholm. Det var inte klokt, det var inte ansvarsfullt från det ögonblick hon förstått att han var så gott som gift och att den andra var med barn. Men hon fortsatte i alla fall, som om andra krafter än hon själv skulle avgöra fortsättningen, som om rentav Gud bestämde. Vilket hon kanske trodde på något sätt, vilket hon ändå inte ville tro eftersom hon aldrig bett till

Honom i just detta ärende, vilket var orimligt eftersom det ju måste vara det viktigaste av allt, eller det största liksom störst av allt är kärleken.

Men just nu gällde det bara att stoppa tiden, att ta ledigt från allting som hade med den andra världen, ansvar och framtid att göra, bara njuta av vattnet, kall salt hud, vått hår och sanden och solen. Och han såg faktiskt lycklig ut, som om det också för honom nu blivit så att ingenting annat existerade än det som just hände. Kanske var det ett bättre mål för resan än en sorts uppgörelse. Det viktiga just nu var att ta vara på stunden. Ingenting annat.

Carl vilade i ögonblicket.

Till en början hade han nästan suggererat sig själv till det, och tänkt det just så, att han vilade i ögonblicket, och absurt nog erinrat sig ett annat tillfälle då tiden stannat och ett fullkomligt, nästan likgiltigt lugn hade kommit över honom.

Det var när han stod på en liten förortsgata långt ute i Moskvas utkanter, i närheten av den yttre röda ringen som inte fick överskridas, åtminstone inte på den tiden, och han betraktade ett fönster högst upp i ett ruffigt hyreshus. Bakom fönstret fanns en människa han skulle mörda inom loppet av några minuter. Och just då, i den insikten att han nu var vid målet, hade ett fullkomligt stillastående sjunkit in i honom.

Han mindes inte hur länge han hade stått på det där viset, eftersom tiden hade upphört. Men sen hade det förstås blivit motsatsen, på med efterbrännkammaren, in med landningsställen, vingarna bakåt för överljudsfart och så vidare.

Men kanske var det vattnet, det kalla grågröna vattnet och alla minnena med det som hade stabiliserat det vilande ögonblicket. Som när han höll henne om midjan och hon slog benen runt hans kropp och de kysstes i det salta. Eller hennes bruna kropp när den gled som en torped genom vågorna med det svarta våta håret alldeles rakt bakåt. Något sånt, kanske.

Han slutade att fundera och att oroa sig. Just nu fanns ingenting annat och ingen hade stört dem, utom en muskelbyggande SEAL-kille som gått förbi och bara sagt *howdy,* jag hörde att du skötte dej bra. Och sen ingenting mer och inte en min bakom de mörka solglasögonen, som om det var självklart att alla vi i SEAL förr eller senare skulle bli Man of The Year.

Carl hade snabbt gett upp alla försök att erinra sig kollegan från någonstans. Kanske hade de varit med om dykövningar tillsammans, kanske hade de fällts över en mörk vattenyta någonstans tillsammans, från samma C 104:a, kanske vad som helst som ändå inte spelade någon roll eftersom det inte blev som kvällen innan, att allt förstördes och övergick i öppen flykt.

Han låg på mage i sanden och hon satt gränsle över honom och smetade än en gång in honom med amerikansk solcrème. Det luktade torkad tång, han låg med näsan i sanden. Det brände lite på ryggen, mest på ena skulderbladet där han hade ärrvävnad efter ett utgångshål; tydligen var de där ärren känsligare än övriga kroppen för starkt solljus.

"Jag får just den här briljanta idén", mumlade han nästan sömnigt.

"Som att vi badar en gång till?" föreslog hon skrattande.

"Nix. Ja det vill säga, först badar vi en gång till. Sen åker vi till hotellet och älskar medan vi fortfarande är salta och sandiga. Sen tvättar vi ditt hår, sen torkar vi ditt hår. Sen äter vi på den alldeles förbannat bästa mexikanska restaurangen här ute i La Jolla. Det där vi aldrig gjorde förr. Hur är den idén?"

"Briljant naturligtvis, fullkomligt briljant", skrattade hon på nytt.

Han tyckte hon lät lycklig.

De genomförde programmet till punkt och pricka.

Det som överraskade honom var när de kom till den mexikanska restaurangen och hon kände någon av servitriserna och brast ut i smattrande glad spanska; det var som om deras gemensamma amerikanska språk ofta fick honom att glömma det där med hennes mexikanska sida.

Han njöt av att se henne så, när hon log på mexikanska, när hon skrattade på mexikanska.

De satt bland låga palmer halvt utomhus halvt inomhus under vita tegelvalv och hon krävde att få stå för notan och beställde sen något som förefäll som ett oändligt antal rätter med lika oändligt antal krav på tillagningen. Han njöt av att inte förstå ett dugg och kände sig på något sätt stolt över henne och stolt över att vara hennes gäst.

Hon var hans ciceron genom måltiden och smattrade olika mexikanska namn på maträtterna. Han älskade det. Även om mexikansk mat mest var olika sorters pannkakor med mjölig fyllning för honom så älskade han stunden, till och med den smäktande gitarrmusiken i stereoanläggningarna och det lite för söta mexikanska vinet. Men skulle det vara så skulle det, till och med mexikanskt vin. Just nu fanns ingenting annat, absolut ingenting annat.

Det brände och sved i hans hud här och var, möjligtvis fanns något annat, men bara som en inkapslad del av stunden, som en trikin.

"Hur länge blir du borta i morgon?" frågade hon när mer än två timmar hade gått och de satt med en kaffeblandning som bestod av tequila och kaffelikör som i vanliga fall skulle ha varit formidabelt äcklig.

"Är i L.A. innan det blir för sent på kvällen. Åker tidigt, mycket tidigt", muttrade han.

"Ska du långt bort?"

"Äh Tessie! Nu är du där igen, som för fem år, nej jag tänkte fel, tio år sen. Jag kan inte säga vart jag ska, bara antyda det. Ska tillbringa dagen nånstans i Death Valley och det är det formella skälet till att jag är här."

"Vill du dansa?"

"Dansa! Sånt här mexikanskt? Du är inte klok."

"Jo. Kom, jag lär dej!"

Han kände sig ung när han gjorde det, och lika anonym som om det varit då och inte nu, och även om han inte var mer berusad av alkohol än att han skulle kunna köra tillbaks till hotellet, så lät han sig nu berusas av att snurra runt i allt mer påhittade och allt mer oblyga och allt mer tveksamt mexikanska dansmönster.

Ingen av dem generade sig det minsta. De kände sig som vilka amerikaner som helst.

* * *

Nazisterna hade förökat sig genom delning, ungefär som modernare tiders vänstersekter.

Åke Stålhandske log generat åt jämförelsen. Hans chef hade ju uppenbarligen tillhört de där vänstersekterna. Nå.

Det Nationalsocialistiska svenska arbetarpartiet, NSAP ändrade i november 1938 sitt namn till SSS, Svensk socialistisk samling.

Motsättningarna gällde bland annat själva hakkorset. Den segrande falangen ville ersätta hakkorset med svenska flaggor och Vasakärven, med hänvisning till bland annat de omedvetna svenskarnas misstänksamhet mot alltför utländska germanska symboler.

En av utbrytarorganisationerna hette Solkorset, och de behöll trotsigt sitt hakkors och hade som viktigaste programpunkt obrottslig lydnad mot Stortyskland.

Men då även dessa kunde ses som förrädare mot Tysklands sak kom en kontorist och före detta furir i flottan på att han skulle bilda det enda sanna partiet, Bruna Gardet.

Dock skulle BG bli parti först efter segern, dessförinnan skulle man verka som propaganda- och hemlig kamporganisation och förbereda sig på den taktiskt viktigaste uppgiften, att verka som femte kolonn när Tyskland gick in i Sverige.

För det ena ändamålet tryckte man flygblad, för det andra ändamålet stal man med växlande framgång ammunition och handeldvapen. Organisationens motto gick inte av för hackor:

"Seger eller död i kampen! Mot demokrati, marxism och judevälde! För ett fritt starkt och ariskt Sverige!"

Arthur Fredrik Ängström hemförlovades från flottan i november 1942 av politiska skäl.

Åke Stålhandske korskontrollerade med försvarsstabens inrikesavdelnings gamla förteckningar över nazister. Jo, där fanns han.

Han hade bland annat uppträtt i uniform vid ett nazistiskt möte och propagerat antidemokrati på flottstationen i Stockholm och var därför inte längre önskvärd. Han ansåg nu sin militära karriär spolierad och avvek mot Norge för att ta sig över gränsen och låta värva sig av Waffen-SS. Greps vid gränsen och återbördades till fosterlandet.

Synd, tänkte Stålhandske. Waffen-SS hade rejäla förlustsiffror.

Vid återkomsten till Stockholm var han alltså fast besluten att verka för Stortysklands seger på hemmaplan i stället. Följaktligen skapades BG.

Mycket oklart vad organisationen lyckades åstadkomma de följande två åren.

Men i januari 1944 greps högbåtsmannen Lars Gustaf Verner Larsson på depåfartyget Niord i Hårsfjärden efter att ha stulit några askar pistolammunition som han överlämnat till sin Führer Ängström. Och så var det hela igång med telefonavlyssning och det gamla vanliga.

Ängström själv fick så mycket som fem års straffarbete. Inte bara för sina förberedelser till landsförräderi utan också för att han försökte utforska de norska polislägren i Sverige. Polislägren var ju inte utan vidare läger för poliser. Mot slutet av kriget stod det ganska klart att de var paramilitära styrkor som skulle sättas in vid befrielsen av Norge. Sveriges neutralitet var ju mer norskvänlig mot slutet av kriget än i början, när nästan varannan flyende norrman hade kastats tillbaks till Norge.

Högbåtsmannen slapp undan med 10 månaders straffarbete och sex medlemmar dömdes till varierande straff mellan åtta månader och tre månader villkorligt.

Så långt allt trivialt och bara ett fåtal personer ur flottans personal inblandade och dessutom ingen över högbåtsmans grad.

Men ett stort antal förhörda hade frikänts. Det var svårt att säga varför, det var ju i slutet av kriget så det behövde inte nödvändigtvis bero på mjuka svenska myndighetsryggar inför nazismen. Men brottsanklagelsen var ibland lite diffus. I princip gällde det landsförräderi och försök att omstörta demokratin med våld. Men i varje enskilt fall måste tydligen en åklagare bevisa att just det här affärsbiträdet eller just den här högbåtsmannen eller furiren personligen hyste såna planer. Och inte bara var allmänt antijudisk eller något i den vägen.

Bunten av förhörsprotokoll var alltså onormalt stor i förhållande till antalet dömda och den ene förhörde visade sig mer korkad än näste, eller åtminstone spelade de med förvånansvärd framgång korkade. Svårt att säga vilket.

Läsningen kändes fullkomligt meningslös. Men Åke Stålhandske ville ha saken ur världen, lämna tillbaks handlingarna och börja med något nytt. Samtidigt misstänkte han sig själv för att läsa för snabbt och kursivt och med för lite intresse.

Kanske var det så. Hur som helst kom han ganska långt in i ett av dessa protokoll innan han frös till, började om och läste mening för mening med penna i hand:

KRIMINALSTATSPOLISEN
STOCKHOLM

Utskrift av förhör hållet med kaféordningsmannen Fredrik Anders Hanngren, f. 23/8 1911. Förhöret hållet å Kronohäktet i Stockholm 14/4 1944 av krim. överkonstapel Nils Göran Elwin. Förhörsvittne ej tillgängligt. Förhöret påbörjat kl 08.05.

Förhörsledaren (F): Ja då är det dags att ta vid där vi slutade igår Hanngren. Det var alltså att Ängström och du skulle ta emot besök.

Hanngren (H): (ohörbart)

F: Vi kommer då till det där tillfället, då Andersson kom upp från Göteborg. Vad gällde saken då?

H: Det gällde ju att Ängström å han skulle bilda en cell i Göteborg.

F: Men det var väl mer som avhandlades vid mötet?

H: Vilket möte? Det var ju flera möten.

F: Det första mötet med Andersson, då på hösten 42.

H: Ja det gällde ju att skaffa dom här pistolerna. Andersson och Svenzén skulle åka till Örebro där någon hade pistoler.

F: Vem var det dom skulle träffa i Örebro?

H: (ohörbart)

F: Kan du tala lite högre? Vem skulle dom träffa i Örebro?

H: Vet inte. Det var visst en furir på I 3. Men namnet på han vet jag inte.

F: Var det något mera som avhandlades då?

H: Vid det första mötet?

F: Ja, mötet i oktober 42.

H: Ja, dom talte om spionerna.

F: Vilka spioner?

H: Norrmännen. Det var två norska spioner i Göteborg.

F: Hur visste Andersson det? Och vad var det för spioner?

H: Jag minns att Andersson sa att kapten von Otter sagt att det fanns kommunistiska spioner i Göteborg och att Ängström måste vara beredd på att dom kunde komma till Stockholm.

F: Vad skulle Ängström göra då?

H: Det sa han inte.

F: Sa inte Ängström vad han tänkte göra?

H: Nej inte honom. Det var Andersson alltså, Andersson sa att Ängström skulle vara beredd om spionerna kom till Stockholm.

F: Vad menade han med att vara beredd?

245

H: Det vet jag inte. Men det var farliga spioner, dom hade sprängt både tåget i Krylbo och jagarna i Hårsfjärden. Det hade kapten von Otter sagt.

F: Hade kapten von Otter sagt det?

H: Ja, så sa Andersson.

F: Vad tänkte du då?

H: Det var ju farliga spioner det där. Och jag som hade kamrater som strök med på Klas Horn.

F: En av jagarna i Hårsfjärden?

H: Ja.

F: Vad sa Ängström om det här då?

H: Ingenting. Han sa åt mej att koka kaffe.

F: Att koka kaffe?

H: Ja, Andersson hade riktigt bönkaffe med sig från Göteborg, så vi skulle dricka kask.

F: Sa dom inget mer innan du gick och koka kaffe?

H: Nää, jag gick och koka kaffe, å sen drack vi gök.

F: Men det pratades väl när du kom tillbaks med kaffet?

H: Ja, men bara kommissminnen. Vi hade ju varit gastar alla tre. Jo, dom talte lite om von Otter.

F: Vad sa dom om von Otter?

H: Det att dom båda seglat med han. Med Fylgia tror jag. Och att von Otter var en hyvens karl. Jag kände ju igen han von Otter själv, för han var ju på exercisskolan i Stockholm 1930 när jag var andraklassare på andra emkå.

F: Andraklassare på andra emkå?

H: Ja, andra matroskompaniet. Jag blev signalkorpral våren efter och sen fick jag luften 33.

F: Ja du var ju flottist innan du började som utkastare. Sa dom alltså att von Otter var med i er organisation?

H: Nä, men att man kunde lita på han. Rätta åsikter alltså och dessutom var han tjänixen med en krimmare i Götet, som jobba vid sidan av för legationen.

F: Legationen?

H: Ja, tyska legationen alltså. Den här krimmaren jobba åt dom. Eller konsulatet eller vad det heter.

F: Har du nån aning om vem den där krimmaren var, alltså?

H: Åjo, det var han som flöt upp halshuggen i Göteborg. Kommunisterna likviderade han, det var ju förra sommarn.

F: Hur vet du att kommunisterna dödade överkonstapel Jubelius?

H: Vet och vet. Man kan ju tänka. Jobelios eller va han hette var ju länken mellan von Otter och legationen och när dom inte våga sig på von Otter direkt så klippte dom länken alltså.

F: Är det där dina egna tankar, eller har någon talat om det här för dej?

H: Vi talte om det på ett BG-möte alldeles då han krimmaren blivit halshuggen. Vi trodde väl alla att kommissarna hade varit i farten.

F: Men var det bara gissningar?

H: Nja, ingen visste väl så där direkt, men man förstod ju ändå.

F: Förstod vadå?

H: Att det var kommissarna, kommunisterna alltså.

F: Dom här norska kommunisterna du talat om tidigare?

H: Nej inte dom. Dom blev ju hemkörda till Norge redan för två år sen. Det såg ju den där krimmaren till själv.

F: Vad menar du med det?

H: Jo den där krimmaren Joberus. Han von Otter, kaptenen alltså, sa till han att dom var spioner, alltså. Och då utvisade Joberos dom.

F: Utvisade Jubelius norrmännen?

H: Nä, inte han själv alltså. Han fixade det med en höjdare i Stockholm så att han fick papper på dom. Sen bar det av till gränsen.

F: Fixade höjdare i Stockholm det där? Vilka var dom då?

H: Det vet jag inte. Men Kalle Propp sa att legationen och von Uthman hade fixat det där med generalstaben.

F: Generalstaben?

H: Ja. Nån höjdare på generalstaben alltså, som fixa respasset åt norrbaggarna.

F: Du vet inte vem det var?

H: Nä, ingen aning. Jo förresten. Kalle Propp talade ofta om en som hette Klintén, nån kapten eller major. Det kan ha varit han. Sen var det visst en överste Oxenstierna.

F: Men det vet du inte säkert?

H: Nä. Men dom enda Kalle talade om på generalstaben var ju

247

den där Klintén och den där Oxienstierna eller Oxengren eller vad han hette.

F: För säkerhets skull, vem är Kalle Propp?

H: Det sa jag ju igår, Kalle Pettersson, Karlskrona-Kalle alltså. Han som var vaktis på legationen.

F: Vi talar alltså om samma person, som alltså är vaktmästare på tyska legationen här på Kungsgatan i Stockholm?

H: Just han.

F: Vilka kontakter hade nu Kalle Propp med generalstaben?

H: Det vet jag inte. Det var ju filmvisningar och sånt.

F: Filmvisningar?

H: Ja. Han attachén von Uthman bjöd ju på filmvisningar på legationen och då kom det svenska officerare, fast dom var civila förstås. Då kom den där Klintén och Oxberg ibland.

F: Kalle Propp umgicks med dom?

H: Nä. Men han fick ju höra ett och annat, tänker jag väl.

F: Och det berättade han för dej?

H: Nä, vi talades vid så sällan. Han var så högfärdig, Proppen.

F: Han var högfärdig?

H: Ja, han jobba ju på legationen.

F: Jag går nu tillbaka till det där mötet i Stockholm i oktober 1942. Det första mötet, alltså. Kommer du ihåg om det var den 13 oktober?

H: Nä, men det kan det ju ha varit alltså.

F: Du tycker i vart fall inte att det är omöjligt att det var just den 13 oktober och att det var där i Solna?

H: Jo, det var i oktober och det var i Solna. Det minns jag, för jag fick vänta så länge på spårvagn 15.

F: Och vad talade ni om då?

H: Men det har jag ju sagt redan.

F: Jo, men kan du tala om det en gång till. Det är viktigt, serru.

H: Ja det var ju om cellen i Göteborg. Och sen pistolerna och sen talte vi om von Otter och spionerna.

F: Det är vad du kommer ihåg från det mötet?

H: Ja, och sen att det var riktigt kaffe förstås.

F: Ni talade inte om Brun Marin?

H: Nä, Brun Marin var väl borta då. Det var ju förresten bara offar som höll på med Brun Marin.

F: Du menar att Brun Marin var en organisation för bara officerare?

H: Ja. Överklassare som ville hålla sig framme så länge det var medgång. Nu när den riktiga kampen börjar så skiter dom bara på sig.

F: Så nu får ni andra ta över, menar du?

H: Ja, därför bildade vi ju BG.

F: Vi talar om BG här. Jag vill bara klarlägga att du alltså menar Bruna Gardet, den SS-organisation som bland andra du och Ängström bildat?

H: Ja? Bruna Gardet alltså.

F: Och Bruna Gardet finns alltså här i Stockholm och, ja på Skeppsholmen, och ni skulle bilda en cell där i Göteborg?

H: Ja. BG i Göteborg alltså. Det skulle ju han Andersson greja.

F: Vilka mer skulle vara med i Göteborg då? Han von Otter?

H: Kanske. Det vet jag ju inte hur pass inne han von Otter var, men vi hade ju haft offare på vår sida tidigare där i Göteborg.

F: Vilka då menar du?

H: Ja, han Renhammar och Sterner. Dom på Ehrensköld. 41 eller när det var.

F: Kände du dom då?

H: Nä, dom var ju offare. Men dom var ju med alltså.

F: Var dom med i Brun Marin eller Bruna Gardet, menar du?

H: Nä, det var dom väl inte. Med i BG eller så, menar jag. Men dom var ju på samma sida i kampen. Dom där två, Renhammar och Sterner, fixa ju den där norska båten. Alltså, och den där von Otter branda ju dom norska spionerna, alltså.

F: Du säger att von Otter brandade spionerna, det var ditt ordval?

H: Ja. Han berättade för honom, alltså krimmaren, som fixa så att norrbaggarna åkte ut.

F: Det var alltså kapten von Otter som angav norrmännen?

H: Ja det måste det ju vara. I alla fall så sa Andersson så.

F: Ja du. Du förstår väl att jag måste tjata om det här, för att jag vill ha allting klart förstår du.

H: (ohörbart)

F: Det var alltså så att på kvällen den 13 oktober 1942 så träffades du och Ängström och Andersson från Göteborg. Ni talade dels om att Andersson skulle starta en BG-cell i Göteborg och att ni skulle få vapen från en furir på I 3 i Örebro. Var det så?

H: Ja, det var det väl.

F: Och den där furiren på I 3, vad hette han?

H: Det vet jag inte. Nämndes inga namn.

F: Hur många pistoler var det då?

H: Vet jag inte. Men det var ju flera än en förstås.

F: Fick ni dom där pistolerna nån gång?

H: Nä, inte då alltså. Dom fick vi ju senare från annat håll.

F: Så det blev ingen pistolaffär med den där okände furiren vid I 3?

H: Nä, inte då alltså.

F: Och sen talade ni om spioner i Göteborg, som kapten von Otter hade angivit för kriminalöverkonstapel Jubelius och som han i sin tur rapporterat till tyska legationen.

H: Ja, alltså.

F: Och sen talade ni om att tyska legationen här i Stockholm hade kontakt med en officer i generalstaben som hjälpt till att få dom här spionerna utvisade alltså?

H: Ja.

F: Det fanns alltså en kontaktlinje mellan kapten von Otter i Göteborg och, ja via överkonstapel Jubelius till tyska legationen. Och dom hade också kontakter i generalstaben. Var det så?

H: Ja, det var det väl.

F: Och det var inget annat som avhandlades den där kvällen?

H: Jo, det var ju kaffet alltså. Att vi hade riktigt kaffe.

F: Jo, jag har hört det. Men det var inget annat som sas, inget annat ämne som kom upp så att säga?

H: Nä, inte vad jag minns.

F: Är det något du har att tillägga om det där mötet i Solna?

H: Nä, det var nog allt.

F: Nä du Hanngren, kanske ska vi ta lite kaffe nu om du inte har något mer att berätta alltså. Men det blir ju inte lika fint kaffe som du fick där i Solna.

H: Nä, det förstås.

F: Då avslutas det här förhöret med Hanngren och klockan är 0917.

Avskrivet efter magnetband betygas:

Eva Svensson
Kobi
Förhörsprotokollet uppläst för Hanngren och av denne lämnat
utan erinran.
Nils Göran Elwin, ök

Åke Stålhandske hade sitt anteckningsblock fyllt av aggressiva pilar
och utropstecken. Han var elektrifierad av vittringen men lyckades
tvinga sig till att inte genast börja analysera vad han egentligen fått
fram. Först borde han läsa de två övriga förhören med krogutkasta-
re Hanngren.

Men det fanns inga ytterligare protokoll med Hanngren. Fast de
borde ha funnits vilket ju framgick redan av pagineringen i de med
papperssigill och blågula snören sammanvävda förhörsbuntarna.
Av innehållsförteckningen framgick också att, och precis var, det
skulle finnas ytterligare två förhör med Hanngren.

Åke Stålhandske grubblade mycket kort på saken innan han tog
fram ett förstoringsglas för att granska papperssigill och de blågula
snörena.

Han fann snabbt vad han sökte efter.

"En sån listig liten saatan", sa han till sig själv och gav sig ett för-
tjust varggrin i den svarta fönsterspegeln mitt emot skrivbordet.

De blågula banden som höll samman förhörsbuntarna hade först
skurits av och sen försiktigt splitsats samman, som om de vore ham-
parep, sånt som alla sjömän kunde förr i världen.

Någon hade alltså stulit två av tre förhörsprotokoll med denne
Hanngren. Varför då inte det tredje när det ändå innehöll så intres-
santa uppgifter?

Åke Stålhandske bläddrade fram protokollet på nytt. Där stod
tydligt med rubrik och allt, precis som på alla förhörsinledningar,
vad det var fråga om.

Han bläddrade framåt två sidor och kom genast på en ny förhörs-
rubrik. En högbåtsman Larsson sa sig på en och en tredjedels sida
inte veta någonting, inte komma ihåg någonting eller eljest ha med
någonting att göra. Ett mycket kort förhör.

Borde alltså kunna vara ett misstag. Man hittar de två andra förhö-
ren men inte det här för att det verkar som om allt följande skall be-
röra högbåtsman Larsson?

251

Möjligt. Hursomhelst verkade det ju konstigt att någon gör sig besvär att stjäla de två andra protokollen, men inte det här.

Vem stal, och när?

Handlingen var hemligstämplad mellan 1944 och 1984. Åke Stålhandske bestämde sig för att den splitsande dokumenttjuven, kanske mördaren, hade slagit till efter 1984, när handlingen var tillgänglig för allmänheten.

Hur många människor lånade såna här handlingar? Själv fick han ju fylla i särskilda ansökningsformulär för varje förfrågan, det borde väl gälla alla. I detta land där allting sparades, sparade man fyrtio år gamla ansökningar om att låna papper? Var förvarade svenskarna resultatet av all sin byråkrati egentligen?

Den frågan fick anstå tills vidare. Tillbaks till vad som faktiskt fanns.

1942 fanns det bevisligen nazistiska eller nazisympatiserande sjöofficerare i Göteborg. Joar hade ju sysslat med två stycken, en kapten och en löjtnant som faktiskt dömdes för spioneri.

Vid samma tid som två officerare åkte fast fanns en viss kapten von Otter på staben i Göteborg.

Enligt källa "Andersson" från Göteborg samarbetade von Otter med en polis som hette Jubelius och som tydligen mördats 1943.

von Otter hade kommit på två norska "spioner" och med hjälp av Jubelius och ingen mindre än af Klintén och en person Oxenstierna, Oxberg eller Oxengren sett till så att dessa två norska spioner utlämnades till Norge år 1942, det vill säga till Gestapo.

Varför var det så viktigt att få de norska underrättelsemännen utlämnade och avrättade i stället för att bara sätta fast dem och få dem dömda i Sverige? Konspiratörerna von Otter, Jubelius, af Klintén och "Oxengren" hade ju besvärat sig åtskilligt, både genom att begå brott och genom allt det fiffel som måste till. Varför? Vad var så särskilt viktigt med dessa spioner?

En av konspiratörerna mördades året efteråt, den där Jubelius i Göteborg. af Klintén och von Otter mördades 47 år efter Jubelius. Alltså inte samma mördare i fysisk mening. Men kanske samma motiv? Den brittiska underrättelsetjänsten?

Nej, en löjeväckande tanke.

Och vem nu än "Oxengren" var så hade han i vart fall inte mördats i år. Den illegala utvisningen av två norska underrättelsemän

1942 var dock det enda som hittills band de mördade samman. Dystert nog för Sam fanns alltså nu ett band mellan den gamle Uttern och af Klintén.

En plötslig ingivelse fick honom att på nytt ta fram de hemliga förteckningarna från försvarsstabens inrikesavdelning där man listade nazister. Det var ju en kort lista på officerare. Och lätt att finna: *Viking Carl Gabriel Oxhufvud, överste i Gst 1940. Försatt i disponibilitet 1944 efter beslut av ÖB på grund av sina starkt uttalade sympatier för Nazityskland.*

Om han fortfarande levde svävade han alltså i dödsfara just nu, han föreföll vara den siste konspiratören vid liv.

Mer om herr nazisten Oxhufvud gick inte att ta fram just nu, det fick bli ännu en runda till Krigsarkivet. Just nu gick det bara att ställa upp en lista på förslag till åtgärder.

För det första, hur få reda på vilka norrmän som hamnade i Gestapos käftar 1942? Vem vet sånt?

Östtyskland, tänkte han och sken upp. Man kunde ju faktiskt fråga östtyskarna eftersom alla visste att deras arkiv i Berlin, som hamnat i ryssarnas händer, var mycket bättre än det som hamnat i Väst. Och som läget nu var med glasnost hit och glasnost dit så skulle de kanske tillmötesgå en sån begäran från forna fiender.

Punkt två. Undersöka allt om Oxhufvud via Krigsarkivet, hela karriären, alla befattningar, hela skiten.

Punkt tre. Mordet på Jubelius i Göteborg måste ha avsatt en mordutredning med förhör av misstänkta och så vidare. Vid tidpunkten för förhören med krogutkastare Fredrik Anders Hanngren visste i vart fall inte polisen i Stockholm hur det hela gått till, men utredning måste existera. Alltså be Norrköpingspolisen ta fram den, med förhör och allt. Där kunde ju den där "Andersson" finnas.

Åke Stålhandske avbröt sig och letade en stund i förhörsbuntarna. Enligt innehållsförteckningen skulle det finnas förhör med en högbåtsman Gustaf Oscar Andersson, Tredje Långgatan i Göteborg.

Det förvånade honom inte att upptäcka att även det förhöret var stulet, med samma teknik som förhören med Hanngren.

Alltså punkt fyra. Allt som Krigsarkivet kunde ta fram om furiren vid flottan Gustaf Oscar Andersson.

Punkt fem. Från och med nu koordinera utredningsarbetet med Joar, från och med nu hade de fått upp ett spår och kunde söka tillsammans.

* * *

Fänrik Luigi Svensson väntade sig ännu en urjävlig dag. Han hade avslutat en lång period med teoretiska prov och test och därför var naturligtvis Skip inte sen att ta skadan igen nu när pojkarna hade klemats bort vid dom jävla morsaknullande skrivborden. Överstelöjtnant Skip Harrier hade ett måleriskt språk. Han hade också en teori som gick ut på att driva alla aspiranter till gränsen för vansinne av trötthet och frustration innan han exempelvis la in långa testserier med precisionsskytte. Kom ihåg morsgrisar, att om ni nån enda jävla gång i livet får privilegiet att utöva dom cirkuskonster vi lär er här så är ni fanimej inte på gott humör eller utvilade och pigga just då. Och så vidare. Det verkade föralldel inte orimligt.

Men det var också ett system som provocerade fram utslagning. Den som bröt samman och svarade Skip Harrier i samma tonläge, kastade ifrån sig sin utrustning i sanden och började gå hemåt eller något i den stilen, gick för alltid.

Det gällde även utländska aspiranter. Han och Karlsson hade talat om det ibland, att de måste försöka stötta varandra, att en av dem faktiskt skulle betyda 50-procentiga svenska förluster, att det dessutom fanns en viss svensk tradition här ute i Death Valley som nästan alla var medvetna om, hur hysch-hysch-hemligt det än påstods vara. Den åtminstone enligt officiella meriter bäste bland de bästa av de bästa var svensk. Hans namn satt på en plakett ovanför en av sängarna i barack tre. Sängen var alltid bäddad. Ingen sov någonsin i den.

De hade ägnat två timmar på morgonen åt att öva pansarskott, han och Karlsson ingick i samma team, *Swedish Steel,* och låg bra till för att vinna tävlingen; allt man gjorde var tävling och sista plats gav minuspoäng som drog in permissioner och första plats pluspoäng till kursavslutningen. Karlsson hade varit just pansarskytt under sin tid i kustjägarna och dessutom genomfördes övningen den här gången med en svensk modell. De kunde vinna, de hade en mycket god chans till en vinst och tio poäng.

Ju högre solen steg desto svårare blev det eftersom poängen var tiden, den tid man använde för att förflytta sig från position till position och komma i ordning. Själva skyttet var det minsta problemet, det var stressen och konditionen och viljan det hängde på. Det var ännu inte den heta tiden på året, Skip Harrier skulle inte ha tvekat i alla fall, men Death Valley har inte fått sitt namn utan anledning. De sprang, flåsade, slet och sköt och sprang på nytt. Eftersom Karlsson aldrig missade fick han stå för skyttet medan Luigi Svensson fick ta på sig det mesta av släpandet och bärandet så att Karlsson inte skulle dra på dem någon straffrunda genom att missa. Mot slutet gick det bara på vilja, och när det äntligen var över och de kommenderades lediga föll de nästan samman av trötthet medan de med plötslig brist på all koncentration och precision fumlade med skruvkorkarna till vattenkantinerna.

Skip Harrier kom fram till målplatsen i en jeep inne från förläggningen, det röda ökendammet stod som en rök efter bilen.

"Gomorron morsgrisar!" vrålade han glatt när han steg ur bilen och sträckte sig efter löjtnantens protokoll.

"Gomorron Sir!" vrålade de utpumpade soldaterna som om de plötsligt fått en adrenalininjektion.

Skip Harrier studerade protokollet och gick sen leende fram mot Luigi Svensson och Göran Karlsson, Swedish Steel. De reste sig blixtsnabbt och intog enskild ställning.

"Well well well, det svenska stålet är inte så jävla uruselt idag ser jag. Gratulerar", sa Skip Harrier med ett olycksbådande glatt leende.

"Tack Sir!" skrek de två svenskarna och sneglade på varandra för att se om den andre hade förstått vad saken gällde, vilket fanskap som nu var på väg.

"Eftersom herrarna ägnat morgonen åt lite halvskapligt skytte så tycker jag nog att vi bör ha en liten extraövning med er", log Skip Harrier förbindligt innan han blixtsnabbt skiftade attityd som om han blivit rasande och vrålade: "Skulle ni tycka om en liten extraövning, skitstövlar!"

"Yes Sir!" vrålade Svensson och Karlsson reflexmässigt samtidigt.

"Hm, det är bra. Men för att ni inte ska göra bort er nu, för gör ni bort er nu skiter det sig ordentligt för er, så ber jag herrarna godhetsfullt inta baksätet i min jeep så att ni slipper löpa tillbaks till skyttehangaren."

De två svenskarna stirrade frågande på Skip Harrier, sen på varandra.

"Har ni förstått!" skrek Skip Harrier plötsligt.

"Yes Sir!" skrek svenskarna reflexmässigt tillbaks men ändå tog det en kort stund av tvekan innan de gjorde något, vilket bara kunde få en effekt.

"In i baksätet, på stubben, morsgrisar!" skrek Skip Harrier.

Nu lydde de blixtsnabbt och Skip Harrier gick skrockande bakom dem mot jeepen, hoppade in och öppnade en Coca-Cola-burk innan han drog på sig solglasögonen och startade färden med sin oroliga last.

De hade väntat sig nästan vad som helst inne i skyttehangaren, utom just detta. Där inne fanns bara en person som stod och sköt för sig själv med en gammal M 1 på löpande mål. Främlingen var klädd i basens vanliga camouflageuniform men bar kommendörkaptens gradbeteckning.

"Gentlemen, får jag presentera, fänrik Svensson och fänrik Karlsson. Commander Hamilton!" skrockade Skip Harrier, påtagligt nöjd med sin skämtsamma uppläggning av mötet.

De två svenskarna gjorde mållösa honnör, som Carl besvarade utan att säga något och utan att kunna dölja ett småleende. Han gissade ungefär hur Skip hade gjort för att upplysa men inte upplysa hans landsmän om vad som var på gång.

"Och medan jag förbereder övningen, och våga nu inte göra bort er, era jävlar, så ska ni ju bekanta er", sa Skip Harrier med tonfall som om han försökte återta det dystra hotfulla och gick bort mot en av skjutbanorna för att förbereda ett eller annat.

"Jaha", sa Carl lätt på svenska när de blivit ensamma, "och ni trivs och har sötebrödsdagar under Skip Harriers trygga vingar kan jag förstå?"

"Yes Sir!" skrek hans två landsmän automatiskt. De hade inte kunnat ställa om till svenska och de hade knappt fattat att de såg vad de såg.

"Lediga!" kommenderade Carl eftersom han upptäckte att de båda andra plötsligt stod i givakt. Nu lydde de på svenskt manér.

"Jag ska ha ett litet samtal med er, en och en i enrum, det är därför jag är här. Oroa er inte för det där Skip sa, han är ju sån. Förresten ser jag att ni har fått guldvingarna båda två, så det här ska nog gå bra. Först leker vi Skips lek, sen samtal, är det uppfattat?"

"Yes Sir!" svarade Luigi Svensson.

"Ja, kommendörkapten!" svarade Göran Karlsson.

Carl skakade på huvudet och skrattade. Han mindes ju allt, han hade varit själv där hans två landsmän nu var och det passade honom att med deras hjälp vara kvar i det förflutna. Det var en så bekymmerslös tid.

Skip Harrier hade riggat färdigt för en övning som Carl mycket väl visste vad den gick ut på och de andra svenskarna bara kunde ana sig till.

De började vid 50-yardslinjen, gjorde femtio armhävningar, sprang till 25-yardslinjen, plockade upp det vapen som fanns där, vilket man enligt reglerna inte skulle känna till i förväg, det kunde vara vad som helst av det femtiotal handeldvapen av olika typ och nationalitet som var och en på Naval Weapon Center förmodades behärska.

Sen sköt man mot rörliga mål tills man bedömde fem godkända träffar, sen gällde det att springa tillbaks till 50-yardslinjen, göra femtio nya armhävningar och så tillbaks mot nästa okända vapen.

Carl tyckte att det var på gränsen till fusk, men naturligtvis hade Skip Harrier organiserat leken på samma sätt som han en gång gjorde med Åke Stålhandske och Joar Lundwall. De tre "okända" vapentyperna blev givetvis AK 47, Smith & Wesson model 19 och Beretta 92.

Carl kunde ta det lugnt och nästan promenera i stället för att springa, trots att han kom efter i varje varv med armhävningar. Han sköt sig ikapp och förbi varje gång och kunde gå tillbaks till utgångspunkten som etta i den minst sagt riggade tävlingen.

Men Skip Harrier hade ju starka föreställningar om att aspiranterna ständigt måste påminnas om att deras officerare var bättre. För de två svenskarnas del gällde ju dessutom att de tävlade mot en legend. Alltså måste Carl vinna. Så amerikanskt enkelt var det.

Det psykologiska övertaget blev ännu tydligare i nästa och sista testavsnitt borta i närstridshangaren. Carl nöjde sig med att känna lite på dem båda, han upptäckte att de redan var trötta och tydligen haft en hård övning på morgonen. Han garderade sig bara, men slog aldrig tillbaks. Han kände sig mera nöjd med den här övningen, den visade honom själv att hans träning dag ut och dag in, varje morgon varannan kväll, ändå bibehöll en viss nivå. Att ingen av de yngre, starkare och snabbare svenskarna ändå kunde träffa honom hade med psykologi att göra. Hade de inte vetat vem han var så hade det möjligen utvecklat sig mycket annorlunda.

Skip Harrier följde samma ritual som förra gången. Efter närstridsövningen gick de och tog en bastu, duschade och drack öl och lyssnade en stund på Skips krigsminnen. Och naturligtvis pekade Skip på Carls ärr och skämtade om det där med att försöka våldta en drake.

Det ingick också i psykningen. Det var riktiga ärr, ingen övning. Och det syntes mycket tydligt. Det var det som kunde vara framtiden.

Carl hade redan tagit del av de svenska aspiranternas pappersmeriter och betyg och protokoll när han kom på morgonen. Nu återstod bara några timmars enskilt samtal i en av de tomma barackerna. Han började med Luigi Svensson.

"Lediga, fänrik Svensson", skrattade han bakom sitt provisoriska skrivbord när den dödligt allvarlige unge mannen kom in och sträckte upp sig.

Han blev blixtsnabbt åtlydd.

"Varsågod och sitt, fänrik", sa Carl otåligt och blev på nytt blixtsnabbt åtlydd.

"Jag vet att det här inte är lätt, Luigi", suckade han. "Jag menar lätt att plötsligt ställa om till svenska förhållanden. Så låt oss fortsätta samtalet på engelska, är det okay?"

"Yes Sir!"

"Ni talar perfekt italienska står det här. Får jag fråga, vad betyder det?"

"Jag kan röra mej i Italien eller bland italienare och ingen skulle tro annat än att jag är italienare, Sir!"

"Gott. Ni har alltså bibehållit italienska i hemmet, med er mor?"

"Yes Sir! Och jag har dessutom tillbringat nästan varje sommar i Italien, utom dom senaste tre förstås."

"Bra. Ja, jag var bara nyfiken på om perfekt verkligen betydde perfekt, det är ju inte alltid så. Men låt mej gå rakt på sak. Vad har du för målsättning med dina, ska vi säga studier, här i Kalifornien?"

"Att gå ut som kursetta bland aspiranterna, Sir!"

"Det är ett ganska arrogant svar, med tanke på i vilket sällskap du befinner dej."

"Yes Sir!"

"Det är gott, jag gillar den attityden. Mycket amerikansk, mycket lite svensk. Men jag tolkar också ditt svar som att du kommer att söka anställning inom den svenska militära underrättelsetjänsten när du kommer hem?"

"Yes Sir!"

"Varför det?"

Den ordfattiga och skenbart enkla frågan slog undan något av Luigi Svenssons ytliga militärsjälvklarhet. Han måste tänka efter flera sekunder innan han svarade. Killen ser ut som en filmstjärna av något slag, hann Carl tänka under väntetiden.

"Hela mitt liv har jag varit det som på svenska kallas svartskalle, och hela mitt liv har jag känt mej som svensk. Jag vill tjäna mitt land på bästa sätt, bli den bäste underrättelseofficeren i världen efter er, Sir!"

Carl tvingade sig att inte brista i skratt. Han tyckte av outgrundliga skäl om den till attityden fullkomligt amerikanske halvitalienske svensken. Det var som om han kunde känna sig äldre utan att ha minsta obehag vid tanken, som om han för första gången i sitt liv upplevde något man skulle kunna kalla faderskänslor.

"Well", sa han dröjande. "Med den attityden och med dom här betygen och med Skips omdömen som jag har tagit del av men lovat att inte delge er förrän ni är i Sverige, så kan jag inte inse annat än att vi för närvarande har få saker att penetrera. Välkommen i mitt team, fänrik Svensson."

Carl reste sig och sträckte fram handen till avsked, och sen avsaluterade de varandra på amerikanskt manér.

Killen är trespråkig, tänkte Carl, hans engelska är bättre än min, jag skulle ha svurit på att han var infödd i Kalifornien.

Carl gick ut på den lilla skuggade verandan i väntan på näste svenske fänrik. Han tog det hela för lättvändigt, det var ju uppenbart. Och skälet var att han ville tillbaks till Tessie så fort som möjligt. Han skulle säga nej till Skips självklara invit att ta en traditionell bläcka efteråt och tala allvar om livet och svenskt stål och annat och han skulle skylla på viktiga angelägenheter i största allmänhet, det vill säga ljuga till och med för Skip.

Det privata höll på att ta över hans identitet, hans moral och hans ansvar för allt annat. Han bestämde sig för en mer noggrann genomgång med fänrik Karlsson.

Luigi hade de rekryterat från fallskärmsjägarna, det blev alltså en första arméuniform i gänget. Karlsson var som Åke och Joar kustjägare. De var DG:s två sista rekryter. I fortsättningen skulle Carl förmodligen själv få överta det ansvaret. Om det blev någon fortsättning. Sverige kunde ju inte köra fram två guldvingar vart femte år i evighet här ute i Death Valley. Kanske räckte det med fem man tills vidare. Det där hade ju också med världspolitiken att göra, allt det som egentligen var Carl helt främmande just nu. Han måste stålsätta sig för att sköta jobbet åtminstone med näste man, i stället för att ila tillbaks till L.A. och Tessie.

Han försökte skylla ifrån sig något med att pappersmeriterna och det han hade sett av de två var tillräckligt övertygande. Men det var för genomskinligt till och med för honom själv i hans nya mindre nogräknade jag.

* * *

Samuel Ulfsson kände sig som alltid ytterst besvärad av att vistas i någon av regeringsbyggnaderna. Den här gången var han i Rosenbad, i diskret grå kostym och lika diskret insläppt någon bakväg. Redan det gjorde ju att onda aningar låg nära till hands. Dessutom brukade man aldrig få röka. Dessutom måste man ibland frammana sin allra djupaste respekt för den demokrati som försvarsmakten var till för att försvara, men som inte alltid framstod som den mest demokratiskt tänkbara när hemliga order skulle utdelas i en regeringsbyggnad där det oftast outtalade löftet var att ni får själva ta skiten.

De skilde mellan ni och oss, ni var Samuel Ulfsson. Och något sånt gällde det förstås nu när statssekreteraren i statsrådsberedningen med särskilt ansvar för säkerhetsfrågor prompt kallat till möte. På hemmaplan, naturligtvis.

Det var en skrynklig något rödögd statssekreterare i manchesterkostym som Samuel Ulfsson leddes in till. Annars samma pansarglas och vackra utsikt över Strömmen och samma ljusa bord i masurbjörk och moderna möbler som man satt obekvämt i, oerhört dyra möbler som kanske skulle se enkelt folkliga ut eller hur man nu tänkt sig.

Han fick röka, eftersom statssekreteraren själv rökte.

"Nå, för att gå rakt på sak", sa statssekreteraren när hälsnings- och tända cigarrett-ritualen var avklarad, "varför i helvete måste du bussa Hamilton av alla på dom där polismännen?"

Han är så att säga min chef. Han representerar landets regering, ta det nu lugnt, tänkte Samuel Ulfsson innan han svarade.

"Det föreföll lämpligast med hänsyn till omständigheterna", svarade han kort och samlat.

"Hurdå lämpligast, vilka omständigheter?" kom motfrågan som ett pistolskott.

"Vi har få operatörer av den kvalitet som erfordras för ett... ett uppdrag av den här karaktären. Hamilton för befäl över den gruppen. Hamilton är dessutom offentligt känd, vilket inte dom andra är, alltså kunde han genomföra vissa förhandlingar med olika civila inblandade. Att saken skulle komma till offentlig kännedom var ställt utom allt tvivel. Förbrytarna skulle ju bland annat överlämnas till polisen, och deras brottsverktyg också, för den delen."

Samuel Ulfsson var nöjd med sitt svar. Han lutade sig tillbaks och drog ett överdrivet långt och njutningsfyllt bloss på sin cigarrett som genast började kännas varm och svampig på mitten.

"Hm", sa statssekreteraren något dämpad av det han tydligen uppfattat som viss logik, "vi har ett problem."

"Hurså?" frågade Samuel Ulfsson med en egendomlig känsla av att plötsligt ha fått ett övertag på den minst väntade av alla stridsteatrar.

"Enkelt uttryckt ligger det till så här. Den borgerliga oppositionen lever djävulen om att vi använder militär mot polisen. Frågan är då för det första var ansvaret ligger hos oss, hos mej eller statsministern eller justitieministern eller nån annan minister dom vill åt. Eller hos er. För det andra förekommer vissa insinuationer om att vi skulle ha ingripit i polisens spaningsarbete för att sabotera deras jobb. Konstitutionellt kan man, utan överdriven nitiskhet i dom formella juridiska detaljerna, säga att det är rätt allvarliga anklagelser."

"Ja, otvivelaktigt", sa Samuel Ulfsson och bytte omständligt cigarrett medan han tänkte, eller försökte tänka ut, vad han skulle säga. Politiker talade alltid bara i halvkvädna visor, som om de ständigt var avlyssnade.

Samuel Ulfsson bestämde sig för att försöka vänta ut motståndaren, och skämdes samtidigt för att han tänkte på landets lagliga regering som motståndare.

"Alltså, det drar ihop sig till sån där KU-cirkus igen", fortsatte statssekreteraren ansträngt.

"Jaså bara det", log Samuel Ulfsson glatt, "då skickar vi väl Hamilton en gång till så ordnar sig allt."

"Jag är rädd att det inte är så enkelt. Det torde vara vi två som ska upp till rakning i så fall. Hamilton gjorde ju bara vad han fått order om. Eller hur?"

Det fanns ett visst eftertryck i frågan. Samuel Ulfsson nickade bekräftande.

"Alltså. Torpederna, som oppositionen säger, fungerade, det är inte det som är problemet. Frågan är vem som avsände dom."

"Regeringen", svarade Samuel Ulfsson med kontrollerat lugn samtidigt som han inbillade sig att det blev kallare i rummet.

"Nja, det är ju det som är frågan. Och det är alltså den frågan som kommer att ställas i KU. Vad kommer ni från er sida då att svara?"

Frågan var avsedd att framkalla någon sorts kapitulation, tyckte Samuel Ulfsson. Och så bestämde han sig för att inte kapitulera, åtminstone inte i första taget.

"Om jag tillfrågas kommer jag naturligtvis att säga som det är. Man är inte edsvuren i vårt parlament men jag förutsätter att tanken är att man ändå ska tala sanning", sa Samuel Ulfsson långsamt och som han trodde mycket tydligt.

"Jo det förstås. Men frågan är vad som är sanning."

"Sanningen är att jag har varit här en gång förut. Då instruerades jag att använda militära resurser för att avbryta en brottslig och, eller, säkerhetshotande verksamhet i Uppsala och därefter omedelbart överlämna resultatet av våra åtgärder till den vanliga polisen. Jag till och med noterade saken i min dagbok."

"Jo. Så sant. Men jag har ju inte sagt att du ska slå ihjäl några kriminalinspektörer."

"Nej, men vi slog inte heller ihjäl några kriminalinspektörer. Vi överlämnade dom till polisen."

"Nåja, misshandlade. Det sa jag aldrig."

"Det sa jag aldrig till Hamilton heller."

"Vad sa du till Hamilton?"

"Att regeringen uttalat önskemål om att vi skulle avbryta den avlyssningsoperation som fortgick i Uppsala. Att vi skulle överlämna såväl brottslingar som brottsverktyg, det vill säga utrustningen, till polisen."

"Sa du åt honom att misshandla poliserna?"

Samuel Ulfsson höll på att drabbas av ett hysteriskt anfall av fnitter som skulle ha varit djupt olämpligt, kände han, och i vart fall gjort honom onödigt generad.

"Nej", svarade han och harklade sig. "Jag angav de ungefärliga taktiska dispositioner som vi hade att hålla oss till. Hamilton är utomordentligt skickad att på plats avgöra vilka medel som erfordras för att genomföra dina eller mina önskemål."

Det uppstod en paus, ungefär som en rondpaus där kombattanterna får ta igen sig och samla sig för nya attacker.

"Så här kan vi inte hålla på", sa statssekreteraren irriterat när hans engångständare visade sig ur funktion. Samuel Ulfsson valde att tro att det var skälet till regeringens irritation, snarare än hans egen ovilja att ta på sig hundhuvudet. För det var ju det saken handlade om, otvivelaktigt.

Han hjälpte regeringen att få fyr under cigarrettänden.

"Alltså, så här kan vi inte hålla på", fortsatte statssekreteraren och andades ut rök samtidigt som han pratade, "vi måste bestämma oss."

"För vadå?"

"För vem som gav ordern, till att börja med."

"Det gjorde du."

"Jag gav ingen order om att misshandla säkerhetspoliser och bussa Hamilton på dom, kunde ni inte ha tagit någon annan?"

"Svar nej. Jag har redan försökt förklara varför Hamilton måste ha det där ansvaret, och för övrigt gick ju operationen smärtfritt."

"Ett något olyckligt ordval."

"Nåja, smidigt då?"

"Så inför KU kommer du att hävda att jag har instruerat dej att misshandla poliser?"

"Nej, men att du har instruerat mej att använda erforderliga medel för att ingripa mot brottslig verksamhet och därefter skyndsamt se till så att saken hamnade i polisens klor."

"Kan vi enas om det?"

"Ja, naturligtvis, det är ju sant."

"Jag har alltså aldrig sagt att polismännen skulle misshandlas och att du skulle använda dej av Hamilton?"

"Nej, det ansvaret tar jag på mej."

Därmed slutade uppgörelsen oavgjord i svensk kompromiss. Samuel Ulfsson var militär och hade möjligen en något fyrkantigare uppfattning om vad som var politisk sanning än hans motståndare hade.

Men på något sätt tycktes denne nu se en möjlighet där ingen skulle behöva ljuga men där ingen heller vore direkt ansvarig, framför allt inte regeringen.

* * *

Joar Lundwall hade fått en utomordentlig hjälp från polisen i Norrköping. Man hade inte bara förmått sina kolleger i Göteborg att å det skyndsammaste gräva längst ner i källaren för att hitta en gammal mordutredning som ej lett till spaningsresultat, trots att det gällde en kollega. Man hade dessutom flygfraktat två kartonger med detta uråldriga utredningsmaterial till Stockholm, i fotostatkopior som ej behövde returneras.

Mordet på överkonstapel Jubelius, om det nu var ett mord men det var det väl, hade aldrig klarats upp.

Den 22 juli 1943 påträffades han flytande i Lilla Bommens hamn, han hade då varit anmäld försvunnen i tre månader. Liket var illa tilltygat, fartygspropeller var en möjlighet och därav ryktena om halshuggning, eftersom huvudet saknades. Men man hade inte entydigt kunnat fastställa dödsorsaken, drunkning kunde inte uteslutas och så vidare.

Men det var inte det viktiga, mördad eller inte spelade ingen roll menade Joar. För utredningen gav onekligen tydliga belägg för att mannen hade varit nazistucken. Det fanns en utförlig redogörelse för hans liv och karriär.

Han hade bland annat varit underbefäl innan han övergick till polisen, genomgått exempelvis en kulspruteunderbefälskurs vid Upplands regemente, I 8, år 1928, han fanns alltså i Krigsarkivet också, man borde leta efter honom tillsammans med andra på nästa runda dit.

1932 anställdes han vid polisen i Göteborg och blev samma år sergeant i reserven, överkonstapel 1938, bytte namn till Jubelius 1940, hade hetat Jönsson dessförinnan och så vidare.

Ja, och så följde en del av hans familjeliv, han var bland annat gift med en tyska.

Vid den kritiska perioden i Göteborg arbetade han med en öppen och en dold verksamhet. Han sysslade både med att uppspåra smugglare och svartabörshajar och med engelskt spionage. En av hans tipsare var en viss högbåtsman Gustaf Oscar Andersson, just det, samme Andersson som Åke Stålhandske hade hittat.

Och så kunde man alltså gå på Andersson ett slag. När han arbetade som tipsare åt Jubelius i Göteborg var han mer eller mindre på dekis. Det fanns en hel del förhörsprotokoll med honom och de var inte trevliga i tonen precis. Vi kan hoppa över en massa traggel om nazism hit och dit, mannen misstänktes för övrigt för homosexualitet, ja det var tydligen brottsligt på den tiden.

Joar Lundwall gjorde en menande paus innan han fortsatte sin föredragning.

Det mest relevanta handlade om de norska spionerna, eftersom det ju kunde tänkas ha ett samband med mordet. Faktiskt satte Andersson i sina förhörsutsagor mer eller mindre fast sin polis Jubelius för det där med att frakta dem till Norge med hänvisning till att de bara var smugglare. Det fanns emellertid ingen mening med att utreda det brottet nu när Jubelius var död.

Andersson hade dessutom lämnat uppgifter åt norrmännen, mot betalning. De två norrmännen hade varit alldeles särskilt intresserade av hur det gick till när M/S Elisabeth Bakke angavs för tyskarna, vilka som kunde ligga bakom, om det fanns andra än Sterner och vad han nu hette den där kaptenen.

Andersson hade då angett von Otter för norrmännen, och fått betalt för det. Därefter hade han angett norrmännen för Jubelius, och fått betalt för det också.

Frågan var alltså, när det gällde von Otter, om det var någonting som Andersson visste, eller någonting han hittade på för pengar?

Det är visserligen inte omöjligt, men inte heller särskilt sannolikt, att en fartygspropeller skär av ett människohuvud under vattnet. Det är alltså rimligt att anta att någon, som naturligtvis inte var de två norrmännen, mördade Jubelius för vad han hade gjort.

Så långt var allt klart. Det vill säga så långt var allting tämligen oklart. Nu gällde det nya djupdykningar i Krigsarkivet efter hög som låg.

Det kunde ju inte vara vilken spionhistoria som helst om det fanns skäl att mörda nästan femtio år senare. Och det kunde ju inte vara hämnd eftersom de utlämnade ju hamnade hos Gestapo och inte gärna kan ha överlevt det, eller berättat för sina uppdragsgivare.

Man fick faktiskt hoppas en del på östtysk glasnost. Varför var de två så viktiga för Gestapo? Varför mördar någon annan än Gestapo de inblandade så långt efteråt? Vad visste de inblandade som inte fick komma ut, ens efter ett halvt århundrade?

Fantasin satte inga gränser, det kunde vara allt från nazistskatter till förhistoriska kärnvapen. Vadsomhelst.

8

Eva-Britt väntade på honom i ankomsthallen utanför tullen, men Tessie hade anlänt till Stockholm en timme tidigare, med ett annat plan från Paris.

Han blev glad över att se henne och skämdes samtidigt för att han blev glad.

"Älskade polis, min lilla älskade polis", mumlade han generat och kramade om henne och kysste henne och brydde sig inte om att rörelsen bland hundra människor i deras närhet avstannade. Folk glodde och pekade och någon fnittrade förvånat eller förtjust eller nervöst, men han brydde sig inte om det den här gången.

"Älskade polis, vad är det för snack", svarade hon förtjust när de skildes åt något så att det gick att tala, "det är väl ändå inte *polisen* som väntar på dej när du kommer in i landet?"

"Nej", sa han och började kyssa henne runt om i ansiktet, varligt och metodiskt, "inte polisen i allmänhet. Utan min egen polis. Som kanske ska sätta nya poliser till världen", log han och tog henne demonstrativt runt magen. "Hur mår magen?"

"Jotack", sa hon besvärad av alla blickar som nu trängde sig än mer inpå, "magen är under full kontroll. Kan vi inte gå nu?"

Han skrattade och skakade på huvudet, han förstod ju mycket väl att allt stirrande gjorde henne besvärad, även om han inte förstod varför det för en gångs skull inte bekom honom själv det minsta. Hon tog demonstrativt hans portfölj och gjorde sig loss.

"Du har flugit obeväpnad", sa hon när hon började gå och samti-

267

digt demonstrativt vägde portföljen i handen. "Jag har aldrig förstått det där med att smuggla med sig vapen ombord. Och att inte kollegerna hittar dom vid handbagagekontrollen, det är ju pinsamt, ju."

Hon hade sin bil felparkerad utanför och var just på väg att få en parkeringslapp när de kom fram till bilen. Hon påpekade att det var polisens bil och efter något argumenterande slapp hon ifrån. Det bröt deras stämning och han önskade att hon tagit lappen i stället för att ödsla tid och störa det som kunde ha blivit viktigt. Kanske hade han velat säga något.

"Och jobbet gick bra", frågade hon utan att vänta sig något svar när hon la in ettan och startade snabbt och lite vårdslöst.

"Ja", sa han med en suck. "Jobbet gick bra. En promenad i parken bara."

"Vadå promenad?"

"*Just a walk in the park,* jag tänker fortfarande på engelska. Det går över om nån timme. Och själv? Inte misshandlat några nya fyllon hoppas jag?"

"Nä. Men jag är åtalad."

"Va? Åtalad, ska du inför domstol?"

"Ja, det blir liksom följden om man är åtalad."

Han avvaktade brydd medan hon gjorde en komplicerad och förbjuden omkörning.

"Det var värst vad det gick fort", sa han tankfullt.

"Lägg dej inte i min bilkörning."

"Nej, men jag menar åtalet. Att det kom så fort."

"Jaså det. Ja, polismisshandel ska ha förtur numera så blir man åtalad ska man dömas så fort som möjligt."

"Hur kommer det att gå?"

"Inte fan vet jag. Åklagarn har i alla fall varit lite hygglig, han har två alternativa yrkanden, misshandel eller ringa misshandel."

"Döms du för misshandel är det åt helvete, döms du för ringa misshandel är det något så när?"

"Mm, det kan man säga."

De hade kommit ut på motorvägen mot Stockholm och hon saktade plötsligt demonstrativt farten när hon upptäckte en vit Ford Scorpio med svart fartvinge.

"Hände det något?" undrade han oroligt.

"Nä. Men det sitter kolleger i den där vita bilen. LTG. Onödigt att hetsa upp dom."

Hon vinkade glatt åt sina kolleger när hon gled förbi i ytterfilen, obetydligt över hastighetsbegränsningen. De vinkade tillbaks.

"Tänk att det var så vi träffades", funderade han. "Du hade ingen som helst misskund med någon fortkörande sjöofficer."

"Nä, skulle bara fattas. Förresten var det väl bra att du torskade."

"Ja? Det var ju det jag sa. När ska du inför domstol?"

"Om en vecka eller så."

"Har du advokat?"

"Ja, facket har ordnat en men jag vet inte vad han heter."

"Du måste ha den bästa advokat man kan få för pengar, döms du så riskerar du ju sparken."

"Redan försent, man kan inte byta den advokat man har fått som offentlig försvarare, då måste man pröjsa själv och förresten spelar det ingen roll eftersom målsägarna inte brukar dyka upp till såna här mål."

Han ville invända men samtidigt ville han bort från samtalsämnet. Hon blev alltid överdrivet alert när hon trodde att han försökte ge sig in på hennes områden. Hon var revirhävdande. Revirhävdande som vissa rådjursgetter, nej förresten, då är det mest äldre och inte längre fertila rådjur, tänkte han.

Hon fick inte dömas för misshandel, det var ju klart. Då skulle hon få sparken och sakna försörjningsmedel om...

Han ändrade sig. Hon skulle aldrig sakna försörjningsmöjligheter, åtminstone inte pengar. Så var det ju, även om hon själv inte var medveten om det eller ville vara medveten om det. Men hon skulle förlora sitt yrke, det viktigaste i hennes liv.

Det viktigaste i hennes liv?

Ja, på ett sätt. Oavsett allt annat var det polis hon alltid hade velat bli och som hon alltid ville vara.

Hon hade ökat farten och höll en hastighet som skulle beröva henne körkortet om hon åkte fast. Men hon kände ju igen polisbilarna och förresten satte de väl inte fast varandra.

Han grubblade över vad han skulle kunna göra åt rättegången. Om målsägaren fick förhinder så blev det alltså ingenting. Han kunde förhindra målsägaren?

Nej. Av två skäl gick inte det. För det första och viktigaste skulle hon bli rasande om hon kom på det. För det andra var det olagligt och varje olaglighet innebar risker.

Han skulle kunna köpa målsägaren?

Det innebar också risker, kolossala risker och skulle dra med sig skinheadshistorien ut i offentligheten om det blev skandal. Expressen skulle få orgasm om ett sånt tillfälle yppade sig.

Han skulle undersöka vem som var bäst bland advokaterna i Stockholm och hyra vederbörande och betala bonus i händelse av frikännande. Det kunde inte vara olagligt, väl?

Vadsomhelst, men hon fick inte förlora jobbet.

"Har det hänt nåt i Sverige, några roliga skandaler, några nya polisiära triumfer eller nåt?" frågade han.

"Nej, inte annat än att det där du ställde till med har rullat på."

"Som *jag* ställde till med?" frågade han ansträngt avspänt eftersom han associerade till skinheadsaffären.

"Ja. Den operative chefen på Säk, vad det nu är han heter..."

"Näslund."

"Ja. Näslund är delgiven misstanke för olaga avlyssning, det verkar som om han hade godkänt det där som Säk höll på med i Uppsala. Tills du hoppa på dom vill säga."

"Vad betyder det, att han är delgiven misstanke för brott?"

"Samma som för mej. Han kommer att åtalas. Torskar han så får han sparken, samma för hög polis som för låg polis."

"Vad har han sagt om det?"

"Vad han sagt i förhören vet man inte så mycket om annat än vad som stått i tidningarna, fast han har visst medgett dom faktiska omständigheterna i sak."

"Det betyder erkänna?"

"Ja, i praktiken. Och så har han sagt något rätt festligt, att i Sverige blir terrorister och spioner målsägare och poliser delges brottsmisstanke för att vi spanar på dom."

"Det var inga spioner eller terrorister. Det var tre studenttjejer i Uppsala."

"Fast en av dem hade ju ihop det med en terrorist."

"Nej. Hennes syster hade sällskap med en kurd. Det är inte automatiskt samma sak."

"Nej förlåt, det kan du ha rätt i. *Objection sustained* som dom säger i Lagens Änglar. Var det du som misshandlade dom där kollegerna i Uppsala, du var ju i alla fall med där uppe?"

"Jag försatte två av dom misstänkta ur stridbart skick, ja", svarade han sammanpressat.

Hon skrattade till och vände sig om mot honom, som om hon såg vägen med ett sjätte sinne, iakttog honom forskande och lite roat tills han började bli nervös för att hon inte höll ögonen på vägbanan.

"I alla fall skulle jag ha velat se det där", sa hon när hon på nytt fäste uppmärksamheten på trafiken. "Tre man från Säk hopbuntade av några militärer, dom måste ha skämts ögonen ur sej sen."

"Det råkade vara särskilt utbildade militärer", sa han surt.

"Haha, du gick på det! Ett noll till mej!"

"Ja. Ett noll till dej."

"Hur många tog du eller tog ni varsin?"

"Jag tog två eftersom jag gick in först. En försökte smita och hamnade i klorna på en back up-man som skulle ha fått dom där värstingarna på VD 1, Knoll och Tott eller vad dom heter, att framstå som småligister. Det var en rätt enkel operation, ärligt talat."

"Visste ni att dom var snutar?"

"Det är en olämplig fråga. Men vi kunde inte utesluta möjligheten av att det var antingen utländska spioner eller snutar, ja."

"Jag undrar hur du gör sånt där. Jag menar vi som sysslar med att bunta ihop bus hela dagarna får ju hålla på och slita rätt länge med dom ibland. Och tre kolleger borde ju kunna ta för sig lite åtminstone."

"Vi spelar inte i samma division. Ni är utbildade för att omhänderta folk utan att göra dom illa, det är inte vi."

"Det var inte så jag menade. Jag menar, jag känner ju dej rätt väl vid det här laget, va? Och det går liksom inte ihop. Jag har läst en massa om dej som alla andra och så där men för mej är du bara Carl. Kanin kanin."

"Kanin kanin, själv."

Orden fick honom plötsligt att börja längta efter henne, tveklöst starkt och fysiskt. Det generade honom, eftersom han kom direkt från en annan värld och en annan tid i Kalifornien. Men det var så, och det var så tydligt att han inte ens brydde sig om att försöka tränga undan det.

Möjligen försökte han förstå det, om det kunde ha med dåligt

271

samvete att göra eller om det hade med medlidande att göra eller om det var för att undermedvetet gottgöra något som inte kunde gottgöras. Egentligen ville han ju lämna henne. Så var det. Fast det naturligtvis var omöjligt. Ingen anständig man lämnar sin fru när hon är med barn och vid randen av en yrkesmässig katastrof. Så det var inte ens farligt att tänka tankarna, inte ens farligt att erkänna för sig själv.

Han hade haft vaga planer om en eftermiddag tillsammans men ingenting blev av. Hon hade bara tagit ledigt några timmar för att hämta honom på Arlanda och på telefonsvararen fanns en mycket bestämd kallelse till ett viktigt möte, vilket inte sas men framgick av att det var Samuel Ulfsson själv som kallade.

De kastade i sig en kopp kaffe tillsammans i köket och sen måste hon byta om till uniform och var snart borta.

Carl satt en stund nästan apatisk i vardagsrummet med Bachs Goldbergvariationer, den musik han haft i bilen när Eva-Britt och hennes kollega hade stoppat honom för fortkörning.

Om han inte kört för fort den gången så hade han alltså varit en äntligen lycklig människa just nu?

Meningslöst resonemang, idiotiskt dessutom.

Han reste sig med ett ryck ur stolen och gick snabbt fram till sin ståldörr och öppnade kodlåset medan han såg på klockan. Jo, han skulle hinna. Sen klädde han om med ursinnig fart där inne och ägnade en mycket kort stund åt sina tänjnings- och uppvärmningsrörelser innan han började bearbeta en modell av mänskligt mål där de vita färgmarkeringarna som beskrev smärta och dödlighet i människokonstruktionen vid det här laget var nästan helt utnötta. Han försökte tänka igenom hur de nya aspiranterna hade uppträtt, om han kunde minnas något bra eller uppseendeväckande nytt eller något dåligt.

Nej, de hade varit fullkomligt normala, de var som han själv eller som Joar eller Åke, fullkomligt normala och således dödliga.

Han hann bara skjuta tre serier men det var tillräckligt för att återställa en viss inre balans. Den finkalibriga revolvern hade samma grepp och tyngd och motstånd i avtryckaren som hans tjänstrevolver.

Han hade hoppats få sova några timmar för att jämna ut tidsskillnaden, men det här fungerade lika bra. Siktlinjen mellan riktmedlen absorberade honom, försatte honom i absolut koncentration och absolut vila samtidigt, vilket var svårt att förklara för någon utomstående. Men detta var fullkomligt konkret och fullkomligt utan god moral eller dålig moral.

Han sköt fullt i de tre serierna, som om den långa, flera dagar långa och påtvingade frånvaron av träning hade skärpt honom och gjort honom hungrig i stället för att mer normalt försämra honom något. Han fick en kort fantasi om att bli galen och att galenskapen skulle yttra sig på så vis, att han aldrig skulle sluta skjuta. Han skulle bara stå kvar i det självklara i evighet, utan godhet eller ondska eller lögner eller mygel eller omöjliga val i livet där utanför. Bara siktlinjen skarp och målet suddigt, alltid suddigt i bakgrunden.

* * *

Det var ett mycket ovanligt möte hos Samuel Ulfsson, bland annat därför att det blev så långt och för att de två föredragande var relativa noviser i underrättelsetjänsten men ändå höll sina tre överordnade på helspänn timme efter timme. När de upptäckte med vilken uppmärksamhet som cheferna följde deras föredragning släppte deras inledande nervositet ganska snabbt.

De växeldrog enligt ett preliminärt schema som de med nöd och näppe hunnit göra upp när de träffades en timme i förväg för att gå igenom nattens och morgonens sena fynd och slutsatser.

Högbåtsman Gustaf Oscar Andersson hade alltså angett två norrmän som arbetade antingen för det fria Norge eller för den brittiska underrättelsetjänsten. Det var under sommaren 1942 och det hade man till och med hans eget ord på, eftersom han minst sagt utförligt fått redogöra för sin egen person och sina personliga förhållanden i allmänhet och sina relationer till överkonstapel Jubelius i synnerhet när den aldrig fullföljda mordutredningen angående Jubelius död ägde rum i Göteborg.

Högbåtsman Andersson var nazist, inte tu tal om den saken och han var ju dessutom påtänkt som "cellbildare" för Bruna Gardet i Göteborg.

Överkonstapel Jubelius hade använt kunskaperna om de två norrmännen på ett något ovanligt sätt, eftersom han med hjälp av två högre officerare som Andersson inte sa sig känna till hade lyckats få de två norrmännen utvisade till tyskarna i Norge. Jubelius hade själv, i sin tjänstebil, kört dem till Ed, där militära myndigheter hade tagit hand om resten av ärendet.

Vad som inte framgått i mordutredningen i Göteborg 1943, men alltså skymtat i ett förhör angående Bruna Gardets verksamhet i Stockholm ett år senare, var att de två officerare som överkonstapel Jubelius på något sätt lyckats få kontakt med var af Klintén, som alltså mördats först i år, och Viking Nils Gabriel Oxhufvud.

Som var chef för underrättelsestaben i Ed 1942—43, men sen fick lämna den tjänsten av oklara skäl.

Jubelius, af Klintén och Oxhufvud var alltså skyldiga till mord på motståndsmän, alternativt brittiska underrättelseagenter.

Vad gällde von Otter var sambandet mer oklart. Enligt de fynd som Åke Stålhandske hade gjort i förhörsprotokoll som tydligen bara av misstag fått bli kvar i pärmarna, eftersom återstående förhör med en viss Hanngren hade stulits, hade von Otter varit upphovet till hela affären genom att sätta högbåtsmannen Andersson på spåren, alternativt beordra honom att gå till Jubelius med ärendet för vidare expedition.

Så långt föreföll sambanden ganska klara, och skulle inte ha tagit så lång tid att redogöra för om inte framställningen hela tiden stoppats upp av långa beskrivningar av det man visste om de inblandade. Det var också den typen av extra belägg som de lyssnande cheferna då och då krävde. Samuel Ulfsson var naturligtvis särskilt intresserad av sin gamle vän von Otter, men också högbåtsmannen Andersson intresserade honom i högsta grad.

Det var Joar Lundwall som hade högbåtsman Andersson på sin lista och när han fick en särskild begäran föredrog han snabbt och entonigt, utom när det gällde vissa detaljer som tycktes beröra honom privat.

Man visste en hel del om högbåtsman Andersson, eftersom han lämnat gott om spår efter sig inte bara i militära handlingar utan också i diverse polisprotokoll:

Karriären, om man skall tala om en sån, inleddes med att han blev stamanställd i flottan 1930.

Året därefter, som andraklass sjöman, seglade han på långresa med HMS Fylgia, händelsevis det år då en av löjtnanterna ombord hette von Otter. Resan gick till Indiska oceanen.

1932 maskinkopral. Avlagt 3:e klass maskinistexamen samma år. Avsked samma år, det var 1933 och det skulle aldrig bli krig varför flottan avrustades, men återanställdes 1937 som maskinkopral på pansarskeppet Manligheten.

Underofficersskola 1939, ej godkänd, urusla betyg som framgick av bifogade fotostat. Befordrad till högbåtsman 1941, en befordran som tycktes avsedd för bland annat sådana som misslyckades på underofficersskolan.

Detta misslyckande tycktes ha satt vissa spår i en tidigare glad och trevlig person, i vart fall allmänt omtyckt. Han skyllde flottan för allt — "tjyvkomiss" — och lånade inte längre ut sin motbok eftersom hans egna behov stigit väsentligt. Efter en del malörer som inbegrep fylleri i tjänsten och arrest blev han förflyttad till tjänst i land, misskötte sig ytterligare och fick avsked.

Efter avskedet arbetade han en tid vid Göteborgs spårvägar men fick sparken där också på grund av fylleri. Därefter inleds en period med mycket oklara sysselsättningar, men han hängde på sjömanskaféerna i Göteborg utan att på något begripligt sätt, för omgivningen begripligt sätt, kunna försörja sig själv eller dem han bjöd på sprit. Det ryktades att han sysslade med langning av hembränd sprit, men det förefaller som ett väl belagt faktum att han fick någon form av underhåll från tyska konsulatet i Göteborg.

Han var alltså angivare av enklaste sort åt tyskarna.

Våren 1944 drabbas högbåtsman Andersson av två samtidiga olyckor. Ängström, ledaren för Bruna Gardet, ställdes inför rätta i Stockholm och själv avslöjades han som homosexuell och fick en del brottsmisstankar i samband med det hängande över sig. En efterlevande bekant har förklarat att han fruktade detta avslöjande mer än döden, bland annat eftersom det stod i konflikt med allt SS-snack, och i maj 1944 kastade han sig framför ett snälltåg i Olskroken.

"Och denna figur", tänkte Samuel Ulfsson högt medan han tömde sin överfulla askkopp i en papperskorg och tände en ny Vit Bond, "denna figur skulle alltså vara den direkta länken mellan von Otter och nazismen. Hela beviskedjan hänger på en alkoholiserad homosexuell högbåtsman som inte lyckats bli styrman. Förefaller som ett närmast sensationellt umgänge för gamle Uttern."

"Dom umgicks naturligtvis inte", invände Carl något kort i tonen, han hade reagerat mer mot Samuel Ulfssons förakt för homosexuella i ansiktet på Joar än på själva slutsatsen, "det vore väl orimligt om dom skulle ha umgåtts. I all synnerhet om det fanns ett illegalt organisatoriskt samband mellan dom."

"Och vad är det som tyder på ett sånt samband egentligen?" svarade Samuel Ulfsson snabbt och vasst.

"Inte mycket", medgav Carl. "Det finns vissa påståenden i förhörsprotokoll. Men det är faktiskt inte det som är det viktigaste. Det viktigaste är att *både* af Klintén, som vi vet var en nazistisk skurk, och von Otter har mördats av oförklarliga skäl samma år. Det är faktiskt ett samband."

Samuel Ulfsson svarade inte.

"Men den där Oxhufvud, varför har ingen mördat honom i så fall?" frågade chefen för försvarsstabens säkerhetsavdelning, Lennart Borgström.

"Av det mycket enkla skälet att han begick självmord på Ulleråkers mentalsjukhus 1946", svarade Åke Stålhandske, som hade haft Oxhufvud på sin lista.

"Vet man varför?" frågade Lennart Borgström.

Det var mycket oklart, enligt Åke Stålhandske. Så mycket hade gått att fastställa att Oxhufvud visserligen befordrats till överste i Generalstaben 1940 och visserligen haft några enstaka kommenderingar i fält, bland annat i Ed 1942—43, men att det varit allmänt känt att han var nazist och att han sannolikt enbart av den anledningen blivit försatt i disponibilitet 1944.

Han tog Tysklands fall mycket hårt, så hårt att det tydligen ledde till mentalsjukhus. Hans son Nils Viking Oxhufvud hade dessutom avlidit vid en handgranatsolycka 1943. Men enligt senare frisläppta, eller i vart fall överkomliga, medicinska handlingar framgick att han sannolikt haft en ärftlig disposition för sinnessjukdom. Sista tiden tycks han ha tagit sin tillflykt till en drömvärld, han trodde att Tyskland hade segrat i kriget genom att använda supervapen av något slag, bara att det hölls hemligt för världen, att hans son fortfarande var i livet genom tysk försorg på något sätt, samt att han själv var kolossalt rik.

Självmordet som sådant tycktes ha blivit tillfredsställande utrett. Han hade tydligen samlat på sig sömnmedel under en lång tid för att sen sätta i sig allt på en gång. Vid obduktionen kunde man på något sätt räkna ut hur mycket han hade tagit och vilken typ av preparat det varit frågan om, och det stämde med hans egna förskrivningar.

Tystnaden sänkte sig en stund i rummet. Förmodligen kretsade tankar och fantasi kring tyska supervapen och kolossalt rik; det var ju en tanke som slagit såväl Joar Lundwall som Åke Stålhandske att det kunde finnas något starkt skäl, någon militär eller politisk eller ekonomisk hemlighet som var värd eller nödvändig att mörda för även 47 år efteråt.

"Tänk alltså", sa Lennart Borgström dröjande, "om han inte alls var galen, om han satt på någon fantastisk hemlighet den där Oxhufvud?"

"Då var han galen om han gick och babblade om saken inne på ett dårhus i alla fall, dessutom hade han ju en ärftlig disposition", klippte Carl av.

Han avskydde Lennart Borgström sen den gång då Borgström bedrivit långa förhör med Carl som "misstänkt sovjetisk agent". Enligt Carl var det såväl en intellektuell belastning som en säkerhetsrisk att överhuvud taget blanda in Lennart Borgström i något som var känsligt eller viktigt.

"Hur gör vi för att ta reda på vilka norrmän som utvisades, vad som hände med dom och varför det var så viktigt att utvisa dom?" frågade Samuel Ulfsson med något höjd röst, eftersom han vädrat ett uppseglande bråk mellan Carl och chefen för säkerhetsavdelningen.

"Jag har ett förslag", sa Åke Stålhandske ivrigt och avvaktade en inbjudande gest från Samuel Ulfsson innan han fortsatte. "Vi borde kunna vända oss till säkerhets- och underrättelsesidan i DDR. Dom sitter på fantastiska arkiv, det vet ju alla, och dom borde kanske visa lite good will mot gamla fiender nu som läget har utvecklat sej i Östeuropa?"

"Fråga östtyskarna? Det dummaste jag hört!" sa Lennart Borgström.

"Ett utomordentligt klokt förslag", sa Carl.

"Hm", smålog Samuel Ulfsson. "Oavsett om det är bra eller dåligt är det värt att försöka. Jag tar hand om det. Men norska källor?"

"Problemet är", började Joar Lundwall men avbröt sig av en hostning eftersom röken i rummet börjat irritera honom alltmer, "problemet är inte i och för sej att komma in i norska register. Det finns långa förteckningar på alla norrmän som avrättats och torterats av Gestapo. Men om nu dom här två jepparna var så hemliga så kan dom ju bara ha försvunnit i samma ögonblick Gestapo fick hämta dom på andra sidan gränsen. Ja, det var alltså Oxhufvud, såvitt jag förstår, som körde över dom till Gestapo."

"Hur vet du det?" frågade Samuel Ulfsson förvånat.

"Det framgår av krigsdagböckerna från Ed vid den här tiden. Dom två det är fråga om sägs vara svartabörshajar som på grund av falska papper inte har kunnat identifieras och så ska dom överlämnas till norsk polis."

De andra såg frågande på honom och väntade tydligen på en fortsättning.

"Nej", sa han när han insåg vad alla undrade, "på norsk sida finns inga motsvarande noteringar om just dom här två norrmännen just den här dagen. Så jag tror alltså vi kan utgå från att dom betraktades som mycket viktiga och att dom försvann hos Gestapo. Alltså döda."

"Då får vi gå till östtyskarna och se vad gamla Berlin-arkiv kan ge för något. Den kontakten sköter alltså jag. Vad blir nästa fråga om åtgärd?"

Samuel Ulfsson såg sig om i rummet. Det dröjde något innan han fick svar eftersom alla såg ut att tveka mellan flera olika alternativ.

"Hur gör vi med polisen i Norrköping?" undrade Lennart Borgström.

"Hurså?" undrade Samuel Ulfsson och såg nästan uppriktigt förvånad ut.

"Jo, dom har ju frågat oss om vi kunde hjälpa dom med material från Ed, och eftersom dom utreder mordet på af Klintén så... ja. Det är ju vår skyldighet att hjälpa polisen."

Ingen svarade men alla i rummet såg plötsligt ogillande på Lennart Borgström.

"Det är faktiskt polisens sak att utreda mord, inte vår", envisades Lennart Borgström. "Får vi fram relevant material så bör vi se till att polisen kan använda sig av det."

"Frågan är ju om dom kan det", muttrade Samuel Ulfsson irriterat.

"Det är inte Borgströms kolleger på Säk, det är riktiga poliser där i Norrköping", invände Carl och ångrade sig omedelbart och bestämde sig för att i fortsättningen inte yttra sig med primärt syfte att komma åt Borgström.

Det blev en pinsam paus i rummet.

"Förlåt, men då måste jag fråga en sak", sa Åke Stålhandske som såg ut som om han plötsligt bleknat.

"Ja, varsågod", svarade Samuel Ulfsson.

"Om vi ska överlämna relevant material till polisen... jag har nämligen mördarens, alternativt en av konspiratörernas namn, namnteckning, adress och telefonnummer."

Det blev alldeles tyst i rummet. Åke Stålhandske såg absolut inte ut som om han hade skämtat.

"Vill du säga om det där?" sa Samuel Ulfsson och trevade efter en cigarrett, sneglade kort på Joar Lundwall som om han tvekat något men bestämde sig ändå för cigarrett.

"Jo. Hrm. Jag har alltså namnet på antingen mördaren eller hans medhjälpare. Här!" svarade Åke Stålhandske och sköt över en gul papperslapp, obetydligt större än ett telefonmeddelande, på den bruna skrivbordsytan framför Samuel Ulfsson.

Det var en beställningssedel från Krigsarkivet. I en ruta fanns utrymme för att ange de handlingar man önskade låna. I rutan nedanför skulle låntagaren texta namn, datum, telefonnummer och, i vissa fall, adress.

Jon August Haugen, Frederik Stangs gate 31 B, Oslo, läste Samuel Ulfsson.

"Förklara", sa han kort och lämnade lappen vidare till Carl.

"Det är inte så komplicerat. Jag upptäckte att någon hade stulit handlingar som i högsta grad berörde det vi forskade efter själva. Och då tänkte jag att den som stulit måste ha lånat. Sen gick jag till Krigsarkivet och frågade efter en hel serie handlingar på en gång och då vart arkivarien där lit förvånad eftersom han sa att det var fasligt vilket spring det var efter di här gamla luntorna plötsligt. Och int var det sen så råddigt att plocka fram di här beställningssedlarna, det finns fjorton stycken på olika håll, bland annat i Riksarkivet, där någon rekvirerat di här polishandlingarna från Göteborg och denne någon är också Haugen. Någon, alltså Haugen, har skaffat sej samma kunskaper som vi från och med för två år sen till för fyra månader sen."

"Vad får dej att tro att en mördare skulle använda sitt eget namn?"

frågade Carl både skeptiskt och upphetsat.

"Man måst ju för saatan legitimera sej om man låter som en utlänning, finlandssvensk till exempel", log Åke Stålhandske. Han hade överdrivet sin finlandssvenska i svaret.

"Har du tagit reda på något om denne Haugen?" frågade Samuel Ulfsson lågt.

"Int så mycket", log Åke Stålhandske, "int så mycket utom att han bor på Frederik Stangs gate 31 i uppgång B och att han är fanjunkare vid det norska försvaret."

"Om det är så att vi vet vem som mördade eller åtminstone deltagit i förberedelserna för mord på två svenskar, nazister eller ej, så måste vi delge polisen dom uppgifterna omedelbart", sa Lennart Borgström.

"I så fall får vi inte reda på *varför* dom mördades. Mitt förslag är att vi först tar reda på varför, sen kan polisen få ta hand om saken", sa Carl med en känsla av att nästan bita Borgström i benet.

Det blev på nytt tyst i rummet. Alla såg på Samuel Ulfsson, det var han som skulle fatta det avgörande beslutet.

"Carl har en poäng", sa Samuel Ulfsson till slut. "Får vi reda på *varför* först så kan vi ta ställning till polisens arbetsuppgifter senare. Vi har ju dessutom en del möjligheter att ta reda på varför som polisen inte har. Med all respekt till och med för vanliga polisen och din vän i Norrköping, Carl, så kan vi en del som inte dom kan."

"Vadå om jag får fråga?" undrade Lennart Borgström surt.

"Två saker", fortsatte Samuel Ulfsson ivrigt. "Vi kan ta kontakt med östtyskarna, det är en väg mot varför. Vi kan inleda visst samarbete med norsk militär, det kan inte polisen. Det kan ju vara en historia här i bakgrunden som angår såväl den norska som den svenska underrättelsetjänsten, nämligen."

"Och om det inte är det?" envisades Lennart Borgström.

"Ja då får polisen ta vid. Mördarna finns ju någonstans, i tron att svensk polis jagar kurder förmodligen. Dom springer inte iväg från vare sej oss eller polisen och om vi tar dom idag eller om en månad har ju ingen betydelse. Vi kan sända över det mesta av vårt material till Norrköping. Dock inte mördarens namn. Men det som har betydelse är att få veta varför. Och om Uttern verkligen hade med saken att göra."

Det sista var praktiskt taget en försägelse och det insåg Samuel

Ulfsson för sent, när grodan redan hoppat ur munnen. Hans primära intresse som chef för verksamheten borde naturligtvis inte vara att fria en gammal vän. Men nu var det sagt.

"Om det är frågan om underrättelsematerial som är värt att eliminera gamla flaggofficerare för så här långt efteråt måste det ju ha betydelse för oss också", påpekade Carl som redan insett det omöjliga i att bestämma sig för att inte i varje läge säga emot Lennart Borgström.

"Precis min mening", fyllde Samuel Ulfsson i och reste sig till tecken på att mötet var slut. "Ni har verkligen gjort ett utmärkt arbete, pojkar, det vill jag gratulera er båda för, både dej *kapten* Stålhandske och dej *kapten* Lundwall."

De stirrade förvånat på honom och han gjorde en avvärjande gest med handen innan han fortsatte.

"Nej, nej", sa han med sitt första leende på länge, "det är inget sånt. Jag kan jävlarimej inte göra er till kaptener bara för att jag tycker om ert arbete, i så fall skulle ni ha blivit åtminstone majorer idag. Det är bara så att byråkratins outgrundliga kvarnar har malt samtidigt. Den ena handen har inget med den andra att göra, men gratulerar i alla fall."

Han skrattade och började bunta ihop sina papperskopior på skrivbordet framför sig medan de andra var på väg ut.

"Vill du stanna en stund, Carl", sa han lätt som om det gällde lite hjälp med städningen.

Carl stängde demonstrativt dörren i ansiktet på Lennart Borgström, drog fram en stol närmare sin chefs skrivbord och såg småleende på honom, något som Samuel Ulfsson inte helt gillade.

"Jag vill att du ska genomföra ett diplomatiskt uppdrag eller vad vi ska kalla det", började Samuel Ulfsson i en mer avspänd ton än för en stund sen. "Men får jag först fråga... om vi bortser från juridiska komplikationer och annat, hur skulle man kunna få svar på våra frågor?"

"Enklast vore att fråga en viss Jon August Haugen", läste Carl från den gula beställningslappen från Krigsarkivet.

"Fråga?"

"Ja", skrattade Carl. "Du sa bortsett från *juridiska komplikationer*. Man skulle då fråga honom på ett så ohövligt sätt att han fick skäl att genast tala om hur det låg till. Eller om inte genast, så efter en stund när behandlingen verkat."

Carl utvecklade inte vilken behandling det skulle kunna tänkas vara frågan om. Han väntade sig ju inte något direkt jubel över förslaget.

"Stryk det. Nästa förslag!" uppmanade Samuel Ulfsson.

Carl tänkte efter några ögonblick.

"En operation i Norge. Vi avlyssnar honom under en period, spårar hans kontakter, avlyssnar dom och så vidare."

"Det är olagligt."

"Givetvis, åtminstone i Sverige. Men tänk om det inte är det i Norge?"

"Tror du... tror du verkligen?"

"Inte vet jag. Sverige är väl det enda land i världen där avlyssning är förbjuden i såna här sammanhang. Vi har ju själva minst sagt understrukit den saken."

Samuel Ulfsson skrattade och skakade på huvudet åt den torra underdriften. Det höll på att segla upp en ny stor avlyssningsskandal till följd av operationen i Uppsala.

"Jag hörde att Näslund sitter löst, hade du tänkt dej samma väg själv?" frågade Carl ironiskt.

"Nej det hade jag inte", sa Samuel Ulfsson med än mer ironi i rösten. "Det är därför du ska ut på uppdrag. Jag kontaktar chefen för Försvarets overkommando eller vad det heter, ja på underrättelse- och säkerhetssidan alltså, och anmäler besök av dej. Ett officiellt föranmält besök alltså. Du diskuterar frågan med honom. Är det uppfattat?"

"Diskuterar?"

"Rätt uppfattat."

"Är det hela instruktionen?"

"Svar ja."

"Så jag får hitta på vafan jag vill?"

"Svar ja. Inom vissa rimliga gränser."

Samuel Ulfsson skrockade för sig själv när han reste på sig till tecken på att inget mer skulle sägas i saken.

* * *

Joar Lundwall och Åke Stålhandske höll på att sortera sina samman-

282

fattningar som skulle till Norrköpingspolisen och stoppa undan annat material i numrerade pärmar inne i sitt provisoriska arbetsrum när Carl kom in utan att knacka.

"Utmärkt jobbat, verkligen utmärkt", sa Carl och satte sig på den självklara platsen bakom skrivbordet för att sorteringsarbetet skulle upphöra.

"Ni har gjort mer än halva jobbet medan jag roat mej i Death Valley", fortsatte han medan de ordnade fram stolar och satte sig mitt emot.

"Hur mår Skip?" frågade Åke Stålhandske med ett leende fyllt av minnen som åtminstone blir glada på några års avstånd.

"Skip trivs. Sånär som att han oroar sig för kommunismens förfall", sa Carl med spelat bekymrad min. "Han saknar en rejäl och pålitlig fiende", fortsatte han leende när han kasserat in sina kamraters frågande miner. De skrattade ansträngt.

"Jo", sa Åke Stålhandske, "om det finns en människa i världen som oroar sej för kommunismens sammanbrott så är det väl Skip. Hur går det för våra nya grabbar?"

"Bra", sa Carl. "Fullkomligt problemfritt, såvitt jag ser kommer båda att skriva på och båda att antas. Då blir vi fem man, fyra från marinen och en från armén."

"Armén!" utbrast de båda andra indignerat och samtidigt.

"Ja", log Carl. "Från FJS, det räknas som armén."

"Nåjo. Fallskärmsjägare får väl duga", konstaterade Åke Stålhandske som om han blivit mycket lättad.

"Jag ska till Oslo", fortsatte Carl mer affärsmässigt. "Har fått instruktioner från Sam av det där slaget, ni vet, vår sida kommer att förneka varje kännedom och aldrig erkänna och så vidare. Men om det blir någon operation i Norge så är det alltså vi tre som gäller, den saken är klar. Och vi kan behöva en del av Åkes särskilda kunskaper. Har jag uttryckt mej tillräckligt klart?"

De båda andra nickade.

"Men jag vet ju inte om det går att operera på norskt territorium, det är det jag ska iväg och undersöka nu. Under tiden får ni knega på med frågan om varför. Vad har ni för idéer?"

De vände och vred på frågan om varför. Det måste ju rimligtvis vara samma varför 1942, när en viss överkonstapel Jubelius fick huvudet avskuret i Göteborg, som 1990 när en af Klintén torterades ihjäl och fick hakkors inskuret i bröstet.

Det var det som var orimligt på flera sätt. Om det var hämnd mitt under brinnande krig 1942 i Göteborg så måste det vara något annat 1990 i Östergötland och Uppsala.

Joar Lundwall prövade en tankebana enligt vilken överkonstapeln Jubelius var i färd med att frakta de två norrmännen, på falska anklagelser som svartabörshajar, till Norge och Gestapo och tortyr och död.

Något kunde ha hänt på vägen så att Jubelius, en underhuggare, fick veta något som han inte borde veta. Men vadå?

Åke Stålhandske fyllde på med det som varit hans första idé, fallet Rasmussen-Hjelmen, och först nu slog det honom hur nära han hade varit sanningen med detta slumpvisa skott i mörkret.

Men med Hjelmen var det i alla fall så att dom poliser som fraktade honom mot norska gränsen, Gestapo och döden inte kunde hålla sig för att berätta för den kommunistiske norrbaggen hur det egentligen stod till, att man mycket väl visste vem han var och att nu väntade inte vilken polis som helst på andra sidan.

Hjelmen hade då bett för sitt liv. Men det hade inte haft någon som helst effekt, eventuellt hade de bara skrattat åt honom. Det sista var inte styrkt, men resten fanns det belägg för.

Alltså om vi tänker oss något liknande. Jubelius är på väg i sin gengasbil från Göteborg till Ed. Han har två handbojade norrbaggar i baksätet. De börjar förstå vart färden leder, inte alls till något svenskt interneringsläger som han förmodligen sagt dem, utan mot Gestapo.

De ber då för sina liv. Men inte nog med det. De beskriver en mycket stor hemlighet för honom, skälet till att de inte kan bli avrättade hursomhelst.

Sen händer något, men vad?

Jubelius bryr sig inte om saken, norrbaggarna hamnar hos Gestapo, torteras på Victoriaterrasse, skickas till Tyskland, avrättas. Under tortyren har de berättat att Jubelius visste något han inte borde veta. Alltså mördar tyskarna honom via sitt rätt omfattande agentnät i Sverige?

Måste vara fel. Om Nazityskland mördade Jubelius 1942, vem skulle då ha mördat von Otter och af Klintén 1990. Inte gärna Västtyskland, väl?

En överlevande naziorganisation som förvaltade en hemlighet för framtiden?

Då skulle det där med att karva in hakkors och tortera bara vara ett camouflage för att leda spåren åt fel håll. von Otter var ju mer smakfullt avrättad, eller hur?

Fel igen. Det skulle i så fall inte ha funnits någon anledning att besvära sig med att rista in "Ed" i bröstet på af Klintén. Det skulle ju bara leda spåren mot en viss säkerhetschef i Ed 1942–43, dåvarande översten Oxhufvud.

Om det var Nazityskland som tystade Jubelius 1942 därför att han från sina fångar fått veta för mycket så var det ändå någon annan som hämnades 1990. Om det var hämnd 1942 kunde ingen finnas kvar att hämnas 1990.

Någonstans fanns ett villospår. Eller ett förbiseende eller en tokig idé. De kom i vart fall inte längre för stunden, kändes det som.

"Frågan är alltså varför. Ni sysslar med varför medan jag är borta och sen får vi se om vi kan intervjua någon i största diskretion, någon som vet", sammanfattade Carl tankfullt.

"Vem skulle det vara, det kan ju vi ordna medan du är borta", svarade Åke Stålhandske lätt kränkt över att bara förvisas till pappersluntorna igen.

"Det skulle i så fall vara vår vän Haugen eller vad han hette", sa Carl och reste sig samtidigt som han sträckte sig efter en pärm med sammanfattningar. "Är den här kopierad?" frågade han och upptäckte samtidigt att han inte uttryckt sig tillräckligt klart.

"Nej, ska Haugen intervjuas så ska vi göra det tillsammans på något sätt. Om det blir någon operation i Norge, men det får ni veta om några dagar. Ha det så nyttigt i papperen till dess. Jo, en sak till. Instämmer naturligtvis med Sam, ni har gjort ett nästan omöjligt jobb hittills. Verkligen bra."

"Utom när det gäller von Otter", sa Joar Lundwall tankfullt som om han knappt observerat komplimangen från sin chef.

"Nej", sa Carl med plötslig skärpa i tonen, "inte ur Sams synvinkel eftersom Sam vill ha en oskyldig, det vill säga icke-nazistisk gammal FC. Men vad är det som säger att han var oskyldig?"

* * *

Eva-Britt Jönsson hade försetts med en försvarlig lunta handlingar från polisfacket och stockholmspolisens juridiska avdelning där frågan om misshandel eller ringa misshandel avfattades. Där fanns också några domar som kunde anses vägledande, exempelvis ett mål DB 452, B 55/83 som var sju år gammalt.

En polisinspektör i hennes egen ålder hade ingripit mot ungdomar som hade plankat in på tunnelbanan. Han själv och en kollega hade därvid omhändertagit en av ungdomarna, en tjej som uppfört sig som folk brukar om en polis tar tag i deras kläder, suckade Eva-Britt Jönsson, det vill säga skrikit nazistjävlar, svin, fascister och släpp mej för helvete och allt det där. Samt hade hon vägrat att legitimera sig för nazister med mera.

Kollegerna hade så klart släpat in henne, förmodligen sparkande och skrikande, i ett av polisens särskilda omhändertaganderum i tunnelbanan och där hade cirkusen fortsatt i väntan på transport.

Den åtalade polismannen hade nu tillfogat den omhändertagna två örfilar. Och erkänt båda.

Han försvarade sig med att örfilarna hade en "medicinsk" avsikt, nämligen att lugna ner flickan som var "hysterisk och galen".

Eva-Britt Jönsson hade inga som helst svårigheter att se scenen framför sig. Och inga som helst svårigheter att förstå att kollegan intill visat sig sysselsatt med att knyta skosnörena eller något annat av det vanliga och således inte observerat det avgörande händelseförloppet.

Det hade varit stor advokatcirkus med en av Stockholms stjärnadvokater och det hade slutat lyckligt:

Stjärnströms uppgift att han slagit Eva-Christina Wickman i ansiktet för att bryta hennes "hysteriska" reaktioner kan inte lämnas utan avseende. Ett slag utdelat i detta syfte måste självfallet orsaka smärta.

Ja, så långt verkade ju allting okay. Syftet har domstolen godtagit och det för frågan om misshandel rätt avgörande, nämligen smärtan, var alltså redan halvt ursäktat. Men så såg det ut som om domstolen vände och Eva-Britt Jönsson måste läsa den avgörande passagen två gånger innan hon begrep den:

Även om Eva-Christina Wickman såsom omvittnats varit högljudd, bråkig och "hysterisk" kan våld mot hennes ansikte under inga förhållanden godtagas som en försvarlig åtgärd.

Stjärnström skall därför för misshandel, som är ringa, ådömas böter.

Godtas eller inte godtas? Domstolen sa två saker samtidigt. Det ena var att de inte godtog misshandel i ansiktet som orsakat smärta och allt det där. Det andra var att de tyckte det var ganska okay att klappa till den där gapiga bruden. Alltså gav de rabatt och sa att misshandeln var ringa, fastän den inte var det egentligen?

Antingen borde det ju ha varit försvarligt eller inte försvarligt att klappa till. Nu var det inte försvarligt. Fastän försvarligt ändå?

Poängen var ju ändå att man fått en misshandel att bli ringa. Frågan var alltså närmast om det var "medicinskt" att klappa till ett fyllo för att värja sig just när man blev nerspydd.

I pappershögen fanns också ett yttrande från personalansvarsnämnden vid Rikspolisstyrelsen med facket, diverse polischefer och politiker som benade ut frågan om avskedande.

Det var mycket mångordigt; vid de situationer som därvid uppkommer (nämligen i polisjobbet) måste polismannen därtill ofta handla i ett läge, där han har mycket kort tid på sig för att fatta beslut (exempelvis om han eller hon just blir nerspydd) kanske tillika i en trängd situation. Med hänsyn härtill har nämnden den principiella inställningen (vad som alltså bör gälla för alla) att en polisman, som måste bruka våld för att genomföra en tjänsteåtgärd (vad är tjänsteåtgärd just när man blir nerspydd?) och därvid något överskrider vad som kan anses försvarligt, inte därigenom kan anses uppenbarligen (alltså inte alltid) olämplig som polisman. I en sådan situation avskedas därför inte heller en polisman.

Och så vidare fram till det enda som egentligen behövde sägas. Man får inte sparken om misshandeln bedöms som ringa.

Och som ringa kan den bedömas även om den inte är det, ifall den är "medicinsk" eller eljest försvarlig?

Eva-Britt suckade. Hennes misshandel hade inte varit ringa, hon hade träffat med en rak höger. Den där Stjärnströms misshandel hade å andra sidan heller inte varit ringa, fastän domstolen sa det. Men han hade haft en stjärnadvokat.

Carl kom hem med matkassar, han hade tydligen handlat en hel del.

"Hej", sa han lite skuldmedvetet som om han var generad för att han kom sent, "här brinner flitens lampa ser jag."

"Hm", sa hon tankspritt utan att visa minsta irritation, "jag sitter här och försöker förstå om jag misshandlat fyllot ringa fastän det

287

inte var ringa, eller om det var en *medicinsk* misshandel, vilket är samma sak."

Carl stirrade först frågande på henne, sen skakade han på huvudet och sjönk ner på knä hos henne i soffan och tog henne försiktigt över magen samtidigt som han kysste henne.

"Jag har köpt vildsvinskotletter", sa han efter en stund, "gick förbi saluhallen på hemvägen för att skaffa nåt gott för att kunna be om ursäkt för ett och annat och dom hade vildsvinskotletter."

"Som Pigham, fast rödare och segare", sa hon sakkunnigt. "Du ska alltid försöka impa på mej, det kunde ha spruckit redan från början där, vet du det?"

"Nej, men jag försökte låta bli att impa på dej. I alla fall så sprack det ju inte från början, som tur var. Som tur är, menar jag."

Han var skakad över sin egen freudianska felsägning men hon märkte ingenting.

"Jag tror jag skulle behöva en sån där stjärnadvokat", sa hon efter nästa långa kyss.

"Äh, det kanske inte blir något, målsägaren kommer inte, ett diskret litet mål i skymundan", mumlade han eftersom han mer ville försjunka i hennes hår och hennes ena öra än i advokatfrågor.

Men hon brast i hjärtligt eller hjärtskärande men i vart fall alldeles för högt skratt.

"Sa jag något dumt?" undrade han förvirrat och såg upp från hennes öra.

"Ja, det där med diskret litet mål, har du inte läst Expressen?"

Han reste sig med stigande raseri och såg sig omkring. Expressen låg på stenbordet, halvt dold av rättsdokument.

Han var på bild på förstasidan, tillsammans med Eva-Britt, tydligen ett passfoto eller körkortsfoto på henne.

HAMILTONS
SAMBO FAST
för
MISSHANDEL

skrek första sidan ut.

Den förfördelade fylleristen, presenterad som urmakare, framträdde inne i tidningen och talade om principer och staten och rättvisa. Orden verkade lagda i munnen på honom.

Reportern funderade i en särskild ruta invid texten över kändisars möjligheter att slippa undan och om domstolen skulle våga döma sambon till en nationalhjälte eller om man skulle falla undan, fegt falla undan, för ett påstått opinionstryck och så vidare.

Artiklarna, som rent och rakt ropade på fällande dom, var skrivna av Per L Wennström, mannen som en gång varit nära att ljuga fram ett världskrig, enligt Carls mer försiktiga bedömningar av kvällstidningsreporterns olika insatser.

"Jag ska mörda den där jäveln", sa Carl mellan sammanpressade tänder och höll på att skrämma Eva-Britt bortom kontroll. Hon hade aldrig sett det uttrycket i hans ansikte; hon visste att han, just han faktiskt hade mördat vid ett okänt antal tillfällen och att om folk i allmänhet slängde ur sig sånt så var det inget att bry sig om. Men han såg verkligen ut som om han menade det.

"Ta det lite lugnt va", försökte hon tveksamt och han såg ut som om han lika överraskande som självklart blev sitt vanliga jag igen, som om han bara visat en Draculas huggtand av misstag eller något i den stilen.

"Du kan inte säga så, Carl, just du av alla kan inte säga så", fortsatte hon mjukt och så lade hon på ett misslyckat skämt. "Tänk på att du nästan är gift med en polis."

"Sambo står det i Expressen", svarade han matt som om ursinnet tagit kraft ifrån honom. "Nej, jag menade inte bokstavligt såklart. Men dom där schakalerna gör mej vansinnig. Okay, nu måste vi hyra in den bästa advokaten, jag ordnar det. Okay?"

Hon reste sig utan att säga något, strök honom över kinden, tog matkassen ifrån honom och gick mot köket som om hon faktiskt visste att han behövde vara ensam några minuter innan han kom ut till henne för att hjälpa till med matlagningen.

Hon hörde musik där inne medan hon packade upp varorna, disharmonisk och inte så vacker musik som han brukade lyssna på när han kom hem. Efter några minuter kom han ut i köket och verkade som vanligt igen.

"Vad var det för musik du spelade?" frågade hon medan hon letade bland kryddorna för att hitta något som kunde tänkas passa till vildsvin.

"Sjostakovitj första trumpetkonsert", svarade han som om allt

289

var fullkomligt normalt, "ovanlig musik som en sorts absurd sammanfattning av livet, våld och skoj, humor och burlesk, våldsamt sentimental, parodisk, vild, lugn, vadsomhelst i en enda fantastisk blandning. Vi kan höra på den tillsammans någon gång. Brysselkål eller små fina ärtor?"

De åt länge och talade om att segla med litet barn i korg, om det var farligt, och om de kunde ta semester tillsammans. Hon drack vatten och han drack bourgogne och som om det var självklart lät de disken stå och gick in i sängkammaren och älskade tills de somnade. Som om också det skulle ha varit självklart.

* * *

Han klädde långsamt och metodiskt ut sig till originalet till Carl Gustaf Gilbert Hamilton, kommendörkapten vid den operativa sektion vid svenska försvarets underrättelsetjänst. Uniform, alltså.

Sen gick han fram till fönstret, drog isär de vita tyllgardinerna och såg ner på Karl Johan. Han hade fått ett rum med hörnfönster på Hotel Nobel, som kallades Nobel-Suiten, målat med sirlig skrivstil utanpå dörren.

Det fanns en stor dubbelsäng i allmogestil med målade dekorationer inne i en sovalkov, resten var vardagsrum.

Där nere i solskenet gick norrmännen som om det var vilken som helst vacker dag i Oslo, som om ingenting särskilt var på väg att hända.

Tre gulddolkar på röd botten, hjärtformad sköld med kunglig krona över, det var Forsvarets Overkommando uppe på Akershus. Han hade ännu lite tid, gick beslutsamt fram till telefonen och ringde upp den enligt snabba undersökningar dyraste advokaten i Stockholm. Först kom han inte förbi sekreteraren i telefon när han tvingats tala om att det bara gällde ett misshandelsärende. Då upprepade han sitt namn något förtydligat och kom genast fram till advokaten själv. Uppgörelsen var klar på mindre än två minuter.

Sen ringde han Tessie och meddelade, som de kommit överens om, vilket hotell och rumsnummer och vilka flygtider som gällde och sen beställde han taxi.

Han väntade tills han såg taxin glida upp framför ingången nere på Karl Johan. De hade tydligen byggt om sen sist då ingången låg på Rosencrantz gate. Sen tog han trapporna ner, ilade förbi receptionen rakt ut i bilen och slog igen dörren framför ögonen på en annan hotellgäst, vars taxi han möjligen råkade stjäla.

"Akershus, huvudingången", sa han kort och rakt fram utan att söka taxichaufförens blick i backspegeln. Han kände sig sårbar i uniform när det gällde nyfikna blickar. Men uniformen var till för att markera att det verkligen var ett officiellt besök, att han verkligen företrädde den svenska försvarsmakten och inte bara någon hemlig avdelning inom underrättelsetjänsten. Vilket ju givetvis var det enda han representerade.

Taxichauffören sneglade på honom i backspegeln och hela hans attityd visade hur det malde i huvudet på honom att var har jag sett den där mannen förut?

Det skulle snart vara över med den saken. Väl innanför murarna skulle nackdelen med uniform förhoppningsvis vändas till en fördel.

Han hade väntat sig en högre och fyrkantigare byggnad, ungefär som Töntagon uppe på Lidingövägen där han själv tvingats arbeta sen han blivit offentlig bild. Det norska overkommandot bestod av flera lägre sammanbyggda hus, i och för sig klokare, i och för sig inte lika lättträffat mål. Om nu sånt längre hade någon betydelse.

Kommandør 1, Kåre Julian Furumo väntade nere utanför spärrvakterna och såg ut som om han ansträngde sig för att bara reagera normalt och artigt kollegialt inför originalbilden till Carl Gustaf Gilbert Hamilton som med raska och långa steg kom in på sekunden rätt tid.

De skakade hand, talade om det fina vårvädret och allt det där medan de vandrade upp genom grönaktiga korridorer som gav ett dunklare och mer ålderdomligt intryck än svenska korridorer, om det var väv på väggarna eller vad det var som gjorde skillnaden.

Sikkerhetssjefens tjänsterum var enkelt möblerat, som en skolsal i jämförelse med Sams rum, men försett med sekreterarspärr utanför. Dessutom var det ett hörnrum, som om chefer även i Norge måste ha hörnrum när inget annat hjälpte för att markera skillnaden i möblemang och rätten till visst antal besöksstolar eller särskilt litet bord där besökare kunde få kaffe.

Kaffeproceduren tog sin nödvändiga tid. Inte plastkoppar som det skulle ha blivit i Sverige.

Kommendör Furumo såg minst av allt norsk ut, som en italienare eller en fransman, smärt, elegant, mellanvikt eller cruiservikt, kortklippt mörkt hår och bruna ögon. Han påminde om skådespelaren Rod Steiger.

"Well", sa den norske kommendören till slut. "Vad kan vi stå till tjänst med? Kommendör Samuel Ulfsson i Stockholm har påpekat för mej hur viktigt ärendet är."

"Det är inte bara viktigt. Det är känsligt och svårhanterligt och det kräver att vi har förtroende för varandra", sa Carl med ett småleende som kunde betyda vad som helst, särskilt om det var han själv som teaterroll som sa det.

"Well?" svarade kommendören lugnt och knäppte händerna framför sig och lutade sig lätt bakåt för att höra hela saken.

Det var nu, de närmaste minuterna det gällde. Kom man in på att diskutera praktiska detaljer var det nog redan klart. Men det var långt dit.

Carl började med att beskriva hur hans avdelning, alltså kollegerna i Sverige, kommit en säkerhetshotande verksamhet på spåren som innefattade bland annat mord, som berörde svenska säkerhetsintressen men sannolikt också norska säkerhetsintressen.

Det praktiska problemet för svenskt vidkommande var att man ju inte hade något primärt polisiärt intresse av saken. Det vill säga, vilka brottslingarna var och vad de var skyldiga till i juridiskt avseende var inte det väsentliga. Frågan var vad som låg bakom denna, hrm kända, brottslighet. Och vilka norska och svenska säkerhetsintressen som kunde vara hotade.

Hur som helst fanns svaret i Norge.

Och nu till saken.

Från svensk sida ville man inleda en begränsad period av operativt samarbete i syfte att, innan ärendet övertogs av respektive polismakt, fastställa det som respektive polismakt sannolikt inte skulle kunna fastställa om man gick ut och haffade några misstänkta förbrytare, som nämligen inte skulle komma att bli samarbetsvilliga sen de gripits, alltså... i syfte att fastställa vilka norska och eller svenska säkerhetsintressen som stod på spel. Det var alltså frågan om ett underrättelse- eller säkerhetsärende på en nivå innan det borde bli ett vanligt polisärende på nästa nivå.

För att gå ännu mera rakt på sak.

Från svensk sida ville man alltså operera på norskt territorium. Gärna i samverkan med norsk militär säkerhetstjänst och i vart fall under sådana former att ingen kollision uppstod. Givetvis skulle bytet delas efteråt, de norska kollegerna skulle ha full insyn i arbetet, om så krävdes, och full insyn i resultatet efteråt.

Kommendör Furumo hade allt eftersom Carl talade satt sig mer och mer upprätt i stolen.

Det var inga små problem som doldes bakom dessa militära eufemismer. Ett *operativt samarbete,* ute på fältet, med en man som hela världen kände som en hänsynslös mördare var inte precis småpotatis. Fast han skulle väl inte själv delta i ett tänkt fältarbete.

"Har ni själv ansvar för denna högst eventuella operation, kommendörkapten Hamilton?" frågade Kåre Julian Furumo i fullkomligt neutral ton.

"Svar ja. Om vårt samarbete kommer till stånd är jag utsedd att stå för den operativa ledningen från svensk sida", svarade Carl i samma tonläge.

"Är saken politiskt klarerad?" frågade norrmannen utan att med en min visa vad han kände eller tyckte om denna högst oväntade konversation.

"Svar ja", ljög Carl blixtsnabbt. "Med tanke på sakens allvarliga natur har vi fått utomordentliga befogenheter från den svenska regeringens sida och jag har den svenska försvarsmaktens uppdrag att tala med er."

Kåre Julian Furumo hade nu ställt den första relevanta frågan och fått ett betryggande svar.

Om Sverige hade varit ett Nato-land hade saken därmed varit avgjord. Men så var det nu inte och därmed var det frågan om ett eventuellt samarbete som gick långt utanför rutinerna. Och gick det utanför rutinerna så uppstod en serie formella hinder på väg fram mot operativt samarbete.

"För det första", sa Kåre Julian Furumo eftertänksamt, "så bedriver vi inom sikkerhetstjenesten inget operativt arbete. Våra uppgifter gäller spioneri, subversion, sabotage och terrorism och jag antar att det vi talar om faller inom ramen för någon av dom definitionerna. Men vi bedriver som sagt inget operativt arbete, vi överlämnar allt sådant åt overvåkingen, alltså åt den civila säkerhetstjänsten. Gör inte ni det?"

"Vi har *svensk* säkerhetspolis, dessvärre. Följaktligen är det omöjligt, ja ni vet ju själva hur det står till i Sverige på den sidan."

Norrmannen sken upp. Jo, han visste uppenbarligen hur det stod till med den svenska säkerhetspolisen.

"Jag kan förstå", sa han leende, "att era specifika problem i Sverige lägger hinder i vägen. Men här finns två valmöjligheter för mej. Jag kan inte avvisa er begäran, alltså två valmöjligheter. Den ena är att gå till vårt koordineringsutvalg med saken. Fast det tar ju viss tid i så fall, jag antar att ni har bråttom?"

"Ja. Vad är ett koordineringsutvalg?"

"Har inte ni det systemet? Jo alltså, särskilda ärenden inom säkerhets- och underrättelsetjänsten måste dras inför koordineringsutvalget som består av representanter för vår sida, sikkerhetssjefen och etterrettningssjefen, och från den civila sidan, nämligen overvåkingspolitiet, justitiedepartementet, försvarsdepartementet och utrikesdepartementet."

Carl rös av obehag vid tanken på en sån mängd inblandade personer och det måste ha synts på honom eftersom norrmannen inte kunde avstå från ett kollegialt leende.

"Det finns förstås en enklare metod, men då kommer vi från försvarets sida att bara tjäna som liaison, kanske bäst för alla parter", fortsatte den norske säkerhetschefen.

Carl avvaktade utan att säga något, hans fråga var ju ändå självklar.

"Jag kan helt enkelt sända er över till vår säkerhetspolis med ärendet. Vi från vår sida är då informerade, åtminstone formellt. Vi har ingenting med fältet att göra, det måste ändå dom sköta. Och hela ansvaret vilar på dom."

"Det finns i så fall ett problem", svarade Carl bekymrat, "den norska säkerhetspolisen har naturligtvis förbindelser med den svenska säkerhetspolisen, precis som ni och vi. Och kommer vår verksamhet till den svenska säkerhetspolisens kännedom publiceras allt omedelbart i kvällspressen och så kommer vi en och en att släpas inför politikerna i efterhand."

"Det är i så fall ett problem som ni får föredra inför den norska säkerhetspolisen. Men som läget är hos er i Sverige med er egen säkerhetstjänst så skulle det förvåna mej högeligen om inte våra norska kolleger hade all förståelse för ert predikament."

Kåre Julian Furumo hade redan bestämt sig. Han skrattade och skakade på huvudet och reste på sig. Carl reste sig tveksamt, han måste ju stå upp när en överordnad stod upp, alltså var han halvvägs utslängd.

"Alternativet att dra in hela vårt koordineringsutvalg, alltså att göra ert ärende till ett militärt spörsmål måste ju förefalla obekvämt, inte sant?" sa norrmannen och tryckte in knappen till snabbtelefon och beställde hämtning av den svenske gästen.

"Jag följer er nämligen inte ut, ju mindre vi två har synts tillsammans desto bättre. Från min sida anlägger vi inga synpunkter på era förehavanden om ni får med er den norska polisen, alltså overvåkingen, på operationen. Den ni ska träffa så fort som möjligt, jag ska själv se till att det blir fort, är vår operative chef på overvåkingen."

"Mathiesen, alltså", konstaterade Carl.

Norrmannen nickade och skakade hand.

På väg ut funderade Carl på om han förlorat eller vunnit. Han bestämde sig för att det varken var det ena eller det andra. Än så länge. Men han hade passerat ett gigantiskt byråkratiskt hinder, fyllt av demokratisk insyn bland annat, och det var en seger.

Men nu gällde det att få norsk säkerhetspolis att begripa att deras egna kolleger i Sverige var det mest opålitliga i världen och att ingenting vad svenska militärer, tillsammans med norsk polis, hade för sig någonsin fick komma till den svenska polisens kännedom. Det var vad han måste säga. Det skulle ju låta som om man förberedde brott. Om en norrman kommit upp till Sam med motsvarande förfrågan hade han väl bara blivit utslängd. Fast det var klart, Norge hade inte svensk säkerhetspolis.

Carl väntade obesvärat nere i centralvakten på sin beställda taxi, här hade ju alla uniform och skillnaden mellan en svensk och en norsk kommendörkapten var obetydlig. Hos Iver Mathiesen skulle han i alla fall klä ut sig på något helt annat sätt för att spela rollen.

Kommendör Kåre Julian Furumo satt alldeles stilla bakom sitt skrivbord två våningar högre upp. Han hade en känsla av overklighet. Allt hade gått fort och nu var det över och efter något telefonsamtal skulle han väl knappast höra talas om saken mer. Hade han tagit för lättvindigt på ärendet, funnit en alltför obyråkratisk lösning på problemet? Tja.

Hade han känt sig som underordnad, skulle han gått med på vad som helst om det var den påtagligt verklige Hamilton som frågade? Tja, nu var det gjort.

Det stod en urdrucken kaffekopp intill hans egen, det enda beviset på Hamiltons närvaro som fanns kvar i rummet, på något sätt det mest verkliga mitt i det overkliga. För det var ju som om Johnny Weissmüller skulle ha stigit rätt in från filmduken till hans tjänsterum och sagt goddag, *mitt namn är Tarzan, Sir Tarzan.*

Kåre Julian Furumo skrattade plötsligt högt åt sig själv.

* * *

Joar Lundwall och Åke Stålhandske satt försjunkna i en ny bunt rättshandlingar som hämtats fram djupt från de göteborgska arkiven. Det gällde på nytt högbåtsman Andersson, som förhördes rörande brottsmisstankar i två fall. Det ena gällde manlig prostitution, det andra hans samröre med tyska myndigheter i Göteborg.

Det borde rimligtvis ha lett fram till åtal i båda fallen. Men han var av någon anledning inte häktad och kunde alltså senare förhindra rättvisans vidare maskineri genom att begå självmord. Handlingarna var stämplade med avskrivningsbeslut och försedda med någon oläslig signatur i beslutsstämpeln.

Homosexhärvan var väl inte särskilt viktig men måste läsas. Högbåtsman Anderssons förehavanden i Bruna Gardet var väl egentligen inte heller av särskilt central betydelse. Men han var ju den ena kända länken mellan von Otter och de andra skurkarna och således var det i visst avseende, Samuel Ulfssons avseende, det kanske viktigaste av allt.

Högbåtsman Andersson erkände att han hade lämnat ut de två norska spionerna till överkonstapel Jubelius och fått betalt för det. Han hävdade dock, med visst fog kunde tyckas, att det ju inte kunde vara fel att ange spioner för den svenska polisen.

Men eftersom han på något ställe erkänt att han fått pengar även från norrmännen, gällde en betydligt känsligare fråga vad han i så fall presterat för att få betalt av spioner.

"En synnerligen karaktärsdanande studie över svensk medborgaranda under kriget", fnös Åke Stålhandske, "ta emot pengar från norska spioner, alltså ge dom något. Sen utlämna dom mot betalning till den nazistiska svenska polisen. Precis som hela djävla Sverige vid den här tiden. Efter högt föredöme, en Per Albin i miniatyr skulle man kunna säga."

Joar Lundwall tvekade om han skulle gå i polemik. Åke försatte honom då och då i konstiga polemiska lägen när han på något sätt fick agera försvarsadvokat för Sverige, en roll som började passa honom allt sämre med tanke på det Sverige de faktiskt försökte förstå och lära känna. Ett helt annat Sverige än deras eget. Väl?

Det knackade försiktigt på dörren och Sams sekreterare Beata steg in utan att vänta på svar med några slankiga telefaxsidor i handen.

"Hej", sa hon, "Sam är uppe hos regeringen och får skäll nu igen men han sa att ni skulle få det här så fort det kom. Det är det första tyskarna har fått fram, men dom gräver vidare säger dom."

Hon la papperen på bordet framför dem och gick genast mot dörren men vände sig om med ett förtjust planerat leende innan hon försvann.

"*Östtyskarna* alltså, inte dom vanliga tyskarna", fnittrade hon.

Åke Stålhandske och Joar Lundwall kastade sig samtidigt över dokumenten. De var tämligen kortfattade och skrivna på ålderdomlig skrivmaskin och de försökte förtvivlat stava sig fram genom det första dokumentet:

Oberreichsanwalt
Volksgerichthof
(8)J 11/43

Brandenburg (Havel)-Görden, den 30. MAI 1943

Vollstreckung des Todesurteils
gegen:
AUGUST JON SKAUEN

Gegenwärtig:
als Vollstreckungsleiter:
ESt A Henning
als beamter der Geschäftsstelle:
Justizangestellter Karpe

Um 15^{00} Uhr wurde der Verurteilte, die Hände af dem Rücken gefesselt, durch zwei Gefängnisbeamte vorgeführt. Der Scharfrichter Röttger aus Berlin stand mit seinen drei Gehilfen bereit.
Anwesend war ferner:
der Anstaltsarzt Dr. Müller

297

Nach Feststellung der Personengleichheit des Vorgeführten mit dem Verurteilten beauftragte der Vollstreckungsleiter den Scharfrichter mit der Vollstreckung. Der Verurteilte, der ruhig und gefasst war, liess sich ohne Widerstreben auf das Fallbeilgerät legen, worauf der Scharfrichter die Enthauptung mit dem Fallbeil ausführte und sodann meldete, dass das Urteil vollstreckt sei.

Die Vollstreckung dauerte von der Vorführung bis zur Vollzugemeldung 8 Sekunden.

Henning   *Karpe*
(namnteckning)   *(namnteckning)*

De läste intensivt fram och tillbaks utan att begripa men med en känsla av att det var någonting oerhört. Ett ord framstod gissningsvis begripligt: *Scharfrichter* eftersom det förde tankarna till ett ålderdomligt liknande ord på svenska.

"Så här kan vi inte hålla på", konstaterade Joar Lundwall, "jag läste inte alls tyska i skolan, hur är det med dej?"

"Samma här, annat var det förr i Sverige när tyska var det enda som gällde och engelska ansågs som ett bögspråk", morrade Åke Stålhandske men reste sig samtidigt energiskt och gick mot dörren.

"Det måste ju finnas gamla uvar här ute som kan tyska", förklarade han på väg ut och kom mindre än en minut senare tillbaks med en pensionerad major som jobbade på underrättelseanalysen. Majoren tog högtidligt på sig glasögonen och hajade sen till och gav de unga kollegerna en djup frågande blick.

"Förstår ni verkligen inte vad det här är?" frågade han skeptiskt. "Driver ni med en gammal kollega?"

De skakade energiskt och lite skamset på huvudena, i takt så att de samtidigt skapade omedveten komik.

"Nåja", sa majoren och kvävde ett i sammanhanget mycket opassande leende, "det som står här är följande. Ja, jag tar det lite kursivt va? Det är ett protokoll från Brandenburg i nuvarande östzonen från den 30 maj 1943. Kortfattat med tanke på innehållet. Den dödsdömdes namn är alltså August Jon Skauen, låter som en norrbagge. Nå, jag läser det väsentliga: Klockan 15:00 leddes den dömde in med händerna fängslade på ryggen. Skarprättare Röttger från Berlin stod beredd tillsammans med sina tre assistenter, närvarande var bland annat anstaltsläkaren en viss doktor Müller. Nåja, jag fortsätter. Efter att avrättningsansvarige fastställt fångens likhet med den dömde beordrade han skarprättaren att skrida till verket. Den dömde, som

298

förhöll sig lugn och samlad, lät sig utan krumbukter placeras på schavotten, varvid skarprättaren genomförde huvudavhuggningen med fallbilan och därefter meddelade att avrättningen var utförd. Avrättningen varade, från framförandet tills huvet var avhugget 8 sekunder."

Den äldre kollegan såg upp, tog av sig glasögonen och la dokumentet på skrivbordet framför de båda förfärade ungtupparna.

"Ja?" sa han frågande. "Så var det, tyskarna halshögg fler människor än man skulle kunnat tro. Men vad är det med er, det var väl ingen ni kände, nej förresten det var ju 1943."

"Det var en av oss", sa Åke Stålhandske och torkade irriterat med båda händernas knogar tårarna ur ögonen. "Det var en av oss för helvete!"

Den äldre kollegan ryckte på axlarna och drog sig diskret tillbaka. Åke Stålhandske skämdes både för sina tårar och för sin onödiga oförskämdhet.

"Fy fan", suckade Joar Lundwall och sjönk djupt ner i sin stol. De satt som apatiska en stund utan att kunna säga något.

"Sverige Sverige fosterland", sa han efter en stund och tystnaden sjönk på nytt ner i rummet som svartnande skymning.

Det andra protokollet såg identiskt ut, Åke Stålhandske förmådde sig till slut att sträcka sig efter det.

"Vår andre man hette Barly Pettersen. Undrar om Barly var hans eget namn eller något han fått av den engelska underrättelsetjänsten. Det står 9 sekunder ifyllt här nere. Honom tog det 9 sekunder att halshugga, en sekund längre alltså."

"Det borde ha varit af Klintén och Oxhufvud på den där schavotten."

"Och von Otter, antagligen."

"Nej, inte von Otter. Eftersom du säger antagligen."

"Nåjo. Och skulle man avrätta alla svenskar som hjälpte tyskarna under andra världskriget fick man väl börja med Per Albin Hansson och dom där. Och tänk våra tre vänner vid säkerhetspolisen som åkte till Berlin och kom överens med Heydrich om att utlämna den där Rasmussen-Hjelmen. Han halshöggs också, förresten."

"Historierna är märkligt lika."

"Ja för svenskt vidkommande, svenskt kryperi för nazismen, svensk vilja att vara biträde vid giljotinen. Men Hjelmen var mot-

299

ståndsman, dom här andra två var kolleger till oss."

"Ja, det ser ju så ut. Utbildade i England antagligen. Vad hette MI 6 på den tiden?"

"Section 6 of Military Intelligence."

"Så var det ja."

"Men det är ju själva saatan. Två miljoner etthundrafyrtiotusen tyska soldater fraktades på svenska järnvägar mellan 1940 och 43. För att hjälpa tyskarna att hålla Norge och för att hjälpa tyskarna i kriget mot Finland. Franska och engelska trupper fick int genomkorsa Sverige på väg mot Finland, det skulle ha vart brott mot neutraliteten det. Men division Engelbrecht var inget brott mot neutraliteten. Och vet du. Svenska flottan la ut minspärrar till skydd för den tyska ockupationsstyrkans attack på Finland, eskorterade tyska konvojer på Östersjön till skydd mot ryska ubåtar, tyskarna fick flyga med både bombflyg och kurirplan över Sverige, sjutusen överflygningar medan svenska luftförsvaret fick order att int skjuta verkningseld, i Luleå lastades 45 tusen ton järnmalm varje dag för tysk räkning, svenskarna kom på idén att judar skulle stämpla J i sina pass så att man inte behövde betrakta dom som politiska flyktingar, oppositionen i Sverige tystades med transportförbud mot tidningar, razzior av hemliga polisen hos opålitliga element, självpåtagen censur hos den ansvarskännande pressen, etthundratusen järnvägsvagnar med tyskt krigsmateriel genomkorsade Sverige fram till augusti 43."

Åke Stålhandske tappade lite luft efter sitt långa utbrott. Det fanns något som berörde honom djupt och personligt i allt detta, det kunde Joar Lundwall inte undgå att upptäcka. Men han ville ändå inte fråga rent ut, ville Åke berätta så gjorde han väl det.

"Varför till augusti 43?" frågade Joar Lundwall försiktigt.

"Självklart. Verkningarna efter den andra februari samma år."

"Vad hände då?"

"Du kan ju int historia din saatan!"

"Ja och nej. Jag hade femma i historia, jag kan vartenda svenskt fältslag från 1631 vid Breitenfeld till 1709 vid Poltava om du vill. Men andra världskriget ingick liksom inte i kursen, vi hann aldrig fram dit innan vi tog studenten."

"Nej just. Och nu börjar du kanske ana varför, listig underrättelseofficer som du är?"

"Ja. Vad hände den andra februari 1943?"

"Stalingrad. Den tyska armén förintades och kapitulerade, givetvis mot Hitlers order eftersom tyskar inte kunde kapitulera enligt honom. Vändpunkten i kriget alltså."

"Och slutet för svenskt horeri med Nazityskland."

"Åjo, men man fick ett handelsavtal med de allierade i gengäld mot det modiga förbudet att hindra det förlorade Tysklands trupptransporter genom Sverige. Handeln var ju ett problem. Fyrtioen procent av all svensk utrikeshandel 1941 gick på Tyskland och nu gällde det att skaffa ersättare."

"Felet var att Per Albin och dom där satsade på tysk seger?"

"Jo just. Men det var dom som var förrädare, inte svenskarna i allmänhet. Nassarna fick ju aldrig ihop tillräckligt med röster för att komma in i Riksdagen ens före Stalingrad. Det fanns blott aderton officerare registrerade som nassesympatisörer i den svenska krigsmakten. Nej för saatan, det var regeringen."

"Och en och annan säkerhetspolis och högbåtsman och överkonstapel och generalstabsofficer, som bekant."

"Jo. En och annan."

"Hur kan det komma sig att du har sån pejling på andra världskriget?"

"Det är en personlig sak. Har med min fader att göra..."

Åke Stålhandske såg ut som om han tvekade lite innan han kunde bestämma sig för att fortsätta. Men just då knackade det distinkt på dörren.

De ropade kom in med en mun och den gamle tysktalande majoren tog ett halvt tveksamt steg in i rummet.

"Jo, jag tänkte på en sak", började han lite tvekande. "Men att ni var så överraskade för det där med halshuggning. Jo alltså, tyskarna var ju formalister och ganska noga med ett och annat. Den som halshöggs hade dömts i domstol, dom som sköts kunde skjutas för lite av varje med eller utan domstol. Men alltså poängen är ju den att, ja, jag vet ju inte vad ni sysslar med, men det måste finnas hela domar och domstolsprotokoll på den där halshuggne norrbaggens historia."

Han fick bara häpna stirrande blickar till svar och verkade plötsligt besvärad som om han klampat in i helt fel sammanhang, vilket ju var lätt gjort i en verksamhet där man i ena korridoren aldrig visste vad de sysslade med i nästa korridor, eller ens i rummet intill.

"Ja alltså, om ni vill ha fram hela historien så finns det en dom och domstolshandlingar nånstans", sa han ännu mera tveksamt, nickade och gick ut baklänges och stängde dörren försiktigt framför sig.

"Willen sie vara så vänliga att genast schicken oss era domstolshandlingar, bitte", sa Åke Stålhandske häpet och triumferande på samma gång.

"Fast wir mussen nog warten bis Sam eller någon andere alte Kameraden kommer zurück", skrattade Joar Lundwall. "Ich meine, någon som kan bestellen *pa nemjetskij,* fan man är ju så mycket bättre på ryska."

"*Kanesjna,* självklart", sa Åke Stålhandske. "Fast du får inte kalla Sam för alte Kameraden. Det har ingen bra klang."

9

Carl och Tessie promenerade hand i hand uppe på gamla Akers-hus fästningsvallar. Det var nästan försommar i luften och de kunde ha varit vilket par unga amerikanska turister som helst. Carl hade solglasögon och en vit stickad irländsk tröja slängd över axlarna. Han kände sig trygg i den sammantagna förklädnaden, de lediga kläderna, de mörka glasögonen, det engelska språket och Tessie i handen.

Han hade skjutit upp mötet nere på Grønland en dag med hänvisning till ditt eller datt eftersom han ville ha en dag extra med Tessie i Oslo. Förmodligen kände han en viss skam över att låta privatlivet gå före jobbet, men han tycktes inte ha svårigheter att tränga undan den saken.

Han hade ett mål med promenaden som ändå kunde ha ett visst yrkesintresse, ett litet hus som kallas det Dobbelte Batteri og Bindingsverkhuset, där Norges Hjemmefrontsmuseum är inrymt.

Där inne skulle historien om motståndsrörelsen och ockupationen finnas. Där inne i dunklet och den högtidliga stämningen bland skolklasser och enstaka turister försvann naturligtvis deras glättighet när de vandrade från monter till monter i historien om svek och motståndskamp, mest motståndskamp och heroism.

Tre ansikten fanns ingraverade i avlånga stålplåtar i manshöjd och det var hål i stålplåtarna i brösthöjd, 6 hål i två av männen och 5 hål i den tredje räknade Carl och undrade över någon tysk någonstans i en exekutionspluton som åtminstone gjort någon form av tyst motstånd.

Hon frågade vilka de var och han läste texterna för henne. De hette Lindeberg, Pedersen och Rasmussen och arresterades i december 1940 och sköts i augusti 41. De hade tydligen varit radiotelegrafister.

1941 fanns bara sex opererande radiotelegrafister i kontakt med den brittiska underrättelsetjänsten och exilregeringen i London. 1942 hade de blivit 17, 1943 hade de blivit 28 och sen 57 stycken 1944 för att åter minska till 47 man 1945.

Siffrorna är antagligen inte helt sanna, förklarade Carl. Med den tidens teknik var det inte så svårt att lokalisera spionsändare, de måste ha haft stora förluster och det slutade alltså alltid framför en exekutionspatrull. Ändå kom nya män tillströmmande, oavsett riskerna.

Och kvinnor väl? Tessie såg ut som om hon förebrådde honom.

Ja, säkert kvinnor också.

Hon bad honom läsa en dikt som fanns ovanför en trappa, först på norska om han kunde det, sen översätta. Det var en enkel dikt men de tyckte att den ändå sa mycket

17 maj 1940
Idag står flaggstangen naken
blant Eidsvolls grønnende traer
Men nettop i denne timen
vet vi hva frihet er.
Der stiger en sang over landet,
seirende i sitt språk,
skjø hvisket med lukkede leber
under de fremmendes åk.

"Nordahl Grieg är en av deras nationalpoeter och i Eidsvoll år 1814 skrevs den norska konstitutionen", förklarade Carl.

"Jag trodde dom var en svensk koloni då", rättade Tessie.

"Hur vet du sånt?"

"Läst på, förberett mej för livet i en ny värld", svarade hon som om allting var alldeles självklart.

"Ja, dom blev i alla fall fria 1905 efter det största fiaskot i svensk militär underrättelsetjänsts historia", viskade han.

"Hurså", viskade hon glatt tillbaks, "var du inte med då?"

"Nej gudskelov. Underrättelsetjänsten meddelade att om vi bara höll folkomröstning bland norrmännen så skulle svenskanhängarna segra överväldigande. Motståndet bestod bara av små högljudda extremistgrupper och allt det där du vet. Sverige fick, tror jag, storleksordningen några hundra röster och resten av norrmännen röstade av nån anledning på Norge."

De skrattade, hon kysste honom på kinden och för några korta ögonblick bröt de sin egen stämning och av irritation runt omkring att döma också omgivningens stämning.

"Vi är i ett kyrkorum fast vi är ju bara vulgära amerikaner", viskade Carl och drog henne med sig bort från arga blickar.

Han läste och kommenterade sen det de såg. 366 norrmän avrättades som de där tre de såg bild på, i Norge ligger 17 000 utlänningar i massgravar, 9000 fångar transporterades från Norge till Sachsenhausen, Natzweiler och Buchenwald, kvinnorna mest till Ravensbrück. 1300 av de norska fångarna, antagligen mest judar, återvände aldrig.

Flyktvägarna från Norge gick vanligen från Hede mot Åmål eller från Vestfold över havet till Lysekil, påstod några kartor. Men inte ett ljud om hur svårt det var för svenska myndigheter att acceptera flyktingar.

Inte ett ljud heller om att 80 000 norrmän dömdes som landsförrädare i domstolar efter kriget, faktiskt fylldes de lediga tyska koncentrationslägren på nytt.

Här var allt heroism och ett enat folk.

Tessie fascinerades av en del spioneri- och motståndsrörelseutrustning, där fanns lösgommar monterade till radiomottagare, mikrofotograferingsinstrument dolda i en blyertspenna, vilket imponerade till och med på Carl, bevarade radiosändare i ett för tiden synnerligen behändigt format, en väska på 30 x 25 centimeter, lösklackar med håligheter och torskromsburkar med visst annat innehåll under ett lager torskrom. Motståndsgrupperna hade romantiska namn som Zero-Hero, Sam och Overland; engelskt flyg sänkte varje natt stora containers med vapen och materiel till *gutta på skauen.*

Ja. Så var det väl, delvis.

Hon envisades med spioneriutrustningen och bad honom förkla-

305

ra, och plötsligt fann han sig vara en fullkomligt perfekt ciceron, tvärtemot vad han hade väntat sig. Så var det ju, han visste nästan ingenting om andra världskriget i sig, men han visste allt om andra världskrigets underrättelseteknik, vad som hade funnits före, vad som hade utvecklats, vad som hade förändrats med datorerna på 50-talet och så vidare. Fackidiot på en mycket smal sektor av det krig han visste för lite om, således.

De höll på lite för länge med sådana detaljer. Han började tro att han tråkade ut henne och hon började på ett sätt som hon inte riktigt tyckte om påminnas alltför mycket om vem han egentligen var, hans andra jag som hon inte ville ha så mycket med att göra. Som hon för övrigt inte fick ha med att göra; hon hade inte ens kommit på tanken att fråga honom vad han gjorde i Oslo och han hade inte förvånat sig över att hon inte frågade.

De behövde ljus och någonting helt annat, kände de båda.

Han tog henne med till Vigelandsparken, de promenerade runt kungliga slottet, de tog en färja nere från hamnen till Bygdøy och besökte Vikingaskeppen, förmodligen hans favoritmuseum i världen.

De återvände till hotellrummet, kladdiga av svett, med svullna fötter och hungriga. Det var fortfarande ljust ute, kvällarna började redan bli långa.

Han såg på klockan, demonstrativt, med ena handen på telefonluren och frågade när hon ville äta och hon sa, lika demonstrativt, om två timmar och han ryckte upp telefonluren och beställde bord i hennes namn.

De började sina två timmar med att duscha tillsammans.

Teatercaféen låg bara en kort promenad snett över Karl Johan och förbi Kungliga Teatern. Han visste sen förut att man måste beställa bord på Oslos mest populära ställe och han visste lika väl att han borde ha valt en mer diskret restaurang. Men det var som om dagen i avskildhet och anonymitet, i ensamhet med Tessie, hade provocerat det hela.

De hade talat något om det, att det inte längre var som i Kalifornien, en annan tid och en annan värld. Det här var nästan som i Sverige men ändå inte, det var som en förberedelse, lätt träning för en annan tid men i framtiden. De vågade inte tränga för djupt in i ämnet.

Teatercaféen var ett myller av folk, en restaurang som gjorde intryck av att vara 1800-talet, med gammaldags möbler och vita dukar och en balustrad där det satt en liten stråkkvintett och spelade Eine Kleine Nachtmusik mitt i sorlet när de kom in.

Han bar inte solglasögon längre men kände sig ändå trygg bakom engelskan och sin lediga klädsel och Tessie. Han låtsades inte veta så mycket om maten och fick hjälp med att beställa dampet ørret med agurksalat och dragonsås, vilket rekommenderades. Han tvekade mellan Chablis och kalifornisk Chardonnay och valde med tvekan Chablis, trots att han föreställde amerikan och amerikaner alltid tycks förutsätta att kaliforniska viner är fullkomligt överlägsna de franska.

Han ursäktade sig med att man som turist ju ska välja det lokala vinet och fick en lång uttryckslös blick till svar från kyparen.

Tessie var på strålande humör och älskade allting hon såg, orkestern och norrmännen och de svartklädda kyparna och de ålderdomliga lyktglasen och sorlet.

"Fantastiskt härligt om det här är den populäraste krogen i stan", sa hon när vinet serverades, "om folk kan gå ut och ha det så här avspänt och klä sig utan smoking och sånt. Jag trodde Europa var som östkusten."

"Skål för Europa och det lokala vinet", skrattade han eftersom han så lätt rycktes med av hennes skratt och hennes stora leenden.

"Det här är det gröna vinet, det gör sig fint till dina ögon och ditt hår", fortsatte han sen i ett plötsligt anfall av romantik som inte kändes helt bekant för honom. Han brukade ofta tänka sånt om Tessie, men sällan, kanske alltför sällan, säga det.

Hon hade fått börja sitt nya jobb genast vid återkomsten, man hade varit vänlig nog att behandla hennes tillstånd med skyndsamhet eftersom hon ju ordnat allting — för det var väl inte så att Carl hade lagt sig i? — och han försäkrade att det hade han sannerligen inte gjort eftersom det förmodligen bara skulle ha blivit en björntjänst och väckt misstankar. Med tanke på hans yrke.

Hon stelnade lite i skrattet men tycktes fort komma över det. Och ändrade sig igen.

"Vad gör du i Oslo, är det något du kan säga någonting om?" frågade hon till synes obesvärat.

"Jag forskar i något som hände för, ja vad blir det? Som hände 1942 och som kan ha betydelse än idag."

"Därför det där museet?"

"Ja, därför det där museet. Men vi byter samtalsämne. När tänker du lära dej svenska?"

"Norska verkar lättare, det låter vackrare och mer sjungande i alla fall."

"Vill du flytta till Norge i stället?"

"Ja om IBM har jobb åt mej här och om..." Hon tvekade och viskade fortsättningen, "om spioneriet i Norge har behov av en extrahand."

"Tänk om vi får barn, då blir ju barnen norskspråkiga."

"Ja. Och så talar vi spanska, engelska, svenska och norska i vår familj. Det blir väl fint."

Han insåg försent vad han faktiskt hade sagt. Och så räddade han sig undan en omedelbar fortsättning genom att börja se sig om efter kyparen och få besvär innan han kunde beställa in en ny flaska av "samma sak som förra gången".

De kom över det och snart var hon tillbaks i sina skratt och sina berättelser om svartskallekontrollen på Arlanda — hon såg ju ut delvis som en svartskalle och hade redan lärt sig ordet — när man försökte bunta ihop henne med iranska kvinnor i hucklen som skulle begära politisk asyl eller kastas ut ungefär som om de var mexikaner i Kalifornien. Hon hade gjort iakttagelser om svenska immigrationsbestämmelser som var lika träffande som sårande för världens i egna ögon mest framstående demokrati.

De avbröts av en norrman med fotograf i släptåg som kom fram till Carl och som om det var självklart tilltalade honom på norska.

"Goddag det här var från Verdens Gang och vi ville gärna veta vad som för kommendör Hamilton till Oslo och undrar om vi får ta en bild?" sa norrmannen.

"Jag är ledsen men jag förstår inte norska", svarade Carl på engelska och med en blixtsnabbt spelad förvåning som fick Tessie att häpna.

"Var var vi nånstans", fortsatte han på engelska och vände sig mot Tessie, "vad var det du sa om dom där mexikanerna?"

Tessie insåg att läget var kritiskt och sneglade på pressfotografen som gjorde sig färdig för att ta en bild och hon gjorde en ansats till att skyla över ansiktet.

Carl högg henne blixtsnabbt i handleden.

"Gör det inte", väste han med ett brett leende mellan sammanbitna tänder. "Hur var det nu", fortsatte han som om ingenting höll på att hända, fastän den första fotoblixten redan slog dem i ansiktet, "hur var det nu med mexikanerna?"

Sen gjorde han en halvt ursäktande, halvt förolämpande gest åt fotografen med den ungefärliga innebörden att det här måste vara ett obegripligt missförstånd.

Tessie stålsatte sig till att börja berätta något om mexikaner, vad som helst, medan det togs bilder på dem från alla håll och vinklar.

Efter en stund gick journalisterna.

"Om du hade skylt ansiktet eller något i den stilen hade dom fortsatt att ta bilder hela vägen ut på gatan och fram till hotellet om så krävdes. Det hade gjort saken värre. Nu vet dom inte säkert och har inte ett enda uttalande, inte ens ett välförtjänt dra åt helvete", förklarade Carl i ett enda andetag så fort fienden var utom hörhåll.

"Vad ska vi göra nu?" frågade Tessie tveksamt.

"Sitta kvar som om ingenting har hänt. Vi är två amerikaner som råkat ut för ett missförstånd, kommer du ihåg?"

"Vilken sinnesnärvaro du har", viskade hon.

"Det är faktiskt mitt jobb", svarade han och såg nästan lite stött ut. "Hur som helst skulle flyktbilder ha blivit värre."

* * *

Politiadjutant Iver Mathiesen gnuggade händerna av förtjusning och förväntan. Han mindes mycket väl första gången han träffat Hamilton, för fem år sen när Hamilton inte var Hamilton utan en lägre tjänsteman vid den svenska säkerhetspolisen som lustigt nog gjort intryck av att inte vara någon "riktig polis" i meningen att han inte skulle kunna skjuta och vad det var.

Hestenes på fjärde roteln hade berättat ganska roligt och självironiskt om det där när Hamiltons namn och bild gick över världen förra året, hur han bjudit Hamilton på jakt på Vestlandet men ångrat sig "eftersom han fick för sig att den där skrivbordstypen inte skulle kunna skjuta".

Samma skrivbordstyp alltså, mindes Mathiesen inte utan yrkesmässig skadeglädje, som fått självaste Knut Halvorsen från terrorpolitiet insmygande på sitt hotellrum med höjt vapen. I mörkret.

Det blev inte så kul för Halvorsen det. Men kul för övriga polisen i Oslo, när ryktet löpte ut. Tur för Halvorsen att det aldrig kom i VG eller Dagbladet. Det hade sett ut, det.

Iver Mathiesen var operativ chef för den norska säkerhetspolisen och nummer två i hierarkin. Det var tillräckligt högt för att fatta beslut och tillräckligt lågt för att högste chefen skulle kunna slippa ifrån ansvar om någonting gick åt helvete. Ett praktiskt arrangemang som passade dem båda. Iver Mathiesen fick mer att besluta om och högste chefen fick inte veta saker som han skulle behöva ta onödigt ansvar för.

Det här ärendet hade omedelbart delegerats ner till Mathiesen själv. Om självaste Hamilton kom till overvåkingen för att begära operativ hjälp, med någon sorts okay från norska försvaret, så gällde det antagligen inte vilken kattskit som helst. Det kunde alltså bli kul. Nåja, intressant i alla fall, rättade sig Mathiesen skuldmedveten över sin oanständiga entusiasm.

När Carl kom in såg de två männen omedelbart gillande på varandra. De var båda klädda i jeans. Mathiesen hade tänkt ursäkta sig för den saken med att han skulle ut på landet, Carl hade eventuellt tänkt ursäkta sig med att det var mer diskret än uniform, som uppe på overkommandot. Nu struntade båda i ursäkter och kände intuitivt att de hade kontakt redan från första början. Carl var lättad och Mathiesen eventuellt smickrad av den iakttagelsen.

Carl la ifrån sig solglasögonen som han burit i handen och sin irländska tröja på en stolskarm när de hade skakat hand, hjärtligt och hårt, och slog sig avspänt ner i en av fåtöljerna med det ena benet högt över det andra. Han bedömde att här var det bara att gå rakt på sak.

"Jag skulle behöva hjälp av en kompetent säkerhetspolis. Och därför har jag alltså kommit till Norge", inledde Carl med betoning på Norge.

"Vell", skrattade Mathiesen spontant, "om det är på det viset så förstår jag att en svensk närmast desperat måste söka sig bort från sitt eget hemland just nu."

"Ackurat", sa Carl småleende. "Vilket för mej in på det spörsmål jag måste ta upp allra först. Oavsett vad vi kommer överens om, formellt är du och jag alltså säkerhetstjänsten i Norge och den svenska underrättelsetjänsten, kan vi då hålla den svenska säkerhetspolisen utanför? Jag måste dessvärre börja med den pinsamma frågan."

Här går det undan, tänkte Carl.

"Hurså", undrade Mathiesen med en plötslig vaksamhet, "för som du ju vet är det formellt våra kolleger du talar om. Vi har en del upparbetade rutiner när det gäller material av ömsesidigt intresse."

"Just det", sa Carl och beslutade sig för att fortsätta spikrakt framåt, "och det är just det som är problemet. Får dom där på aphuset på Kungsholmen veta vad vi utreder så står det genast i Expressen och då är allt förstört."

"Aphuset?"

"Ja. Rikspolisstyrelsens säkerhetsavdelning, om vi ska vara mer formella."

"Kallar ni dom *aphuset*?"

"Ja. Med goda skäl, dessvärre."

Mathiesen kunde inte hålla sig från att brista ut i gapskratt. Han skrattade så att tårarna till slut rann. Möjligen lät ordet lustigare på norska: *apehuset*. Så djävla roligt var det väl ändå inte.

"Det är en fråga som inte tål publicitet förrän vi är färdiga. Sen lär det bli en hel del av den varan. Men om *apehuset* informeras så kommer Expressen att slå sönder allt vårt arbete, eventuellt med apehusets goda minne. Det går inte", fortsatte Carl när Mathiesen skrattat ut.

"Ålrejt", sa Iver Mathiesen och samlade sig något, sjönk ner i lyssnarställning bakom skrivbordet och försökte återta sitt allvar. "Berätta vad saken gäller så ska jag nog inte tro att det där med... med apehuset blir något stort problem..."

Han brast på nytt i skratt, dunkade knytnäven mot pannan och sa något ohörbart om svenskar som Carl valde att fullkomligt nonchalera i väntan på sin tur.

"Alltså", sa Carl och harklade sig när han bedömde att säkerhetsmannen var mottaglig för intellektuella meddelanden på nytt, "vad det handlar om är följande. Två svenska generaler har nyligen mördats. Vår säkerhetstjänst jagar som vanligt kurder eller araber och beskriver dag för dag sin jakt i Expressen. Men mördaren eller mördarna är dessvärre norrmän. Vi har namn och adress på en av dem, om det är en konspiration, eller mördaren själv om det är en ensam person. Vårt primära syfte är inte att få mannen dömd, det får såna som du ta hand om i efterhand. Vårt primära syfte är att få veta *var-*

311

för morden ägde rum. När vi vet det kan polis och domstolar gärna få ta över i vanlig ordning. Så mycket tycks stå klart att saken har med andra världskriget att göra."

"Andra världskriget?"

"Ja. Och Hitlers ockupation av Norge, norska motståndsmän i Sverige. Där någonstans finns motiven till mord som har ägt rum i år. Det kan uppriktigt sagt handla om lite av varje, vi har fantiserat om allt från nazistskatter till överlevande naziorganisationer. Men vi vet alltså inte."

"Och nu ska vi hjälpa er att få veta?"

"Korrekt. Så är det tänkt."

"Och när vi väl vet drar ni er undan och vanligt polisarbete tar över?"

"Korrekt."

"Låter för enkelt. Vad vill ni egentligen göra?"

"Genomföra en operation på norskt territorium med inriktning på den här konspirationen, ta fram svaret på frågan varför."

"Varför inte bara lämna ärendet åt oss?"

"Därför att vi inte vet varför."

"Det där förstår jag inte."

"Då ska jag vara fullkomligt uppriktig. Vi är militärer, inte poliser, dessutom utlänningar. Vi har inte som du skyldighet att ingripa mot brottslig verksamhet, vi kan ta oss vissa friheter oavsett vad vi får veta. Du skulle kunna hamna i polisiärt trångmål eller vad vi ska kalla det om du under arbetets gång fick kunskap om grov brottslighet och ändå hade oss på halsen bönande om att du skulle åsidosätta din tjänsteplikt och inte ingripa."

"Vell, det är klart. Men vad blir skillnaden i slutänden?"

"I slutänden blir det ingen skillnad. Du får alla relevanta uppgifter från oss och så kan polismaskineriet rulla igång. Men under operationens gång har vi haft större friheter att se genom fingrarna med ett och annat tills vi har dom svar vi vill ha. Det här kan gälla såväl Norges som Sveriges säkerhet, det *kan* finnas motstridiga intressen mellan oss. Det vill jag inte förneka."

"Men *om* det finns motstridiga intressen så är det bäst att vi slipper hålla på med dom under arbetets gång?"

"Just det. I värsta fall kan vi låta våra regeringar göra upp när du och jag drar oss undan."

"Låter klokt."

"Ja, det är också vår uppfattning."

"Nå, om vi då går på det rent operativa. Vad vill ni göra?"

"Är avlyssning tillåtet i Norge?"

"Det är inte reglerat. Vi åberopar oss på nödrätten."

"Nödrätten? Jamen det är ju det som våra säpochefer förtvivlat försöker värja sej med i diverse skandaler hemmavid. Utan större framgång som det tycks."

"Jo forsovitt... men det finns en betydelsefull skillnad mellan de svenska kollegerna och oss. Dom har åkt fast och ställt till det och dragit på sej lagar och förordningar och parlamentariska utredningar och allt det där. Vi har *inte* åkt fast. Så hos oss gäller nödrätten. Detta, min bäste herre, är inget *apehus!*"

Mathiesen brast på nytt ut i ett nästan hysteriskt skrattanfall.

Kul kille, tänkte Carl medan han väntade ut gapskrattet för tredje gången. Han ser inte heller ut som en norrman, kunde ha varit italienare eller belgare eller nåt. Samma viktklass som kommendören på overkommandot, nej förresten den här är lättare.

"Alltså", harklade sig Carl på nytt, "vi skulle vilja genomföra en avlyssningsoperation här i Oslo. Vi skulle vilja ta in en del utrustning som kunde väcka uppmärksamhet i tullen, och då talar jag inte bara om mikrofoner och sladdar."

"Tänker ni ta in vapen?"

"Ja. Helst med tillstånd, annars uppriktigt sagt utan tillstånd."

Iver Mathiesen försjönk i en stunds allvarligt grubbel och Carl ångrade sin arroganta uppriktighet, men han hade gissat att det här var rätt samtalston med denne mycket specielle, och tydligen gladlynte, norrman.

"Om ni vill ha vapen", började Mathiesen långsamt när han funderat färdigt, "så får jag utfärda tillfälliga licenser. Det är inget problem. Men ni får ändå inte bära vapen utan att en av vårt folk finns med. Det skulle jag rekommendera. Det löser dessutom ett annat problem. Har vi en tjänsteman från overvåkingen närvarande under er operation så har han formellt, jag vill understryka formellt, befälet. Men jag antar att du förstår poängen."

"Visst, utmärkt. Åker vi fast är det er operation, vilket är illa nog. Men det vore värre om det vore vår operation på ert territorium med ert tillstånd."

313

"Exakt."

"Då hoppas jag du tar nån som inte har alltför många ränder i gradbeteckningen."

"Nej, men jag har en nyutnämnd politietterforsker Hestenes som jag tror du känner."

"Ja, vi träffades förra gången jag var här. Vi skulle jaga hjort på Vestlandet eller vad det var. Synd att det aldrig blev av."

"Nå, det är inte försent än. Roar Hestenes blir alltså er följeslagare. Han står formellt under mitt befäl naturligtvis. Men reellt, med dej närvarande, kan jag inte tro annat än att det hela kommer att gå ganska smidigt. Ska vi gå över till det rent praktiska?"

Carl övervägde kort med sig själv om han skulle slutföra ärendet redan nu, vilket föreföll fullt möjligt, eller om han skulle försena sig en dag till i Oslo, vilket hade med Tessie och inte den kommande operationen att göra.

Han häpnade över sig själv när han valde Tessie, när han utan minsta korn av sanning förklarade att han måste ha en kort kommunikation med hemmabasen och att det därför vore mest praktiskt om man kunde träffas tidigt nästa dag för att gå igenom de tekniska detaljerna. Fullt medvetet och med enbart privata motiv försenade han alltså en underrättelseoperation med 24 timmar.

Han kunde tydligen bete sig på ett sätt som han i sin vildaste fantasi inte hade kunnat föreställa sig för några månader sen. Och det var lättvindigt. Han slutade att bekymra sig om saken redan när han promenerat några hundra meter bort från det vita polishuset och började planera en mer diskret middag med Tessie än kvällen innan. Bristol var nog ett bra ställe, för dyrt för åtminstone den värsta journalisthopen, gammaldags matsal med mörk inredning och dålig belysning och direktörer och amerikanska turister i publiken, dessutom en utomordentlig vinlista för att vara Norge.

Det tog honom bara en kvart att promenera upp förbi Centralstationen och in på Karl Johan. När han passerade Stortinget upptäckte han att något var onormalt där nere utanför Hotel Nobels ingång. Där stod några bilar med antenner på taket som inte var vanliga antenner, inte militära heller för den delen, och det fanns flera personer som såg ut som om de väntade på någon eller något. Där fanns också minst tre välutrustade fotografer, så sammanhanget var inte direkt svårtolkat.

Det fanns inte heller så många handlingsalternativ, förr eller senare måste han ju ta sig in i hotellet, i värsta fall sent på natten tillsammans med Tessie. Alltså fanns bara ett handlingsalternativ.

Han gick rakt fram mot hotellingången och stannade inte upp när journalister och fotografer sprang honom till mötes och motorkameror och frågor började smattra mot honom.

"Jag är i Oslo av helt privata skäl. Därför att jag blir så besvärad av journalister om jag försöker gå ut på fritiden i Stockholm. I övrigt har jag inga kommentarer", sa han medan han väntade på att få sin rumsnyckel, sen vände han och gick mot hissen i en sista störtskur av kamerablixtar.

På väg upp i hissen tänkte han ut kvällens taktik. Tessie ut en halvtimme före honom själv. Han själv skulle först understryka för hotellpersonalen hur gärna han alltid skulle vilja bo på Hotell Nobel när han kom till Norge. Förutsatt att man från hotellets sida skulle kunna visa viss diskretion om exempelvis hans sällskap. Han skulle kunna tänka sig att vid lämpliga tillfällen understryka just hur han trivdes på Hotell Nobel. Förutsatt detta med diskretion, alltså.

Det fanns en risk att skvaller om Tessie till kvällspressen på det sättet skulle bli än mer värdefullt. Men borde inte hans eget reklamvärde vara mer värdefullt för hotellet? Nå, det skulle ju visa sig.

Han själv skulle inte ha några svårigheter att ta ut eventuellt förföljande journalister på en kort och förvirrad tur i Oslo innan han utan journalister kunde slå sig ner hos Tessie på Bristol. Ja, det fick nog bli Bristol. Där fanns en trevlig biblioteksbar där Tessie kunde vänta utan att bli beglodd medan han skakade av sig förföljare.

* * *

Kapten Bölja hade tydligen haft ett givande besök hos den gamle pensionerade utlänningspolisen i Ed. Allmänbildande, mycket allmänbildande, var hans eget korta omdöme när Rune Jansson frågade hur det hade gått.

Men nu kände sig de två polismännen optimistiska för första gången på länge. Inte så att de trodde att de hade någon lösning i sikte, men de hade några intressanta uppslag och det var länge sen. Allt annat hade ju bara lett in i återvändsgränder. Och utredningen hade trappats ner, rikskrim i praktiken lagt av. I vart fall åkt hem till Stockholm.

Rune Jansson hade fått en enkel idé när han såg listorna på det gamla polismaterial som dom där spionerna uppe på försvarsstaben hade bett om hjälp att skaffa fram.

Rune Jansson förutsatte, eller kände åtminstone intuitivt, att Hamilton och hans pojkar mycket väl kunde känna till en massa saker som de helt enkelt inte berättade. För någonting borde ju det här forskningsarbetet i göteborgska arkiv från 1942—43 ha gett. Men militärerna hade inte släppt ifrån sig ett ljud om vad de trodde eller visste, eller vilka slutsatser de dragit av sina djupdykningar i arkiv.

"Jag ger mej fan på att dom håller på med nånting alldeles bestämt och att dom vet något som dom inte säger till oss", började Rune Jansson när han ägnat en halv förmiddag åt att tänka och kände sig mogen för en gemensam ansträngning med Kapten Bölja.

"Men varför skulle dom vilja sköta en mordutredning på egen hand, det vore väl bättre att samarbeta med oss?" invände Kapten Bölja skeptiskt. "För jag menar, dom behöver ju ändå polis för att ta sig ända fram, eller hur?"

"Jo man kan tycka det", muttrade Rune Jansson när han sorterade göteborgshandlingarna i olika högar, som om han var på väg att dela upp arbete, "men med den där Hamilton inblandad så brukar det skita sej i mordutredningar, oavsett om han själv är inblandad eller inte."

"Hurså?" sa Kapten Bölja med uppriktig förvåning. "Hamilton inblandad? Hans metoder borde väl ändå vara något mer raffinerade än det vi sett på af Klintén?"

"Det kan man nog tycka. Men det är bara det att det på något sätt skiter sej i utredningsarbetet om Hamilton kommer in i det, åtminstone hittills. Du kommer ihåg det där fallet Maria Szepelinska-Adamson eller vad hon hette?"

"Nej, inte en aning."

"För två år sen. Tidningarna skrev ju en hel del."

"Hm, möjligt. Men jag läser inte vad tidningar skriver om mord, det gör väl inte du heller."

"Nej men nu var det i alla fall så att det till slut fanns en misstänkt, och det var Hamilton själv, men bevisningen var nästan omöjlig. Dessutom var det nån skit uppe i höjderna som såna som du och jag aldrig får veta om. I vart fall uppstod till slut något konstigt motstånd, ingen ville ha det där mordet utrett."

"Utom du?"

"Ja. Jag var en naiv kriminalinspektör som trodde att mord alltid var förbjudet. Men så är det tydligen inte."

"*License to kill*, menar du?"

"Ja, nåt i den stilen."

"Fy fan. Sånt trodde jag inte vi körde med här i Sverige."

"Inte jag heller, men jag är som sagt bara en vanlig snut. Du kan ju gräva upp akten från källaren om du vill titta på fallet nån gång, *ej spaningsresultat*, du vet."

"Vi får väl se hur det blir med dötiden här på firman. Men det där förra året, det gick väl bra, dom där kollegerna, om man nu ska kalla dom det, åkte ju in i god ordning?"

"Jag vet inte det. Hur det nu blev så kommer jag inte ihåg, men jag drog in Hamilton för jag behövde hans hjälp. Han kom ner här med en till sån där bamse och dom tittade på några mordoffer som såg alldeles för jävliga ut och så sa dom ungefär hur det hela gått till. Och att det inte kunde vara militära mördare och lite till, ja det var precis innan du kom hit."

"Nej, men dom hade ju rätt, så det var väl bra?"

"Jo, bara det att sen dess låg vi snutar tvåa i spåret ända fram till slutet. Hamilton och hans polare, du vet såna där som han hade med sej i Uppsala, la sej i försåt och väntade ut mördarna, sköt en till döds, sköt tasken av en och överlämnade en till Vaxholmspolisen. Bara en sån sak, *Vaxholmspolisen*."

"Är du avundsjuk för att du kom tvåa eller nåt. Huvudsaken var ju att dom åkte in?"

"Jo, men nu är vi där igen. Jag är alltså en vanlig snut, naiv och lite dum och tror på lagar och allt det där som man väl snart är ensam om i det här landet. Men jag tycker alltså att det på något sätt är lite bättre om vi får omhänderta mördarna eller mördaren på vanligt sätt. Innan Hamilton och hans polare når fram till den misstänkte och skjuter honom. Har jag fel eller?"

Kapten Bölja sträckte på sig och log. Han gladde sig åt att han tyckte så mycket om sin formelle chef fastän han själv var äldre och förmodligen mer meriterad. Rune Jansson var bra och, som han själv sa, en vanlig hederlig snut.

"Nåja, loppet är ju inte kört än", log han, "vi vet alltså vad dom har beställt och vad dom sitter och läser för gamla polishandlingar.

Och det materialet ligger här hos oss. Ska vi sätta igång?"

"Ja snart. Men låt oss tänka lite först."

De tänkte högt och växelvis för att summera vad de visste eller inte visste, vad som kunde vara möjligt och vad som inte föreföll möjligt.

Militären hade alltså ägnat en viss överkonstapel Jubelius mycket stort intresse och Jubelius verkade som dels polis och dels tysk angivare i Göteborg samtidigt som den där von Otter var hos militären i Göteborg.

Naturligtvis inte en tillfällighet.

Militären hade vidare ägnat sig åt en högbåtsman Andersson, som i sin tur varit en av Jubelius' tipsare. Och samtidigt tipsare åt någon sorts nazistisk spionofficer i Göteborg.

Jubelius hade sannolikt mördats. Mordet hade aldrig kunnat utredas, fast det kändes inte som om det luktade skunk om utredningen på något sätt. Däremot var det mera tveksamt med hur högbåtsman Anderssons död hade utretts. Självmord? Ja, kanske. Men det kunde lika väl handla om två mord. Att knuffa eller slänga någon framför ett tåg är ju inte någon ny uppfinning i mordhistorien.

Enligt en del av förhören framgick att von Otter hade kunnat vara en organisatör i bakgrunden, i vart fall framstod han som en källa till den där högbåtsman Andersson.

Och von Otter hade definitivt mördats, låt vara att det i så fall var märkvärdigt långt efter de två andra möjliga morden.

Ed skulle kunna knyta samman trådarna, Ed i Dalsland på norska gränsen.

Och nu började det ju bli hett på något sätt. För något av det sista som de här nassarna i Göteborg sysslat med innan de på mystiskt sätt gick hädan, var frågan om två norska spioner, som alltså von Otter skulle ha angett för högbåtsman Andersson, som högbåtsman Andersson sen angett för överkonstapel Jubelius.

Som överkonstapel Jubelius fick utvisade till Norge på något sätt, oklart hur.

Men då inställer sig frågan, hur kan man utvisa spioner? Det vore ju detsamma som att utvisa dom till en säker död, det borde ha varit brottsligt redan på den tiden. Norrmän skulle ju interneras om dom var spioner, utlänningspolisen uppe i Ed hade haft mängder med såna ärenden.

318

Nå, om konspiratörerna begick brott så kunde ju det möjligen förklara deras våldsamma hädanfärd.

Men von Otter och af Klintén nästan femtio år senare? Det verkade ju inte klokt.

Nej, men det var i alla fall det spåret militärerna höll på med och just dom här militärerna var nog inga dumskallar.

Frågorna började bli självklara. Vad hände alltså i Ed 1942—43? Hade överkonstapel Jubelius någonting med Ed och två utvisade norrmän att göra? Finns det någon koppling mellan af Klintén och Ed? Kan man spåra de där två norrmännen via flyktingpolisen i Ed på något sätt?

Finns det något i den tidens krigsdagböcker från militären i Ed?

Det var bra frågor, lysande frågor. Inte för att man på något sätt kunde känna sig säker på att få fram svaren på frågorna, både Rune Jansson och Kapten Bölja var alltför luttrade polismän för att utan vidare tro det.

Men de hade några bra frågor, någonting att verkligen bita i, någonting konkret, någonting som kunde bryta stämningen av uppgivenhet och känslan av att allt var uttömt.

De kände sig därför överdrivet optimistiska när de delade upp materialet mellan sig. Först skulle det tänkas, sen skulle nog Kapten Bölja få ta sig en ny tur till flyktingpolisen i Ed. Med något mer konkreta frågeställningar den här gången; vid första besöket hade han fått halva det svenska andra världskriget hällt över sig.

Ed var en knutpunkt för bland annat trafiken mellan norsk och brittisk, svensk och tysk underrättelsetjänst under kriget.

Dock hade samarbetsformerna växlat något, liksom rutinerna ibland genomgått dramatiska förändringar. *Beroende på om man betraktade skeendet från en position före eller efter den 2 februari 1943.*

Skrockade Kapten Bölja.

"Vad hände den 2 februari 1943", undrade Rune Jansson, tankfullt försjunken i ett förhörsprotokoll med högbåtsman Andersson. Han hade redan fått en idé. Det kanske inte höll, men det var ju i alla fall en idé.

* * *

Carl var omotiverat munter, kändes det som, när han satt och antecknade på planet mellan Oslo och Stockholm.

Den praktiska genomgången med Iver Mathiesen hade dock inte saknat sina komiska poänger. För det där med avlyssning kunde ju möjligen vara en juridiskt mindre komplicerad fråga i Norge än i Sverige. Men om det var *någonting* som svensk militär underrättelsetjänst för närvarande inte fick åka fast för så var det smuggling av avlyssningsmateriel.

Hade Carl understrukit med viss emfas.

Vilket hade fått Iver Mathiesen att yla av skratt och förstående sympati. Dels stod den svenska regeringens mer eller mindre underliga partikamrater inför rätta i Sverige för att de hade smugglat avlyssningsutrustning och förberett olaga avlyssning. Dels höll den svenska riksdagen på att mörbulta sin regering och eventuellt delar av den militära underrättelsetjänsten för att man med viss fysisk kraft, för att inte säga overkill, hade ingripit mot olaga avlyssning som den svenska säkerhetspolisen sysslade med.

Carl och Joar och Åke fast i norska tullen med avlyssningsmateriel, det skulle se ut det.

Iver Mathiesen hade emellertid haft lika enkla som konventionella lösningar på sådana problem. Overvåkingspolitiet och tullen i Norge hade goda förbindelser. En man från overvåkingen skulle vänta inne på den svenska sidan, hoppa in i Carls transport och sen tala tullen till rätta så fort man kom in på norska sidan. Så hade man gjort förr och så skulle man göra i framtiden. Det skulle inte innebära några problem. Hur man sen skulle få tillbaks skiten till Sverige fick bli en senare fråga.

Sen gällde det att skylta om en svensk husvagn med norska skyltar. Men i stället för att använda falska skyltar kunde man bara parkera undan den svenska husvagnen någonstans och hyra en norsk, så blev allt legalt. Dessutom kunde man hyra via bulvan så att ingenting gick att spåra.

Vad övriga logistiska problem beträffade fick de anstå tills de uppstod, när man väl hade operationen inne på norskt territorium skulle det gå lätt att improvisera sig fram. Det gällde ju bara att hålla ett kontinuerligt samband, vilket ändå låg i arbetets natur.

Det hade tagit en halvtimme att göra upp det praktiska. Carl hade mycket väl kunnat klara av den saken dagen innan, i stället för att dra på sig alla undanmanövrer för Oslos journalister som delvis för-

320

stört kvällen för honom och Tessie.

Men tanken på att han själv och kollegerna skulle åka fast i tullen som smugglare av avlyssningsmateriel var onekligen roande. Nå, nu var det problemet löst.

Hans goda humör försvann blixtsnabbt när en flygvärdinna kom förbi med tidningsvagnen. Han hade inte tänkt ägna sig åt tidningar, men passageraren bredvid honom, svensk tydligen, knuffade honom lätt och menande i sidan och pekade på Expressens förstasida.

Han ryckte åt sig en tidning och konstaterade att det vid första anblicken såg ut som om halva tidningen handlade om honom själv. Han fanns på olika bilder med olika ansiktsuttryck, leende, förgrymmad, bekymrad, hård, mjuk, vad som helst trots att alla bilder tagits vid samma tillfälle förra året.

Nej, inte alla bilder visade det sig. Lite längre bak i tidningen, när han trodde att allt skulle vara över för hans del, fanns en bild på honom och Tessie på Teatercaféen i Oslo. På något sätt framgick det att Verdens Gang och Expressen samarbetade med varandra och det norska materialet hade bearbetats av en svensk reporter, samme reporter som stod för det mesta av tidningens olika Hamilton-stories.

Carl läste det privata först.

Medan hans egen sambo hotades av fängelse och åtal i den rättegång som snart skulle komma upp i Stockholm syntes han själv med mystisk vacker dam i Oslo och så vidare. Det verkade som om tidningen här var djupt indignerad på Eva-Britts vägnar, utan att någonting direkt sas som var rakt på sak. Utom möjligen att han citerades på ett enda ställe, i stor stil under bilden: "Jag är i Oslo av strikt privata skäl och vill inte ha med journalister att göra i såna sammanhang."

Han bläddrade bakifrån. Nästa artikel om honom själv handlade om Eva-Britts mål på väg upp i Stockholms tingsrätt och reportern förklarade att det skulle vara antingen ett under eller ett tecken på grov korruption om Eva-Britt undgick fängelse och sparken, i all synnerhet som hennes man var miljonär och hade hyrt en *kändisadvokat* för att på det sättet manipulera rättvisan.

Sen följde ett långt angrepp på kändisadvokaten som Carl inte förstod sig på eftersom han inte visste att han olyckligtvis råkat välja just den kändisadvokat som låg i en två decennier lång fejd med Expressens chefredaktör, varför alla tidningens journalister således visste att det var pluspoäng på att särskilt angripa just den advokaten och att alltid ställa tidningens resurser och sympatier på kändisadvokatens motparts sida.

Än en gång fick den som urmakare presenterade fylleristen framträda och beskriva sitt ohyggliga lidande efter den brutala misshandeln, samt tillföra olika synpunkter på likhet inför lagen, rättvisa och demokrati och andra principer som såvitt framgick kunde vara skrivna av reportern direkt lika väl som framsagda av offret självt. Det var ohyggligt synd om det brutalt misshandlade offret och all rättvisa i svenskt domstolsväsende skulle gå till spillo om inte Eva-Britt dömdes till fängelse. Så mycket var i alla fall kristallklart.

Längre fram i tidningen där politiskt tyngre nyheter presenterades kved anonyma uppgiftslämnare inom säkerhetspolisen om hur de dels alldeles i onödan hade utsatts för brutal misshandel av den där Hamilton och hans torpeder och hur de dels hade varit nära att slå till mot de terrorister som låg bakom generalsmorden, men hur nu allt arbete var tillspillogivet. Sannolikt därför att regeringen, den socialdemokratiska regeringen, ville skydda terroristerna eftersom de hade med Mellanöstern att göra och det var allmänt känt att den socialdemokratiske utrikesministern ville axla Olof Palmes mantel som fredsmäklare i Mellanöstern.

Och så till dagens huvudnummer, som började på förstasidan — med bild på Carl — och fortsatte på sidorna 6—8.

Regeringens beslut att sätta in militär mot polisen stod i strid med olika bestämmelser i Regeringsformen. Det var, enligt Expressen, kristallklart och olika experter intygade att så måste det vara.

Regeringen försökte förtvivlat skylla ifrån sig på militären, bland annat genom påståendet att det var militärerna själva som hade beordrat just Hamilton att leda operationen mot de hjältemodiga säkerhetspoliserna i Uppsala som nu fick sitt spaningsarbete mot utländska terrorister spolierat (se annan artikel på sidan 9!).

Men frågan var om inte regeringen bett, eller snarare beordrat militären att använda sig av just Hamilton för att det inte skulle bli några överlevande vittnen. Ja, frågan måste i alla fall ställas.

Anonyma militära experter intygade att det inte kunde finnas någon annan vettig förklaring till att man satte in just Hamilton. För det var ju som om man för en enkel expedition där det bara gällde att hämta lite avlyssningsmateriel hade satt in en stridsvagnsdivi-

322

sion eller attackflyget eller något i den stilen. Och den anonyma militära expertisen försäkrade att så uppträdde inga riktiga militärer om de inte fått explicit order från sin regering. Det var mycket sällan som det fanns renodlad militär anledning att sätta in en så våldsam överkapacitet på taktiska uppdrag, nämligen.

Alltså kunde avsikten ha varit att de säkerhetspoliser som nästan löst militärmorden nu skulle röjas ur vägen genom att exempelvis göra för mycket motstånd eller något annat oöverlagt.

De enda artiklar som inte på ett eller annat sätt hade samme reporter inblandad var de som handlade om dagens KU-förhör där chefen för den militära underrättelsetjänsten, enligt tidningens prognoser, skulle tvingas att bekänna att regeringen gett särskilda, möjligen underförstådda, order där man sett till så att just Hamilton skulle leda angreppet mot den hjältemodiga säkerhetspolisen.

Därefter följde en uppräkning av olika sammanhang där Carl påstods ha dödat. En del var rätt, annat fel och det viktigaste utelämnat eftersom det inte var känt.

Carl vek sakta ihop tidningen, väl medveten om att hans svenske granne i flygplansfåtöljen stirrade intensivt på honom.

Han sköt ner tidningen i fickan framför sig och fattade ett enkelt beslut. Innan det bar iväg till Norge skulle han genomföra en operation mot den där Expressenreportern som denne nog inte skulle överleva, åtminstone inte i journalistisk mening. Han visste ungefär hur han skulle gå till väga, rätt in i fiendens eget slagfält med fiendens egna metoder.

Han log för sig själv när han fick den första idén. Sen lutade han sig lugnt bakåt och somnade, till sin grannes oförställda häpnad.

* * *

Samuel Ulfsson svettades fortfarande i handflatorna, även om den första nervositeten hade börjat lägga sig och skräcken för att inte få röka praktiskt taget hade försvunnit.

Han såg tydligt luckan i fiendens linjer, såg eller anade den, även om han åtminstone inte själv ansåg sig tillräckligt politiskt bevandrad för att förstå fienden eller fiendens taktik.

Men KU-ledamöterna var djupt splittrade. Socialdemokraterna och moderaterna var indignerade över säkerhetspolisens *bevisade* brottslighet och tyckte att det var självklart att regeringen i ett så-dant utomordentligt allvarligt fall måste ha rätt att använda andra resurser än polisens för att få slut på brottsligheten.

Folkpartisterna var upprörda över tanken på att araber hade kunnat undgå rättvisan, å ena sidan. Men de var också, å andra sidan, upprörda över att den svenska polisen begick brott.

Centerpartisterna stod egentligen närmare tidningskampanjen än sina liberala kolleger. De ville markera sig som mer principiellt seriösa, deras partiledare hade vid några intervjutillfällen poängterat att just centerpartisterna tog själva parlamentarismen på större allvar än alla andra, de var således mer demokratiska än alla andra, och därför var frågan om regeringens eventuella fiffel med regeringsformen det väsentliga, oavsett det berättigade att ingripa mot säkerhetstjänstens brottslighet.

Miljöpartister och VPK:are var upprörda över att det fanns militärer i Sverige och att dessa dessutom fick gå lösa.

Det var alltså inte så svårt att stå till svars inför denna oeniga församling som man skulle ha kunnat tro, som Samuel Ulfsson trodde innan han leddes in med sin känsla av att vara på väg till någon sorts exekutionspatrull.

Men den känslan hade alltså ganska snabbt gått över, bland annat till följd av att det var socialdemokrater och moderater, alltså anhängarna som Samuel Ulfsson begrep efter en stund, som enligt den svenska parlamentarismens ordning skulle börja fråga.

Deras intresse var enbart att kasta upp bollen lagom högt så att Samuel Ulfsson skulle få smasha.

"Fick ni några order att döda från regeringen?" frågade den socialdemokratiske ordföranden.

"Nej naturligtvis inte", svarade Samuel Ulfsson lätt bestört över denna fråga som kom redan i inledningen. "Vi skulle avbryta en säkerhetshotande eller kriminell verksamhet, överlämna förbrytarna till polisen, alltså den riktiga polisen, samt de brottsverktyg som vi kunde finna på platsen. Av det framgår ju att vi skulle hantera förbrytarna med viss varsamhet, så att de i så gediget skick som möjligt skulle kunna överlämnas till polisen."

"Gav regeringen er några order om att ni särskilt skulle använda er av Hamilton för detta uppdrag?" fortsatte den socialdemokratiske ordföranden med en självklarhet som fick Samuel Ulfsson att ana att frågan på något sätt varit i säck innan den kom i påse.

"Nej, självfallet inte", svarade Samuel Ulfsson med växande självförtroende. "Jag skulle nog ha uppfattat det som mycket egendomligt om regeringen komit med sådana detaljerade instruktioner."

"Skulle ni ha protesterat om ni fått sådana som ni säger detaljerade instruktioner?"

"Ja, det är mycket möjligt, rentav sannolikt. Jag skulle ha uppfattat det som om regeringen då la sig i detaljer som man knappast hade med att göra, jag menar, det rent praktiska måste ju vara vår sak och inte regeringens."

"Så vid era sammanträffanden med statssekreterare Lars Kjellsson var Hamiltons namn aldrig uppe?"

"Jo, men först efteråt, när operationen var genomförd och det var känt att Hamilton deltagit. Dessförinnan sas naturligtvis inte ett ljud om Hamilton."

Därmed var den socialdemokratiske ordföranden nöjd och passade bollen till den moderate vice ordföranden som för en gångs skull tog upp tråden precis där föregående samtal hade slutat.

"Var det klokt att välja Hamilton för det här uppdraget?" frågade han med en min som antydde att han uppfattade sin fråga som närmast retorisk, således polemisk mot helt andra närvarande än Samuel Ulfsson.

"Ja, det vill jag bestämt hävda", svarade Samuel Ulfsson kort i avvaktan på att få frågan förtydligad.

"Hurså, är det inte som någon antytt något av overkill att ta till en man av Hamiltons kaliber mot några poliser?"

Moderaten såg ut som om han redan visste svaret.

"Nej absolut inte. Det var ju av vikt att det här gick smärtfritt... jag menar smidigt till. Och för att bland annat kunna garantera att det inte blev något utdraget handgemäng fann jag det klokt att anförtro det här uppdraget åt kommendörkapten Hamilton. Jag menar, så att ingen skulle komma till onödig skada."

"Hur menar ni?"

"Jag menar att med kommendörkapten Hamilton som befäl över den här gruppen skulle inga onödiga eller utdragna våldsamheter komma till stånd. Man kan se det som en ren säkerhetsåtgärd, alltså."

"Jaha, finns det möjligen andra motiv för att välja just Hamilton som befäl för en sån här insatsstyrka?"

"Ja, det kan man säga. Hamilton är ju offentligt känd och det var praktiskt av flera skäl att han kunde sköta vissa kontakter med civila inblandade. Jag menar, de kunde omedelbart känna igen honom och därmed inte behöva oroa sig för någonting konstigt. Jag utgick från att alla eventuellt inblandade civila skulle känna ett särskilt stort förtroende för just Hamilton. Dessutom skulle de ju inte behöva känna igen någon med hemlig identitet. Den övriga personal som ingick i gruppen har nämligen hemliga identiteter."

Resten gick som på räls. Samuel Ulfsson grämde sig något över sin upprepade felsägning, det där med att tala om *smärtfritt* i stället för smidigt. Men annars fylldes han snart med en egendomlig känsla av att delta i något som var uppgjort på förhand, en utfrågning där alla frågor och alla svar var förbestämda och där han förmodligen själv på något egendomligt vis deltagit i den förberedelseprocessen.

Centerpartistens förannonserade principiella, parlamentariska med mera infallsvinklar var redan sönderslagna. Hans frågor kunde ju bara bli upprepningar, när han försökte få det till att regeringen nog ändå sagt något annat till Samuel Ulfsson än det Samuel Ulfsson beskrivit.

Samuel Ulfssons svar kunde bara bli det han redan sagt.

Folkpartisten arbetade en stund med det arabiska och muslimska hotet, med frågan om inte Säpo varit nära att infånga de arabiska terroristerna som mördat två generaler, förlåt en general och en amiral.

Här gick Samuel Ulfsson möjligen aningen för långt när han avfärdade säkerhetspolisens eventuella hypoteser i den riktningen som rent nonsens. Han försökte reparera något genom att påpeka att det ju bara var kvällstidningsuppgifter att Säpo verkligen arbetat med ett arabiskt terroristspår och att det, såvitt han och regeringen kände till, helt enkelt inte var sant. Men man brukade inte ge sig ut och dementera sånt där så länge ett spaningsarbete pågick.

Sen var det bara en miljöpartist som ställde frågor som Samuel Ulfsson inte riktigt begrep, men då hade intresset från omgivningen redan svalnat. Slaget var över.

Efteråt var Samuel Ulfsson i stort sett nöjd. Möjligen kunde han ha avstått från att upplysa den norske mördaren eller de norska mördarna att åtminstone den svenska underrättelsetjänsten tvivlade på arabhypoteser och kurdiska huvudspår. Men å andra sidan kunde ju mördarna inte ana hur nära spårhundarna nu var.

Och så var det det där med den förargliga felsägningen. Men i förhållande till den sömnlösa natt han genomlidit och alla skräckfantasier halvt vaken halvt i mardrömmar som kommit tidigt på morgonkulan var hans debut inför den svenska demokratins yttersta kontrollanter naturligtvis strålande.

När han satt i försvarsstabens svarta bil och njöt av sin andra cigarrett drabbades han av någon eftertanke som gällde just den svenska demokratin. Men han slog bort sådana känslor av bristande respekt med enkla praktiska synpunkter. Snart var den norska operationen igång, snart var förmodligen de där mördarna fast. För hur de skulle kunna komma undan nu, när de hade Team Trident *komplett* efter sig, det övergick Samuel Ulfssons förstånd. Hans fantasi, rättade han sig.

* * *

Institutet für Marxismus-Leninismus beim Zentralkomitee der SED, stod det på försättsbladet till den tyska dokumentsamling som nu låg utbredd i olika högar i Joar Lundwalls och Åke Stålhandskes tillfälliga arbetsrum uppe på Försvarsstaben, inte långt från Carls rum.

Någon hade kladdat något oläsligt över den påstådda avsändaren, som möjligtvis inte längre existerade. Det var i vart fall en lång dom utfärdad "Im Names des Deutschen Volkes" av en folkdomstol med två SA-officerare och en arméofficer bland domarna och det hela slutade med att Barly Pettersen och August Jon Skauen för sina brott dömdes till att bli "evigt ärelösa" och till döden.

De hade just återsamlats i rummet efter att ha sett färdigt på sin högste chefs debut i TV där KU-förhören sändes med hänvisning till all publicitet som varit de senaste dagarna. De var rätt muntra av vad de hade sett, kanske mest Samuel Ulfssons uppenbara våndor. Närbilderna i TV var avslöjande, exempelvis när han tvingade sig att hålla tillbaks sitt förakt för tankegångar som att Säpo hade varit nära att slå till mot de kurdisk-arabisk-muslimska terroristerna som tydligen mördat von Otter och af Klintén. Samuel Ulfssons minspel hade sagt mycket mer än hans ord. Det var i vart fall ingen tvekan om vad "militären" ansåg om aphusets påstådda arbetshypoteser. Eller vad man nu skulle kalla de där idéerna.

De hade svårt att på nytt börja intressera sig för det rättsliga materialet, och det gick trögt eftersom de än så länge inte kunnat få några fullständiga översättningar utan arbetade med kursiv läsning och med hjälp av en måttligt road major som hjälpt dem med de första handlingarna som kommit in. Nu arbetade majoren på Sams uttryckliga order och det hela föreföll honom länge obegripligt och nästintill meningslöst. Tills det gick upp för honom att de två unga kollegerna var särskilt intresserade av alla passager som kunde tänkas omnämna vissa svenska namn som Andersson, Jubelius och von Otter.

Någonstans i slutklämmen på domen fanns en invecklad passage om just denne von Otter som majoren inte hade kunnat översätta utan att gå och hämta ett juridiskt speciallexikon. Så nu hade de stycket i vad man kunde förmoda tämligen exakt översättning. Men det hade inte blivit mycket klarare för det:

"...beträffande försvarets invändning, att såväl spioneri som högförräderi i fråga om en kapten von Otter vore otjänligt försök, med hänsyn till vad som utretts, är det Folkdomstolens fasta ståndpunkt att denna invändning kan lämnas därhän, då i vart fall konspirativt arbete av sådant slag att det står i strid med angiven lag riktats mot nämnda Andersson och Jubelius och att detta i sig varit ägnat att utgöra en fara för det Tyska Riket.

Därtill kommer det fastställda uppsåtet, då såväl Pettersen som Skauen låtit utbilda sig i England, transportera sig till Norge för att därefter i brottsligt syfte ta sig över gränsen till Sverige och där, vilket är såväl bevisat som erkänt, gjort sig skyldiga till brott för vilka blott dödsstraff kan komma i fråga..."

Det verkade klart så långt som att de två norrmännen spionerat mot de tre nämnda svenskarna, tydligen med större framgång mot högbåtsman Andersson och överkonstapel Jubelius än mot kapten von Otter (otjänligt försök?). I vart fall gällde ju spionerianklagelsen alla tre.

Det framgick med en viss dyster konsekvens att de två underrättelsemännen hade erkänt i stort sett allt som lades dem till last. Det var svårt att tro annat än att de erkännandena hade kommit med hjälp av tortyr.

I vart fall fanns det nu en begriplig historia om de två. De var från början sjömän och tog sig till Sverige och Göteborg på egen hand. På något sätt lyckades de övertala några landsmän att ta dem ombord på Elisabeth Bakke och med henne lämnade de Göteborg i december 1940.

Det var alltså där det hade kunnat ta slut, eftersom två sjöofficerare ju dömts för spioneri efter sina försök att få tyskarna att hindra Elisabeth Bakke att nå England.

Men med lite dimma och lite tur så gjorde hon det, tyska flottan fick aldrig tag på henne, trots att man informerats i förväg av svenska spioner.

I Skottland hade Pettersen och Skauen utbildats av den militära underrättelsetjänsten och sen sänts på olika uppdrag till Norge.

Och sen till Göteborg på nytt, som det tycktes.

Det gällde någonting med fartyg som den svenska regeringen försökte förhindra att löpa ut mot England, Lionel och Dicto. Någonting skulle utredas i samband med detta, men här var sammanfattningen i den nazistiska "Folkdomstolens" dom alltför kortfattad.

Deras fientliga handlingar, enligt "Folkdomstolen" således, i Göteborg hade bland annat riktat sig mot de nazistiska angivarna högbåtsman Andersson och överkonstapel Jubelius och så vidare och för detta skulle de i laga ordning halshuggas.

Så långt var ju ingenting av betydelse nytt, det bara bekräftade vad man visste tidigare. Och nu återstod det hopplösa i att få alla dessa halvantika handlingar, författade på ett femtio år gammalt juristspråk och dessutom på tyska, översatta och tolkade.

Man kunde tänka sig roligare arbetsuppgifter.

Och sådana var alldeles uppenbarligen på gång. Det syntes redan i ansiktet på Carl när han kom in, kastade en blick på den halvt främmande majoren och beordrade snarare än bad att de skulle få bli lämnade ensamma. Majoren gick muttrande därifrån.

"It's go on all systems", sa Carl upprymt, "vi inleder *Operation Truthfinding* i Oslo inom två dagar. Det är vi tre från svensk sida och en norsk kollega som svarar för operationen. *Gentlemen, we are airborne!*"

Carl gnuggade händerna och blinkade åt Åke Stålhandske som blivit lika snabbt som uppenbart upprymd av det glada beskedet och redan började plocka ihop de gamla tyska handlingarna.

"Är det nåt i det där som jag bör veta?" frågade Carl och pekade på dokumenthögen som nu var på väg in i en pärm.

"Det är ingenting i sak som vi inte redan kände till", sa Joar Lundwall försiktigt.

"Nånting om von Otter?"

"Ja, han är med i den här sörjan, precis som Jubelius och den där Andersson, men det är ingenting i det här som tycks leda mot *varför.*"

"Nehe. Nåja, det är ju det vi ska ta reda på själva nu när vi fått startsignal. Alltså, operationen inleds enligt följande..."

Carl skisserade snabbt upp det närmaste dygnets förberedelser, vilken typ av husvagn och dragfordon som skulle användas, vilken typ av utrustning och beväpning som skulle användas och dessutom vilken typ av materiel för att genomföra mindre trevliga förhör som, helst mer diskret, skulle packas ner.

De sysslade en stund med praktiska och byråkratiska förberedelser som närmast gällde var och hur de olika utrustningsdetaljerna skulle kvitteras ut.

De skrattade gott när Åke tog upp frågan om på vilket sätt allt detta skulle transporteras över den norska gränsen och Carl med spelad oskuld förklarade att det skulle ske med den norska säkerhetspolisens beskydd.

"Fast det är en annan sak jag skulle vilja ha er hjälp med, någonting helt utanför vårt uppdrag", sa Carl plötsligt överraskande.

Han väntade sig inget svar, ingen fråga eller några protester utan samlade bara in deras uppmärksamhet ordentligt innan han fortsatte.

"Det gäller en liten *maskirovka,* jag tar själv ansvaret för den. Men vi ska göra i ordning en sån där A 1 dossier, eller vad dom heter, ni vet det där som ingen jävel får se, det hemligaste på Säpo och allt det där. Vi har en sån i högarna nånstans, va?"

"Ja", sa Åke Stålhandske, "men dom vi har är nog rätt föråldrade, det är på nån gammal ÖB och vad det kan vara."

"Gör inget, bara det är äkta vara. För sånt där förändrar man nog inte rutinerna, dessutom bygger dom inte ut nya system, gamla dokument blandas med moderna och så vidare."

Carl skrattade nöjt för sig själv och sträckte sig bakåt med händerna bakom nacken medan han roat betraktade de två andra som nu äntligen började bli lite misstänksamma.

"Vad vill du att vi ska göra?" frågade Joar Lundwall lågt. Det kändes i luften att det nog inte var vad som helst som var på gång.

"Vi ska göra en förfalskning, men inte vilken förfalskning som helst. Vad vi behöver är bland annat lite arkivbilder på vår ärade justitieminister och bilder på nakna kvinnor som absolut inte går att identifiera. Och så en sån där A 1 i original."

"Det är ingenting som kommer att göra vår justitieminister glad", konstaterade Åke Stålhandske torrt.

"Nej, hon kommer inte att bli så glad", skrattade Carl. "Men oroa er inte för egen del, när det smäller är ni redan i Norge. Nu till förfalskarverkstan!"

* * *

Carl kunde inte stanna så länge hos Tessie. Det var redan sent och han hade lovat Eva-Britt att komma hem i rimlig tid.

Hon hade beställt en soffgrupp, men den skulle inte komma än på 14 dagar, så de satt vid köksbordet igen. Det kändes konstigt att han snart måste gå, kanske hade det med ljuset att göra, det var fortfarande ljust ute. Eller om det var det där med själva förflyttningen. De hade vaknat tillsammans i den norska sängen i allmogestil i Oslo samma dags morgon som det nu var kväll, men det kändes ändå som länge sen. Som om den geografiska förflyttningen påverkade deras tidsbegrepp.

Carl verkade melankolisk, eller snarare lite sorgsen, tyckte hon. Och hon tvekade innan hon frågade om han kunde säga något om vad det gällde.

"Mja..." började han och måste sen anstränga sig och treva efter ord, "jag var och hälsade på en gammal vän som arbetar på en plats som vi på jobbet brukar kalla för aphuset. Därmed antyds att det inte är världens mest angenäma arbetsplats. Han hade åldrats, jag hade förändrats. Han hade förresten förändrats också och vi hade bara sorgliga saker att tala om, sånt som gäller vårt land. Och så skulle jag be honom göra en ganska farlig sak och det som får mej att skämmas lite är att han inte tvekade en sekund."

"Mycket klargörande", konstaterade Tessie när hon efter en kort tystnad insåg att Carl just försökt förklara vad saken gällde.

"Ja", sa Carl resignerat, "det blir sådär. Jag kan inte säga vad saken gäller."

331

"Det kan inte vara lätt att vara gift med dej."

"Nej, det kan det förstås inte."

"Ska du gifta dej med din polis?"

"Jag skulle önska att du inte hade frågat."

Carl såg upp och försökte ta sig samman som inför en annalkande fara. Nu hade hon i alla fall frågat.

"Ja, jag måste det", sa han till slut. "Det finns ingen utväg, jag måste."

Tessie nickade tankfullt som om hon hade förstått, vilket var orimligt, och som han kände henne var det bara en gest medan hon tänkte efter vad hon skulle säga eller göra härnäst.

"Hur kan det komma sej att man måste en sån sak?" frågade hon till slut med alla känslor i koppel, han kunde inte höra vare sig sorg eller indignation.

"Därför att jag måste göra nånting hederligt av det allra viktigaste åtminstone. Jag ljuger och förfalskar och myglar på ett sätt som varken du eller mitt gamla jag kan göra oss en föreställning om. Jag vill det inte, och jag förstår det inte, men jag gör det. Men det finns ingen utväg, ingen lösning, ingen happy end. Om en av oss tre, du, jag eller Eva-Britt, dog så är det den enda lösning på problemet jag skulle kunna tänka mej."

"Det menar du inte."

"Nej, jag menar inte att jag önskar det eller, gudförbjude att du tror nåt sånt, *planerar* det. Men det är alltså enda utvägen och ändå ingen utväg. Jag älskar dej Tessie men jag kommer att gifta mej med Eva-Britt."

Tessie nickade på det där sättet igen. Hon måste anstränga sig för att kontrollera sig och han måste anstränga sig för att inte plötsligt gå sönder på något sätt, rusa upp och skrika eller falla i gråt eller brista på något annat sätt.

"Vad såg du hos henne när ni träffades?" frågade Tessie nästan viskande.

"Svårt att säga, det var en annan tid. Du vet. Jag levde ensam i ett vakuum av mitt jobb, träffade aldrig någon normal person, diskuterade aldrig med vanliga människor, dom jag teoretiskt skulle skydda med mitt liv och allt det där. Jag längtade så vansinnigt efter vanligt hederligt folk, ja det låter ju kanske inte klokt men det var så. Och så kom hon bara invalsande i mitt liv, hederlig polis, riktigt bra

332

polis. Lite religiös också, ungefär som du, sånt som jag blir sentimental av. Hon var som en sorts kur för mej, en kontakt med verkligheten eller vad man ska säga."

"Hur träffades ni?"

"Hon satte fast mej för fortkörning."

Tessies skratt kom som en befrielse för dem båda. Men sen smög sig tystnaden på dem och de drack lite av sitt vin och såg på varandra och ju längre tystnaden blev desto desperatare blev de båda att försöka säga något innan det som sas skulle bli för hårt. Som om tystnaden var en sorts bekräftelse eller överenskommelse.

"Vill du att jag ska lämna Sverige?" frågade Tessie till slut, eftersom tystnaden blivit så lång att det inte kunde bli någon fråga eller något ord av lägre halt.

"Nej", sa han långsamt och misslyckades i ett försök att le, "jag är inte klok, jag vet det. Men det vill jag inte, jag skulle bara resa efter dej."

"Du ska gifta dej med Eva... Eva-Britt, uttalar jag namnet okay?"

"Javars."

"Du ska gifta dej med henne men vill inte att jag ska lämna dej."

"Ja. Ungefär så."

"Det går ju inte."

"Det behöver du inte säga. Jag vet."

När tystnaden nu på nytt började växa till hot reste han sig och kysste henne på kinden, hängde på sig sitt axelhölster och tog jackan över axeln tills han kom ut i porten.

På hemvägen började han fundera över hur han skulle förklara bilden på honom själv och Tessie i Expressen, Eva-Britt hade ju knappast kunnat undgå den. Han bestämde sig för att det tills vidare inte var något problem, han skulle bara säga att Tessie var en amerikanska som hette Tessie och möjligen antyda att hon arbetade för NATO eller något sånt.

Det var ju inget problem. Eva-Britt litade obetingat på honom. Hon älskade honom, beundrade honom möjligen, och litade fullkomligt på honom.

Han gick med händerna nerkörda i jackfickorna och såg sig mot sin vana inte om. Det föreföll honom likgiltigt om någon skulle förfölja honom eller till och med skjuta honom genom ryggen. Just nu verkade även sådant fullkomligt likgiltigt.

Det skulle ju bara på sätt och vis lösa det olösliga problemet.

10

Carl överraskade sig själv med att inte förstå att han en gång faktiskt hatat mannen och allt han stod för. Men dagens Näslund, den Näslund han hade framför sig just i ögonblicket, hade bara stålkammen och mjällen på axlarna gemensamt med den Näslund som varit Carls chef när han en gång faktiskt arbetade på firman.

En sekreterare bar in kaffe i plastmugg med blå pappersserviett på plastfat med två små kakor; att vara avdelningschef på Rikspolisstyrelsens säkerhetsavdelning var i statligt chefshänseende ungefär som att vara byråchef. Det berättigade inte till äkta porslin.

Det kändes nästan omedelbart på stämningen att alltför mycket vatten runnit under bron sen sist.

"Ja jävlar, Calle", sa Näslund och lutade sig bakåt i stolen, såg ut genom fönstret och drog ett par tankfulla varv med stålkammen genom håret.

"Ja jävlar vad mycket som har hänt sen du och jag gjorde livet surt för varandra här på firman. Ibland har jag tänkt på det där, jag har tänkt att du nog skulle ha blivit en inihelvete bra säkerhetsman."

"Närru", skrattade Carl, "då hade det behövts bättre chefer för att rida in mej. Tänk bara på din jävla arabjakt den där gången."

"Låt oss inte gräva i det förflutna."

Näslund grinade ironiskt, eller möjligen rentav självironiskt åt Carl.

"Närru själv, Calle. Tiderna förändras och allt det där, firman är inte vad den en gång var."

334

"Jag tycker det verkar precis som ni gör det ni alltid har gjort. Kurder bakom dom här morden till exempel. Hur fan kan ni få för er nåt så dumt?"

"Det är inte så enkelt, Calle."

"Nähä. Det som sker är inte det som synes ske och allt det där. Som du kanske erinrar dej har jag faktiskt varit åsyna vittne till två av dina mannar som satt och lyssnade på unga damer uppe i Uppsala för att en av dom kände en person som i sin tur kände en kurd. Hur fan förklarar du nåt sånt?"

"Det kan jag inte, det där är uppriktigt sagt jävligt pinsamt."

"Som du inte kände till och så vidare."

"Just det."

"Försök inte. Du är faktiskt operativ chef."

"Ja. Så länge det varar."

"Tänker dom sparka dej?"

"Tror fan det. Jag är ju en olaga buggare, hemska tanke. Det byråkratiska problemet lär vara frågan om man kan göra mej till polismästare i Enköping eller nåt innan det blir rättegång mot mej. Väntar man till efter rättegången kan utnämningen bli problematisk, tjänstledig för att sitta på kåken du vet."

"Enköping?"

"Ja, dom hade tänkt sig Uppsala först men som... ja sen du och dina kamrater ställde till det i Uppsala tror någon i vår värderade regeringskrets att just Uppsala skulle bli mer utmanande än Enköping."

"Synd. Uppsala verkar trevligare än Enköping. Och så har du ju mer kurder att jaga i Uppsala."

"Gör dej inte lustig. Jag är inte säker på att jag kommer att sakna det här stället så mycket som jag en gång trodde. Titta bara på det här, vet du vad det här är?"

Näslund räckte över en lista på handlingar som såg ut som en blandning mellan diarium och cirkulationslista för dyrare tidskrifter som bara cheferna fick läsa i angiven turordning.

Det var nyordning. Eftersom Näslund bland annat hävdat att han inte känt till vissa avlyssningsoperationer så gick nu alla beslut på cirkulation, där akten noterades, datum och kommentar skulle skrivas i av vederbörande chef. Enligt Näslund hade nyordningen lett till att de underordnade skickade upp varenda jävla mapp de kunde komma på och cheferna satt och läste så ögonen blödde för att de måste läsa det de sen bevisligen hade läst. Förmodligen skulle det gå att dränka ledningen i arkivmaterial så att allt som kom tillbaks sen kunde anses godkänt i mycket vid mening. Så att kontrollen över verksamheten i själva verket blev ännu sämre än förut.

Carl påpekade att hälften av ärendena på dagens lista handlade om kurder och araber av olika slag.

Han höll upp listan framför sig, mellan sig och Näslund, och fotograferade den snabbt och diskret samtidigt som han skämtade om svartskallar.

Näslund kände sig lite stött och han kunde inte längre behandla Carl som vilken underordnad som helst, inte bara för att det var länge sen löjtnant Hamilton hade varit tillförordnad byrådirektör på firman. Utan mest för att ingen jävel numera kunde köra med kommendörkapten Hamilton.

"Du måste väl ändå ha en viss förståelse för att man sänder ut rökridåer och för att man vill uppnå vissa sekundära effekter", sa Näslund i en hovsam ton som var mycket olik honom när Carl räckte tillbaks listan över dagens ärenden.

"Prata inte skit med mej, Näslund. Du menar att det är praktiskt att skaffa sej extra ursäkter att jaga kurder vad det än gäller. Och du menar att det är bra att kvällspressen beskriver ert arbete som sinnessjukt."

"Ja, det är ungefär vad jag sa. Du hör alldeles utmärkt."

"Men du tror väl inte på det där jävla kurdspåret?"

"Nej, vad du än kan tänkas ha för låga tankar om mej så är jag inte idiot i alla fall."

"Men det är praktiskt att kvällspressen driver saken åt er."

"I vissa avseenden, ja."

"Har ni byggt upp en hel byråkrati nu för att sköta dom här cirkulationslistorna?"

"Hurså?"

"Oroad skattebetalare undrar."

"Ja, oroa sej kan nog skattebetalarna men det är inte så farligt, det är Carlén på registraturen som sköter det där. Men vad är det egentligen vi skulle tala om?"

"Min närvaro på rättegången mot min blivande fru. Nån korkad jävel på er skyddssektion ringde mej och sa att ni ville att jag skulle hålla mej borta."

"Ja. Det är ett önskemål jag kan förstå. Vi arbetar ju med en viss hotbild kring dej och att förannonsera din närvaro på en offentlig plats är inte invändningsfritt."

De hade talat tillräckligt länge med varandra för att Näslund skulle få ett nytt besök och sin vana trogen lät han den försenade besökaren sitta kvar medan han själv gick ut och stängde dörren och klarade av sitt korta sammanträde ute hos sekreteraren. Det var det Carl hade väntat på; talade han bara strunt tillräckligt länge och lät han sig helt enkelt inte avvisas så skulle tillfället komma och här var det. Han skakade på huvudet och log åt sig själv och möjligen åt Näslund innan han gick fram till dennes skrivbord, öppnade sin portfölj och började förse sig med ett och annat.

"Ja, det är alltså inte ett helt enkelt problem", sa Näslund forcerat och lite ursäktande när han kom tillbaks in i rummet med full fart och kammade sig ett par varv med stålkammen på väg fram mot skrivbordet.

Carl satt till synes otåligt med ena benet framför det andra i stolen framför Näslunds skrivbord.

"Jo", sa han. "Jag tycker det är enkelt. Hela framtiden står på spel för Eva-Britt, det är klart jag kommer att vara där."

"Då riskerar du att tvinga fram en situation där det blir säkerhetssalen, kravallgrindar och skottsäkra västar och allt det där."

"Du glömde schäferhundarna."

"Ja, och så schäferhundar i så fall. Jag är numera den siste att ge dej privata råd, men jag är inte helt säker på att såna arrangemang gör rätten mer positivt inställd till din tillkommande kriminalinspektör. Var det Eva-Britt hon hette?"

"Polisinspektör, inte kriminalinspektör. Ja Eva-Britt Jönsson."

"Du tänker alltså gå på huvudförhandlingen?"

"Ja, absolut."

"Vi måste svara för din säkerhet."

"En komisk tanke."

"Det kan du säga, ja. Men nu är det i alla fall så. Tänker du själv vara beväpnad?"

"Vad föreslår du? Jag menar, om jag trodde att det skulle skjutas så litar jag mer på mej själv än på din personal."

"Det behöver du inte upplysa mej om. Nå?"

"Men nu tror jag inte det. Om ni skiter i det där med säkerhetssalen och annat larv så kan jag komma obeväpnad, om det är det du vill."

"Jag tycker vi gör tvärtom. Du är beväpnad, men vi drar ner så mycket som möjligt på den synliga bevakningen."

Carl betraktade Näslund en stund, tankfullt, nästan med sympati. Det var ett bra förslag. Det skulle inte bli något onödigt jippo som skulle skada Eva-Britt och han själv skulle ha ansvaret för sin egen säkerhet i fall det skulle bli diskussioner i eftervärlden.

Han önskade Näslund lycka till i Enköping, fullkomligt uppriktigt, tog sin portfölj och gick. Besöket hade varit mycket mer givande än han hade kunnat hoppas.

* * *

Per L Wennström hade inte känt sig så upphetsad på mycket länge, han blev nästan sentimental vid upptäckten. Han kastade en blick upp på Stora Journalistpriset som hängde i guldram bland några av hans bästa löpsedlar.

Ingenting av det där var kanske ens i närheten av det han nu höll på med. Det kändes på vittringen. Men å andra sidan var det ju så med de riktigt stora grejorna, att man kunde aldrig vara säker på att driva spelet till vinst. Och det här verkade svårare än någonting annat, och hans källor verkade mer ovilliga än någonsin. Fast ingen direkt dementerade.

Han försökte summera för sig själv. I början hade det verkat mer knasigt än spännande. Två av varandra oberoende säpomän hade vid olika tillfällen ringt till honom och talat lite dunkelt om någonting som kallades "en A 1:a på justitieministern" och att regeringen gett order om att ärendet inte fick fullföljas och att han borde göra något åt saken.

En av säpomännen hade uppgett sin anknytning och han hade kunnat kontrollringa tillbaks till säpo, utan att få veta så mycket mer. Men ändå få veta att det verkligen var en säpogrej av ovanligt slag. Annars brukade dom ju komma mer öppet och direkt med sitt material.

Men det här var tydligen för farligt för sådana rutiner.

Han hade ringt några av sina vanliga säpokontakter och frågat vad en A 1:a var för någonting och de hade förvisso känt till begreppet men samtidigt sagt att sånt fick det vanliga fotfolket sällan se, eftersom A 1:or bara var höjdarna i samhället.

Kunde det finnas en sån där A 1:a på justitieministern?

Självfallet. Fanns det en säkerhetskänslig akt på justitieministern så kunde den bara klassificeras som en A 1:a.

Nu hade han fått ett anonymt brev från Säpo, i brunt kuvert märkt Rikspolisstyrelsens säkerhetsavdelning och frankerat med deras frankeringsmaskin. Det var antingen dumt eller också smart. Han bestämde sig för att det var smart, det var ett enkelt sätt att skicka ut material därifrån. Det var ju inte ovanligt att han fick brev från dem och det var det väl många som kände till. Alltså var det smart. Men fräckt.

Kuvertet innehöll en fotostat med röd hemligstämpel i original. Det såg ut som en sorts diarielista där självaste Näslund en viss dag i förra veckan hade läst och godkänt eller underkänt operativa förslag med hänvisning till de olika rapporter som fanns noterade. Det var inte så svårt att utläsa.

I marginalen längst ut till vänster fanns de olika akterna noterade och klassificerade med olika bokstavsbeteckningar som han knappt kände till.

Men det avgörande var naturligtvis att där fanns en A 1. Och på raden intill hade Näslund själv skrivit att *föranl. ej åtgärd med hänv. t särsk. instr. fr. reg.* Och i rutan ytterligare ett steg till höger stod ärendets natur, i det här fallet kortfattat beskrivet: *Jus.min.*

Näslund hade bestämt att ett visst ärende, en A 1:a således, ej skulle föranleda någon åtgärd eftersom regeringen beslutat så. Det var vad man måste kunna utläsa. Åtminstone om man hade någon hum om hur säpo arbetade, och det hade han ju.

Diarielistan var försedd med datum och allting. Det gick naturligtvis inte att börja ringa på frågan om justitieministern innan man visste vad det rörde sig om.

Men han ringde några samtal och frågade om ärenden från samma dag som verkade mer triviala. Och i tre fall fick han bekräftelse på att dessa ärenden verkligen behandlats av Näslund just denna dag. Han fick inga dementier.

När han ringde tillbaks till den anknytning på säpo där en av hans sagesmän funnits svarade en helt annan person, tämligen irriterat, att han inte hade en aning om någonting som gällde justistieministern, att han inte ville bli inblandad och att det måste vara fråga om något missförstånd.

Varför var alla så rädda?

Därför att det gällde justitieministern och därför att regeringen lagt locket på, naturligtvis.

Inte undra på att några av säpomännen ändå blev så förbannade att de ville läcka ut saken.

Frågan var nu hur man kunde gå vidare. Någonstans i slutet på det här jobbet fanns ett jättescoop, så mycket var ju helt klart. Kanske det största scoopet någonsin.

Kvällstidningsreportern såg ut på den stora centralredaktionen där alla som saknade eget rum arbetade, de som strävade att en dag hamna i samma position som han själv. Det hade snackats skit om att han numera bara glassade omkring bland politiker och spelade Allan utan att göra något riktigt jobb och allt det där. De skulle bara ana vad som kanske var på gång.

Han beställde upp allt tillgängligt arkivmaterial på justitieministern. Hon var ju bland annat född i Sovjetunionen, est eller lett eller nåt sånt.

* * *

Joar Lundwall och Åke Stålhandske hade nästan börjat ge upp. De var tränade att inte ge upp, de var psykologiskt mycket väl förberedda på att i den här typen av operationer var det typiska just det att ingenting hände.

Men ändå. De låg i sin husvagn på en tvärgata till Drammensveien på tydligt höravstånd från Frederik Stangs gate 31 B. Det hade varit en enkel åtgärd att tillsammans med den där nervöse norrmannen ta sig in i lägenheten och rigga telefonen. Allt det där hade de klarat av under det första dygnet.

Men sen dess hade det bara blivit väntan och ett och annat trivialt samtal till gammal mor och till en före detta kärlek och till en hora som han tydligen hade telefonsex med. Hon sa snuskiga ord allteftersom han flåsade mer och mer. De hade diskuterat om de över huvud taget skulle arkivera den typen av material men till slut bestämt sig för att spara ett enda samtal.

Eftersom han var ensam i lägenheten och ingen kom på besök var det bara ljud från televisionen, Oslos lokalradio och hans rörelser i lägenheten som registrerats.

De hade försökt sätta sig in i hans situation. Det rimliga vore ju att inte på flera år diskutera vad man hade varit med om, inte med någon. Och framför allt inte på telefon.

Det fanns också en annan möjlighet. Att han varit ensam gärningsman och alltså inte hade någon att diskutera med. De två morden var visserligen utförda i helt olika stil, med helt olika temperament. Men det kunde ju vara så att han avreagerat sig, dämpat de värsta känslorna hos af Klintén och bara ville ha saken fullföljd när det blev dags för von Otter.

Hestenes hade börjat titta till dem alltmer sporadiskt och Carl ville bara att de skulle höra av sig om något nytt skede inträdde, eftersom han tydligen var upptagen med allt som han låg efter med när det gällde ÖB:s månadsrapporter eller vad det kunde vara.

De var tränade att inte gå varandra på nerverna. Ändå gjorde de det. En gång hade det gått så långt att det blev nödvändigt att slå på automatiken och ta en promenad i sommarnatten för att tala ut om saken.

Det var förstås då det hände.

När de kom tillbaks in i husvagnen pågick redan samtalet, tydligen sen rätt lång tid eftersom de två männen var upphetsade.

"Det är vansinne att vi besöker varandra och jag vill inte, hör du det, vill inte att vi gör om såna här dumheter!" var det första de hörde.

Åke Stålhandske kontrollerade omedelbart att banden rullade. De hade startat automatiskt när ljuden där inne översteg en viss nivå. Och eftersom de två männen knäppt på TV:n för att inte bli avlyssnade, sen satt sig ute i tamburen där telefonen med mikrofon och sändare fanns och fört sitt samtal rakt över telefonen, så var hörbarheten förstklassig.

Grälet slutade med att samtal av den här typen fick föras "där uppe" på semestertid i "nästa vecka" för ute vid havet kunde man ju i alla fall tala med varandra utan att bli avlyssnade, åtminstone i båthuset. Och som vidderna såg ut där kunde ingen komma i närheten av båthuset utan att bli upptäckt och så vidare. Men i fortsättningen inga mer samtal utom under dom villkoren.

341

När den okände besökaren gått kastade sig Joar Lundwall ut för att hinna ner till porten och hänga på medan Åke Stålhandske spelade tillbaks banden för att se vad saken handlade om.

När Joar Lundwall kom tillbaks en kvart senare med ett antecknat bilnummer hade Åke Stålhandske redan lyssnat av det korta upprörda samtalet, fört över det på kassett och arkiverat det.

Han spelade nöjt upp bandet för Joar Lundwall som bara i förbigående visade ett antecknat bilnummer.

Det var gräl från början till slut. Så fort den främmande mannen kommit in i lägenheten beordrade han de arrangemang som gjorde att de båda skulle komma att bli perfekt avlyssnade. Sen skällde han ut Haugen för att Haugen tagit kontakt och påminde om deras överenskommelse att inte på minst fem år någonsin tala om saken.

Haugen ynkade sig. Han stod inte ut, eller något i den stilen, det var några konstiga norska ord där, och efter vad som stått i tidningarna fanns det ju inget som helst spår efter dom. Den svenska polisen trodde ju att det var frågan om kurder och så vidare.

Därefter dröjde det inte så länge innan de kom in på det avsnitt som Joar Lundwall och Åke Stålhandske redan hade hört.

De spelade igenom bandet på nytt och antecknade. Nya samtal skulle föras. Det skulle ske "där uppe" och i ett båthus med vidder omkring. Där skulle man kunna göra upp, men inte i Oslo. Det skulle ske i nästa vecka.

"Båthus för saatan", log Åke Stålhandske. "Nu har vi dom jävlarna, för det finns ju ett sätt att ta sig till båthus som vi är ganska bra på."

Han skrattade, kastade ifrån sig kulspetspennan och sträckte sig efter telefonluren samtidigt som han kopplade om till scramblern.

"Vad tänker du ringa om?" frågade Joar Lundwall.

"Nåjo, jag tänkte att vi behövde lite ny utrustning", skrattade Åke Stålhandske, "vi ska ju för saatan in i ett båthus *där uppe.*"

* * *

Carl hade haft en hård dag. Egentligen borde han ägnat lite tid åt att gå igenom de där gamla handlingarna som den östtyska underrättelsetjänsten varit vänlig nog att sända över. Men dels hade det varit för mycket eftersläpning med sammanställningar till ÖB:s månadsrapport. Dels hade han haft andra arbetsuppgifter som med fördel sköttes i ljudlaboratoriet när han var ensam på kvällen.

Han hade just ringt Näslund och fått tag på denne på jobbet i stället för hemma och fört ett långt och ganska personligt samtal om ditt och datt, om att städa upp på jobbet innan man fick sparken, om vissa skandaler som tydligen måste leda dithän, hur bra man än tyckte att man skötte sig, om helvetet oss kolleger emellan att vara i händerna på politiker, om somliga som hade privilegiet att hamna i en A 1-rapport så att ingenting någonsin kom till offentligheten och om, ja slutligen själva ärendet, om att den där diarielistan som han sett när han var uppe gjorde att han på något sätt blivit extra förstående för Näslunds trångmål och om det fanns något mer han kunde göra i samband med rättegången? Skulle han komma civil eller i uniform?

Saken som sådan var snabbt avklarad och så pratade de strunt ett tag tills Näslund ursäktade sig med att det gällde att städa upp det sista innan det blev husrannsakan eller något i den stilen. Vilket givetvis var ett skämt.

Carl skrattade gott och ganska hjärtligt, med en känsla som faktiskt liknade sympati, när han la på luren.

Sen tog han bandet och gick raka vägen in i ljudlaboratoriet. Han skulle ha gjort jobbet på mindre än en halvtimme om han haft Joar och Åke med sig. Men nu skulle det ta ett par timmar. Fast med tanke på vad han gjorde var det nog bäst att de inte var i närheten.

Det var ju ett på många sätt uppiggande besked att man kanske skulle ut på havet. Orca och Swordfish i sitt rätta element, med andra ord.

När han var färdig med bandredigeringen spolade han över allt på en kassett som var kodmärkt från RPS/säk och försedd med ett alldeles äkta diarienummer.

Han torkade kassetten minutiöst ren innan han la den i ett kuvert, släckte ner och gick. Tessie bodde på kort promenadavstånd.

* * *

"Dom heter alltså Skauen och Pettersen. Barly Pettersen och August Jon Skauen", konstaterade Rune Jansson.

Det var sent och han var trött men Kapten Böljas fynd skulle kunnat pigga upp den tröttaste polis.

Det hade varit ganska enkelt så långt, påstod Kapten Bölja utan att Rune Jansson kunde avgöra om han var ironisk eller verkligen menade vad han sa. Men lade man ihop kunskaperna från Göteborg med krigsdagböckerna från Ed och de personliga minnesbilderna från den gamle flyktingpolisen, så gick det till slut lätt att få fram till och med exakt datum.

Överkonstapel Jubelius hade alltså personligen fraktat de två motståndsmännen eller vad de nu var, spioner var väl sak samma vid den här tiden, till Ed där den säkerhetsansvarige officeren tagit över ansvaret från polisen. Det hade blivit lite käftande om den saken men officeren i fråga, han hette Oxhufvud, hade tydligen handlat snabbt och på eget bevåg när han tog över den sista transportsträckan över gränsen till "polisen", vilket ju i det här fallet betydde antingen norsk quislingpolis eller Gestapo.

Ed var alltså platsen för det fullbordade sveket eller förräderiet. De som begick handlingen var alltså på något sätt knutna till just Ed och det utlöste kanske två mord redan vid den aktuella tidpunkten. Men tydligen även 48 år senare.

Generalen af Klintén hade ju faktiskt i det sista anklagats för att just ha med Ed att göra.

Men problemet var att det inte fanns några band mellan af Klintén, och von Otter, Oxhufvud, Jubelius och den där högbåtsmannen Andersson. Alla andra kunde man ju knyta samman på något sätt, men inte af Klintén.

Det var det ena problemet och det kunde man i vart fall inte lösa nu på kvällskvisten. Det andra problemet gällde motivet.

Norrmän mördas 1942—43 av svinaktiga svenskar, som visserligen använder sig av Gestapo men det är ju svenskarna som är skyldiga. Att några av de skyldiga mördas redan under kriget, det är inte svårt att förstå. Men 1990?

"Det kan ju inte gärna vara någon spionhistoria eller nåt sånt", funderade Rune Jansson. "Inte för att jag är nån expert på spioner men allt sånt där blir ju föråldrat, femti år senare finns ingenting att ens hemligstämpla. Tror jag åtminstone."

"Nä. Men nån har alltså blivit så inihelvete förbannad att det inte har gått över på femti år", tänkte Kapten Bölja högt.

Det blev tyst i rummet ett slag. De var sist kvar på avdelningen och det hade börjat mörkna ute. Båda skulle snart hem och förklara varför de inte kommit till middagen. Där nere ryckte två bilar ut med påslagna sirener och blåljus som reflekterades mot husfasader på andra sidan rondellen så att svaga blåa blinkningar slog in i rummet. Nåt nytt skit för våldsroteln förstås, eftersom det var två bilar som ryckte ut. Hustrumisshandel, bråk bland utlänningar eller något annat lika dystert.

"Varför blir man så inihelvete förbannad över nåt som hände under andra världskriget att det inte går över på femti år", sa Rune Jansson till slut. Han längtade hem men han ville sitta kvar en stund i alla fall. Just nu behövdes idéer.

"Därför att man tycker att just dom här morden är omöjliga att ursäkta. Andra mord under andra världskriget har man kunnat komma över, men inte dom här", prövade Kapten Bölja och så sänkte sig tystnaden på nytt.

"Men om det skulle vara personlig hämnd av något slag, alltså trots allt ett par vanliga hederliga mord med vanliga motiv, så skulle ju gärningsmannen eller gärningsmännen ha stapplat in med käpp hos Klintén. Gärningens beskaffenhet tyder ju inte direkt på det."

"Nej", sa Rune Jansson dröjande eftersom han anade att han var i närheten av en idé, "gärningsmännen var inte i 80-årsåldern. Dom mördade nog personer som dom aldrig hade känt eller sett på grund av åldersskillnaden. Så vilka är det vi talar om?"

"Ja, det tål att fundera på", sa Kapten Bölja när han reste på sig och sträckte upp hela sin betydande kroppshydda mot taket, som han nästan nådde.

"Det tål att tänka på till i morgon. Minst. Men vi får väl be militärerna om lite hjälp som det verkar."

"Du menar med Oxhufvud och det där?"

"Ja. Och om det kan finnas något samband mellan af Klintén och dom andra."

Rune Jansson nickade trött när Kapten Bölja gick ut. Han satt kvar vid sitt skrivbord som om han var oförmögen att resa sig och gå. Varje minut var egentligen dyrbar om det skulle bli någonting kvar av kvällen hemma, dottern var väl redan lagd.

Men här fanns någonting han inte såg, någonting självklart förmodligen. Och det gnagde i honom att han inte kunde komma på vad det var.

* * *

Ett bud, förmodligen en taxi, hade lämnat in kuvertet någon gång sent på natten. Ytterkuvertet var ett vanligt vitt A 4-kuvert där det bara stod hans eget och tidningens namn.

Invändigt låg ett dubbelvikt brunt kuvert från RPS/säk med gummiband runt och i innerkuvertet låg ett ljudband.

Redan första gången Per L Wennström lyssnade på bandet, redan vid de första replikerna, förstod han att det var dynamit han höll i händerna. Något som kunde bli det största scoopet, den största skandalen, det största avslöjandet någonsin. Och med tanke på vem som var inblandad var det dessutom en världsstory. Den skulle komma i New York Times och på CNN.

Om han bara lyckades knyta till säcken. Men att döma av bandet så var bollen åtminstone halvvägs inne i mål:

HAMILTON: Tjena, det är Hamilton.

NÄSLUND: Tjena, ringer du så här sent?

HAMILTON: Ja, det gäller ju att städa upp lite nu på jobbet innan vi får sparken, för det är väl vad du håller på med åtminstone.

NÄSLUND: Det var inte snällt sagt. Inte roligt heller för den delen.

HAMILTON: Det är väl egentligen den där A 1:an som ligger bakom. Det är väl därför dom vill åt dej. Men man kanske inte ska tala om det här per telefon?

NÄSLUND: Nej det tycker jag inte. Vi är ju i händerna på politikerna som vanligt, det är ju alltid det. Och med en sån här sak så har man inte mycket att välja på. Det blir bara att flytta till Enköping.

HAMILTON: Enköping? Jag trodde du skulle till Uppsala.

NÄSLUND: Ja det var väl tänkt så från början. Men efter vårt lilla mellanhavande...

HAMILTON: Du menar att vi brände er för det där med att ni tänkte ge er på justitieministern?

NÄSLUND: Ja just det. Såna åtgärder kan ju kosta oss en hel del fläsk om regeringen hetsar upp sej. Det framgår ju nu om inte annat.

HAMILTON: Ja. Synd att vi inte visste vad det handlade om. Det slog mej först när jag såg diarielistan hos dej, det där med hennes ärende och en A 1:a.

NÄSLUND: Ja, men nu är det ju i alla fall försent. Hur blir det med rättegången?

HAMILTON: Det är ju frågan. Men förhoppningsvis kommer ingenting om det här fram, det skulle se för jävligt ut. Regeringen använder oss för att torpedera er och så gällde det bara att få bort en sån där jävla A 1-historia. Det var ju synd att vi inte visste vad det handlade om.

NÄSLUND: Det kan man säga. Men huvudsaken är ju att vi kom överens nu till slut.

HAMILTON: Ja, kommer du själv på rättegången?

NÄSLUND: Mycket roligt skämt, jag vet inte om jag är upplagd för sånt. Du får sköta det här själv nu efter bästa förstånd.

HAMILTON: Ja, vi får väl tala mer om saken vid lämpligare tillfälle.

Kassetten hade en märkning som antydde att den hörde till en ut-redning på samma avdelning som Näslund egentligen var chef för, så mycket kunde Per L Wennström avgöra redan på egen hand.

Det var inte vem som helst som bekräftade historien om en ned-tystad undersökning mot justitieministern, det var självaste Hamil-ton. Alla kände ju igen hans röst vid det här laget.

Och regeringen hade alltså torpederat Säpo för att de höll på med en undersökning om justitieministern, det bekräftade ju Hamilton själv och han till och med beklagade det nu i efterhand.

Redan det här var en story, en bra story. Den bevisade att allt som sagts i Konstitutionsutskottet hade varit lögn.

Men det kunde bli en ännu bättre story om man hade lite självdi-sciplin, elddisciplin som militärerna sa. Väntade man lite kunde man åtminstone få en uppfattning om vad som stod i den där A 1-an och då, men först då, skulle fällan slå igen ordentligt.

Men hur få fram en hemlig dossier från Säpo som de flesta av alla vanliga kontakter sa sig inte ens kunna komma i närheten av?

Vad som möjligen skulle gå att kolla de närmaste timmarna var det där med märkningen på kassetten. Och möjligen om någon kunde bekräfta att en viss diarielista med visst nummer faktiskt ha-de varit inne hos Näslund den dag som den var märkt.

Det tog fem timmar. Sen visste Per L Wennström att kassetten var ett äkta original från säkerhetspolisen. Och att den operative chefen verkligen haft en lista med ärendeförteckningar, med angivet nummer och så, på sitt skrivbord den dag han också gjort vissa anteckningar om hur regeringen stoppat en undersökning som riktade sig mot justitieministern.

Men någon där på firman ville förse Expressen med så mycket som möjligt av storyn. På den punkten kunde det vid det här laget knappast råda något tvivel.

Alltså gällde det att vänta så länge som möjligt. Hålla sig kall och vänta. En mindre erfaren reporter skulle ha kunnat rusa iväg och ta hem en liten vinst men missa det stora klippet. Men det var bara en mindre erfaren reporter, det.

* * *

"Läget är följande", började Carl redan på väg in i rummet och satte sig sen framför Samuel Ulfsson utan att ens ha blivit ombedd. "Läget är alltså följande. Vår vän Haugen är på väg för att sammanträffa med sin medkonspiratör. Deras avsikt är att på något sätt tala ut om saken på en ostörd plats som möjligen befinner sig långt norrut i Norge. Nästa fas i vår operation går således ut på att avlyssna deras öppenhjärtiga samtal. På så vis bör vi kunna nå ganska långt mot vårt slutgiltiga varför. Lundwall och Stålhandske befinner sej nu på transport norrut, dom kommer att plocka upp en del flygfraktgods i en stad som heter Mo i Rana, lite dykutrustning som vi inte hade förutsett. Man färdas i två bilar, en personbil med norsk säkerhetspolis och en husvagnsbil, kommunikationerna med telefon och scrambler."

Samuel Ulfsson lutade sig tillbaks och rökte en stund utan att säga något. Han såg inte särskilt nöjd ut, vilket gjorde Carl mer förvånad än besviken. Det var ju synnerligen goda utsikter att lyckas med fortsättningen på operationen. Den bil man förföljde gick till exempel inte att tappa bort eftersom den var försedd med en homer. I värsta fall kunde man be de amerikanska kusinerna spåra den från satellit. Det mesta talade för att operationen skulle lyckas. Men av någon anledning tycktes inte Samuel Ulfsson tro det, eller också var det någonting som hade med hans gamle FC att göra nu igen.

"Säg mej", började Samuel Ulfsson dröjande, "säg mej, är det troligt att dom där två gökarna talar ut om allting av betydelse?"

348

"Jag tycker det", svarade Carl affärsmässigt, "dom ska till en plats där dom är säkra på att inte bli avlyssnade. Det är tydligen en avlägsen plats, det blir alltså långa samtal. Jo, det bör gå. En helvetes massa band får vi förstås att trassla med men där bör allting till slut finnas."

"Är du säker på det?"

"Nej, helt säker kan man inte vara."

"Finns det något sätt som man kan försäkra sej?"

"Ja. Vill du veta hur?"

"Nej. Jag vill bara veta att det finns ett eller annat sätt och att du överväger den möjligheten. Således bör du fara över och leda slutfasen av operationen."

"Det tycker jag inte är en bra idé."

"Varför det om jag får fråga?"

"Jag riskerar att väcka uppmärksamhet överallt och det är Joars och Åkes operation, dom har skött allting hittills och på ett mycket bra sätt. Jag tycker dom skulle ha vårt förtroende att..."

"Det tycker inte jag. Du ska leda slutfasen av operationen. Är det uppfattat."

"Ordern är uppfattad och ska verkställas."

"Gör dej inte till."

"Jag gjorde mej inte till, jag bara underströk att du gett mej en explicit order som jag inte gillar."

"Men som du alltså kommer att verkställa."

"Självfallet. Får jag vara uppriktig, *permission to speak, Sir,* som vi skulle ha sagt i Kalifornien."

"Självfallet."

"Du vill till varje pris ha den där gamle Uttern friad, rentvådd på något sätt. Hela den här operationen äger egentligen rum mest av den anledningen, om vi ska tänka efter?"

"Det är möjligt. Och?"

"Det är ett riskfyllt företag. Jag menar inte fysiskt riskfyllt eller så, men vi har som du vet ett helvete med publiciteten just nu. Min enkla tanke är att du driver det hela för långt och tvingar oss att ta för stora risker, och det är inte helt oproblematiskt när dina motiv ytterst är privata och ingenting annat."

"Det var uppriktigt talat."

"Ja."

"Ja, det är sant. Jag har en del mycket privata motiv, har aldrig du det? Nå, jag ska i pension om några år, mata duvorna eller bli buss-chaufför eller nånting. Jag vill inte sitta där på parkbänken och veta att jag hade kunnat göra någonting för Uttern och hans familj men inte gjorde det. Är det så svårt att förstå?"

"Nej, Sam. Jag ska göra vad jag kan."

"Då så, då löser det sej nog. Men jag vill inte bli insatt i detaljerna förrän efteråt. Kan man inte göra någonting åt den där jävla kvälls-tidningen förresten?"

Carl överrumplades av frågan trots att han satt på helspänn.

"Vad menar du exakt med att göra någonting åt?" frågade han med tydligt visad ironi.

"Få tyst på dom jävlarna på något sätt, inte vet jag. Det är inte all-tid så trevligt med den här tryckfrihetsförordningen, du vet."

"Nej, men det är den som vi lustigt nog är till för att försvara, dö för om så behövs."

"Dö för Expressen, hemska tanke."

"Vill du att jag ska titta på det problemet också?"

"Nej för helvete! Inte ett krökt hår på deras huvuden, länge leve tryckfriheten och allt det där!"

Samuel Ulfsson grubblade en stund på problemet, sen skrattade han högt och drog Carl med sig i skrattet.

* * *

Kommissarie Arne Fristedt vid RPS/säk hade såvitt han visste ald-rig begått något lagbrott tidigare, åtminstone ingenting som man på allvar skulle kunna kalla lagbrott.

Han var inte säker på vad han gjorde just nu. Men någon form av bedrägeri var det väl rimligtvis frågan om, åtminstone om man handlade i tjänsten och det var svårt att få det till att en *säpokommis-sarie* kunde handla annat än i tjänsten.

Men han hade bara ett år kvar till pension och det mesta på firman stod honom upp i halsen. Och sista tiden hade varit påfrestande, ef-tersom han tillhörde den avdelning som skulle syssla med mordut-redningar och följaktligen fick allt arbete sönderslaget av kolleger-nas knappt allvarligt menade publicitet om kurder och annat. Nå-gon hade förklarat det som en genial strategi, att invagga fienden i säkerhet samtidigt som man kunde skapa utrymme för annat operativt arbete som var svårt att få utrymme för.

Genom att slå sönder det seriösa spaningsarbetet skulle man alltså kunna bugga fler svartskallar till ingen nytta. Det var vad det betydde i klartext.

Han hade försökt ta en del kontakter med kollegerna i Norrköping, alltså kollegerna på den öppna sidan, och föreslagit att de skulle kunna samarbeta i mer allvarligt menade former. De hade slagit ifrån sig nästan vilt. Och det var inte utan att Fristedt kunde förstå dem.

Rimligtvis var deras arbete också slaget i spillror av allt det här avlyssningstjafset.

Så Hamilton hade säkert sina goda skäl. Även om det var tveksamt med lagligheten.

Fristedt såg på klockan. Det var redan en minut över tiden, men så var det ju inte någon spion han skulle träffa, försökte han skämta med sig själv.

Han såg ut över rondellen. Det var glest med trafik, inga bilar hade parkerat på avstånd, det fanns inga fotografer på hustak eller liknande och dessutom var ju platsen väl vald för att undvika sådana komplikationer. Han själv och Carl hade inte haft några större svårigheter att lösa de problemen.

Till slut kom bilen och det var ingen tvekan om vilken bil det gällde. Den var översållad med Expressen-getingar. Fristedt trodde knappt sina ögon.

"Du kunde ha varit mer diskret", morrade han när han slet upp framdörren och satte sig bredvid föraren som han visste att han skulle avsky.

"Angenämt att träffas, Per L Wennström, Expressen", presenterade sig föraren i onödan och demonstrativt för att få ett namn tillbaka.

Fristedt suckade och krånglade för att få fram en liten bandspelare som satt fastklämd under säkerhetsbältet i rockfickan. Till slut gick det. Han höll demonstrativt upp bandspelaren och slog på inspelningsknappen.

"Kan du lova, med hänvisning till tryckfrihetsförordningen, att aldrig röja mej som källa?" frågade han och lät bandet gå.

"Ja", sa reportern efter någon tvekan och såg sig samtidigt oroligt

351

om i backspegeln. "Ja, det kan jag."

"Säg ditt namn och säg att du lovar."

"Jag heter Per L Wennström på tidningen Expressen och jag lovar och försäkrar att den information som jag nu får del av är... eh konventionell, nej jag menar konfidentiell med hänvisning till källan. Jag ska alltså under inga som helst omständigheter röja min källa. Blir det bra så?"

"Jag heter Arne Fristedt och jag ska ge dej ett kuvert. Innehållet som jag inte närmare känner till har jag fått av personer som jag litar på, personer inom... ja inom firmans verksamhet således. Det är information som somliga tycker borde komma ut, men av skäl som jag inte känner till vill man använda mellanled för att överföra informationen."

Fristedt slog av sin bandspelare och pressade omständligt ner den i rockfickan. Sen tog han fram ett tjockt brunt tjänstekuvert, förseglat och utan adress, som han utan ett ord räckte över till reportern. Wennström höll på att köra mot rött ljus av upphetsning när han tog emot kuvertet.

"Du kan släppa av mej om två kvarter", sa Fristedt med spelad trötthet.

Reportern tänkte så det knakade för att komma på hur de sista ögonblicken skulle utnyttjas.

"Vet du nån som kan känna till detaljer om det här?" frågade han till slut med en röst som nästan skar sig av desperation.

"Jag vet inte så mycket om saken, men du kan ju försöka med Appeltoft på anknytning 3314", sa han med samma trötta tonfall.

"Appeltoft, jag känner ingen Appeltoft."

"Nej, men det kan ju bero på att du inte känner oss alla på firman. En del av oss går bara till pressen i yttersta nödfall, nämligen."

Fristedt markerade att han ville gå ur, det fanns en tunnelbanenedgång alldeles i närheten och han hade redan konstaterat att bilen inte var förföljd.

"Vet du vad en A 1:a är för nånting?" försökte reportern med ett sista desperat ryck när Fristedt långsamt var på väg att krångla sig ur bilen.

Fristedt stelnade till och vände sig långsamt om mot reportern och såg forskande på honom, som det tycktes oändligt länge, innan han svarade.

"Jag får vid Gud hoppas att det inte är en A 1:a i det där kuvertet", sa han och slog igen dörren och gick raskt mot tunnelbanenedgången.

Per L Wennström parkerade så fort han fann en plats efter stoppförbudet utanför tunnelbanenedgången. Han darrade av upphetsning när han slet upp kuvertet.

Det var en tjock file, fotostaterad men med röda hemligstämplar i original och dessutom en grön stämpel som han aldrig hade sett förut men någon gång hört talas om. Den kvalificerade hemligstämpeln.

Mappen var märkt A 1 uppe i högra hörnet. På första sidan stod namnet på den det gällde med maskinskrivna versaler:
JUSTITIEMINISTER LAILA FREIVALDS
Han sjönk nästan ihop, måste blunda hårt för att sen läsa det alldeles otvetydiga en gång till. Sen såg han sig oroligt omkring och bestämde sig för att köra tillbaks till tidningen innan han läste resten. Materialet måste ju i säkerhet så fort som möjligt, det kunde inte råda någon som helst tvekan om den saken.

Han fick koncentrera sig hårt för att köra lugnt och normalt tillbaka till redaktionen. Inte väcka uppmärksamhet, tänkte han. Inte avvika från mängden utan bara lugnt och säkert tillbaks till redaktionen. Han undrade om tidningens garage skulle räknas som tidningsredaktion i grundlagens mening, om husrannsakan och beslag kunde äga rum där utan att det stod i konflikt med tryckfrihetsförordningen. Han bestämde sig för att bara slänga ifrån sig bilen utanför huvudingången, sen fick vaktmästarna klaga hur mycket de ville, för att så fort som möjligt sätta sig i säkerhet.

Han sprang tungt och flåsande uppför trapporna i stället för att ta hissen. Allt verkade normalt på redaktionen, folk jobbade eller drack kaffe som om ingenting särskilt hade hänt, några tittade på CNN. Snart skulle de få vara med om tidningshistoria.

Han stängde dörren när han gick in på sitt rum och la dokumenthögen framför sig på skrivbordet. Det var som om han ville suga ut ögonblicket något, som om han ville minnas just den här stunden, sekunderna innan han började läsa.

Sen slog han upp första sidan. Det var ett litet diarium som sa vilka personer som haft tillgång till handlingen de senaste två åren. Det fanns bara ett datum han kunde kontrollera. Men det stämde, det var just den dag som Näslund haft mappen på sitt kontor. Vilket ju också på sätt och vis bekräftades av det där telefonsamtalet med Hamilton.

Sen började han läsa. Efter en kort stund tvivlade han plötsligt på att Expressen skulle våga publicera det här innehållet, hur bevisat det än var.

Jo, det skulle förstås gå. Om man mildrade några av anklagelserna och avstod från bildmaterialet, naturligtvis. Men man kunde ju säga att bildmaterialet *fanns*.

Men det skulle inte precis bli frågan om morgondagens tidning. Några dagars hårda diskussioner med en och annan chef och en och annan av tidningens advokater, förstås.

Och sen nya kollar, dubbelkollar. Hur man nu dubbelkollade sånt här.

Men det skulle gå. Och det skulle bli tidningshistoria av världsformat. Så visst skulle det gå på något sätt. Fast möjligen med det värsta borttaget. Eller kanske inte?

* * *

Eva-Britt rörde sig lite tungt, hennes ben hade svällt upp på sista tiden. Hon hade en ljusgrön dräkt på sig med lång jacka, så att det blev en kombination av dräkt och mammaklänning.

De hade kommit arm i arm till tingsrätten. Han hade kört henne, de hade haft tur med parkeringsplats och till och med betalat med så många femkronorsmynt de kunde hitta. Sen gick de rakt in i horden av pressfotografer.

Där inne väntade advokaten som nästan överdrivet hjärtligt tog emot dem, lite utdraget som om fotograferna skulle få mer tid på sig att få alla tre på bild.

Efter en stund kunde de fly in i ett vittnesrum och stänga dörren bakom sig, men de hann knappt sätta sig innan målet ropades på. Det var tumult utanför rättssalen eftersom det kommit tre gånger så många åskådare som skulle kunna få plats, trots att tingsrätten med visst förutseende anvisat sin största rättssal. Dessutom var det få åskådare som över huvud taget släpptes in, eftersom massmediernas representanter måste få företräde.

Åklagaren såg nästan skräckslagen ut när han kom in i salen och

354

såg all trängsel och domstolens ledamöter tycktes anstränga sig till det yttersta för att visa att detta bara var ett litet, enkelt och trivialt mål. De småpratade med varandra.

De inledande formaliafrågorna fick församlingen att komma till ro, man skulle konstatera att Eva-Britt var Eva-Britt, vilket hon oförbehållsamt erkände och mer i den stilen.

Sen kunde man börja. Åklagaren som skulle göra sin sakframställan hade inte mycket att säga. De faktiska omständigheterna i målet var enligt hans uppfattning inte omstridda, återstod frågan om hur det våld som polisassistent, förlåt inspektör Eva-Britt Jönsson vid sagda tillfälle utövat skulle bedömas. Om det alltså var frågan om så pass grovt våld att gärningen måste ses som misshandel, eller om det kunde finnas en alternativ tolkningsmöjlighet. Detta torde framgå av partsförhören.

Därefter skulle målsäganden förhöras. Han var visserligen notorisk fyllerist, uppsvälld i ansiktet och försedd med två plåster i pannan och tydligen sminkad på något sätt. Men han var välklädd, i ny kostym och väst.

"Vill du då inledningsvis med egna ord beskriva vad som hände?" frågade åklagaren utan skymten av entusiasm.

"Jag ska alltså hålla min egen sakframställan?" svarade han och avbröts av ett snabbt blygt leende från åklagaren.

"Nej, det går bra om du bara med egna ord berättar vad som hände där inne på PO 1", sa åklagaren mjukt.

"Ja alltså, för det första så misshandlades jag redan i bussen av dom där typerna som tog mej, trots att det inte fanns någon anledning. Och vi medborgare ska inte utan vidare finna oss i att polisen gång på gång kan begå såna här övergrepp utan att saken på något sätt beivras. Och då det är frågan om gärningar av allvarlig beskaffenhet, och som samhället måste se allvarligt på..."

"Jatack", avbröt åklagaren, "men om vi kanske ska försöka hålla oss till vad som hände där inne på PO 1 när du kom i kontakt med Eva-Britt Jönsson här?"

"Ja alltså, då fortsatte misshandeln i fråga. Dom här andra polismännen tryckte upp mej mot väggen och så krängde dom på min överkropp så att jag blev plötsligt illamående. Och så smällde hon till mej bara, rätt över näsbenet."

"Hon smällde bara till?"

"Ja just det."

"Utan orsak sådär?"

"Ja. Polisen har inte rätt att använda mer våld än nöden kräver och jag vart ju redan omhändertagen så då fanns ingen anledning..."

"Jatack. Men var det möjligtvis så att du kräktes?"

"Ja, jag kan inte utesluta den möjligheten alltså. Om det är så att flera vittnen påstår att jag spydde så kan jag inte utesluta den möjligheten men det beror i så fall på att dom där andra krängde på min överkropp och..."

"Jatack. Men du träffades alltså av ett slag i ansiktet?"

"Ja, hon där klappa bara till, utan närmare orsak."

"Jaha. Gjorde det ont?"

"Jag fick fruktansvärda och ihållande smärtor, det var en rejäl smäll alltså."

"Jaha. Men var du inte berusad vid tillfället?"

"Nej, det var ju just det. Dom hade alltså omhändertagit mej utan nån som helst anledning va, och frågan om mitt eventuella berusningstillstånd är ju irrelevant för själva sakfrågan. Den omständigheten att jag kan ha tagit nån öl friar inte den här polisinspektören från ansvar och..."

"Jatack! Men jag menar bara, om du var berusad så förstår jag inte hur en smäll kunde ha gjort så fruktansvärt ont. Är du verkligen säker på dina smärtförnimmelser?"

"Ja, jag har aldrig fått en sån jävla smäll alltså."

"Jatack herr ordförande, då har jag inga mer frågor för ögonblicket."

Carl kände hur hans känslor blandades av samtidigt hat mot lögnaren och förvåning över hans språk och uppträdande. Han kände också en viss aggressivitet mot kändisadvokaten som såg så oförskämt nöjd och avspänd ut, som om ingenting särskilt allvarligt stod på spel.

"Ja i så fall lämnar jag ordet till advokat Sjöström, varsågod", sa rättens ordförande med ett ansiktsuttryck som såg ut som om det satt ett osynligt betsel över käkarna.

"Det var ju en mycket talande framställning vi har fått höra här från herr Larsson", sa advokaten Sjöström med ett nästan lyckligt ansiktsuttryck när han reste på sig och tog några långsamma, lätt teatraliska steg framåt.

"Herr Larsson har kanske haft många erfarenheter av polismännen och poliskvinnorna där nere på PO 1?"

"Ja, sällsynt olyckliga omständigheter har gjort att..."

"Jatack, jag förstår att det måste vara sällsynt olyckliga omständigheter i just ert fall. Ni har ju anmält polisen för misshandel förut, inte sant?"

"Den frågan hör inte till målet. Mina tidigare förehavanden hör inte hit."

"Som framgår har ju herr Larsson varit i domstol förut, men är det inte så att ni genom åren kommit upp i nio olika anmälningar mot poliser?"

"Det kan stämma."

"Ja det kan stämma. Är det inte så att ni inte i något fall har haft framgång med era anmälningar?"

"Det är också en irrelevant fråga. Den här gången har hon ju erkänt och då blir det lite annorlunda liksom."

"*Hon* har erkänt, säger ni. Hon vilken *hon*! Menar ni att det vid varje tillfälle skulle ha varit inspektör Jönsson som misshandlat er!"

Advokaten spelade våldsamt indignerad och förvånad.

"Nej naturligtvis inte, det har varit manliga poliser vid dom andra tillfällena."

"Jaha, det har det varit. Säg anmäler ni alltid polisen för misshandel? Jag menar med tanke på att det har blivit så många som nio anmälningar genom åren?"

"Nej, det är ytterst sällsynt. Jag anmäler bara när det finns skäl."

"Det var ju en ansvarskännande attityd från en av samhällets stöttepelare må jag säga. Men enkel matematik ger nu vid handen att ni måste ha varit omhändertagen för fylleri vid ett mycket stort antal tillfällen. Stämmer inte det?"

"Nej, absolut inte."

"Hur kan då nio omhändertaganden, dom som ni har anmält, vara ytterst sällsynta?"

"Jag anmäler bara när jag har riktiga skäl. Man får ju tåla en del, men alltså inte misshandel i brottsbalkens mening. Det vill jag bestämt framhålla."

Advokaten hade arbetat sig ut nästan mitt på golvet, han såg ut som en lejontämjare i arenan som just förberedde showens höjdpunkt med brinnande ringar.

"Säg herr Larsson, skulle ni vilja vara så snäll att resa på er?" frågade stjärnadvokaten lika milt som överraskande.

"Va, hurså?"

"Ni är väl ändå nykter nu, *kan* ni inte resa på er?"

"Jo naturligtivs", sa målsäganden förtrytsamt och reste sig i sin fulla längd.

Advokaten gick några steg närmare och såg forskande på sitt offer.

"Ni är ju en kraftfull karl, herr Larsson. Hur mycket väger ni?"

"Nittisex kilo, men det är ju några kilo för mycket också."

"Kanske det, kanske det", mumlade advokaten. "Nej, var vänlig att stå kvar ett ögonblick!"

Och så gick han över till Eva-Britt och hjälpte henne chevalereskt upp så att också hon stod upp.

Sen vände han sig på nytt mot den som nu blivit den tilltalade och frågade kort och enkelt.

"Så det var denna havande kvinna som misshandlade er så att ni kände smärta av sådant slag att ni knappt minns något liknande?"

"Ja alltså, hon var väl bara i sjunde månaden då och..."

"Tack herr ordförande, jag har inga fler frågor!"

Varken Carl eller Eva-Britt insåg att målet redan var avgjort. Det återstod en del nya förhör, bland annat med Eva-Britt där hon på nytt erkände att hon, såvitt hon mindes i alla fall, slagit med knuten hand. Hon sa sig inte veta vilken avsikt hon haft eftersom hon reagerat spontant, eftersom hon var så äcklad av att bli nerspydd. Och en del annat som inte längre hade betydelse.

Det verkade som om samtliga jurister inne i salen ville skynda på målet. Det blev snart paus och Eva-Britt och Carl lotsades på nytt mot ett avskilt rum av stjärnadvokaten.

Mitt i trängseln sträckte en Expressen-reporter fram en bandspelare mot Carl och ställde en i sammanhanget fullständigt oväntad fråga:

"Har du och Näslund diskuterat någon A 1:a på justitieministern och vad sa ni i så fall då?"

Carl vände sig om bestört mot reportern, fullständigt överrumplad som det kunde förefalla.

"Jag kan inte tänka mej att man på telefon... förresten vet jag inte vad en A 1:a är som du talar om och förresten talar jag inte med såna som du!"

Carl vände sig obehärskat om och trängde sig ikapp Eva-Britt och stjärnadvokaten, nästan som om han flydde.

Bakom honom stod en nervös reporter och kontrollerade att det som sagts verkligen gått in på bandet. Och att han själv inte talat om telefon, det var det Hamilton som sa.

"Nu är det klart att köra, nu har vi dom som i en ask", mumlade reportern för sig själv och lämnade därmed rättegången. Utgången i målet var ju för den som sett sånt här tidigare redan given. Dessutom skulle Expressen nu sjösätta det största någonsin.

"Jaha, så här roligt har jag inte haft sen far skulle med suggan till granngården och få henne påsatt", log advokaten när de kunde stänga dörren mot alla kcamerablixtarna.

"Hur går det?" frågade Eva-Britt med oroliga uppspärrade ögon.

"Hur det går, jo det ska jag säga dej. Ringa misshandel eftersom du har erkänt, och sen tjugo dagsböter. Ni hade inte behövt nån advokat här om jag ska vara fullkomligt ärlig, och det ska ju en advokat vara som bekant. Han gjorde ju allting själv, såg ni hans plåster!"

"Ja, och sminkningen!" skrattade Eva-Britt.

De hann inte så mycket längre innan målet ropades på på nytt. Domstolens ledamöter hade inte ens rest sig från sina stolar.

"Det betyder att dom ska avkunna dom om fjorton dar", viskade Eva-Britt förklarande till Carl.

"Det tror jag nog inte, ska vi äta lunch om domen blir klar nu?" frågade advokaten med frågan riktad mot Carl.

"Ja, om vi klarar det här, om det blir ringa misshandel", viskade Carl just som han var på väg att sätta sig.

Församlingen hann knappt bänka sig innan dom avkunnades. Eva-Britt Jönsson, polisinspektör, dömdes till tio dagsböter för ringa misshandel. Domen skulle finnas att hämta i utskrift tre dagar senare på tingsrättens kansli. Därmed var förhandlingen avslutad.

11

Eggum var världens ände. Utanför låg ishavet och nästa kust skulle vara Grönland i rak västlig riktning. Vid Eggum slutade vägen, självfallet. Där fanns en handelsbod, det var allt förutom småhus. Sista biten ut mot Eggum saknade asfalt och det var knappt att två bilar kunde mötas på den smala och gropiga grusvägen.

I Eggum skulle inga främlingar kunna gömma sig. Byn låg vid foten av ett högt och brant berg som stupade rätt ner i havet, sånär som på den lilla landhylla där någon någon gång fått för sig att bosätta sig direkt intill ishavet i stället för inne i någon av Lofotens skyddande fjordar.

De geografiska problemen hade försenat dem mer än tjugofyra timmar. Roar Hestenes hade fått styra ut sig i fiskeutrustning som tydligt stack ut genom bakrutan på hans Volvo och tillbringa en dag vid Eggums yttre strandlinje för att fiska småsej. Byborna hade sett galna turister förr och borde inte ha blivit misstänksamma.

Sen hade han rekognoscerat omgivningen och när de träffades på sitt nergångna hotell med det ståtliga namnet Polar inne i Svolvaer gick det ganska lätt att lägga upp en plan för fortsättningen.

Nu var avståndet ungefär tusen meter till målet. De befann sig på andra sidan en långsträckt vik, säkert ett par mil bilvägen från ett av de tre små ruffiga röda båthus nere vid stranden på andra sidan som skulle utgöra målet.

Deras husbil var nu märkt med några stora dekaler som markerade att detta var en expedition från det marinbiologiska institutet i

Malmö. Bilen stod parkerad fullt synlig tjugofem meter från stranden och de hade ägnat någon timme åt att dyka i det färgglada alternativet, ljusblåa och röda våtdräkter och stora gula tryckluftstuber på ryggen. De hade gjort i ordning ett litet ställ med provrör där de placerat några tångbitar, lite sand och annat krafs.

Vattnet var iskallt och de bestämde sig för att fortsatta övningar fick bli med militär utrustning, åtminstone vad gällde torrdräkt i stället för våtdräkt.

De hade tänkt sitta ute och grilla fisk, men det blev för kallt och de flydde in till sitt pentry. Medan Åke Stålhandske brottades med Roar Hestenes sejfiléer riggade Joar Lundwall upp den kraftiga tubkikaren på ett stativ. Under tiden kom de två männen ner till det mest avlägset belägna båthuset på andra sidan.

Fisken brändes vid medan de turades om att betrakta målet i kikaren och diskutera taktik. De bestämde sig naturligtvis för att vänta tills mörkret föll, i mörker skulle de alltid kunna ta sig fram osedda, i mörker skulle de alltid vara överlägsna. Rak orientering i tusen meter skulle de klara på några meter när, förutsatt att strömmen inte var starkare längre ut.

De räddade vad som räddas kunde av de brända sejfiléerna, Joar Lundwall förklarade någonting om panering, och sen försjönk de i sina naturupplevelser.

De häftigaste var flocken av orcas, riktiga orcas, minst fem familjer, som gått akter om bilfärjan när de var på väg över från Skutvik inne på fastlandet till Svolvaer.

Det hade varit en andlös upplevelse, inte bara för *Orca* själv.

Det betydde förstås att det lika gärna kunde finnas haj i omgivningen, vilket vore ett tragikomiskt slut på expeditionen, om man hade otur.

Planen var enkel. Under natten när de två konspiratörerna drog sig tillbaks upp i boningshuset skulle de i skydd av mörkret avancera till målet och installera lämplig utrustning. Hörbarheten skulle rimligtvis bli perfekt, en rak linje utan berg emellan för en gångs skull; de hade haft en hel del trassel sista vägen upp genom Nordnorge med sina kommunikationer med Hestenes. Här skulle det bli som att sitta i samma vardagsrum.

Just a walk in the park, bedömde de.

Fyra timmar senare gjorde de den lika pinsamma som självklara upptäckten. De kunde glömma det där med sitt skydd av mörker. De var norr om polcirkeln och det var en bra bit in i juni. Praktiskt taget midnattssol.

Och när de två konspiratörerna borta vid målet raglade tillbaks upp till boningshuset vid fyratiden på morgonen var det ljust som mitt på dagen.

Dessutom var tidvattnet på väg ut. Fjorden eller viken som skilde dem från målet var mycket grund; hade de gjort ett försök när tidvattnet gick ut skulle de bara i bästa fall hamnat som grodor hundra meter från andra stranden eller i sämsta fall spolats ut till havs med tidvattnet.

De gick och la sig och ställde en väckarklocka. Det första de måste göra var att ringa Hestenes inne i Solvaer och beställa en tidvattenstabell från något hamnkontor eller liknande.

"Fy saatan", muttrade Åke Stålhandske när han bökade runt i sin koj för att hitta rätt sovställning, "tidvatten och evig sol, det här skulle Skip ha berättat. Soljäveln ska ju gå ner snyggt i havet, i väster utanför San Diego till exempel. Här tar hon ju bara en sväng."

De kunde inte somna. De talade på nytt om landskapet och den främmande exotiska känslan av att vara oändligt långt borta fastän de egentligen bara var i ett grannland. Späckhuggare och delfiner i havet och berg som hade spetsiga snöklädda toppar som försvann upp i moln; det var som om det andlösa måste komma ikapp dem nu äntligen när de inte satt och försökte följa signalerna från *homern* i bilen någonstans där framför dem.

Det hade alltså inte varit någon falskskyltad bil, den hörde verkligen hemma i Eggum. Så han, vem det nu var, måste alltså ha lånat den från någon granne eller släkting för turen ner till Oslo.

De bestämde sig för att inte ringa hem och beklaga sig utan i stället lösa problemen på egen hand. Hur det nu skulle gå till. Man kan ju inte stoppa tidvattnet eller släcka midnattssolen. En ny fiskeexpedition in till Eggum verkade inte heller som någon lysande idé, alltså att fiska i omedelbar närhet till det där båthuset för att på det sättet skaffa sig nödvändiga fem minuter där inne. Risken för upptäckt skulle vara alldeles för stor, och i så fall gick hela operationen åt helvete.

De måste nog försöka hålla sig till det de kunde, fast utan mörker. Om det ändå alltid var ljust och herrarna där borta föredrog att supa nattetid så borde rätt tidpunkt vara ungefär en halvtimme efter att de gått och lagt sig? Femtiden på morgonen alltså. Ljus som ljus. Fast då var det ju frågan om tidvattnet i stället.

De återvände på nytt till naturen, till frågan om vad som fick människor att bosätta sig så här. Vintrarna måste vara fruktansvärda, evigt mörker, storm och kyla, fuktig kyla.

Synd att de inte var här i december i stället.

* * *

Expressen ägnade tio sidor åt sitt fantastiska avslöjande. Det stort tilltagna utrymmet kom sig av att bilder och rubriker dragits upp till kolossalformat.

Men summan av det största scoopet i presshistorien och den största politiska skandalen sen andra världskriget i Sverige var konkret och begriplig:

Landets justitieminister var misstänkt för att ha ett kärleksförhållande till en kvinnlig KGB-agent som liksom hon själv hade baltiskt ursprung.

Säkerhetspolisen hade kommit på det synnerligen olämpliga kärleksförhållandet och enligt sina instruktioner inlett en undersökning om misstänkt spioneri.

När regeringen fått vetskap om denna undersökning hade man förbjudit fortsatt spanings- eller forskningsarbete riktat mot justitieministern och dessutom bestraffat den ansvarige operative chefen Henrik P Näslund genom att sätta fast honom för brott.

Trots att han lytt regeringens instruktion att lägga locket på justitieministerskandalen.

För att riktigt kvadda säkerhetspolisen hade regeringen skickat ut ett mordkommando från den militära underrättelsetjänsten mot några av Näslunds män.

Först i efterhand hade den ansvarige operatören inom mordkommandot, Carl Gustaf Gilbert Hamilton, insett sakernas verkliga tillstånd och beklagat sig inför Näslund, nästan bett om ursäkt.

Detta var alltså den verkliga bakgrunden till att regeringen anlitat militär, och beordrat en så dramatisk överkapacitet i angreppet, mot landets säkerhetstjänst.

I säkerhetspolisens arkiv fanns till och med bilder på den kvinnli-

363

ga kärlekspartnern från KGB och komprometterande bilder på de två tillsammans (som tidningen tills vidare av pietet avstod från att publicera, även om man hade tillgång till dem).

Regeringen skyddade alltså en spionerimisstänkt i sin egen krets. Och för det ändamålet fanns ingen gräns för den hänsynslöshet man var beredd att utveckla.

Och så vidare. Skandalen drog som ett jordskred genom massmedierna första dagen.

Statsministern vägrade som vanligt att kommentera saken, vilket omedelbart ledde till att alla tolkade hans tystnad som en bekräftelse.

De kommentarer som Expressen publicerade var mest omdömen från de vanliga säpocheferna på mellannivå. Och sin vana trogna när de tillfrågades om ting de inte hade en aning om så sa de inte att de inte hade en aning. I stället sa de att de inte kände till detaljerna i det här speciella fallet, men att det naturligtvis var en sak som man inom säkerhetstjänsten såg mycket mycket allvarligt på.

Det förvånade inte Carl det minsta att Samuel Ulfsson plötsligt och mycket brådskande ville tala med honom. Och som han också väntat hade Sam håret på ända och Expressen i handen när han kom in och tyst stängde dörren efter sig och satte sig på sin vanliga plats, snett mitt emot sin chef.

"Okay, shoot", småskrattade Carl.

"Tycker du det här är lustigt!"

"Uppriktigt sagt ja."

"Att vi skulle ha ingått i nån sorts cover-up för att skydda en jävla lesbisk spion i regeringen!"

"Det är ju inte sant."

"Nej det kan hända. Men vad ska folk tro."

"Jag kan inte tänka mej annat än att det kommer att gå åt helvete för Expressen", myste Carl.

Samuel Ulfsson fick plötsligt något mycket tveksamt i blicken. Han såg forskande på Carl och ställde förmodligen tyst för sig själv ett antal frågor som han ytterst ogärna skulle vilja ställa högt.

"Hur förklarar du det här samtalet med Näslund, som dom återger här?" frågade Samuel Ulfsson till slut och mycket behärskat.

"Det är naturligtvis en förfalskning. Jag talade med Näslund häromdagen och känner igen en del formuleringar. Men som du förstår kan vi inte gärna ha talat om några lesbiska ministrar och liknande."

"Ni talade om en A 1?"

"Ja, det kan nog tänkas, jag tror jag skämtade om något i den vägen. Eller om det var han som gjorde det. Men tar dom fram det där bandet så kan man förmodligen mycket lätt köra det genom viss apparatur och visa på ljudskarvar och annat. Det kommer att visa sej."

"Den här dokumentationen om justitieministern?"

"Är förmodligen en förfalskning. Expressen har inte kollat sitt material tillräckligt. Och förresten förstår jag inte varför du är så upphetsad. Sen när har dom haft rätt i såna här saker?"

"Nej, det må så vara. Men det här är ju onekligen mycket större än allt snack om kurder och araber och sånt dom brukar hålla på och tjafsa om."

"Just det. Så den här gången har dom inte hoppat på någon försvarslös svartskalle. Den här gången har dom slagit gäddkäften i regeringen. Dom kommer nog att handgripligen bli påminda om skillnaden mellan några svartskallar och regeringen. Skulle jag tro."

"Du tar det här mycket lugnt, du?"

"Ja, det gör jag."

"Tänker du själv svara på några frågor från massmedia? Det lär ju oundvikligen uppstå ett visst tryck efter dej nu, med tanke på det här påstådda samtalet mellan dej och Näslund."

"Ja, om du vill kan jag tala med en av dom, med Erik Ponti på Dagens Eko."

"Räcker det?"

"Vår hittillsvarande erfarenhet tyder på det. Sen får alla citera Dagens Eko.

"Ja, dom har ju som alla andra förfrågningar liggande här sen några timmar. Jag vore tacksam om jag slapp apa mej mer i massmedia, det har varit för mycket sånt på sista tiden."

"Men du var bra i KU."

"Tack. Vi har ju traditioner att försvara här på bolaget. Så du tar det där med Dagens Eko då?"

"Ja, det är nog det bästa alternativet."

"Hurså? Tror du jag skulle bryta samman och bekänna?"

"Inte ett ögonblick. Men kanske låta osäker när dom frågade dej saker du inte kände till."

"Och det gäller inte dej, menar du?"

"Låt mej säga så här. Jag vet att den här historien är en ren tidningsanka."

"Hur kan du veta det?"

"Är du säker, är du verkligen helt säker på att du vill ha ett svar på den frågan?"

Samuel Ulfsson blev alldeles kall. Det var en ordvändning han själv hade använt en gång i ett mycket känsligt samtal med ÖB. Han hade tydligen berättat om saken för Carl, som ju var anledningen till det där samtalet.

Meddelandet kunde inte missförstås. En avgrund öppnade sig inför fortsatt frågande.

"Jag tror jag är tillräckligt informerad. Hur mycket försenad är du med ÖB-rapporten?"

Carl log och skakade på huvudet och gick utan att säga något och utan att visa oartighet.

Erik Ponti satt inne på hans kontor mindre än fyrtio minuter senare och riggade med långsamma rörelser upp sina två mikrofoner och testade ljud och verkade som om han drog ut på förberedelserna i väntan på att Carl skulle säga något frivilligt. Under tiden tog Carl fram dagens Expressen och en rödpenna och gjorde vissa understrykningar på den sida där en av de allra hetaste rapporterna om justitieministern var avbildad i faksimil. När han var färdig såg han upp på Ponti som också tycktes vara färdig.

"Vill du att vi ska köra direkt, vill du veta vad jag ska fråga om?" frågade Ponti.

"Är bandspelaren, den där eller någon annan, på just nu?" frågade Carl tillbaks och stötte fingertopparna mot varandra samtidigt som han fyrade av ett avsiktligt överdrivet leende.

"Nej, hurså?" frågade Ponti avvaktande.

"Jag tänkte det var min tur nu att tacka för senast. *I'll make you an offer you can't refuse.* Intresserad?"

"Självfallet, det är mitt jobb."

"Först en formalitet. Jag kan inte bara intervjuas, då gäller förstås det jag säger i intervju. Jag kan också vara din anonyme uppgiftslämnare, det där som säpo brukar vara på Expressen."

"Ja, men det kostar trovärdighet."

"Det får vi se. Men i så fall är du absolut bunden av ditt tysthets-löfte?"

"Ja, jag begår någon sorts grundlagsbrott om jag röjer dej. Förut-om att jag skämmer ut mej och tappar ansiktet inför mej själv och allt det där. Men det måste vara jävligt bra för att jag ska gå på det."

Carl avvaktade tankfullt utan att säga något på en stund. Sen sköt han över Expressen med sina röda understrykningar.

"Läs begynnelsebokstäverna på den där sidan", log han och så räknade han själv upp orden:

Förutom
Underhandsuppgifter
Carlis
Kommentar
Ytterligare
Orsakssammanhang
Underrättelserapporter
Wentzelplatz
Eftergifter
Notoriska
Närstående
Synbara
Testförhållanden
Rationella
Övrig
Metodologiska

Sen log han glatt och såg stint på Ponti som om han för en gångs skull fullständigt skulle tappa behärskningen av upphetsning och förvåning.

"*Fuck you, Wennström*, alltså dra åt helvete Wennström", förtydli-gade Carl. "En något primitiv kod i min smak, men mycket tydlig, inte sant?"

"Ja, det kan ju knappast vara en tillfällighet", log Ponti matt.

"Hela den där påstådda A 1-rapporten är alltså ett falsifikat. San-ningen är den att det inte existerar någon A 1 på justitieministern över huvud taget, än mindre misstankar om lesbianism och allt det där. Den namngivna KGB-agenten är visserligen en av hennes tidi-gaste barndomsvänner, men dom var så små på den tiden att dom knappast kan ha utbytt tankar. Dom är kusiner och den andra kusi-

367

nen har aldrig lämnat Sovjetunionen och arbetar, tror jag, någonstans i jordbruket. Inte mycket till lesbisk KGB-agent med andra ord. Någon har alltså skojat med den där Wennström och det är bakgrunden till vår nationella skandal. Ska vi go on the record nu?"

"Nej vänta ett slag. Hur kan du veta allt det här?"

"Underrättelsetjänsten vet allt."

"Larva dej inte."

"Jag har ditt hedersord att för alltid förbli din anonyme uppgiftslämnare, eller hur?"

"Ja, men..."

"Då så."

"Du menar inte att det är du som..."

"Inga kommentarer. Inte ens off the record."

Erik Ponti gjorde inte en min av att förbereda sig för att inleda den riktiga intervjun. Han funderade för sig själv ett slag och sen brast han i skratt, skakade på huvudet och verkade som om han inte tänkte sluta skratta.

"Det är tur att inte lyssnarna hör dej nu", anmärkte Carl surt. Han fann Pontis glädje lika överdriven som omotiverad.

"Nej, nej", sa Ponti samtidigt som han försökte skärpa sej, "det är inte vad du tror. Jag bara tänker på morgonens diskussioner på jobbet när vi fick dom första avdragen på den här storyn. Det blev en rätt livfull diskussion kan man säga. Jag tillhörde skeptikerna som menade att det här på något sätt var för bra, att vi borde ligga lågt och avvakta. Men vår chef kom instormande från landet och ställde och donade och sa att hans journalistiska instinkt sa honom att allt var sant och att det var vår skyldighet och, ja du vet alla stora orden. Han höll högtidstal för oss och sen beordrade han oss att gå på den här bluffen. Han kommer inte att bli så glad när jag kommer tillbaks."

"Nej, men kommer han att tro dej?" frågade Carl avvaktande. Här fanns en eventuell komplikation han inte hade tänkt på, ännu en galen journalist på någon olycklig plats i spelet.

"Jadå", försäkrade Ponti. "Jag vet ju att storyn är bluff och det där med *Fuck you, Wennström,* är faktiskt lite svårt att komma förbi. Och du säger att det över huvud taget inte finns någon A 1 eller vad det heter på Laila Freivalds?"

"Nej. Dessutom är det en föråldrad beteckning som nog inte

används längre."

"Varför har inte regeringen dementerat än?"

"Hur ska dom veta att det inte finns en sån där file? Dom har ju aldrig hört talas om den och man kan väl inte utesluta några galenskaper när det gäller Säpo."

Den formella intervjun hölls i ett bekymrat, lågmält och mycket strikt tonfall. Sveriges mest beundrade man försäkrade att samtalet mellan honom och säpochefen Näslund måste vara en förfalskning som i så fall åstadkommits av någon som kunde lyssna och spela in samtal antingen på säkerhetspolisen eller underrättelsetjänsten. Denne någon hade ju, såvitt framgick, dessutom möjligheter att skaffa sig ljudkassetter från säpos arkiv. Slutsatserna kanske drog sig själv härvidlag.

* * *

De genomförde Operation Truthfindings nästa och avgörande fas i strålande solsken. Sikten var klar och eftersom det var högvatten så var strömmen måttlig. De simmade på fem meters djup med en känsla av att vara nästan generande tydliga mål, särskilt från luften.

Allt var för enkelt, de kunde ju till och med göra tydliga tecken till varandra eftersom de hela tiden hade visuell kontakt. Femtio meter från strandlinjen gjorde Joar en kort uppstigning för observation, lugnt övertygad om att en svart torrdräkt som skymtar några sekunder uppe vid ytan bara kan se ut som en säl.

Sköt norrmännen sälar så här års? De sköt väl alltid sälar. Nå, inte på fem sekunder i alla fall.

Han hade sett vad han behövde, ett klipputsprång där de kunde ta skydd, där Åke kunde krångla av sig torrdräkten och med händerna i fickorna på jeansen vandra upp till det gamla båthuset.

Klockan var fem på morgonen. I husen där uppe på några hundra meters håll var alla gardiner tätt fördragna.

Det framgick tydligt där inne var männen satt, vid ett litet bord med utsikt över vattnet, med utsikt också mot en liten husbil på andra sidan viken.

Han gjorde sig ingen brådska när han tänkte igenom rummets akustiska förhållanden och hur vinden in från en öppen dörr kunde påverka mikrofonerna.

När han promenerade tillbaks ner till Joar rörde han sig som om han gick och betraktade omgivningen, ställde sig till Joars häpnad rentav och pissade och sträckte lite sömnigt på sig innan han satte sig ner bakom klipputsprånget där Joar låg beredd för att assistera vid påklädningen.

"Just a walk in the park, dagsljus och allt", log Åke Stålhandske snett innan han drog på sig helmasken och tecknade med tummen att han var klar att utgå.

De drog sig ljudlöst — onödigt men som för att hålla stilen — ner i vattnet och simmade sen nedåt mot mörkret för att operationen inte bara skulle lämna efter sig en besviken känsla av att vara för lätt.

Där nere fick de övergå till nattorientering, det de hela tiden hade föreställt sig. Utan att kunna tala med varandra längre och utan visuell kontakt upplevde de som i ett gemensamt lyckorus mörkret, drivande långa tångväxter som påminde om en viss kalifornisk kelp och de ljusorangeröda glimmande instrumenten.

Det var ett tyst hav. Vilket var ovanligt, man brukade höra metalliska ljud, kättingar som slog mot varandra, båtmotorer av olika slag. Men den här skyddade viken av ishavet var tyst.

Till sin förvåning snarare än besvikelse fann de att de hade missat uppstigningsplatsen med trettio meter. Det fanns ingen uppenbar förklaring till det, antagligen var det bara nonchalans och drömmeri.

De bytte om till tryckluftsaggregat och roade sig helt enkelt med att bada eller att leka marinbiologer någon halvtimme på måttliga djup där de fortfarande hade god sikt. De spelade ett spel med en liten krabba som det gällde att fånga på tid efter att motståndaren släppte iväg den.

När de steg upp till slut var de rejält frusna men sköljde sig i ansiktena med det mycket kalla klara vattnet, slickade i sig av saltet och skrattade högt.

Sen tog Åke fram en amerikansk fotboll och de började springa fram och tillbaka och slå diagonala passningar till varandra på det kortvuxna gräset. De lekte tills de var ordentligt svettiga, sen tog sig Åke ett nakenbad, fortfarande i någon sorts lyckokänsla av att ha operationen så gott som i hamn.

Joar stekte ägg och bacon.

Sen sov de tungt och med svaga drömmar om böljande långa tångväxter som var bruna i stället för gröna här i ishavet, och ljudet av kätting som klingade svagt långt borta. Kanske hörde de en knölvals sång. Eller om det var en lycklig och fri familj av orcas, avlägsna släktingar till den gamle artisten Shamu i San Diegos Sea World.

* * *

Ingenting kunde ens jämföras. Det var den största tidningsskandalen i svensk presshistoria. Samtliga Expressens plan sköts ner i det avgörande ögonblicket då de just hade lyft för andra dagens slutstrid.

Det fanns de som för alltid skulle erinra sig ögonblicket. Den upphetsade triumfen som varat nästan en hel dag, hur man samlade sig för att betrakta morgondagens layoutskisser — det blev ovanligt mycket folk i rörelse inne på centralredaktionen vid sådana här tillfällen — och hur någon slog på Kvällsekot för att höra om statsradion till slut fått någon politiker att krypa fram.

Det hade man lyckats med. Såväl statsministern som justitieministern.

Men innan det blev deras tur att komma med sina självklara, som det skulle visa sig, fördömanden och sin djupa indignation över det exempellösa med mera, med mera berättade Erik Ponti, som inte direkt var känd som någon vän till Expressen, om hur bluffen kunde avslöjas redan i dagens tidning där det faktiskt, mycket vänligt översatt, stod ungefär: "April april jag kan lura dej vart jag vill."

Vänligt översatt, som sagt.

Hamiltons lugna, lätt överseende förklaringar om att det här väl bara var att dra ut linjerna något från den där kvällstidningens vanliga aktiviteter, fastän man den här gången av obegriplig dumhet gett sig på regeringen i stället för kurder eller araber, fastställde på något sätt katastrofen. Hamiltons fullkomliga övertygelse kändes tydligt som extra ljudvågor i sändningen.

Krismötena kom sen att vara så gott som hela natten. Tidningens första upplagor skulle inte gå i tryck förrän om fem timmar, så det fanns gott om tid att slita sitt hår.

Ett av de mindre dramatiska besluten blev att Per L Wennström tidigt nästa morgon borde åka på semester, Expressen hade en egen ö i Västindien som egentligen var avsedd för belöningar men som

371

också kunde duga till gömsle. Som de fackliga reglerna nu en gång var utformade i Sverige kunde givetvis inte avskedande komma i fråga.

Men man kunde ju inte heller sätta honom att recensera TV-program. Eftersom TV-recensenterna måste ha sin bild i vinjetten, och sitt namn. Det skulle ju betyda att han flera gånger i veckan skulle komma att offentligt representera tidningen.

Det strategiska beslutet, som sannerligen inte var enkelt, fick anstå. Det taktiska beslutet att organisera skyndsam resa till Västindien kunde däremot expedieras med omedelbar verkan.

Carl lyssnade på Kvällsekot hemma hos Tessie. Han hade blivit djupt orolig av att inte höra någonting i det tidigare ekot, som såvitt han förstod var en av dagens viktigaste sändningar. Han hade anat sig till interna motsättningar, bråk och sändningsförbud. Men eftersom inte heller Expressen-versionen förekom, inte med ett ljud, i sändningen anade han att striden ändå inte var avgjord.

Vad som än hade förekommit på Eko-redaktionen så var det nu i alla fall över.

Nästan allt var över, utom det viktigaste.

Tessie och han hade glidit in i ett tillstånd av samtal som konsekvent gick runt förbjudna zoner; de talade aldrig om någon gemensam framtid, inte ens skämtade om den som de alltid brukat. De talade bara bakåt, om en annan tid.

Carl viftade undan anledningen till att han absolut ville höra de sena radionyheterna, sa att det varit lite bråk bara, men att det nu sannolikt var över. Åtminstone för hans del (hon hade ju hört hans egen röst mitt inne i radiosändningen).

Det där var ingenting viktigt, bara sånt som hade med jobbet att göra. Han återvände lättad till den andra tiden.

Det var ju så, det hade åtminstone han själv, antagligen också hon, känt och förstått under den här tiden i Stockholm, att de hörde ihop från det förflutna. Kanske hade de inte känt det så på den tiden, det var väl bara en ovanligt stark ungdomsförälskelse i deras medvetande då, någonting som egentligen bara fanns i nuet. Men detta nu hade sen blivit minnen och sammanväxta delar av hans jag. Han ville tillbaks dit, försökte han förklara, inte enbart till henne även om det förstås var det viktigaste. Han ville tillbaks till sig själv som han var på den tiden.

Som om man kunde ställa tiden tillbaka, vrida allting rätt igen.

Hon sa inte mycket. Men det märktes ju tydligt att hon kände sorg och han såg inte längre så mycket av hennes leende och hennes vita tänder och hennes karakteristiska skratt när hon nickade bakåt uppåt.

Det var ett samtal som bara kunde sluta på två sätt och de valde båda. Han blev mycket senare än han tänkt sig när han gick därifrån. Det var juninatt som i en romantisk turistfilm och koltrastar hela promenadvägen hem till Gamla stan.

Han borde ha tagit taxi. Men han måste ju torka håret i sommarnatten så att han inte verkade nyduschad när han kom hem.

Hon sov. Hon låg på rygg. Hennes mage stod upp som ett litet berg under täcket och hon snarkade, antagligen något som hade med hennes kropps förändringar att göra.

Han kröp försiktigt ner vid hennes sida och la handen på hennes mage och kände rörelserna där inne.

Han undrade hur det var möjligt att sova lugnt och tungt när någon rörde sig inne i ens egen kropp. Men människan kunde vänja sig vid och anpassa sig till vad som helst.

Nej inte vad som helst.

* * *

Såvitt de förstod hade de allt de egentligen behövde för att inleda slutfasen inom loppet av en kvart.

Joar Lundwall och Åke Stålhandske satt först och antecknade så att pennorna glödde medan de då och då kontrollerade att allting gick in på banden.

Men efter en stund kastade Åke Stålhandske ifrån sig sin penna, vred upp händerna bakom nacken och sträckte lättjefullt på sig.

"Nåjo, det är ju saatans praktiskt att dom har hunnit säga allt väsentligt redan innan dom har fyllnat till", sa han och blinkade åt sin vän och kollega.

De två norrmännen därborta grälade om sina mord. Den röst som de båda kunde identifiera som Haugen från sina tidigare band hade våldsamma ruelser. Och han tycktes hänga upp sig på den andres sätt att dels tortera sitt offer och dels lägga ut ett spår till den plats där avgörandet hade skett. Poliser var ju inte alltid dumskallar, inte

373

ens svenska poliser.

Den andre försäkrade att särskilt svenska poliser var dumskallar och började berätta om de senaste turerna i Sverige där de till och med fått för sig att det hela på något sätt hade att göra med en lesbisk justitieminister.

Åke Stålhandske och Joar Lundwall gav varandra ett menande skräckslaget ögonkast och sen började de lyssna intensivt. Men samtalet där borta gled snart över på Gud, Guds straff och liknande.

"Lesbisk justitieminister", stönade Åke Stålhandske i en lång utandning och låtsades torka svett ur pannan.

"Han gjorde det alltså, hela *maskirovkan* är tydligen sjösatt nu", konstaterade Joar Lundwall med ett nästan sorgset uttryck.

De hade ju bara varit med om att tillverka de första dokumenten, att göra själva ramarbetet till det som Carl själv skulle fylla med innehåll sen. Det hade känts som mycket minerad mark men det hade ändå inte fallit någon av dem in att ifrågasätta sin chef. Inte bara av det enkla skälet att de var kaptener och han kommendörkapten. Det fanns ju starka och uppenbara skäl därutöver.

"Undrar om man kan få tag på en Expressen här ute vid ishavet", funderade Åke Stålhandske. "Det skulle vara intressant att se hur han räddade till det för dom till slut. Lesbisk justitieminister, det var int dåligt det."

"Vi lär nog få veta, och ju senare dess bättre tycker jag", sa Joar Lundwall. "Ska vi rigga antennen nu?"

"Jo. Det är väl dags."

De kontrollerade att banden löpte och inte behövde bytas på ett tag och så gick de ut i solskenet, de hade ännu inte vant sig vid detta ljus, detta orimliga ljus, och riggade upp sin antenn.

Sen skrev de sitt meddelande i klartext, slog till minidatorn och sände ett kort tjut ut i etern.

* * *

Morgontidningarna hade inte riktigt hunnit med i svängarna eftersom kvällsekot, vilket var avsikten bakom den sena leveransen av skandalens vändpunkt, sände efter att väsentliga delar av morgontidningarna redan var klara. I panik hann man göra om sina förstasidor till åtminstone stockholmsupplagorna. Men landsortsuppla-

374

gorna, och framför allt ledarartiklarna, såg inte för roliga ut när man läste dem med historiens facit. Det var ju inte bara det att innehållet på ett dramatiskt sätt blivit föråldrat. En del synpunkter på regeringsmedlemmars vandel, socialdemokraters respekt för demokratin, vikten av att inte regeringen använder statliga institutioner för att skyla över sina egna olämpliga kärleksaffärer och annat i den stilen kom att te sig något genant.

Carl förutsatte att Samuel Ulfsson inte bara nöjt sig med att läsa morgontidningarna utan redan kände det egentliga läget när han, oombedd men lika fullt självklart, började sin dag med att gå raka vägen in till Sam.

Carl kände sig på något egendomligt och för honom själv fullkomligt oförklarligt sätt renad. Som om han befriat sig från fusk under resten av livet.

Samuel Ulfsson var mycket riktigt fullt à jour med affärens vändpunkt under gårdagsnatten. Hans egen telefon hade inte varit direkt tyst.

De ägnade saken mycket flyktigt intresse eftersom Samuel Ulfsson hade ett mycket viktigare ärende. Han sköt fram ett radiomeddelande i klartext framför Carl på den bruna och morgonrena skrivbordsytan, än så länge fri från cigarrettaska.

Carl läste medan Samuel Ulfsson nöjt ställde fram en ren askkopp i kristall och nästan överdrivet njutningsfullt tände en cigarrett.

"Vad tycks?" frågade han när han såg att Carl läst färdigt.

"Fantastiskt väl skött måste jag säga. Närmast hundraprocentig utdelning. Mycket bra faktiskt."

"Så då återstår bara slutfasen", sa Samuel Ulfsson med ett nästan oförnimbart eftertryck, ändå en signal som Carl inte skulle undgå.

"Ja", sa Carl dystert. "Så nu vill du att jag ska resa dit och kratsa kastanjerna ur elden för grabbarna i sista stund."

"Rätt uppfattat."

"Och du vill fortfarande inte ge mej några närmare instruktioner eller operativa begränsningar?"

"Nej, inte annat än vad som ryms i ditt oneklingen mycket avancerade operativa sinne. Och ditt ibland något vida samvete. Men jag skulle sätta stort värde på om du kunde leverera varan."

Carl nickade men sa ingenting. Han tyckte inte det fanns något att säga, inga invändningar skulle ändå hjälpa och han hade redan börjat arbeta på hur han skulle kunna vända nederlaget på något sätt. För det var ett nederlag att tvingas komma och ta över operationen för Joar och Åke när de skött allting så fullkomligt perfekt.

Det måste finnas någon särskild fördel, utöver en rand till i gradbeteckningen, med att just han ledde slutfasen. Han nickade dystert och lite tankfullt när han reste sig för att gå ut.

"Du flyger till Narvik om två timmar, via Oslo. Den där norska polisen möter på flygplatsen", förtydligade Samuel Ulfsson med uttryckslöst ansikte just som Carl var på väg ut.

* * *

"Nu jäklar", sa Kapten Bölja och radade upp sju tjocka A 4-pärmar framför Rune Jansson, "nu ska vi i alla fall ta reda på allt dom kan ha tagit reda på."

"Jösses vad mycket, har dom jobbat med allt det här? Men det kanske har fått dom att tappa intresset på något sätt eftersom du har fått det", sa Rune Jansson som kände sig egendomligt skeptisk och entusiastisk på samma gång.

"Ja, deras chef sa nånting i den vägen när jag ringde till honom i morse, nånting om att den militära delen var utredd och att det möjligen kunde finnas material av intresse för polisen och lite sånt."

"Dom kanske bara har utrett några spioneriaspekter eller så."

"Ja, det var min tanke, att det där med mord inte är deras sak. I vart fall finns det ju en del att läsa här."

"Framför allt ett spår till af Klintén, det är väl det vi letar efter i första hand", konstaterade Rune Jansson när han samtidigt röjde undan sitt skrivbord för att de skulle kunna värdera handlingarna och göra en vettig uppdelning på två man.

När de bläddrade såg de att militären måste ha varit inne på rätt spår, här fanns ju material om både den ene och den andre som de själva hade kommit fram till på, måste man förmoda, helt andra vägar än militärerna.

Det betydde ju rimligtvis ett visst försprång. Inte för ögonblicket, men om ett par dygn så skulle de själva rimligtvis ta ledningen i loppet.

"Du kanske hade fel om den där Hamilton i alla fall", sa Kapten Bölja och upptäckte samtidigt en hög med förhör som gällde en viss högbåtsman Andersson som han fördelade till sig själv.

"Man vet aldrig", sa Rune Jansson. "Man vet aldrig vad dom där killarna har för sej. Deras respekt för lag och ordning tycks mej inte alltid direkt överdriven."

När fördelningen var klar tog Kapten Bölja sina pärmar under armen och gick nöjt neråt korridoren och sitt eget rum. Han såg på klockan. En möjlighet var naturligtvis att ta med sig skiten hem och läsa efter middagen. Bättre än att ta det där med att inte komma hem och så vidare ännu en gång.

Rune Jansson hade redan fattat samma beslut. Hans portfölj var proppfull och två pärmar bar han under armen när han släckte ner i sitt rum och meddelade avdelningssekreteraren att han gick hem för dagen.

Hon gav honom en lång frågande blick. Hon hade aldrig sett det hända förut, att han gick först av alla från jobbet.

* * *

Från Narvik fanns det bilväg direkt ut till Vestvågøy, ja alltså nästan direkt med bara två kortare bilfärjor, förtydligade Roar Hestenes när han hjälpte Carl med det tunga och kanske lite iögonfallande bagaget in i bakluckan på Volvon.

"Dykutrustning", förklarade Carl kort.

Och lika kort förklarade han den kommande operationen för sin som det kändes mycket avlägsne bekant Roar Hestenes; nästan en bekant från en annan tid, den tid då Carl själv åtminstone varit en helt annan.

För överraskningsmomentets skull skulle man ta dom sjövägen. Men Hestenes, således den norska säkerhetspolisen, skulle ändå på sätt och vis vara närvarande, eftersom samtalet med full hörbarhet skulle kunna följas från husbilen på andra sidan fjorden, eller om det var vik man skulle säga snarare än fjord.

Så mycket mer förklarade inte Carl. Hestenes tycktes acceptera det, och de bestämde sig för att verkligen genomföra den där hjortjakten hemma hos Hestenes på Vestlandet, redan i höst.

Carl ägnade sig åt det svindlande landskapet, ursäktade sig med att han alls inte var ointresserad av jakt och annat men att han aldrig varit här uppe förr. Man kunde knappt tro att det var Skandinavien, han skulle ha gissat på Antarktis, kanske det extrema Nordamerika men i vart fall inte grannen.

Medan Carl satt tillbakalutad och dold bakom sina mörka glasögon berättade Roar Hestenes om Lofoten, om sejfiske och till slut om hur han själv fått för sig, den där gången de sågs i Oslo, att det kunde ha varit ett riskabelt förslag att bjuda en sån som Carl på jakt. Eftersom, förklarade han som historiens poäng, han fått för sig att Carl inte kunde skjuta.

Carl rörde inte en min, det såg inte ut som om han hade hört.

Ja alltså, det hade ju visat sig ganska kort tid därefter att det inte var något problem med skjutningen, förtydligade sig Hestenes lite besviket över att inte få något som helst kollegialt skratt tillbaks.

"Nej", sa Carl, "det dröjde flera år innan du fick veta vem jag var. Men nu vet du alltså."

Det fanns någonting i tonfallet som avslutade allt samtal.

Några timmar senare började Hestenes inse vad det var när tidpunkten för attacken, för nu tänkte han på det här planerade förhöret som *attack* och inte förhör, närmade sig.

Joar och Åke, som han under alla vedermödor i förra veckan på väg upp genom Norge hade lärt känna som öppna och lättsamma personer, tycktes förvandlas så fort deras chef, för det var han ju uppenbarligen, infann sig.

Ansiktena förändrades förresten på alla tre. Roar Hestenes betraktade fascinerat hur de förberedde sig. De sa inte så mycket, nästan ingenting alls, när de kontrollerade sin utrustning minutiöst noga, dubbelkontrollerade den på sig själva och varandra. De använde till en början insprängda engelska uttryck som sakta övergick till fullständig engelska som ändå blev otydbar eftersom den stöttes eller grymtades fram och mest tycktes bestå av militära termer eller förkortningar.

När allt var klart och objekten, som de två misstänkta plötsligt kallades, var på väg ut till sin nattliga supstund utom hörhåll för fruar och andra obehöriga, pekade Carl ut bandspelarna, repeterade hur man bytte band genom att slå på den alternativa bandspelaren innan man bytte och allt det andra som han redan tidigare gått igenom med Hestenes.

När Hestenes såg de tre gestalterna tungt gå ner mot vattnet i sina svarta gummidräkter kom han på att titta efter utrustning av farligt slag. Det syntes inget sånt, men två av dem, han kunde inte längre hålla reda på vem som var Lundwall och vem som var Hamilton — Stålhandske var ju omöjligt att ta fel på — bar svarta plastsäckar i händerna. Fanns det något skumt så var det väl i de där säckarna.

Men det var knappast läge, tyckte Hestenes, att försöka spela norsk myndighet nu längre. Redan ansiktsuttrycken som han studerat den senaste timmen sa honom att hans eget "befäl" inte kunde vara någonting annat än en chimär. Det var ingen byråkratisk myndighet som vandrade ut mot vattnet. Det var faktiskt tre mördare.

Carl beordrade kort att Joar skulle ta ledningen och hålla orienteringen. Tidvattnet hade vänt och var på väg ut, strömmen borde alltså vara ganska kraftig så man fick göra en kort uppstigning för observation på ungefär halva sträckan för att kunna korrigera.

Sen sköljde han sig med det kalla salta vattnet i ansiktet innan han fäste sin helmask och blinkade åt Joar.

"We are off, Swordfish, take the lead", sa han utan att märkbart öppna munnen.

Sen dök de ner mot åttametersnivån där de skulle kunna gå på syrgas utan nitroxblandning för att slippa matematiken om kompressionstider. De skulle landstiga i fullt stridsdugligt skick.

De två mördarna hade snabbt kommit in i samma hjulspår som förut. Haugen talade rentav om att ange sig själv och hans kamrat försökte manövrera mellan vädjanden och hotfullhet och till och med argument som familj och förstörd semester.

När de tre dykarna steg upp ur vattnet uppfattade de båda männen ingen fara, bland annat eftersom de tre tog det så lugnt och tycktes intressera sig för något med sin utrustning. De krängde av sig sina luftaggregat eller vad det var som lustigt nog hängde där framme i stället för där bak som på andra turister som brukade förpesta tillvaron här uppe, och en av dem tog av sin mask och gick leende upp mot de två groggande norrmännen. De satt lugnt kvar i väntan på att få förklara var närmaste hjälp kunde finnas eller något annat i den stilen.

"Goddag", sa Carl när han leende steg in genom den breda öppningen och samtidigt krängde av sig den svarta gummihuvan så att hela hans ansikte blev synligt.

"Mitt namn är kommendörkapten Hamilton från den svenska

militära underrättelsetjänsten."

Hans leende var utplånat. Han sa inget mer utan nöjde sig med att betrakta dem och se deras ansikten förändras från irriterad nyfikenhet till plötslig skräckfylld visshet. Ja, de kände igen honom.

Dörröppningen bakom honom fylldes plötsligt av de två andra, som inte drog av sig huvorna.

Först nu upptäckte de två norrmännen att den man som utan minsta tvivel var Carl Gustaf Gilbert Hamilton hade en svart pistol i handen.

"Fimpa mikrofonerna", beordrade Carl och en jättelik man bakom honom steg in i rummet och plockade bort först en mikrofon under takbjälken, innan han efter tecken vände sig mot nästa mikrofon.

"Sorry Roar, men det är bäst för alla parter om du inte hör det här", sa Carl och därefter fick han två mikrofoner i handen som han nu höll upp för sina fångar och demonstrativt stängde av.

"Ni har fört en mycket allmänbildande och intressant konversation här i stugan dom senaste dygnen", förklarade Carl och höll menande upp de två mikrofonerna framför fångarna medan jätten återvände till sin bevakningsposition vid den enda flyktvägen.

Ingen av de två vid bordet hade sagt ett ljud ännu och den som var Haugen hade inte ens släppt sitt whiskyglas.

Carl drog medvetet ut på den hotfulla tystnaden innan han drog nästa drag.

"Det jag först vill upplysa herrarna om är att vi inte bara är dykare. Vi är militärer och bryr oss inte så mycket om vad polisen tycker att man ska göra med norrmän som mördar gamla svenska officerare. En möjlighet som alltså står till buds är att ta er med när vi dyker nästa gång, ner under tiometersnivån. Och sen gör tidvattnet resten. En annan möjlighet är att ni svarar på en del frågor."

"Vi behöver inte besvara frågor från svensk militär, bara från norsk eller svensk polis", sa den man som de ännu inte kände namnet på. Det var den första norska som över huvud taget hade yttrats i rummet.

"Nej", sa Carl, "det är förstås sant. Men det bryr vi oss inte om. Vi är som jag påpekade underrättelseofficerare och vi har utomordentliga befogenheter. Vi kommer att få er att svara på våra frågor på ett eller annat sätt, och en del av dom där sätten tror jag inte ens ni kan föreställa er. Jo, en av er kanske, den som sköt ett gammalt nazistsvin genom knäskålarna och så vidare. Det är bara det att vi har bättre metoder."

Carl lät skräcken verka en stund och sen knäppte han med fingrarna och Joar steg blixtsnabbt fram med sin svarta plastsäck och sorterade upp en del instrument, bland annat två injektionssprutor som Carl med utstuderad långsamhet tog emot och la ner på det rangliga träbordet bredvid en halvdrucken whiskyflaska.

"Det är förståndigt av er att inte försöka fly eller ta till våldsamheter", vidtog han med markerad långsamhet. "Eftersom vi på ett helt annat sätt än 80-åriga gubbar är rustade för att möta våld. I alla fall så är en del av våra metoder mycket smärtsamma. Hur ska vi ha det?"

Carl bedömde att teatern redan hade verkat och gick därför rakt mot målet.

"Vi vet hur, var och när ni mördade von Otter och af Klintén. Men vi har bara en ungefärlig aning om varför. Det är detta varför ni ska svara på. Är det uppfattat?"

En av männen, den som var identifierad som Haugen, såg plötsligt oändligt lättad ut.

"Ja", sa han med en röst som skar sig i början, "ja vell, ni ska få veta allt ni vill och jag är också fullt beredd att ta konsekvenserna efteråt. Jag kan ta mitt straff, jag har redan tänkt på det där med att gå till polisen själv."

Han fick ett ilsket ögonkast från den okände intill, som emellertid mycket tydligt bestämde sig för att låta protesterna stanna vid ogillande blickar. Den svarta pistolen som Carl Hamilton höll i handen var argument mer än nog. Sannolikt, tänkte han, skulle det kanske även utan pistol ha varit samma läge. Mitt framför honom, tydligt som i en mardröm, stod alltså en sån där som hade rätt att döda. Vilket han ju inte gjorde någon särskild hemlighet av.

"Nå", sa Carl till Haugen, "sätt igång."

"Ja, som ni väl vet heter jag numera Jon August Haugen. Men jag är född Skauen fast mor min ändrade på namnet efter kriget. August Jon Skauen var alltså min far och jag vet inte om ni har klart för er vad von Otter och af Klintén..."

"Jo vi vet", klippte Carl av för att maskera sin överraskning. "Och du där är alltså Pettersen?"

381

"Helt riktigt. Min far var alltså Barly Pettersen."

Carl behövde lite tid för att tänka igenom konsekvenserna av det som nu uppenbarat sig som en blixt från klar himmel. Han låtsades tankfullt stoppa ner det som kunde ha varit tortyrinstrument, tog fram ett par handbojor och knäppte med fingrarna för att få fram varsin hand från de två männen. Så kedjade han ihop dem, drog fram en stol och tog fram en minibandspelare som han ställde mitt på bordet. Det kändes som om det skulle bli en lång historia.

"Jag tänker ta bort dom där handfängslen sen, det är bara en säkerhetsåtgärd", förklarade han nästan ursäktande när han slog på bandspelaren.

* * *

Det fanns bara en sak i hela historien som fick Iver Mathiesen att le något, och det var hur Roar Hestenes bokstavligt talat blivit bortkopplad från händelseförloppet. Han måtte ha sagt både det ena och det andra svavelosande där på andra sidan fjorden.

Men strängt taget var det hyggligt av Hamilton att lösa vissa problem på det sättet. Antydningsvis framgick det ju att förhöret inte hade hållits strikt reglementsenligt. Hestenes slapp på det här enkla sättet att bli ansvarig och följaktligen behövde varken han själv eller Mathiesen nu bry sig med frågan om vad man skulle eller inte skulle se genom fingrarna med. Och Haugen och Pettersen hade säkert ingen anledning att anlägga några formella synpunkter. De hade ju större problem än så.

Liksom Mathiesen hade större problem än detta som han slapp känna till. Familjerna Skauen och Pettersen var legendariska där uppe i norr. Två bröder Skauen ingick i den engelska organisation som spårade Tirpiz 1943 och som gjorde det möjligt att sänka henne.

En av bröderna dömdes några år efter kriget som rysk spion, eftersom den motståndsrörelse han hade ingått i, som opererade i Kirkenes-området, hade organiserats av ryssarna. Vilket var gott och väl så länge ryssarna var allierade. Vilket kunde förvandlas till spioneri direkt efter kriget. Det var möjligen den "landsförrädarhistorien" som gjorde att Jon August Skauens mor bytte namn till Haugen, eller om hon helt enkelt återtog sitt flicknamn.

Och nu skulle man alltså sända en religiös grubblande fanjunkare Haugen, vars far halshuggits på grund av sin kamp mot tyskarna och vars farbror dömts till fängelse på grund av sin delaktighet i motståndskampen, i fängelse på sådär 18 år. För att han mördat en svensk nazistisk angivare.

Det var inget angenämt polisperspektiv.

Och Hamiltons förslag föreföll trots sina sympatiska inslag alldeles omöjliga.

Carl hade ansett sig ha två ärenden hos Mathiesen. Det ena var förstås att som överenskommet leverera en sorts slutrapport, bevismaterial i form av band och annat och att formellt avveckla operationen. Vilket inte saknade vissa komiska sidoproblem, exempelvis hur viss materiel skulle smugglas tillbaks till Sverige, där ingen hygglig väntande säkerhetspolis kunde tänkas bestå samma tjänster som norrmännen om man smugglade i motsatt riktning. Nå, det fick ske via norska overkommandot, till NATO i England och därifrån till försvaret i Sverige.

Men Hamiltons andra ärende var kinkigt.

Carl hade precis som Joar och Åke blivit djupt tagen av de två mördarnas historia. De två hade vuxit upp i legenderna från de fyra år som tycktes prägla norsk historia mer än någonting annat, 1941—45. På den tiden hade de varit barn, och när de blev unga män var kriget redan avlägset och de kunde bara säga sig vara av någon sorts fin familj, på rätt sida under kriget. Något som ju inte saknade betydelse i ett land där 80 000 människor dömts som kollaboratörer och landsförrädare efter det tyska sammanbrottet.

Man behövde inte vara psykolog för att förstå hur dessa två började utveckla en fix idé om att hämnas sina fäders död. På något sätt hade de norska släktingarna, redan när Skauen och Pettersen togs i Sverige, för att sändas till tyskarna och giljotinen, förstått att det fanns en svensk skuld.

De hade talat om saken ständigt som pojkar när de bodde i närheten av varandra där uppe och på senare år alltid på somrarna när de träffades eftersom Haugen åkte hemåt på sina semestrar. Och sen hade det ena gett det andra.

Eftersom Pettersen, pinsamt nog, arbetat tio år vid hamnpolisen i Svolvaer hade han ganska goda begrepp om hur man kunde leta i gamla arkiv och domstolshandlingar och liknande, och när han av en tillfällighet för några år sen såg en tidningsnotis om hur svenskt material från kriget nu till stora delar befriades från hemligstämpel hade idén fötts och sen lett raka vägen mot tragedin.

Jon August Haugen hade till en början trott att det inte skulle bli verklighet. Men sen kände han sig tvingad att utföra sin del, när Pettersen redan eliminerat den ena av de två nu levande angivarna, deras fäders egentliga mördare.

Han hade berättat hur han hoppades åka fast, hur han inte förberedde sig ett dugg, hur han lät sin automatkarbin ligga nästan öppet i baksätet när han bilade över gränsen, i sin egen bil till och med, men hur tullen bara vinkat förbi honom; han hade sett det som ett Guds tecken. Han var ju mycket religiös som halva hans nordnorska släkt.

Han hade stannat, tagit fram geväret och plockat in en turkisk patron som han skaffat sig någon gång under en FN-tjänstgöring i Mellanöstern, sen bara skjutit ett skott och fortfarande hoppats åka fast när han satte sig i bilen och åkte raka vägen mot Karlstad och norska gränsen. Men ingen hade brytt sig om att titta i hans bil den här gången heller.

Följaktligen hade han också betraktat det som Guds verk att tre svartklädda hämnare plötsligt steg upp ur havet framför honom.

Det var en sorglig och på flera sätt rörande historia tyckte Carl och framför allt kapten Stålhandske. Och det hade blivit en del långa diskussioner dem emellan, det var tydligt.

Carl hade i alla fall formulerat ett förslag som han nu la fram för Mathiesen.

Sammanfattade man så var läget följande för den svenska underrättelsetjänstens vidkommande.

Morden var tekniskt sett uppklarade. Det fanns inget som helst hot mot svensk militär säkerhet längre. Och det fanns ingen anledning att bry sig om ett eventuellt juridiskt efterspel. Det skulle bara leda till elände för svenska efterlevande, det var ju inte svårt att föreställa sig vad som skulle spelas upp under en eventuell rättegång.

De svenska militära rapporterna skulle hållas hemliga inom underrättelsetjänsten och inte vidarebefordras till svensk polis.

"Så jag skulle föreslå att du bara arkiverade det här och sen glömde bort det", sa Carl i slutet på sin tankfulla summering. "Vi har inget som helst intresse av att gå vidare med saken, Haugen-Skauen och Pettersen har inga ytterligare personer att ge sig på. Och dom har väl inget intresse av att ge historien offentlighet. Haugen tror ju rentav att han genom mej har fått någon sorts Guds absolution."

"Jo, det må så vara", bet Mathiesen av, "men nu ber du faktiskt mej spela Gud. Det är ju orimligt. Jag är faktiskt polis och mord är synnerligen förbjudet. Även om det bara gäller svenskar och dessutom nazistiska svenskar som i sin tur begått brott så är det förbjudet att mörda dom."

"Men en av mördarna är synnerligen hedervärd."

"Jo, det kan tyckas. Men då får han väl framhålla det inför domstol. Jag kan helt enkelt inte bara glömma bort två mördare. Även om jag skulle vilja."

"Vill du det?"

"Jo, det skulle man för resonemangets skull kunna säga."

Carl reste sig, inte för att gå utan för att han ville röra lite på sig i rummet medan han tänkte. Han stod en stund vid fönstret och såg ut över det skarpa ljuset och de blixtrande vattenreflexerna i Oslofjorden. Iver Mathiesen väntade med yttre lugn men med sitt inre i uppror. Han var berörd, djupt berörd som nästan alla norrmän skulle bli.

"Skulle du behöva en påtryckning någonstans ifrån för att rädda vår hedervärde mördare?" frågade Carl till slut, vände sig om och lutade sig bakåt med händerna mot fönsterbrädan.

"Vell, det skulle underlätta. Men jag förstår inte hur vi skulle kunna ordna det. Jag kan ju inte gärna hjälpa dej med den saken", svarade Mathiesen med varje spår av sin vanliga glättighet fullkomligt utplånat.

"Från vem?" frågade Carl uttryckslöst.

"Justitieministern, nej förresten hon är bara en fasad, från hennes departementssekreterare. Tar politikerna och regeringen ansvaret så slinker jag själv av kroken kan man säga. Men jag kan omöjligt göra det här på eget bevåg. Det går bara inte, en polis som förlåter mord, tänk dej själv!"

"Kan du ringa upp den där departementssekreteraren åt mej?"

Carl kom till en sekreterare som först trodde att det var något opassande skämt när han sa sitt namn och berättade att han ville tala med departementssekreteraren i ett ytterst känsligt säkerhetsärende som berörde såväl Norge som Sverige.

Men han lyckades snart övertyga om sakens allvar, bland annat genom att be departementssekreteraren ringa tillbaks till honom, på overvåkingspolitiet, närmare bestämt hos den operative chefen där han nu befann sig.

Två timmar senare, nyrakad och mycket välklädd i mörk kostym och slips, befann sig originalet till Carl Gustaf Gilbert Hamilton i Oslos höga och fula regeringsbyggnad.

12

Åke Stålhandske kände sig nästan oförklarligt dyster när han kom in på sitt och Joar Lundwalls gamla tillfälliga arbetsrum uppe på OP 5 för att städa.

Det visade sig dessutom att det mesta av deras material var försvunnet, och han blev inte på bättre humör av att fråga Sams sekreterare och då få veta att allting gått till Norrköpingspolisen. Utom det där tyska som major Klasson satt och slet med.

Åke Stålhandske vandrade bort i korridoren för att befria den gamle tysktalande kollegan från det onödiga arbetet. Han var dessutom vikarie av något slag och svår att hitta där borta eftersom han inte hade eget rum.

”Nej men hej, så trevligt med lite besök”, sa den gamle pensionären och sken upp när Åke Stålhandske kom in i rummet. ”Det gäller det där tyska förstås?”

”Jo”, muttrade Åke Stålhandske surmulet, ”men jag är inte säker på att det är aktuellt numera.”

”Jaså, det var ju synd, men jag löste i alla fall det där problemet med *otjänligt försök,* du vet. Det ska ligga en översättning här nånstans.”

”Jaså”, sa Åke Stålhandske utan spår av entusiasm, ”vad är det då? Något som är dömt att misslyckas?”

”Ja det kan man säga”, sa majoren medan han letade efter sina glasögon tills Åke Stålhandske diskret påpekade att han hade dem uppskjutna i pannan, ”det kan man alltså säga. Det betyder i vårt

387

fall att det inte går att spionera på, vad hette han nu, kapten von Otter. Man kan därigenom inte skada tyska intressen på något sätt hur mycket man än försöker, så att säga. Eftersom han ju till skillnad från de andra inte var tysk agent eller något sånt."

"Vad saatan är det du säger?" sa Åke Stålhandske som nu blixtsnabbt ändrade attityd. "Vad saatan är det du säger, var inte den där von Otter tysk angivare eller så?"

"Nä", sa den gamle kollegan förvånad över den unge jättens oväntade reaktion. "Visste ni inte det? Det står ju allt här i den där särskilda promemorian som domen hänvisade till. Översatt och klar. Skulle jag inte ha ordnat det?"

Åke Stålhandske ryckte till sig den tre sidor långa översättningen och ställde sig med armbågarna över bordet och läste så snabbt han över huvud taget förmådde.

På försvarsadvokaternas anmodan hade Folkdomstolen inhämtat uppgifter beträffande de svenskar som förekom i handlingarna. Chefen för tysk militär underrättelsetjänst i Göteborg, en herr Rothe, hade då uppgivit att såväl polismannen Jubelius som överfuriren Andersson hade verkat som informatörer, tillsammans och ibland oberoende av varandra. Vad som framgått beträffande en av deras påstådda källor, en viss kapten von Otter vid svenska marinstaben i Göteborg, var att de båda hade en tendens att förgylla kvaliteten på sina uppgifter genom att hänvisa till en bättre källa än det hamnskvaller som ibland kunde vara den korrekta källan.

De själva hade svävat i den föreställningen att Andersson skulle rapportera till Jubelius som i sin tur skulle stå för den tyska kontakten. Men då Andersson ständigt var i behov av pengar hade han börjat rapportera både till tysk representation och sen till Jubelius.

Det hade förvisso inneburit att tysk underrättelsetjänst fick betala vissa småutgifter dubbelt. Men samtidigt fick man ju ett korrektiv. Uppgifter som Jubelius ibland la i denne kapten von Otters mun hade i själva verket kommit från högbåtsman Andersson. Och ibland förhöll det sig tvärtom.

Då det dessutom stod fullt klart att Tyskland inte hade någon egen kontakt med denna kapten von Otter, var det höjt över allt tvivel att von Otter bara var en påhittad källa. Nämnde von Otter hade alltså dessvärre aldrig verkat för Tysklands sak.

Vad sen denne Andersson beträffade hade han uppenbarligen försett de norska spionerna Pettersen och Skauen med uppgifter om tysk verksamhet i Göteborg. Mot betalning. Därefter hade han likaledes mot betalning sålt norrmännen såväl till Jubelius som till tysk representation direkt. Varför tillförlitligheten hos denne man givetvis måste betraktas som mycket låg. Vilket han möjligen själv hade haft en känsla av. Därför var det, enligt tysk underrättelsetjänsts uppfattning, lätt att förstå hur han kunde ha känt ett behov av att låna von Otters namn, en anständig officer således, för att på något sätt göra sina egna uppgifter mer värdefulla, inte minst pekuniärt värdefulla.

Åke Stålhandske kände sig alldeles matt när han reste sig upp från sin obekväma läsställning.

"*They did the wrong guy*", viskade han för sig själv.

"Vasa?" sa den gamle pensionären och sköt upp sina läsglasögon i pannan på nytt.

"Jo jag sa just det att det här var oerhört viktig information", svarade Åke Stålhandske samlat. "Jag tror nog att kommendör Ulfsson kommer att bedöma det här som vårt viktigaste fynd hittills."

Han tackade uppriktigt och hjärtligt och berömmande för hjälpen, och på väg bort i korridoren mot Samuel Ulfsson fick han en idé. Han borde kanske kolla en sista sak, någonting han kommit att tänka på där uppe i Norge, en sista möjlighet — som han trodde då. Nu kunde det kanske bli ytterligare något. Han gick förbi Samuel Ulfssons rum och tog trapporna i stället för hissen eftersom han tyckte att han för första gången hade bråttom bort till luntorna på Krigsarkivet.

* * *

Klockan var 11 på förmiddagen och det var tisdag, alltså en timme kvar. Norges utrikesminister kände sig fylld av obehag. Han stod vid det enda fönster som hade utsikt ner mot Drammensveien och betraktade statyn nedanför utrikesdepartementets entré: Haakon VII, Norges Konge 1905—1957.

Statyn är sex eller sju meter hög, vilket understryker den gamla kungens långsmala reslighet. Han är, naturligtvis, i uniform, generalsmössa, höger hand tryckt mot hjärtat, symbolen för Norges motstånd under kriget.

Det skulle inte bli lätt.

Utrikesministern suckade och tog sig en långsam promenad i rummet medan han tänkte på hur han skulle lägga fram saken om mindre än en timme.

Sen Haakons dagar träffade alltid utriktesministern kungen var tisdag klockan 12 för en utrikespolitisk orientering. Det var en tradition sen andra världskriget som den nuvarande kungen med självklar beslutsamhet bevarat.

Rummet var långsmalt och det fanns ett hyggligt promenadvarv runt det slitna sammanträdesbordet i ljus teak med de tolv stolarna, för den som tyckte om att tänka och promenera samtidigt. Sådan var utrikesministern, och idag måste han tänka ovanligt mycket på hur presentationen skulle ske.

På fredag skulle beslutet spikas i statsrådssammanträdet och sen skulle allt bli offentligt. Det skulle naturligtvis bli en ohygglig historia. Han själv och justitieministern hade varit emot. Försvarsministern och statsministern hade varit för en rättegång.

Det var dessa fyra som utgjorde regeringens sikkerhetsutvalg och än så länge var det bara där saken diskuterats. Som utrikesminister hade han försökt trycka på vilka obehagliga konsekvenser en sån här andra världskrigsrättegång skulle få för förbindelserna mellan Sverige och Norge. Allt skulle dras upp igen och vem var egentligen, numera, betjänt av det?

Man kunde tycka vad man ville om svenskarna och Sveriges hållning under kriget. Men det borde vara passerat och begravt nu.

Justitieministern hade dessutom påpekat en juridisk detalj som också den skulle få en direkt politisk betydelse.

Rättegången mot Haugen och Pettersen kunde hållas i Norge, inför en norsk domstol som sannolikt skulle bli Lagmansretten i Oslo, det vill säga en rättegång med jury.

En norsk jury med goda norska män och kvinnor som under dagar fick sitta och lyssna på exempelvis høyesterettsadvokaterna Hestenes och Nordhus; en sån fest för norska advokater, motståndet, andra världskriget, norska martyrer, hjältar hit och dit, det svenska sveket, den svenska kollaborationen med nazismen, dag ut och dag in.

En norsk jury skulle då sannolikt frikänna de två mördarna och åt det kunde domarna sen inte göra någonting utom att låta dem gå.

Den svenska uppfattningen om norsk rättvisa skulle inte bli särskilt positiv av detta. I Norge höll man sig fortfarande med äkta nordisk blodshämnd, i Norge ligge svensk ogill. Ett delikat politiskt problem.

Å andra sidan kunde man lika gärna hålla rättegången i Sverige, där brotten begåtts. Då kunde Nordhus och Hestenes tala sig blåa om svensk ynkedom under andra världskriget. Domen skulle bli livstids fängelse ändå.

Och vem skulle nu avgöra var rättegången skulle hållas? Ja, bland annat utrikesdepartementen i Stockholm och Oslo.

Det var *där* domen skulle fällas, med andra ord, och inte i domstolen. Hur man än vände sig var det alltså en politisk fråga om de två skulle dömas eller inte dömas.

Utrikesministern såg tankfullt på sin stora världskarta som om han kunde hitta ord eller ståtliga formuleringar där för att lägga fram för kungen. Sen lät han blicken glida till det stora porträttet på Fridtjof Nansen, nationell hjälte i nationell pose. Han ryste av obehag vid tanken på att herrar Pettersen och Haugen, två simpla pensionärsmördare, skulle kunna hamna i samma sällskap som Nansen. Han tog ett varv till och sjönk sen ner bakom sitt överbelamrade skrivbord och såg hjälplöst mot dörren åtta meter bort. Jo, han skulle ut genom den dörren och upp till slottet snart.

Statsministerns enda argument var egentligen att alldeles för många personer redan kände till saken. Det fanns stor risk att den skulle läcka ut, således. Och läckte den ut skulle det sen heta att regeringen la sig i de rättsvårdande myndigheternas verksamhet, undertryckte rättvisan och allt det där som oppositionen inte skulle tveka att utnyttja, oavsett om de själva i regeringsställning skulle ha kunnat komma till samma beslut.

Försvarsministern hade haft en mer råbarkat enkel ståndpunkt, att mord på pensionärer inte kunde tolereras och att svenska officerare som offer var detsamma som om offren varit norska officerare. Och nordisk hämnd hit eller dit så var det ändå tusen år sen sådant förekom och tolererades. Men försvarsministern hade aldrig utmärkt sig som något ljushuvud.

Och allt hade till slut hamnat i läget två mot två hemma i statsministerns villakök där sikkerhetsutvalget faktiskt höll sitt avgörande sammanträde.

Statsministern hade således utslagsröst.

Han var dyster och fylld av onda aningar när han satte sig i den framkörda bilen för att fara två tre minuter upp till slottet. Han hade lika gärna kunnat promenera för att få några djupa andetag frisk luft. Kungen brukade inte lägga sig i utrikespolitiken, men det här berörde inte vilken utrikespolitik som helst. Det här var andra världskriget, alltså kungens egen arena.

Kung Olav V hade bibehållit sin fars arbetsrum med engelska chippendalemöbler, ett skrivbord med grönt läder i bordsskivan, grönt läder och gröna tapeter dominerade rummet och en enkel stol som var engelskt 1700-tal stod bakom skrivbordet, allt var över huvud taget engelskt. Det var så tydligt, det gjorde att man direkt förflyttades till tiden då landets regering verkade från London, allt detta som gjorde kung Olav till den sista riktiga kungen i Skandinavien, symbolen för nationen och motståndet under kriget.

På bokskåpet i brun mahogny stod en klocka som slog samma signal som Big Ben vid varje timme, och när utrikesministern nu steg in och klockan slog 12 kändes det alldeles självklart som sus av historiens vingslag.

Kungen såg trött och sömnig ut men hälsade vänligt avmätt som han brukade och sa någonting om att det utrikespolitiska läget inte föreföll beröra annat än Östeuropa. Eller något i den stilen. Utrikesministern hörde inte så noga eftersom han redan tog sats för sin inledning.

"Ers Majestät", började han och måste genast harkla sig och ta sats på nytt, "Ers Majestät, jag har ett ärende av mycket ovanligt slag som än så länge bara har diskuterats inom sikkerhetsutvalget, och jag är rädd att Ers Majestät kan komma att känna sig personligt berörd av det jag nu har att säga."

All trötthet var som bortblåst i den gamle mannens ansikte.

"Det har nämligen i högsta grad att göra med andra världskriget. Och våra relationer till Sverige vad beträffar svensk hållning under denna period", fortsatte utrikesministern ansträngt.

Kungen bara nickade att han skulle fortsätta.

Han redogjorde först för vad som faktiskt hade hänt. Därefter berättade han hur svensk militär hade luskat ut historien och inofficiellt till norska justitiedepartementet framställt önskemål om hur saken med fördel kunde tystas ned. Därefter övergick han till att berätta vilka överväganden som ägt rum under sikkerhetsutvalgets diskussioner.

När han var klar satt kungen alldeles stilla och såg ut genom fönstret som om han befann sig i minnen. Till slut vände han sig sakta om mot sin utrikesminister. Det var den känsla utrikesministern nu fick när Hans Majestät betraktade honom, att han för första gången verkligen var undersåte.

"Det var må jag säga en mycket intressant historia med många problem inom sig", sa kungen.

"Ja Ers Majestät, det måste man erkänna", svarade utrikesministern försiktigt.

"Så om jag förstår er rätt så menar ni att Norges regering absolut inte kan falla undan för påtryckningar från Sverige. Vad var det förresten för svenska militärer som hittade dessa norrmän?"

"Ja Ers Majestät, det var vår uppfattning, jag menar att det skulle bli en mycket obehaglig politisk situation om det här med påtryckningar och så vidare läckte ut. Risken för det bedömer vi inte som obetydlig. Ja vell, den svenska militära gruppen stod under befäl av en svensk kommendörkapten som heter Carl Hamilton. Han är ju inte helt obekant om Ers Majestät..."

"Carl Gustaf Gilbert Hamilton?"

"Ja Ers Majestät."

"Vi har alltså haft storfrämmande i Norge?"

"Det kan man säga, Ers Majestät."

"Han med hederslegionen och allt det där som det stått så mycket i tidningarna om?"

"Högst densamme, Ers Majestät."

"Det var ju mycket intressant."

"Ja, men om Ers Majestät tillåter så kvarstår problemet att vi inte gärna kan ta på oss en diskusion om att vi faller undan för påtryckningar från en aldrig så berömd svensk militär."

"Är det han själv som har framfört dom här svenska önskemålen?"

"Ja Ers Majestät. Men..."

"Nå, bortsett från det så är det min personliga mening att det vore mycket olyckligt om vi drog upp allt det här i en rättegång."

"Ja Ers Majestät, vi har ju redan berört den aspekten och..."

"Men ni säger att ni inte kan falla undan för påtryckningar, det vill säga påtryckningar från svenskt håll."

"Ja, det är riktigt."

"Men om påtryckningarna kommer från kungen?"

Utrikesministern kom sig inte för att svara, han var alldeles för häpen. Det hade aldrig hänt att kungen ifrågasatte regeringens beslut så här öppet. Formellt var det inte heller möjligt. Men om det gällde andra världskriget av allting...

"Jag tror nog", sa den gamle mannen med skuggan av ett leende, "att det norska folket skulle ha mycket stor förståelse för om ni i en sån här fråga hade fallit undan för påtryckningar från kungen. Om ni vill kan ni få mina önskemål skriftligen, att publicera efter min död eller värja er med om ni hamnar i... i såna där små politiska trångmål."

"Ers Majestät, jag vet uppriktigt sagt inte hur jag ska förhålla mej till det här", sa utrikesministern tveksamt men sen försvann orden för honom.

Kung Olav sa inget mer på en bra stund eftersom han tog fram ett papper, skruvade av huven på sin reservoarpenna och skrev nästan en hel sida för hand, mycket långsamt och mycket prydligt. Sen undertecknade han *Olav av Norge,* letade en stund på sitt skrivbord efter en gammaldags läskpappersgunga och torkade noga bläcket. Sen reste han sig tungt, varför utrikesministern också måste resa sig, och lämnade över sitt pappersark som han först vikt ihop på mitten.

"Det är min mycket starka förhoppning att sikkerhetsutvalget tar mina önskemål på samma allvar som ni, min utrikesminister", sa kungen leende när han med en gest visade att audiensen var slut.

Det hade tagit en timme exakt. Klockan slog just Big Ben-signalen när utrikesministern omtumlad gick ut från kungens arbetsrum.

* * *

Hon vägde 3426 gram. Det hade tagit åtta timmar och Carl hade aldrig känt sig så maktlös som inför Eva-Britts smärtor och gråt.

Han hade fått sköta lustgasen, han hade försökt pressa kallt och vått tyg mot hennes panna, han hade hållit hennes händer, men ingenting hade ju hjälpt eller lindrat som det föreföll honom. Han fylldes av skräck och skam av känslan att det var han själv som på något sätt tillfogade henne all denna smärta, och det var fullkomligt obegripligt när allt var över och hon fick deras barn intill sig och han själv för första gången brast i gråt och sjönk ner på knä intill henne. Och personalen på Sophiahemmet log som om allt var dem fullkomligt normalt och bekant, vilket det kanske var även om det kändes som en omöjlig tanke. Det var ett mirakel som bara hände Eva-Britt och honom själv och henne, den lilla. De var alltså tre personer nu.

Hon var röd i ansiktet och skrek, han trodde att barnskrik skulle låta högt och gällt men så var det inte. När han försiktigt sträckte fram sitt lillfinger mot en av de obegripligt små händerna högg hon blixtsnabbt tag och höll honom hårt fast som om han aldrig skulle kunna ta sig loss. Det svindlade när han såg sin egen hand, som det föreföll honom hans onda hand med tjocka valkar längs handkanten efter all den ondska han ständigt tränade, och denna fullkomligt nya och oskyldiga goda hand som var så liten att den bara täckte hans halva lillfinger och ändå höll honom oemotståndligt fast.

"Där ser du", sa Eva-Britt med tårarna strömmande nerför ansiktet där smärtan som genom ett under, vilket det ju var, förvandlats till lycka, "där ser du att det blev en tjej i alla fall."

Han lutade sig fram och kysste dem båda, den lilla mycket mycket försiktigt. Han hade aldrig sett någon så lycklig människa som Eva-Britt just i det här ögonblicket, insåg han.

Han satt inne hos Eva-Britt i hennes rum bakom fördragna gardiner tills hon somnade och då gick han fram och såg på henne. Hon sov på rygg med halvöppen mun och med leendet kvar i ansiktet. Han smekte henne försiktigt över håret där svetten torkat in och smög sig tyst ut. Det skarpa ljuset träffade honom som ett slag i ansiktet.

Det skulle snart bli midsommar, den tid på året då de hade träffats. Han skulle bli en av världens första pappalediga underrättelseofficerare och de skulle segla i skärgården, precis som han hade lovat henne.

Det var overkligt att gå Valhallavägen fram förbi bilkön från Lidingö och se hur livet pågick som om ingenting särskilt hade hänt, och han drömde sig eller svävade fram mot det stora tegelkomplexet på Lidingövägen, nästan som om han var omedveten om att han rörde sig.

Inne hos Samuel Ulfsson väntade en överraskning. Underrättelsetjänsten hade nämligen skaffat sig underrättelser från Sophiahemmet och Sam, Joar och Åke väntade med champagne och stora cigarrer som de först skänkte honom så att han kunde dela ut till dem, som nybliven far skulle göra. Han hostade och det sved i ögonen när han försökte röka och skratta samtidigt, och han kände en obetvinglig lust att för evigt stanna kvar i just det här sinnestillståndet. För första gången på mycket länge kände han någonting som liknade stolthet över sig själv, som om han äntligen uträttat något av betydelse.

Efter en stunds glad underhållning där Carl fått redogöra för *Operation En Till,* som de skrattande kallade händelsen, tog Samuel Ulfsson fram ett brev som han bad Carl läsa. Sam ursäktade sig med att det ju bara gällde jobbet, men att det ändå kunde vara på sin plats att visa att det fanns mer än ett skäl att dricka champagne.

Carl torkade skratt och tårar ur ansiktet och läste under stigande häpnad.

VÄSTKUSTENS MARINDISTRIKT
CHEFEN

Till   Dnr 211:6/1945
Statskriminalpolisen i Göteborg

Med hänvisning till samtal nyssförliden vecka vill jag meddela att kaptenen von Otter uppgivit att han kommit i kontakt med överkonstapel Jubelius i samband med utredningen om det spioneri löjtnant Renhammar och fänrik Sterner hösten 1940 gjort sig skyldiga till och sedermera dömts för, vilket ärende vid härvarande stab på Ch MKV uppdrag handlades av kaptenen.

Kapten von Otter har vidare uppgivit att överkonstapeln senare återkommit vid ett par tillfällen för att efterhöra om denne hyst misstankar om ytterligare spioneri eller dylik verksamhet, vilket kaptenen vid dessa tillfällen förnekat.

Kontakterna skedde alltid i form av överkonstapelns besök på kaptenens tjänsterum och frekvensen uppges till ca en gång i månaden under våren 1941, varefter besöken blev alltmer sällsynta för att på våren 1943 helt upphöra.

Kapten von Otter uppger att han fann besöken helt menings-
lösa, eftersom han själv ej sysslade med säkerhetsfrågor utan all-
tid hänvisade överkonstapeln till rätt handläggare, vilken dock
överkonstapeln endast besökte vid ett fåtal tillfällen.

Den utredning som på min föranstaltan företagits av marinpo-
lisen styrker i allo kapten von Otters uppgifter. Som kapten von
Otter är känd för en stark personlig integritet, är det närmast
ovärdigt att misstänka honom för otillbörligt samröre med främ-
mande makt.

I fråga om kapten von Otters politiska uppfattning, är denna
ej känd och han har aldrig försökt föra den på tal, varemot det är
känt att han efter hemkomsten från en kommendering till Polen
uttalade sympati för det polska folket och beklagat denna na-
tions öde.

Rörande de omständigheter som nu föranlett denna utred-
ning, är att märka att uppgifterna beträffande kapten von Otter
är givna i andra eller tredje hand och därtill blott emanerar från
en källa.

Som min bestämda uppfattning får jag därför anföra, att kap-
ten von Otter under sin tjänstgöringstid här på Nya Varvet i allo
varit en exemplarisk, ansvarskännande och lojal officer.

Icke förty har emellertid kapten von Otter tagit illa vid sig av
den integritetskränkande behandling, som han tyvärr måst un-
derkastas från militära och polisiära myndigheters sida, varför
han anhållit om att få förflyttning till annan tjänstgöringsplats,
ehuru hans förordnande här utgår först vid årsskiftet. Det har
därför med Marinstaben överenskommits att kaptenen vid in-
stundande månadsskifte avbryter sin tjänstgöring som divisions-
chef och kommenderas till tjänstgöring i Stockholm.

Nya Varvet den 3 september 1945
Adolf Cassel, tjf Ch MDV

"Ja det var ju positiva besked", sa Carl fundersamt, "men jag kan
inte se att det är helt avgörande. Var hittade ni det här?"

"På Krigsarkivet, han lämnade en liten personlig samling efter
sej, det var vanligt att man gjorde så förr. Det här var hans besked till
eftervärlden", sa Åke Stålhandske.

"Han ville ha ett fribrev liggande där i evärderliga tider om något obehagligt från det förflutna skulle dyka upp. Jaha, men vad bevisar det här egentligen?" frågade Carl skeptiskt.

"Att den svenska flottan frikände honom från alla såna här idiotiska misstankar redan 1945, att han själv ville ha det kvar för eftervärlden", konstaterade Samuel Ulfsson samtidigt som han serverade mer champagne och ropade in Beata och gav henne ett glas också.

Beata hade varit ute på ärende och just kommit in och det tog en stund innan hon hälsat på alla och gratulerat Carl.

"Men om du inte tror på ett frikännande från svenska militära myndigheter", fortsatte Samuel Ulfsson, "så hur skulle det vara med ett frikännande från dåtidens tyska myndigheter?"

"Fullkomligt strålande", skrattade Carl, "men det menar ni väl inte?"

"Jo det kan du ge dej fan på!" sa Samuel Ulfsson och tog fram några dokument han hållit bakom ryggen.

Det tog tre minuter att läsa, sen konstaterade Carl självfallet att saken var klar och sen slog det honom vad det innebar.

"Vår hedervärde mördare sköt alltså fel man", konstaterade han.

De andra nickade tankfullt. Det var ju något de redan hunnit vänja sig vid att veta.

Carl frågade hur allt det här hade kommit fram och Samuel Ulfsson tog snabbt ordet från Åke Stålhandske som var på väg att framställa det hela alltför mycket som slumpens skördar.

Samuel Ulfsson var naturligtvis på ett strålande humör, för hans vidkommande hade ju Operation Truthfinding verkligen lett till målet. Det var ett fantastiskt arbete som Joar och Åke hade åstadkommit. Ja, och operationens slutfas hade ju inte heller varit dålig.

Carl visste inte om han skulle be om ursäkt för att han aldrig trott på det där med den oskyldige von Otter. Men han bestämde sig för att han som nybliven far inte behövde stå till svars för någonting, åtminstone inte just nu.

Beata fick hämta mer champagne, meddelade Samuel Ulfsson, men Joar förekom henne och sa att hon skulle sitta ned medan han ordnade saken.

"Jag förstod nog piken fast den var fin", sa Samuel Ulfsson. "Dessa moderna unga officerare, jag antar att du ska vara pappaledig också, Carl?"

"Ja, jag hade tänkt det", sa Carl glatt och framkallade en dov stämning av förvåning i rummet.

* * *

Rune Jansson skalade lök tillsammans med sin fru och han var på bättre humör än hon hade sett honom på mycket länge. De skulle göra spaghetti och köttfärssås eftersom han kommit hem så tidigt och de för att fira det bestämt att deras dotter fick välja middag.

"Hur är det, har du äntligen kommit på det?" frågade hans fru uppmuntrande när hon stjälpte ner den hackade löken i en stekpanna.

"Ja, jag tror faktiskt det", sa Rune Jansson och började småvissla lite för sig själv när han vecklade upp ett köttfärspaket, "jag tror det. Och det var en sak som naturligtvis verkade lika obetydlig som löjlig, som man läser en gång och så bara glömmer. Men du vet att jag berättade om den där tokiga kärringen?"

"Hon som inte gillade norrmän?"

"Ja just. Det verkade ju så oväsentligt och dom bokstäverna hon trodde sig komma ihåg skulle ju antyda att bilen kom långt upp av bara helvete i Nordnorge. Men jag tror hon har rätt och nu är vi på gång."

"En norsk mördare alltså?"

"Ja eller två, antagligen två om det är som jag och Kapten Bölja tror."

"Och vad är det ni tror, vill du hålla durkslaget här? Vad är det ni tror?"

"Vi tänkte fel, vi höll på och trasslade med gamla mord i Göteborg under kriget och vad det var. Men våra mördare var nog bara barn vid den tidpunkten."

"Barn?"

"Ja. Frågan är följande. Varför hatar du en man som var trettiofem år när du själv var barn? Vad får dej att mörda honom så många år efteråt?"

"Han har skadat din familj på något sätt."

Rune Jansson skrattade lyckligt och skar sig i fingret när han skulle hacka köttfärsen men brydde sig inte om det utan vinkade bara avvärjande.

"Ja jösses", sa han "varför tog vi inte in dej i utredningsarbetet mesamma. Två stora starka karlar har fått fundera sig blåa över nånting som du bara kläcker ur dej som om det vore uppenbart."

"Är det inte det då?"

"Jo. Det är väl det. Det är pappas mördare det gällde. Du vet dom där två norska motståndsmännen som von Otter och af Klintén och dom där lämnade ut. Deras söner till exempel."

"Och hur får ni tag på dom?"

"Med hjälp av lite piss bland annat. Var är Lillan?"

"I vardagsrummet skulle jag tro, hurdå med hjälp av piss?"

"Lillan! Spaghetti på gång hoho!" ropade han och när hon kom utspringande tog han upp henne i famnen och kysste henne på båda kinderna. Sen vände han sig på nytt mot sin fru.

"En av dom har gallstensbesvär och tar medicin av ett visst märke. Det är recept på det, så vi låter norska polisen ta fram alla som heter Pettersen och Skauen och använder viss medicin och så koncentrerar vi oss på Nordnorge. Det ska nog gå vägen, nu äter vi!"

När de satte sig under glatt stim och stoj kom Rune Jansson på att någonting borde firas, även om han kanske var överoptimistisk, men man kunde ju i vart fall fira att pappa skulle vara hemma lite oftare på kvällarna nu.

Han hämtade en flaska italienskt rödvin med skruvkork.

EPILOG

Det ringde på sin höjd två eller tre gånger per dag på Carl Gustaf Gilbert Hamiltons telefon. I regel förutsatte han då att det var något obehagligt *eller* Eva-Britt och han kunde aldrig bestämma sig för hur han skulle svara.

Två timmar innan han skulle promenera upp till Sophiahemmet och hämta hem dem båda ringde Tessie och ville absolut träffas eftersom det gällde något mycket viktigt.

Det fyllde honom med skräck, men han lovade att komma.

Omedelbart därefter ringde det på nytt och i hopp om att hon ändrat sig, för just idag ville han inte träffa henne, slet han snabbt upp telefonen.

Den här gången var det Norges ambassadör, som i högstämda ordalag förklarade att han, på direkt uppdrag från Olav av Norge, nu kunde meddela att Hans Majestät beslutat förära greve Hamilton kommendörsgraden av Sankt Olavsorden. Beslutet hade tagits av ordens stormästare, Hans Majestät personligen.

Carl stammade för första gången i livet när han nu närmast försökte tacka nej med hänvisning till att det som saken gällde, alltså förmodligen gällde, ja det arbete eller den verksamhet som Hans Majestät kanske hade i tankarna, i huvudsak hade uträttats eller så att säga genomförts av två helt andra personer, två kaptener på OP 5.

Ambassadören förklarade, något kränkt som det lät, att man knappast tackade nej till en belöning från Norges kung. Samt undrade han vad de två kaptenerna hette. Carl förklarade att det dessvärre var hemligstämplade uppgifter, hänvisade till kommendör Samuel Ulfsson och rodnade av skam när han la på telefonluren.

Medan Joar och Åke gjort strålande insatser hade han själv sysslat med fusk, lögn och bedrägeri. I stort sett ingenting annat.

Det ringde ännu en gång inom bara någon minut från föregående samtal. Den här gången var det en av hans bolagsfixare som tydligen ansåg det tillräckligt viktigt att ringa till jobbet fastän Carl sagt att det i så fall måste gälla någonting som inte kunde anstå till kvällen, vilket det mesta självfallet kunde i fastighetsbranschen.

"Jo alltså, det blev en relativ förlust på åtta millar", började den unge börsklipparen, fastighetsskojaren med mera. "Men det tror jag vi kan bära."

"Förstår inte vad du talar om", fräste Carl. "Vadå åtta miljoner i förlust?"

"Jo jag sa *relativ* förlust, alltså i förhållande till våra förväntningar."

Den obehaglige typen fnissade i telefonen och Carls irritation steg.

"Vilka förväntningar?" morrade han.

"Jo alltså 90 millar. Det blev bara 82 millar för din del, efter skatt och avdrag för omkostnader och courtage och allt det där. Jag har satt in dom på ditt privatkonto tills vidare."

"Vad talar du om, vilka 82 miljoner?"

"Din vinst på den där affären med alla skulderna, blattens skulder du vet. Du kan väl säga tack åtminstone, Urban och jag tog bara ut tio millar var för egen räkning."

"Tack", sa Carl matt och slängde på luren.

Han kunde inte bestämma sig för vad som var det mest skamliga. Sankt Olavsorden eller 82 miljoner i ren spekulationsvinst. Förmodligen var det Sankt Olavsorden.

ETT SÄRSKILT TACK TILL:

kommendör 1. graden Ulf Samuelsson, fd C OP 5
kommandør I Kåre Julian Granmar, Forsvarets Overkommando/
Sikkerhetsstaben
överste 1. graden Bo Hugemark, Militärhistoriska avdel-
ningen/MHS
överstelöjtnant Stellan Bojerud, Militärhistoriska avdel-
ningen/MHS
överstelöjtnant Birger Elmér
kriminalkommissarie Leif Netterlid, Polisen i Norrköping
Statens Kriminaltekniska Laboratorium, särskilt Stellan Ståling
Utrikesdepartementet i Oslo, särskilt Sigrid Romundset
stortingsrepresentant Georg Apenes, Oslo
chefredaktör Sigurd Allern, Oslo
politiinspektør Iver Frigaard, Overvåkingssentralen, Oslo
journalist Egil Ulateig, Oslo/lesja
samt ett antal personer i hemlig tjänst till vilka jag får rikta mitt
tack på ett mer diskret sätt.

Den hjälp jag har fått har varit betydande men omfattar, med un-
dantag för överstelöjtnant Stellan Bojeruds utkast till vissa intriger,
enbart faktiska och tekniska förhållanden. Misstag härvidlag är
mina egna, liksom inslag av ren fiktion och reaktionär eller väns-
tervriden ideologi.

JG